1621

burgschmidt/götz

**kontrastive linguistik
deutsch/englisch**

ernst burgschmidt
dieter götz

kontrastive linguistik deutsch/englisch

theorie und anwendung

max hueber verlag

ISBN 3–19–00.2169–4
1. Auflage 1974
© 1974 Max Hueber Verlag München
Satz und Druck: Akademische Buchdruckerei F. Straub, München
Printed in Germany

Inhaltsverzeichnis

Vorwort

Der Fachinhalt "Kontrastive Linguistik" stellt Lehrende und Studierende vor ein beträchtliches methodisches Problem. Die Literatur zu diesem Gebiet ist kaum überschaubar und zum Teil, wie etwa die Berichte über das *Projekt für Angewandte Kontrastive Sprachwissenschaft (PAKS)* und über das *Yugoslav Serbo-Croatian – English Contrastive Project (YSCECP)* nur schwer zugänglich. Im Gegensatz zu anderen relativ jungen Disziplinen wie der Soziolinguistik und Psycholinguistik fehlt es noch weitgehend an Sammelbänden und Forschungsübersichten, so daß eine rasche, vorläufige Orientierung über den Stand der Kontrastiven Linguistik kaum möglich ist.

In der vorliegenden Veröffentlichung ist daher der Versuch unternommen worden, dem Interessierten (der bereits über linguistische Kenntnisse verfügt) den Einstieg in die Kontrastive Linguistik zu erleichtern. Dies geschieht einmal durch eine Einführung in die allgemeine Problematik, zum andern durch kürzere Forschungsberichte und Diskussionen zu einzelnen Punkten.

Ohne Zweifel wird die vorgenommene Auswahl manchen Fachwissenschaftler nicht befriedigen, doch stehen Kürze und (erwünschte) Verständlichkeit der Darstellung immer in Konflikt mit der Vollständigkeit. Darüber hinaus erscheint es uns von besonderer Wichtigkeit, auf die Belange der Studierenden zu achten, von denen die meisten später in Fremdsprachenberufen tätig sein werden: sie benötigen dringend Kenntnisse in der Kontrastiven Linguistik, und ihnen ist mit einem auf Totalität abzielenden *opus magnum* wenig gedient.

Der erste Teil des Buches (Kap. 1–5) geht auf Fragen der Theorie des Sprachvergleichs, der Psycholinguistik, der allgemeinen Linguistik und des Fremdsprachenunterrichts ein. Zwar ist es möglich und auch sinnvoll, Sprachvergleich ohne Ausrichtung auf die Anwendung im Fremdsprachenunterricht zu betreiben; die Erfahrungen bei Übungen zur Kontrastiven Linguistik haben uns aber gezeigt, daß ein fehlender Bezug zur "Praxis" und zu allgemeinen Fragen des Spracherwerbs das Wissen über Kontrastive Linguistik zu einem toten Wissen werden läßt. Dies sollte bei einer Disziplin, die nach Anwendung geradezu drängt, vermieden werden.

Der zweite Teil des Buches (Kap. 6–8), der sich konkret mit Vergleichen befaßt, erscheint im Verhältnis zum ersten Teil etwas zu gering gewichtet. Das bedarf einer kurzen Begründung. Zum einen konnte natürlich nicht "die deutsche Sprache" mit "der englischen Sprache" verglichen werden, und eine geraffte Darstellung vieler Einzelvergleiche hätte kaum mehr als eine Sammlung von

Platitüden ergeben. Zum andern ist bereits – siehe die Literaturhinweise – eine Fülle von Detailuntersuchungen vorhanden. Wir haben uns daher bei den konkreten Vergleichen auf einige wenige illustrierende und relativ einfache Darstellungen beschränkt, in der Hoffnung, daß der Leser weitere Darstellungen selbst wird vornehmen können.

Die bibliographischen Angaben finden sich, nach Sachgebieten geordnet, jeweils am Schluß der Kapitel.

Erlangen / Augsburg, September 1973   E. B.   D. G.

Verwendete Zeichen und Abkürzungen

A	Adverb(iale)
AE	Amerikanisches Englisch
AKL	Angewandte Kontrastive Linguistik
ALD	*Advanced Learner's Dictionary*
COD	*Concise Oxford Dictionary*
D	Deutsch
DIN	Deutsche Industrie-Norm(en)
dM	distinktives Merkmal
E	Ergänzung; Englisch
E-Mod	Modifikaiton der Ergänzung (s. 2.3.2.)
G	Gegenwart
Ill	illocutionary act, Sprechakt
iO	indirektes Objekt
KE	Kontexteinheit
K	Kompetenz; Konjunktiv
K_o	Idealkompetenz eines Mehrsprachigen, bestehend aus $K_{1,2\ldots n}$
KL	Kontrastive Linguistik
KL1	KL paradigmatisch gegliederter Klassen (s. 3.1.4.)
KL2	KL der syntagmatischen Reihung von Klassen-Elementen (s. 3.1.4.)
KM	Kontextmerkmal
L	language, Sprache
m	Merkmal
M	Muttersprache
MA	Mittelalter
Mod	Gesamtmodifikation (s. 2.3.2.)
ndM	nicht-distinktives Merkmal
NP	Nominalphrase
O	Objekt
Ob	obligatorisch
OED	*Oxford English Dictionary*
Op	optional
OS	Oberflächenstruktur
PAKS	Projekt für Angewandte Kontrastive Sprachwissenschaft
P-Kern	Propositionskern
Prop	Proposition

S	Satz; Subjekt
SOED	*Shorter Oxford English Dictionary*
S–R	Stimulus – response, Reiz – Reaktion
SZ	sprachliches Zeichen
T	Tempus
TG	transformationelle Grammatik
TS	Tiefenstruktur
TSE	Tiefenstruktur-Einheit (s. 2.3.1.)
V	Vergangenheit; Verb
VP	Verbalphrase
Wv	Wurzelveränderung
Z	Zukunft; Zielsprache

$\neq$	ungleich
$\approx$	entspricht in etwa
$\equiv$	identisch mit
$=$	entspricht; bei Stockwell/Bowen/Martin (vgl. S. 126) nur *structural correspondence*
$\equiv$	bei Stockwell/Bowen/Martin (vgl. S. 126) *functional/semantic correspondence*
$\Rightarrow$	transformiert zu
$\rightarrow$	wird zu
/	verglichen mit (z. B. D/E)
$\emptyset$	nicht vorhanden; Null-Morphem

1. Einführung

1.1. Anwendungsbereiche für Kontrastive Linguistik

1.1.1. Die Kontrastive Linguistik ist in ihrer heute charakteristischen Ausprägung seit etwa 1960 stärker hervorgetreten. Gleiches gilt für diejenigen Wissenschaften, die mit dem etwas unscharfen Begriff "Angewandte Linguistik" bezeichnet werden. Diese Aktualität steht im Zusammenhang mit dem Interesse für das Erlernen von Fremdsprachen, und damit der Ausbildung von Sprachlehrern sowie der Planung und Strukturierung von Sprachkursen. Der Hauptanstoß für "Kontrastive Linguistik" (KL) erfolgte auch nicht zufällig im Bereich der strukturellen Sprachforschungen von C. C. Fries[1] u. a., die wesentlich zur Fundierung der audio-lingualen Sprachlehrmethode mit ihren *pattern*-Übungen beitrugen. Lado, ein Schüler von Fries, hat dann mit seinem Buch *Linguistics Across Cultures*[2] weitere wesentliche Anregungen gegeben. Die 1948 gegründete Zeitschrift *Language Learning* sowie das Projekt der *Contrastive Structure Series (CSS)*[3] trugen zur Verbreitung dieser Art von KL bei. In Europa wurden diese Gedanken erst Mitte der sechziger Jahre wirksam (PAKS, YSCECP u. a.).[4]

Wenn auch neuerdings andere linguistische Modelle (transformationell-generative Modelle, Dependenzgrammatik, kybernetischer Strukturalismus) für kontrastive Sprachbetrachtung herangezogen werden, so bleibt doch weitgehend eine stillschweigende Gleichsetzung oder zumindest ein Einschluß von KL und "angewandter Linguistik". Nur so ist eigentlich zu verstehen, daß manche Ergebnisse der theoretischen kontrastiven Sprachwissenschaft ohne zusätzliche empirische Fundierung an den Sprachunterricht herangetragen wurden, wie etwa die Interferenzvorhersagen in der Fehlerkunde. Zudem wurde oft nicht klar zwischen Sprachwissenschaft mit dem Ziel der Beschreibung von Sprachsystemen einerseits und der Anwendung daraus resultierender Erkenntnisse (mit

---

[1] Fries (1952), Fries (1947), Lado/Fries (1957).

[2] Lado (1957), Lado (1949).

[3] *Contrastive Structure Series*, vom *Center for Applied Linguistics* initiiert und herausgegeben; geplant waren Bände zur vergleichenden Sprachbetrachtung, jeweils Grammatik und Phonologie, von Englisch mit Deutsch, Spanisch, Italienisch (veröffentlicht), mit Russisch und Französisch (Bände nicht veröffentlicht).

[4] PAKS = Projekt für Angewandte Kontrastive Sprachwissenschaft; YSCECP = The Yugoslav Serbo-Croatian – English Contrastive Project.

eventuellen Rückwirkungen) andererseits unterschieden. Linguistik wurde als Entscheidungsinstrument für psychologische und pädagogische Bereiche eingeführt – diese Aufgabe kann die Linguistik aber nur zum Teil leisten.

1.1.2. Sieht man KL zuerst einmal als "linguistische" Disziplin, so ist sie zu vergleichen mit anderen heute oder früher betriebenen verwandten Bereichen von Sprachwissenschaft. Sprachvergleich stand im Zentrum der historischen Sprachwissenschaft, die ohne komparatistische Studien im Bereich der Indogermania nicht zu solch genauen Beschreibungen älterer Sprachstufen (z. B. Gotisch, Altenglisch) oder zu Rekonstruktionen von nicht oder kaum überlieferten Sprachstufen bzw. zur Aufstellung von Lautveränderungs- und Formengesetzen sowie Etymologien hätte kommen können. Auch die Sprachtypologie, die nicht unbedingt genetisch miteinander verwandte Sprachen in ihren Gesamtsystemen untersucht, arbeitet "kontrastiv", wobei sie sich meist auf einige wenige hervorstechende Ähnlichkeiten oder Unterschiede beschränkt.

KL scheint, in der gängigen Praxis, mehr auf die Unterschiede zwischen Sprachen, weniger auf die Ähnlichkeiten abzuzielen, während in der "komparatistischen" Linguistik nur generell auf den Vergleich ohne speziell erwartete hervorstechende Ähnlichkeiten oder Unterschiede abgezielt wird. Gelegentlich wird "kontrastive" Linguistik als Teilbereich der "konfrontativen" Linguistik gesehen; letztere ist ähnlich der komparatistischen Linguistik als Zusammenfassung von Ähnlichkeiten (die beim "kontrastiven" Nachdruck auf Unterschiede oft vergessen oder vernachlässigt werden) u n d Unterschieden konzipiert.[5]

KL wird meist zwischen zwei oder mehreren "Sprachen" betrieben. Doch auch die Subsysteme e i n e r Sprache wie "Deutsch", "Englisch" u. a., also regionale Dialekte, Register usw., können verglichen werden. Nur die Dialektgeographie (regionale D.) hat hier Tradition. In der Geschichte der sprachvergleichenden Wissenschaften wurde der Kontrast meist vom Linguisten hergestellt – für die historischen Disziplinen gibt es auch keine andere Möglichkeit. Vielfach ist auch der Linguist kein aktiver Sprecher der von ihm komparatistisch oder sprachtypologisch verglichenen Sprachen. Somit war ein Bezug zur Praxis, zu mehrsprachigen Sprechern und zu Lernenden selten. Die KL widmet sich nun vornehmlich diesem Ziel und richtet ihr Augenmerk auch auf den mehrsprachigen Sprecher.

1.1.3. Jeder Mensch ist fähig, zu seiner Muttersprache weitere Sprachen hinzuzulernen. Einmal kann er i n n e r h a l b des Bereiches seiner Muttersprache zu seinem sozio-regional bedingten Subsystem ein oder mehrere Subsysteme, z. B.

---

[5] Zabrocki: in Moser (1970).

Hochsprache/Standard hinzuerwerben.[6] Andererseits kann es sich aber auch um "Fremdsprachen" handeln, d. h. um je ein Subsystem, meist den Standard, der Fremdsprachen. Der mehrsprachige Sprecher reflektiert im Gegensatz zum Linguisten im allgemeinen nicht über Erreichung oder Zustand dieser Mehrsprachigkeit, höchstens gelegentlich über die dabei auftretenden Schwierigkeiten und Grenzen, wenn die Mehrsprachigkeit mühsam erworben werden muß.

Ein System liegt nun nicht nur einer Sprache als solcher zugrunde; jeder Sprecher erzeugt seine Äußerungen in einer solchen Sprache aufgrund eines Individualsystems, das natürlich viele Ähnlichkeiten zu dem anderer Individualsprecher der "gleichen" Sprache (oder eines ihrer Subsysteme) aufweist, aber auch meist einige Sonderausprägungen (qualitativer und quantitativer Art) enthält. Für mehrsprachige Sprecher gilt nun verstärkt diese Sonderstellung der Idiolekte. Die verschiedenen Systeme können in einem solchen mehrsprachigen Sprecher getrennt oder in teilweiser Beeinflussung und Mischung vorhanden sein, es kann auch unter Umständen nur e i n System, aufgrund vollkommener Mischung, vorliegen.[7] Kontrastive Linguistik könnte nun vom Sprecher selbst im Rahmen seiner Mehrsprachigkeit praktiziert werden. Dies ist – bewußt oder unbewußt – beim Schüler oder beim Übersetzer der Fall, doch stehen hier weniger System-Vergleiche als vielmehr Vergleiche von Äußerungen auf der Basis der nicht kognitiv reflektierten Systeme im Vordergrund. Oft findet ein bewußter Systemvergleich nicht statt; manche Sprachlehrmethoden versuchen gerade, ihn durch einsprachigen Unterricht zu vermeiden.

Für den Linguisten besteht aber nun die Aufgabe, auch solche Gebiete der Mehrsprachigkeit systematisch zu untersuchen. Somit ergibt sich eine Akzentverschiebung gegenüber den in 1.1.2 genannten Bereichen. Diese synchron am "lebenden Objekt" durchzuführenden Studien wurden bisher nur teilweise angegangen. Am meisten wurde – von Linguisten, Psychologen und Anthropologen – auf dem Gebiet des Bilingualismus geforscht; dabei wurden entweder einzelne Kinder[8] oder Gegenden mit mehrsprachiger Bevölkerung (z. B. Schweiz[9], Estland[10], Wales[11], Bengalen[12] usw.[13]) untersucht. Dagegen wurde

---

[6] Registervarianten bleiben hier außer Betracht.
[7] Streng genommen ist jeder Idiolekt (besonders bei Kindern) solch ein Mischsystem aus anderen Idiolekten, das gegebenenfalls später dem Standard (als sozialem Dialekt) angepaßt werden kann.
[8] Vgl. Leopold (1952); vgl. Kap. 4.
[9] Weinreich (1953 u. ö.).
[10] v. Weiss (1959).
[11] Saer/Smith/Hughes (1924).
[12] West (1926).
[13] Vgl. einige weitere Titel im Literaturverzeichnis. Im übrigen vgl. die Bibliographie in Weinreich (1953).

die Schülersprache – idiolektische Sprachsysteme der Verbindung von Muttersprache plus Teil(en) einer oder mehrerer Fremdsprachen – noch kaum erforscht. Auch solche *approximate languages*[14] oder *transitional competences*[15] müssen linguistisch betrachtet werden, wenn die kontrastive Linguistik für den Fremdsprachenunterricht von Bedeutung sein soll.

1.1.4. Eine so konzipierte kontrastive Linguistik ist zuerst auf sprachwissenschaftlicher Ebene zu betreiben; es sind also die Systeme eines oder vieler Mehrsprachiger zu beschreiben. Erst dann sind psychologische, kulturelle, politische und andere Aspekte zu untersuchen. Es mag eingewendet werden, Idiolektforschung könne nicht in das Zentrum einer linguistischen Disziplin rücken. Es ist aber auch Erfahrungstatsache, daß Äußerungen bestimmter Mehrsprachiger (z. B. aller deutschen Schüler, die Englisch lernen, oder aller bairischen Sprecher, die Englisch lernen oder versuchen, die deutsche Hochsprache zu benutzen) gewisse übereinstimmende Merkmale aufweisen. Somit sind auch Systemkonstanten anzunehmen, welche die tentative Annahme von mehrsprachigen Sprechergruppen (mit einer bestimmten Muttersprache und einer bestimmten Fremdsprache) und damit interlingualen überidiolektischen Systemen zulassen. Dies sehen wir als Realität für eine theoretische kontrastive Linguistik[16] Deutsch–Englisch an. Damit entgeht man auch der Gefahr, nur Parallel-Beschreibungen von Sprachen zu geben. Die Ergebnisse aus solchen kontrastiven Untersuchungen können dann im Englischunterricht (Englischer Standard als Zielsprache) für Deutsche – unter Umständen wieder für bestimmte deutsche Sprechergruppen in Subsystemen – Grundlage psychologischer und pädagogisch-didaktischer wie methodischer Entscheidungen sein. Diese "kontrastive Linguistik in Anwendung" ist somit primär ein Fachgebiet für den Lehrer. Vergleiche wurden allerdings auch schon früher bewußt im Übersetzungsunterricht[17] verwendet und werden heute zur Illustrierung von Lernschwierigkeiten eingesetzt.

1.2. KL und Typen von Mehrsprachigkeit

1.2.1. Um unseren Ansatz von KL und die weitgehende Beschränkung auf den synchronen Vergleich zweier Sprachsysteme (abstrakt und realisiert in

---

[14] Nemser (1971), Nemser/Slama-Cazacu (1970).
[15] Corder (1967).
[16] Im folgenden wird unter KL diese theoretisch konzipierte kontrastive Linguistik verstanden.
[17] Vgl. bes. Kap. 5.4.

14

mehrsprachigen Sprechern) deutlich werden zu lassen, folgt nun eine kurze Übersicht über die mögliche Sprechertypik.

Es werden zuerst Beispiele für unbewußte oder für den Betreffenden nicht einsehbar gesteuerte Erlernung einer Sprache gegeben.

(a) Spracherlernung: Erstsprache. Auch wenn man einen starren Behaviorismus ablehnt und die Sprachlernfähigkeit als angeboren sieht,[18] spielen doch Imitation seitens des Kindes und Verstärkung durch die Umwelt eine wesentliche Rolle für die Erlernung der Einzelsprache (deren Spezialmerkmale ja nicht angeboren sind) und damit zum Aufbau eines idiolektischen Systems im Rahmen einer "Einzelsprache". Trotz umfangreicher Forschungen[19] ist wenig bekannt, wie das Kind mit Hilfe von Vergleichen seiner allmählich komplexer werdenden Hypothesen über das Sprachsystem mit den Exemplaren bereits "fertiger", evtl. recht unterschiedlicher Idiolekte zur vollständigen Beherrschung seiner "Muttersprache" gelangt, und inwieweit die Äußerungen auf den verschiedenen Altersstufen Ergebnisse solcher Vergleiche sind. Die Schwierigkeiten bei diesen Untersuchungen liegen einmal darin, daß, im Gegensatz zum Fremdsprachenunterricht, wo eine homogene zielsprachliche Norm geboten wird, die sprachliche Umgebung bei der Erstsprachenerlernung teilweise heterogen und damit kaum kontrollierbar ist, zum anderen darin, daß grundsätzlich auch ohne spezielle Einwirkung der Umgebung viele Stufen innerhalb der Kindersprache durchlaufen werden, die oft schwer interpretierbar sind.[20]

(b) Spracherlernung: eigentliche Mehrsprachigkeit (im Kindesalter).[21] Hier ist besonders an Kinder verschiedensprachiger Elternteile gedacht oder an Kinder, die in eine fremdsprachige Umgebung gelangen. Diese Kinder können bis etwa zum 8. Lebensjahr zwei "Muttersprachen" erlernen, aber auch eine der beiden bei längerer Nichtbenutzung wieder vergessen.[22] Eine Gleichzeitigkeit in der Erlernung ist in diesem Stadium nicht unbedingt erforderlich.

Diese oft schnelle, akzentfreie und die Sprachsysteme nicht vermischende Erlernung ist bei höherem Alter nicht mehr möglich. Ältere Emigranten können Interferenzen (Einfluß der Muttersprache auf alle Systembereiche der Fremdsprache) kaum überwinden.[23] Sie vergleichen oft bewußt oder übersetzen, was bei Kindern kaum vorkommt. Auch bei Kindern dominiert meist eine Sprache –

---

[18] Vgl. Kap. 4.
[19] Vgl. Kap. 4: Literatur zur Kindersprache.
[20] D. h. das Schließen auf die entsprechenden Tiefenstrukturen.
[21] Vildomec (1963).
[22] Vgl. Vildomec, S. 30.
[23] Vgl. Vildomec und Spezialstudien wie zu Emigrantensprachen (z. B. Yiddish, dazu etwa Green [1962], Rayfield [1970]).

15

je nach Aufenthaltsort und Umgebung, in mehrsprachigen Regionen auch nach kulturellem und ethnischem Status. In diesen mehrsprachigen Gegenden sind dann auch Systemkonstanten des Bilingualismus festzustellen, was bei den Einzelfällen (den erwähnten Untersuchungen bei Kindern) meist nicht der Fall ist. Allerdings sind hier sehr viele nicht-linguistische Faktoren zu berücksichtigen, wie sie etwa von Weinreich[24] ausführlich dargestellt wurden.

Auf diachronische Aspekte bei Entlehnungen und Mischsprachen kann nicht eingegangen werden, doch würde die Geschichte des Englischen gerade hier gute Beispiele bieten.[25] Diese Art von Sprachvergleich wird sprachsystembezogen für bestimmte frühere Sprachstufen vorgenommen (Einfluß des Französischen auf das Mittelenglische usw.). Es finden sich aber auch zunehmend moderne synchrone Untersuchungen, besonders auch soziolinguistischer Ausrichtung.[26]

(c) Spracherlernung: "künstliche" Mehrsprachigkeit.[27]
Wir verstehen hierunter im Gegensatz zur natürlichen Mehrsprachigkeit (b) die Erlernung von Zweitsprachen bei bereits gefestigter Muttersprache in einem Lebensalter, wo die günstige Periode für Spracherlernung (bis 8./10. Lebensjahr) bereits überschritten ist. Eine lebendige sprachliche Umgebung mit Verstärkungscharakter zur Motivationsförderung ist meist nicht vorhanden; der ebenfalls muttersprachliche Lehrer, der nur einen sterilen Standard der Zielsprache "vorführt", ist kein voller Ersatz.

Dies kann nun für Fremdsprachen, aber auch für den muttersprachlichen Standard als "erste Fremdsprache" des Schülers, der einen bestimmten regionalen Dialekt als "Muttersprache" spricht, gelten. Für die lebenden Fremdsprachen sind Methoden entwickelt worden, die Zweitsprachen ohne Zuhilfenahme der Erstsprachen zu lehren und durch "situationellen" Ansatz Natürlichkeit zu gewährleisten, doch werden Schüler und Lehrer nur schwer die Nachteile gegenüber dem natürlichen Erwerb der Mehrsprachigkeit wettmachen können. Interferenz der Muttersprache, bewußtes "stilles" Vergleichen und Übersetzen, Unfähigkeit, den *culture context* der Fremdsprache zu erfassen, sind Kennzeichen dieser Art von Sprachkontakt. Erkenntnisse der natürlichen Mehrsprachigkeit haben den Frühbeginn des Englischunterrichts (vgl. auch FLES-Bewegung[28])

---

[24] Vgl. Weinreich, S. 3/4. Vgl. auch Schönfelder (1952/3 und 1956), v. Weiss, sowie West, Saer/Smith/Hughes, Haugen (1950, 1956), Arsenian (1937), Schuchardt (1884), Smith (1939), Haugen (1966), Hall (1952) u. a.
[25] Vgl. allgemein Lüllwitz (1970), Vildomec, S. 109/121; für frühere Sprachstufen des Englischen und Deutschen Betz (1949), Gneuss (1955) und Angaben bei Eggers (1963).
[26] Vgl. etwa die Forschungen W. Labovs.
[27] Vgl. Vildomec, S. 41 ("artifical bilingualism"); Carroll (1963), S. 1085.
[28] Vgl. Kap. 5 (Doyé, Kloss u. a.).

initiiert, doch ist für dessen theoretische Grundlegung von der Bilingualismus-Forschung noch weitere Arbeit zu leisten. [29]

Demgegenüber stehen bewußt vergleichende Lehrmethoden, die schon zu dem in 1.2.2 zu besprechenden bewußten Sprachvergleich zu stellen sind. Der Vergleich ist hier aber nicht Ziel und Selbstzweck, sondern methodisches Mittel. Der gefestigte Zustand der Muttersprache wird einkalkuliert, die Fremdsprache wird auf ihr als Fundament, mit ihr als Lern- und Metasprache und in Differenzierung zu ihr erlernt. [30] "Stille" wie bewußt angeregte Vergleiche können Regeln (Systemeinheiten) und Äußerungen (Performanzeinheiten) in den zwei beteiligten Sprachen betreffen.

1.2.2. Im folgenden ist von Personenkreisen die Rede, die in ihrer Mehrsprachigkeit bewußt vergleichen.

(a) Gerichteter Vergleich.

Einen gerichteten Vergleich betreiben manche Sprachlernende, Lehrer und Übersetzer. Es gilt heute als sicher, daß bewußtes Vergleichen im Sprachlernprozeß zwar zu (kontrastivem) Wissen, aber nicht notwendig zur fließenden Sprachbeherrschung, d. h. zur Hör- und Sprechfertigkeit führt. Doch kann bewußter und gerichteter Vergleich manche Lücken in der interferenzgefährdeten Adaption und Selbstevaluierung schließen.

Der Fremdsprachenlehrer, sofern er die gleiche Muttersprache spricht wie seine Schüler, ist immer gleichzeitig ein (wenn auch fortgeschrittener) Lernender der zu unterrichtenden Fremdsprache. [31] Für den Unterricht benötigt er aber implizit kontrastive Linguistik, um die Unterschiede der Muttersprache und Fremdsprache sorgfältig im Unterricht darzubieten (kognitiv oder nicht-kognitiv). Da Sprachvergleich kein schulischer Selbstzweck sein darf, bezieht er sich besonders auf Gradation und quantitative Darbietung der Sprachunterschiede und erkannten Lernschwierigkeiten – als Ersatz für fehlende Verstärkung durch "fremdsprachliche Umwelt". Fehlervorhersage und präventives Unterrichten, die freilich nicht nur auf linguistischen Aspekten des Sprachvergleichs beruhen dürfen, sind für ein- und zweisprachigen Unterricht gleichermaßen wichtig. Trotzdem wird der Lehrer im günstigen Falle erst durch "unbewußte" Spracherlernung im Sinne von 1.2.1 (b/c) eine *near-nativeness* in der zu lehrenden Fremdsprache zu erreichen suchen, bevor er sich sein eigenes mehrsprachiges

---

[29] Vgl. die Forschungen Lamberts (vgl. Kap. 4) und Osgoods.

[30] Vgl. Glinz (²1965), Sommer (1959); bisher meist dem Lehrer überlassen.

[31] Dies war (und ist) nicht immer so; früher etwa Hofmeister, Gouvernanten. Heute sind z. B. Lektoren in der Universitätsausbildung unbedingt nötig.

System und das seiner Schüler, das über viele Stufen (*transitional competences*) verläuft, kognitiv erarbeitet.

Der Übersetzer und Dolmetscher ist am stärksten auf solchen Vergleich ange-wiesen. Seine Berufsaufgabe ist jedoch erst der dritte Schritt nach Erwerb der Fertigkeiten in einer oder mehreren Fremdsprachen (1) und erlernter Ver-gleichs- oder Übertragungsfähigkeit von Äußerungen in den betreffenden Sprachen (2).[32] Diese letztere ist eine spezielle Fertigkeit: Bilinguale sind nicht unbedingt gute Übersetzer. Im Gegensatz zum Lehrer oder auch zum Lin-guisten (s. u. (b)) muß die Vergleichs- und Übertragungsfähigkeit aber – be-sonders beim Dolmetscher – automatisiert sein.

(b) Nicht-gerichteter Vergleich.

Hier ist der Linguist zu nennen. Nach Möglichkeit sollten auch die in 1.2.2 (a) besprochenen Gruppen einen solchen nicht-gerichteten Vergleich durchführen können. Nicht-gerichteter Vergleich impliziert, "von außen her" an zwei Sprachen (ihre Systeme und Äußerungen in ihnen) heranzugehen und zu ver-gleichen, auch wenn eine der beiden Sprachen (zufällig) die Muttersprache des Vergleichenden ist:

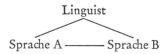

Erst auf diese Weise kann der Linguist alle bisher genannten Fälle von Mehr-sprachigkeit und Sprachkontrast beschreiben.

Nun spricht der Linguist aber in jedem Falle (also gleichgültig, ob eine der Vergleichssprachen seine Muttersprache ist) eine Muttersprache, die einen unbeeinflußten Vergleich oft sehr erschwert. Weiterhin muß der Vergleich (vgl. Kap. 3) auch in einer bestimmten Sprache beschrieben werden. Eine solche Metasprache, sei es eine der zu vergleichenden Sprachen, eine dritte oder eine Formelsprache, ist ebenfalls eine Interferenzquelle für "reine" Vergleiche. Gerade für den Linguisten besteht die Gefahr, daß die grammatischen Meta-sprachen Systemzüge bestimmter Einzelsprachen zeigen, so Latein (und Grie-chisch) bei der traditionellen, Englisch in einem gewissen Maße bei der trans-formationell-generativen Grammatik.[33]

Weiterhin ist zu beachten, daß der Linguist oft Sprachen vergleicht, die er selbst nicht erlernt hat und für die er sich auf Systembeschreibungen verlassen

[32] Für den Unterschied der Leistung der Übersetzungswissenschaft zu anderen Aus-prägungen von "kontrastiver Linguistik" (historische L., Arreallinguistik, Sprach-typologie), vgl. Jäger (1968).

[33] Vgl. Bach (1967).

muß. Dies trifft besonders für die historische Sprachwissenschaft, Dialekt-geographie und Sprachtypologie zu. Bei der semantischen Beschreibung ist mit einer ungenügenden Kenntnis kultureller und anthropologischer Faktoren zu rechnen (Korpusbeschränkungen und Fehlen von Informanten). Dies gilt auch für "Sprachen", für die dem Linguisten Introspektion nicht oder nicht mehr zur Verfügung steht, etwa für die Kindersprache oder Schülersprache. Hier sind dann Korpusansatz und *elicitation experiments* nötig, auf denen der Linguist Hypothesen zur Mehrsprachigkeit aufbauen kann. Schließlich kann das freigewählte Vergleichen des Linguisten den Hang zu Paralleldeskriptionen verstärken, der heute auch bei der KL anzutreffen ist.

Im erforderlichen Bewußtsein dieser möglichen Beeinträchtigungen des Ver-gleichs in der "Draufsicht" kann der Linguist neben Fällen von Mehrsprachig-keit, für die es eine Sprecherrealität – wenn auch oft idiolektischer Art (vgl. 1.2.1) – gibt oder die er überblicken kann, wie etwa die diachronisch-phylo-genetische Seite der Kindersprachen,[34] auch völlig auseinanderliegende Sprachen synchron wie diachron vergleichen (vgl. 1.1.2).

1.3. KL und Fremdsprachenunterricht

Wir sind der Ansicht, daß der Studierende von Sprachen und der Fremd-sprachenlehrer (nicht aber unbedingt der Schüler) Grundkenntnisse in kon-trastiver Linguistik als sprachwissenschaftlicher Disziplin benötigen. Erst diese können – verbunden mit psychologischen und pädagogischen Erkenntnissen – im Fremdsprachenunterricht als Basis für die Vermittlung von Fertigkeiten dienen. Kontrastive Linguistik als solche ist daher nicht "angewandt". Sie ist unabhängig von der gewählten Lehrmethode (ein-/zweisprachig[35]), vom Alter der zu Unterrichtenden und vom Zweck der fremdsprachlichen Ausbildung.

In den folgenden Kapiteln steht daher zuerst die Struktur einer theoretischen und einer anwendbaren KL (Kap. 2/3), sodann die Verbindung einer solchen KL mit psychologischen (Kap. 4) und pädagogischen Aspekten (Kap. 5) zur Diskussion. Dabei werden Sprachpsychologie und Sprachdidaktik vom Blick-punkt ihres Bezugs zur KL gesehen. Dies bedeutet, daß hier keine Einführung in diese Gebiete gegeben wird.

Da jedoch KL wie jede Sprachtheorie eine Hypothese darstellt und sie sich weiterhin wohl weitgehend am Beschreibungsapparat von "einsprachigen"

---

[34] Hier ist ja nie Mehrsprachigkeit der Stufen vorhanden (vgl. aber 1.2.1 [a]).
[35] Bei einsprachigem Unterricht ist ihre Relevanz für den Lehrer noch größer als beim zweisprachigen Unterricht (vgl. Kap. 5).

Sprachmodellen zu orientieren hat, andererseits jede Sprachtheorie sich der Überprüfung und Evaluierung am "lebenden Objekt" unterziehen muß, werden Erkenntnisse, gewonnen an Bilingualen, im Fremdsprachenunterricht, bei der Untersuchung von Sprachbarrieren usw. auch zur Verbesserung der Modelle von Kontrastiver Linguistik und zur besseren Unterscheidung von theoretischer und angewandter KL führen.[36]
Für dieses Buch werden somit die Bereiche ausgewählt, die in Kap. 1.2.1 (c) und 1.2.2 (a, besonders Student und Lehrer) und 1.2.2 (b), soweit sich der Linguist mit der Beschreibung der für den Schüler und Lehrer relevanten Sprachen und der dabei auftretenden Mehrsprachigkeit befaßt, aufgeführt wurden.

1.4. Erläuterungen und Literaturhinweise

Für den Bereich der KL, wie er hier konzipiert ist (also unter Ausschluß der historisch-vergleichenden Linguistik und der Dialektgeographie), gibt es eine kaum mehr übersehbare Fülle an Literatur, meist in Aufsatzform.
Außer den Standardbibliographien (besonders *Bibliographie Linguistique*) sind einige Spezialbibliographien zur KL veröffentlicht worden, die aber schon überholt sind, so Gage (1962), Hammer/Rice (1965), Thiem (1969), auch Moulton (1963), Gottwald (1970), Trotnow (1970) u. a. Dazu kommen Bibliographien in verschiedenen Büchern zum Themenbereich, so besonders Weinreich (1953), Haugen (1956), Nida (1964), Leopold (1952) usw. Durch die Bibliographien zur angewandten Sprachwissenschaft und Sprachdidaktik erreicht man ebenfalls viele Titel, so durch Kreter (1965), die *Language Teaching Bibliography* (1968, ²1971), Nostrand/Foster/Christensen (²1965), J. O. Robinson (1969), die *Bibliographie Moderner Fremdsprachenunterricht* (ab 1970), die *ACTFL*-Bibliographie, Bausch/Klegraf/Wilss (1970), Kohl/Schröder (III/1,2, 1972/3) u. a. Für Forschungsprojekte in Deutschland vgl. auch die Veröffentlichungen durch *GAL/IFS* (Forschungsregister: Angewandte Sprachwissenschaft 1970 ff.). Nur einige wenige Bücher widmen sich speziell der KL, so Lado (1957), Wandruszka (1969, 1971), di Pietro (1971). Halliday/McIntosh/Strevens (1964) gehen zum Teil auf KL (gerichtete KL und Übersetzung) ein. Umfangreicher ist die Literatur zum Bilingualismus (Weinreich, Haugen, Vildomec [1963] mit Literaturangaben). Auch zur Übersetzungswissenschaft liegen mit den Werken von Nida (1964) und Nida/Taber (1969) grundlegende Werke mit reichhaltigen Literaturangaben vor.

---

[36] Besonders im Bereich der Fehlervorhersage.

Für KL siehe weiterhin eine Reihe von Sammelbänden (teilweise Konferenzberichte), so z.B. herausgegeben von Alatis (1968), Moser (1970), Nickel (1971), Nickel (1972a/1972b), *Zagreb Conference* (Hgb. Filipović, 1971) u. a. Einige Zeitschriften bringen regelmäßig Beiträge zur KL (so *IRAL, Language Learning*, zur Übersetzung *Babel* u. a.).

In den Vereinigten Staaten wurden schon ab etwa 1955 eine größere Zahl von Dissertationen zur KL (meist Vergleich Englisch – außeridg. Sprachen) geschrieben – oft von ausländischen Studenten in den USA. Im Rahmen der CSS entstanden die veröffentlichten Werke zur KL Englisch/Deutsch (Kufner [1962]/ Moulton [1962]), Englisch/Spanisch (Stockwell/Bowen [1965] / Stockwell/ Bowen/Martin [1965]) und Englisch/Italienisch (Agard/di Pietro [1966/1966]). In Europa entstanden erst in den letzten 10 Jahren in zunehmendem Maße Arbeiten zur KL. In Frankreich begann die Reihe *Bibliothèque de Stylistique Comparée* mit Vinay/Darbelnet (1958) und Malblanc (1966). In Tübingen entstanden unter Wandruzska verschiedene Dissertationen zur KL verschiedener europäischer Sprachen (Liste der Veröffentlichungen und in Planung befindlichen Arbeiten in Wandruszka [1969], S. 530). In Kiel, später Stuttgart wurde unter Nickel das Projekt "Angewandte Kontrastive Sprachwissenschaft" (PAKS) in Angriff genommen. Bisher sechs Arbeitsberichte, einige Dissertationen (König [1971], Drubig, Rohdenburg [erscheinen]) sowie Aufsätze (Nickel [1966], Nickel/Wagner [1968], Wagner [1969] u. a.) zeigen die Arbeit dieser Gruppe. In Mainz (Carstensen) wurden ebenfalls kontrastive Untersuchungen durchgeführt. Für den romanischen Bereich ist das PACEFI-Projekt unter Borel von Bedeutung, seit 1972 läuft am Romanischen Seminar der Univ. Kiel ein Projekt "Grammatiktheoretische Grundlagen des Sprachvergleichs".

Unter Lehnert wurden in Berlin (Humboldt-Univ.) verschiedene Dissertationen zum Sprachvergleich Deutsch–Englisch angefertigt, die zum Teil als Manuskript vorliegen; Liste bei Lehnert (1967). Die erste größere Arbeit zur KL und ihren Bezügen zum Grammatikunterricht (D/E) stammt von Schlecht (1967, 1968). Am Institut für deutsche Sprache in Mannheim laufen ebenfalls Projekte zur KL, jedoch nicht für D/E.

In Zagreb wurde das Projekt YSCECP (The Yugoslav Serbo-Croatian – English Contrastive Project) unter Filipović seit etwa 1967 in Veröffentlichungen vorgestellt – zuerst in der Zeitschrift *Studia Romanica et Anglica*, ab 1969 in zwei Reihen – A. *Reports*, B. *Studies*, die jährlich erscheinen. Eine dritte Reihe (C.) *Pedagogical Material* ist geplant. Auch in Polen (Krzeszowski, Marton, Zabrocki, Grusza, Fisiak u. a.; Zeitschrift *Glottodidactica*; Dissertationen in Posen – vgl. *Zagreb Conference* [1971], S. 89ff.), in Rumänien (Slama-Cazacu, Nemser; vgl. *Zagreb Conference* [1971], S. 226ff.) und Ungarn entstehen kontrastive Studien – jeweils mit Englisch als Vergleichs- und

Zielsprache. In Edinburgh entstanden besonders Arbeiten zur Fehleranalyse (vgl. Kap. 4).

Aus der zahlreichen Aufsatzliteratur, die auch in den folgenden Kapiteln zitiert wird, erwähnen wir bereits hier Coseriu (1970 [c]), James (1971, übs. 1972), Raabe (1972), Krzeszowski (1972), Nemser/Slama-Cazacu (1970), Zabrocki (1970).

ACTFL Annual Bibliography of Books and Articles on Pedagogy in Foreign Languages, in: *MLA* International Bibliography of Books and Articles on the Modern Languages and Literatures, 1969 ff.

Agard, F. B./di Pietro, R. J.: *The Sounds of English and Italian,* Chicago 1966

Agard, F. B./di Pietro, R. J.: *The Grammatical Structures of English and Italian,* Chicago 1966

Arsenian, S.: *Bilingualism and Mental Development. A Study of the Intelligence and the Social Background of Bilingual Children in New York City,* New York 1937

Bach, E.: "*Have* and *be* in English Syntax", in: *Language* 49 (1967), 462–485

Bausch, K.-R.: "Kontrastive Linguistik", in: W. A. Koch (Ed.): *Perspektiven der Linguistik.* Einführung in verschiedene Teildisziplinen, Stuttgart 1973, S. 159–182

Bausch, K.-R./Gauger, H. M.: *Interlinguistica.* Studien zum Sprachvergleich und Übersetzen, Festschrift für M. Wandruszka, Tübingen 1971

Bausch, K.-R./Klegraf, J./Wilss, W.: *The Science of Translation: An Analytical Bibliography* (1962–1969), Tübingen 1970, Volume II 1970–1971 (and Supplement 1962–1969), Tübingen 1972

Betz, W.: *Deutsch und Lateinisch. Die Lehnbildungen der ahd. Benediktinerregel,* Bonn 1949

Bibliographie Moderner Fremdsprachenunterricht, Hgb. IFS/Arbeitskreis zur Förderung und Pflege wiss. Methoden des Lehrens und Lernens, Heidelberg/Marburg 1970 f., München 1972 ff.

Carroll, J. B.: "Research on Teaching Foreign Languages", in: *Handbook of Research on Teaching,* Ed. N. L. Gage, Chicago 1963, 1060–1100

Contrastive Linguistics and its Pedagogical Implications. 19th Annual Round Table, MSLL 21 (1968), Ed. J. E. Alatis, Washington, D. C., Georgetown UP, 1968

Corder, S. P.: "The Significance of Learner's Errors", in: *IRAL* 5 (1967), 161–170

Coseriu, E.: "Über Leistung und Grenzen der kontrastiven Grammatik", in: *Probleme der Kontrastiven Grammatik* (1970), 9–30, [1970(c)]

Delaveney, E. & K.: *Bibliography of Machine Translation,* 's-Gravenhage 1960

Drubig, B.: *Untersuchungen zur Syntax und Semantik der Relativsätze im Englischen,* Heidelberg (erscheint)

Eggers, H.: *Deutsche Sprachgeschichte I. Das Althochdeutsche,* Hamburg 1963 u. ö.

English-Teaching Abstracts, London 1961–1967

Filipović, R. (Ed.): *Active Methods and Modern Aids in the Teaching of Foreign Languages,* London 1972

Fragen der strukturellen Syntax und der kontrastiven Grammatik, Sprache der Gegenwart. Schriften des Instituts für deutsche Sprache 17, Hgb. H. Moser, Düsseldorf 1971

Fries, C. C.: *Teaching and Learning English as a Foreign Language,* Ann Arbor 1947

Fries, C. C.: *The Structure of English,* New York 1952

Gage, W. N.: *Contrastive Studies in Linguistics. A Bibliographical Checklist*, Washington, D. C. 1962

Glinz, H.: *Die Sprachen in der Schule*. Skizze einer vergleichenden Satzlehre für Latein, Deutsch, Französisch und Englisch, Düsseldorf 1961, ²1965

Gottwald, K.: *Auswahlbibliographie zur Kontrastiven Linguistik*, Arbeitspapier Nr. 8, Institut für Sprachwissenschaft, Univ. Köln 1970

Green, E.: *Yiddish and English in Detroit*. A Survey and Analysis of Reciprocal Influences in Bilinguals' Pronunciation, Grammar, and Vocabulary, Ph. D. Diss., Univ. of Michigan 1962

Gneuss, H.: *Lehnbildungen und Lehnbedeutungen im Altenglischen*, Berlin 1955

Hall, jr., R. A.: "Bilingualism and Applied Linguistics", in: *ZPhon* 6 (1952), 13–30

Halliday, M. A. K./McIntosh, A./Strevens, P.: *The Linguistic Sciences and Language Teaching*, London 1964 u. ö.

Hammer, J. H./Rice, F. A.: *A Bibliography of Contrastive Linguistics*, Washington, D. C. 1965

Haugen, E.: "Problems of Bilingualism", in: *Lingua* 2 (1950), 271–290

Haugen, E.: *Bilingualism in the Americas: A Bibliography and Research Guide*, Alabama 1956

Haugen, E.: *Language Conflict and Language Planning. The Case of Modern Norwegian*, Cambridge/Mass. 1966

Jäger, G.: "Übersetzungswissenschaft und vergleichende Sprachwissenschaft", in: *Probleme der strukturellen Grammatik und Semantik*, Hgb. R. Růžička, Leipzig 1968, 209–222

James, C.: "The Exculpation of Contrastive Linguistics", in: *Papers in Contrastive Linguistics*, Hgb. G. Nickel, Cambridge 1971, 53–68 (übs. "Zur Rechtfertigung der kontrastiven Linguistik", in: *Reader zur kontrastiven Linguistik*, Hgb. G. Nickel, Frankfurt/M. 1972, 21–38)

König, E.: *Adjectival Constructions in English and German. A Contrastive Analysis*, Heidelberg 1971

Kohl, N./Schröder, K.: *Bibliographie für das Studium der Anglistik III*. Englische Fachdidaktik 1/2, Frankfurt/M. 1972/3

Kreter, H.: *Schule und Forschung*. Bibliographie zur Didaktik der neueren Sprachen, besonders des Englischunterrichts, Frankfurt/M. 1965

Krzeszowski, T. P.: "Kontrastive Generative Grammatik", in: *Reader zur Kontrastiven Linguistik*, Hgb. G. Nickel, Frankfurt/M. 1972, 75–84

Kufner, H. L.: *Kontrastive Phonologie Deutsch–Englisch*, Stuttgart 1971

Kufner, H. L.: *The Grammatical Structures of English and German*, Chicago 1962

Lado, R.: *Measurement in English as a Foreign Language with Special Reference to Spanish Speaking Adults*, Ph. D. Diss., Univ. of Michigan 1949

Lado, R.: *Linguistics across Cultures*, Ann Arbor 1957, 9th print. 1968

Lado, R./Fries, C. C.: *English Sentence Patterns*, Ann Arbor 1957

Language Teaching Abstracts, Cambridge 1968 ff.

A Language Teaching Bibliography, Comp./ed. by the Centre for Information on Language Teaching and the English-Teaching Information Centre of the British Council, Cambridge 1968, ²1971

Lehnert, M.: "Die Berliner Anglistik und Amerikanistik zwanzig Jahre nach der Wiedereröffnung der Humboldt-Universität: 2. Die Berliner anglistische Sprachwissenschaft", in: *ZAA* 15 (1967), 229–255

Leisi, E.: *Der Wortinhalt. Seine Struktur im Englischen und Deutschen*, Heidelberg ³1967

Leopold, W. F.: *Bibliography of Child Language*, Evanston 1952 (Ergänzung: *Leopold's Bibliography of Child Language Acquisition*, revised and augmented by D. I. Slobin, Bloomington 1972 [Indiana University Studies in the History and Theory of Linguistics])

Lüllwitz, B.: "Versuch zu einer Systematik lingualer Kontaktphänomene", in: *Germanistische Linguistik* 6 (1970), Varia I, 641–695

Malblanc, A.: *Stylistique Comparée du Français et d'Allemand*, Paris 1966

Moulton, W. G.: *The Sounds of English and German*, Chicago 1962

Moulton, W. G.: "Linguistics and Language Teaching in the United States 1940–1960", in: *IRAL* 1 (1963), 21–41

Nemser, W.: Approximate Systems of Foreign Language Learners", in: *IRAL* 9 (1971), 115–123

Nemser, W./Slama-Cazacu, T.: "A Contribution to Contrastive Linguistics (A Psycholinguistic Approach: Contact Analysis)", in: *Revue Roumaine de Linguistique* XV (1970), 101–128

Nickel, G.: "Sprachliche Mißverständnisse. Strukturunterschiede zwischen dem Deutschen und Englischen", in: *Praxis des neusprachlichen Unterrichts* 13 (1966), 131–140

Nickel, G./Wagner, K. H.: "Contrastive Linguistics and Language Teaching", in: *IRAL* 6 (1968), 233–255

Nida, E. A.: *Toward a Science of Translating*, Leiden 1964

Nida, E. A./Taber, Ch. R.: *Theorie und Praxis des Übersetzens unter besonderer Berücksichtigung der Bibelübersetzung*, Leiden 1969

Nostrand, H. L./Foster, D. W./Christensen, C. B.: *Research on Language Teaching*, Washington, D. C. ²1965

Papers and Studies in Contrastive Linguistics, Vol. 1 (Karpacz Conference on Contrastive Linguistics 16–18 Dec 1971), Ed. J. Fisiak, Posnań 1973

Papers from the International Symposium on Applied Contrastive Linguistics (Stuttgart 1971), Hgb. G. Nickel, Heidelberg 1972

Papers in Contrastive Linguistics, Hgb. G. Nickel, Cambridge 1971

di Pietro, R. J.: *Language Structures in Contrast*, Rowley 1971

Probleme der Kontrastiven Grammatik, Sprache der Gegenwart. Schriften des Instituts für deutsche Sprache in Mannheim, Bd. 8, Hgb. H. Moser, Düsseldorf 1970

Proceedings of the Third International Congress of Applied Linguistics, Ed. Association Internationale de Linguistique Appliquée (AILA) – [Copenhagen 1972], 3 Bde. [Contrastive Linguistics, Sociolinguistics, Applied Linguistics] (erscheint, Heidelberg)

Raabe, H.: "Zum Verhältnis von kontrastiver Grammatik und Übersetzung", in: *Reader zur kontrastiven Grammatik*, Hgb. G. Nickel, Frankfurt/M. 1972, 59–74

Rayfield, J. R.: *The Languages of a Bilingual Community*, The Hague 1970 (auch Ph. D. Diss., Univ. of California, Los Angeles 1961)

Reader zur kontrastiven Linguistik, Hgb. G. Nickel, Frankfurt/M. 1972

Robinson, J. O.: *An Annotated Bibliography of Modern Language Teaching*. Books and Articles 1946–67, London 1969

Rohdenburg, G.: *Sekundäre Subjektivierungen im Englischen und Deutschen*. Vergleichende Untersuchungen zur Verb- und Adjektivsyntax (Diss. Stuttgart, erscheint)

Saer, D. J./Smith, F./Hughes, J.: *The Bilingual Problem*. A Study based upon experiments and observations in Wales, Aberystwyth 1924

Schlecht, G.: *Der synchrone Vergleich zwischen muttersprachigen und fremdsprachigen Erscheinungen als Mittel der Rationalisierung und Intensivierung des Englischunterrichts*, Diss. Berlin (Humboldt-U.) 1967

Schlecht, G.: "Der Vergleich deutscher und englischer grammatischer Erscheinungen als Grundlage für eine Verbesserung des Englischunterrichts", in: *Moderner Fremdsprachenunterricht* 1 (1968), 75–99

Schönfelder, K. H.: "Zur Theorie der Sprachmischung, der Mischsprachen und des Sprachwechsels", in: *Wiss. Zeitschrift der Karl-Marx-Univ. Leipzig*, Gesellschafts-/Sprachwiss. Reihe 1952/3, 379–400

Schönfelder, K. H.: *Probleme der Völker- und Sprachmischung*, Halle 1956

Schuchardt, H.: *Slawo-Deutsches und Slawo-Italienisches*, Graz 1884

Smith, M. E.: "Some Light on the Problem of Bilingualism as Found from a Study of the Progress in Mastery of English Among Pre-school Children of Non-American Ancestry in Hawaii", in: *Genetic Psychology Monographs* 21 (1939), 119–284

Sommer, F.: *Vergleichende Syntax der Schulsprachen mit besonderer Berücksichtigung des Deutschen*, Darmstadt 1959 (repr. von [3]1931)

Stockwell, R. P./Bowen, J. D.: *The Sounds of English and Spanish*, Chicago 1965

Stockwell, R. P./Bowen, J. D./Martin, J. W.: *The Grammatical Structures of English and Spanish*, Chicago 1965

Thiem, R.: "Bibliography of Contrastive Linguistics", I. in: *PAKS-Arbeitsbericht* 2, Kiel 1969, 79–96, II, in: *PAKS-Arbeitsbericht* 3/4, Stuttgart 1969, 93–120

Trotnow, H.: "Bibliographie [Fehlerkunde]", in: *PAKS-Arbeitsbericht* V, Stuttgart 1970, 167–172

Vildomec, V.: *Multilingualism*, Leyden 1963

Vinay, J. P./Darbelnet, J.: *Stylistique Comparée du Français et de l'Anglais*, Paris 1958

Wagner, K. H.: "Probleme der kontrastiven Sprachwissenschaft", in: *Sprache im technischen Zeitalter* 32 (1969), 305–326

Wandruszka, M.: *Sprachen – vergleichbar und unvergleichlich*, München 1969

Wandruszka, M.: *Interlinguistik*, München 1971

Weinreich, U.: *Languages in Contact*, New York 1953 u. ö.

Weiss, A. v.: *Hauptprobleme der Zweisprachigkeit*. Eine Untersuchung auf Grund Deutsch/Estnischen Materials, Heidelberg 1959

West, M.: *Bilingualism*. With special Reference to Bengal, Calcutta 1926

Whitman, R. L./Jackson, K. L. (Eds.): *Working Papers in Linguistics*. The PCCLLV Papers, Vol. III, No. 4, Honolulu 1971

Wienold, G.: *Die Erlernbarkeit der Sprachen*. Eine einführende Darstellung des Zweitsprachenerwerbs, München 1973

Zabrocki, L.: "Grundlagen der konfrontativen Grammatik", in: *Probleme der kontrastiven Grammatik*, Hgb. H. Moser, 31–52

Zagreb Conference on English Contrastive Projects (7–9 Dec. 1970), Hgb. R. Filipović, Zagreb 1971 [= *YSCECP. B. Studies* 4]

2. KL und Prinzipien linguistischer Deskription

2.1. Grundlagen

2.1.1. In Kap. 1 wurde festgestellt, daß der Linguist die Systematik von vorhandener Mehrsprachigkeit und die Relation der beteiligten Sprachen in dieser Mehrsprachigkeit untersuchen sollte, aber auch willkürliche Vergleiche ganzer Sprachsysteme (ohne direkte Sprecherrealität) oder Systembestandteile (Phonologie, Syntax usw.) vornehmen kann. Im ersten Fall wird er ohnehin von einem Korpus von Äußerungen des mehrsprachigen Individuums oder der mehrsprachigen Gruppe (also von der Performanz) ausgehen und die Hypothesen über das zugrundeliegende System (mehrsprachige Kompetenz) bzw. die getrennt vorfindlichen Systeme nach e i n e r Art und Weise bilden. Auch für den zweiten Fall kann der Linguist, sofern er die zu vergleichenden Sprachen beherrscht, sich selbst als zwei- bzw. vielsprachiges Individuum introspektiv untersuchen. Er kann mögliche Sätze in den beiden Sprachen produzieren und diese interlingual für äquivalent, teil-äquivalent, nicht-äquivalent usw. erklären. So ist er in der Lage, auf Entsprechung oder Nicht-Entsprechung von Systemteilen zu schließen. Aus Zeitmangel und mangels ausreichender Urteilsfähigkeit in bezug auf die Fremdsprachen wird der Linguist aber meist auf Beschreibungen dieser Sprachen zurückgreifen müssen.

Es ist notwendig, daß die jeweils zu vergleichenden Sprachen nach demselben Sprachmodell beschrieben werden – und zwar unabhängig voneinander.[1] Damit wird, unbeschadet der Qualität des zugrundegelegten Modells, die Vergleichbarkeit gewährleistet. Dennoch ergeben sich auch bei diesem Verfahren einige Probleme.

(a) Beschreibt man jede Sprache zuerst aus sich selbst heraus, so ist es an und für sich nicht legitim, ein Grammatikmodell zu verwenden, das an anderen Sprachen entwickelt wurde und damit die zu untersuchende Sprache u. U. relativiert. Man kann einzelsprachlich bezogen i n dieser Einzelsprache eine Metasprache schaffen und sie definieren, wird aber doch Zirkelschlüsse nicht vermeiden können.[2] Man kann weiter von den Formen und Strukturen der

---

[1] Vgl. Fried (1967), S. 25: "Man kann nämlich nichts Unvergleichbares vergleichen; daher muß der Vergleich identische Methoden in der Beschreibung der zu vergleichenden Sprachen zugrunde legen."

[2] Etwa im Sinne von *meaning postulates*.

Sprache ausgehen und – wie es im taxonomischen Strukturalismus geschieht – ohne eigentliche Bedeutungsbeschreibung nur mit intuitivem Einbezug von Bedeutungsgleichheit und -unterschied die funktionellen Oppositionen der Formen herausfinden.[3] Ein eigentlicher Sprachvergleich ist damit schwer möglich.

Zum anderen kann versucht werden, die Bedeutungsstrukturen der Einzelsprache zu ermitteln, etwa durch Wortfeldaufstellung und Merkmalfindung in paradigmatischem Vergleich. Dabei werden dann komponentenreiche sprachliche Zeichen in komponentenärmere, semantisch in dieser Einzelsprache nicht mehr teilbare Zeichen aufgespalten und durch sie erklärt. Es ist zu hoffen, später mit einem Inventar solcher *semantic primes* Vergleiche leichter durchführen zu können, was die semantische Ebene betrifft, zum anderen die Formen (einzelsprachlich und danach im Vergleich) von der Ebene ihrer Bedeutung(en) aus zu ordnen und darzustellen. Das Problem der Bedeutungsäquivalenz wird dabei allerdings nur verschoben, und zwar auf das metasprachliche Gebiet der einzelsprachlich aufgestellten *semantic primes*. Die Suche nach empirischen Universalien hat aber auf diese Weise zu erfolgen.

(b) Für die Spracherlernung wie für den wissenschaftlichen Sprachvergleich wurde lange Zeit ein Modell verwendet, das tatsächlich nach Art von (a) entstanden ist, nämlich das der sog. traditionellen Grammatik. Dieses Modell entstand in einzelsprachlicher Beschreibung des Griechischen und Lateinischen.[4] Die genetisch bedingte Ähnlichkeit des Griechischen und Lateinischen zueinander – und in geringerem Maße zu anderen indogermanischen Sprachen – ermöglichte und suggerierte die Übertragung der einzelsprachlichen Deskriptionen (Latein, Griechisch) zu metasprachlichen Zwecken für die Beschreibung anderer Sprachen wie Deutsch oder Englisch. Bei der Anwendung dieses Modells (das eigentlich weniger ein Modell als die Abstraktion einer Einzelsprache ist[5]) für die Beschreibung anderer Sprachen ergaben sich folgende Probleme.

Die betreffende Einzelsprache wurde bzw. wird damit schon quasi kontrastiv beschrieben, d. h. ihre Formen und Inhalte werden auf das lateinisch-griechische "Modell" bezogen. (Auf Grund dessen wurden, besonders im 16.–18. Jh., die nicht-"klassischen" Einzelsprachen als unvollständig, unvollkommen und verbesserungsbedürftig angesehen.) Zum andern wurden im Lateinischen vorhandene Kategorien für andere Sprachen postuliert (wie Dativ, Akkusativ im Englischen) und im Lateinischen nicht in gleicher Weise vorfindliche Kategorien

---

[3] Dieser Ansatz ist für Sprachvergleich allerdings nicht vorteilhaft (s. u. und Kap. 3).
[4] Siehe besonders Robins (1967).
[5] Weitere Angaben, bes. auch über die Vermischung formaler und inhaltlicher Kriterien, bei Robins (1967), S. 25 ff.

nur ungenügend beschrieben (etwa *expanded form* im Englischen, Artikeloppositionen im Englischen und Deutschen usw.).[6] Die Lateingrammatik wurde so nicht allein zum Vergleich von Latein mit den andern Sprachen benutzt, sondern die verglichenen Einzelsprachen wurden auch nach dem Modell dieser Grammatik beschrieben. Bei der Beschreibung zweier nicht-klassischer Sprachen, etwa zum Zwecke des Vergleichs, diente das Lateinische mithin als *turn-table-language*.[7]

(c) Die Postulierung von Universalien ist ein Versuch, einmal die Zirkelschlüsse der Erklärung einer Einzelsprache durch sich selbst zu vermeiden, zum anderen die grundsätzliche Ähnlichkeit der menschlichen Sprachen (als Exemplare menschlicher Sprache generell) und somit auch ihre gegenseitige Vergleichbarkeit, Erlernbarkeit usw. zu betonen. Ohne hier näher auf die Universaliendiskussion eingehen zu wollen, läßt sich doch sagen, daß gewisse Konzepte von allen Menschen in allen Sprachen ausgedrückt werden können und damit substantielle Universalien[8] darstellen (Dimensionen, Relationen, illokutionäre Akte usw.). Sie müssen zwar einzelsprachlich spezifische Form tragen, haben aber als sprachliche Zeichen ihre Existenz nicht dieser Einzelsprache allein zu verdanken.[9] Daneben können auch formale Universalien postuliert werden (Universalität von Trennung in Oberflächen- und Tiefenstruktur, Transformationen generell und speziell wie Permutation, Deletion usw., Morphemtypen usw.).[10]
Es wurde versucht, Universalien empirisch aufzustellen, d. h. möglichst viele Sprachen nach gemeinsamen Elementen abzusuchen.[11] Daneben gibt es Forscher, die Universalien einfach "setzen",[12] da sie einen empirischen Nachweis für nicht vereinbar mit der Aufstellung von Universalien halten. Dieser sei weder synchronisch für den Augenblick, noch überhaupt annäherungsweise für die Vergangenheit oder für die Zukunft zu leisten.
Solche Universalien und auf ihnen aufbauende Sprachmodelle wären aber ein Bezugspunkt für den Sprachvergleich beliebiger Einzelsprachen. Die Tatsache, daß die Universalienforschung erst wenige prinzipielle Übereinkünfte vorzu-

---

[6] Vgl. hierzu besonders Michael (1970), Jellinek (1913/4).
[7] Vgl. Twaddell in Alatis (1968). Im Rahmen des TG-Modells besteht die Tendenz (und Gefahr), daß das Englische implizit als *turn-table language* verwendet wird.
[8] So in der TG (Chomsky, Katz u. a.).
[9] Vgl. Großschreibung bei Bierwisch in Lyons (1970).
[10] Vgl. Chomsky (1969), S. 43 ff., Katz (1969).
[11] Vgl. Greenberg (1963) und Weinreich (1963).
[12] Die "Setzung" dieser Universalien ist nicht immer sehr einsichtig, so die von *ADULT* bei Bierwisch (1970), S. 169.

weisen hat, spricht noch nicht gegen ihren Ansatz. [13] Dabei ist wohl die Aussicht, im Bereich der merkmalärmeren sprachlichen Zeichen (SZ), d. h. geschlossener Klassen (wie etwa Zeiten, Modi, Relationen usw.), zu einem Vergleich mittels Universalien zu kommen, größer als im Bereich der komponentenreichen SZ offener Zeichenklassen, die viel stärker einzelsprachliche Charakteristika aufweisen – sowohl im denotativen wie im konnotativen Bereich. Inwieweit allerdings bei einem solchen Sprachvergleich zwischen "(Universalien-) Sprache" schlechthin und Einzelsprachen auch die Interferenz (von der Muttersprache her) auftritt, ist schwer zu entscheiden und weist zurück auf das Problem (a).

2.2. Modelle linguistischer Deskription

2.2.1. Die in 2.1 aufgeworfenen Fragen zur kontrastiven Sprachbetrachtung betrafen bisher nur die Deskription einer einzigen Sprache, noch nicht die mehrerer solcher Sprachen im Vergleich zueinander. Diese Art von Sprachvergleich wird erst in Kap. 3 genauer untersucht. Doch kann diese letztere Art von Sprachvergleich schon durch implizite kontrastive Elemente der jeweiligen Einzelsprachen-Deskription beeinflußt sein.

Die zur Beschreibung einzelner Sprachen, aber auch darauf aufbauend zum Sprachvergleich verwendeten Modelle sind sämtlich nicht voll entwickelt. Grundsätzlich ist ihnen gleich, daß sie in irgendeiner Weise "Form" und "Inhalt" in der Sprache in Beziehung zu setzen haben und eine der beiden Ebenen zum Ausgangspunkt wählen. Auch das Verhältnis von Sprachsystem und darauf beruhender Sprachäußerung wird in irgendeiner Form in fast allen Sprachmodellen berücksichtigt. Einige Wesenszüge der gängigen Sprachmodelle werden im folgenden angeführt; in Kap. 3 soll ihre Verwendbarkeit für den Sprachvergleich diskutiert werden.

(a) Die "traditionelle" Grammatik ist ein an bestimmten Einzelsprachen (Griechisch, Latein) entwickeltes Modell – wesentlich geprägt durch den Versuch, die im Rahmen dieser Sprachen flexional ausgezeichneten Wortklassen genau zu beschreiben. [14] Durch die Formparadigmatik des Verbums werden zum Teil auch die Satztypen, besonders Nebensatztypen, beschrieben. Die durch

---

[13] Vgl. aber Twaddell in Alatis (1968), S. 198: "... when deep structure is so deep that all languages are essentially alike, depth equals triviality for practical pedagogical purposes."

[14] Satzgliedlehre weitgehend erst begründet durch K. F. Becker im 19. Jh. Vgl. dazu Glinz (1947) und Haselbach (1966).

Aufstellung der Formparadigmata (Endungen) deutlichen Oppositionen benannte man aber nun mit funktionalen Begriffen, die meist nur einen semantischen Teilbereich der betreffenden Formen darzustellen vermochten (Nomen, Dativ, Akkusativ, Perfekt usw.). Bei Homonymien mußte folglich zusätzlich – ohne Stützung auf Formopposition – "echt" semantisch bezeichnet werden (z. B. Genitiv – *Genitivus objectivus/subjectivus*, die verschiedenen "Ablative" – *modi, causae, loci, separativus* usw.; "historisches" Präsens und andere). Eine Semantik im heutigen Sinne als Teilbereich der Beschreibung des Sprachsystems gab es nicht. Die Vermischung von Kriterien der Form und der Funktion bzw. Bedeutung potenzierte sich, wenn das Modell auf andere Sprachen, besonders auch sprachtypologisch andere wie das stärker isolierende Englisch, übertragen wurde.

(b) Die verschiedenen Ausprägungen des taxonomischen Strukturalismus sind wesentlich dadurch gekennzeichnet, den in (a) impliziten Sprachvergleich bei der einzelsprachlichen Beschreibung zu vermeiden – einmal prinzipiell, zum anderen auch aus praktischen Erwägungen: die Beschreibung außerindogermanischer Sprachen (z. B. Indianersprachen) durch das Modell (a) hätte zu offensichtlich groben Verzerrungen geführt. Jede Sprache wurde als "eigen" gesehen, und so war auch jeweils ein eigenes Sprachsystem – möglichst sogar unter Vermeidung des Begriffsapparates der traditionellen Grammatik – über ein Korpus von Sprechäußerungen zu erarbeiten.

Der Strukturalismus geht von Formoppositionen aus, um die ihnen zugrundeliegenden Funktionsunterschiede herauszufinden.[15] Wesentlichstes Hilfsmittel sind Vertauschproben. Die inhaltlichen Unterschiede werden aber nicht "semantisch" beschrieben, sondern nur über intuitives Erkennen aus den Formoppositionen postuliert. Anders als in der traditionellen Grammatik wird stärker auf das Satzganze Bezug genommen, wobei besonders die Theorie der *immediate constituents* für die "Aufspaltung" in die kleinsten unterscheidenden Formbestandteile entwickelt wurde. An die Stelle der traditionellen Satzgliedbegriffe traten Konstituenten und Konstituenten-Distributionsregeln.[16]

Bei Whorf[17] führte dieser Ansatz dazu, das gegebene Strukturen-System einer Einzelsprache als bedingend für die zu erwerbende "Weltsicht" anzusehen.

(c) Ohne ein spezielles neues Sprachbeschreibungsmodell zu entwickeln, haben Linguisten im Rahmen einer "inhaltsbezogenen" Grammatik den semantischen Teil eines Sprachmodells genauer zu beschreiben versucht. Wenn auch sprach-

---

[15] Wenn nicht Neutralisierung vorhanden ist.
[16] Vgl. Brinker (1972).
[17] Er entwickelte Gedanken v. Humboldts ("innere Sprachform") und Sapirs weiter.

liche Zeichen in einer Einzelsprache nur in ihrer Relation von einzelsprachlicher Form und Inhalt ("sprachlicher Zugriff" dieser Sprache) gesehen werden können und damit auch die Semantik zuerst nur einzelsprachlich "strukturalistisch" erfaßt wird (Wortfelder), so ist von dieser Semantik doch über die Merkmale der einzelsprachlichen Merkmalbündel (sprachliche Zeichen) ein interlingualer Vergleich möglich. Denn der Wortfeldvergleich, der im Rahmen der strukturellen Semantik [18] noch weiterentwickelt und gestrafft wurde, zielt ja nicht zuletzt auch auf die Aufstellung der minimalen bedeutungsunterscheidenden Seme oder Merkmale generell ab.

2.2.2. Die neueren Sprachbeschreibungsmodelle versuchen, Form und Inhalt klar zu trennen und von Einzelbeschreibungen wieder stärker zur Beschreibung von Sprache an sich zu kommen. [19] Dazu muß dann zur Form/Inhalt-Opposition die Trennung von System (Inventar) und Äußerung (Kommunikation) kommen.

(d) Die transformationell-generative Grammatik versuchte zuerst, in der Beschreibung des Sprachsystems die den Äußerungen zugrundeliegenden syntaktischen Tiefenstrukturen aufzustellen (Chomsky). Die in einem gesetzten S (*Sentence*) vorhandenen Elemente der möglichen Phrasenstrukturelemente (*NP*, *Aux*, *VP* usw.) – Funktionsbeziehungen wie Relationen (Agens, Patiens) oder syntaktische Funktionen (Subjekt, Objekt; Kasus) werden erst sekundär erklärt – galten ebenso wie die Typen von Transformationen, welche solche syntaktischen Tiefenstrukturen in Oberflächenstrukturen umwandelten, als übereinzelsprachlich. Semantik und Phonologie wurden als interpretativ erachtet, wobei die Interpretation auf teilweise allgemeinsprachlichem Inventar (phonologische Merkmale, *semantic markers*) basiert, jedoch einzelsprachliche Kombinationen aufweist. Im ersten Entwurf [20] war die interpretative Semantik nur eine "lexikalische" Expansion der Phrasenstrukturelemente, im zweiten Ansatz [21] eine eigene, aber immer noch interpretative Komponente.
Trotz äußerer Ähnlichkeiten zur Wortfeldsemantik ist die eigenständige TG-Semantik der frühen Stufe (im Sinne Katz/Fodors [22]) ein Satzdisambiguierungsmittel und keine Semantik im Sinne einer Beschreibung sprachlich strukturierter außersprachlicher Wirklichkeit. [23] Das heißt, daß auch in der TG die Semantik intuitiv betrieben wird, besonders was das Verhältnis der Paraphrasierbarkeit

---

[18] Vgl. Coseriu (1970 a), Geckeler (1971), Kühlwein (1967) u. a.
[19] So besonders auch die hier nicht diskutierte Glossematik (Hjemslev); vgl. dazu Siertsema (1965).
[20] Chomsky (1957).
[21] Chomsky ([1965] übs. 1969).
[22] Katz/Fodor (1963).
[23] Coseriu (1970 b), S. 187.

der Sätze (*meaning preserving transformations*[24]) angeht. Sprachvergleich kann mit diesem Modell letztlich nur mit den gleichen Schwierigkeiten durchgeführt werden wie mit strukturalistischen Modellen, da der Vergleich mit der Formebene beginnen müßte, und zwar – trotz universaler Kategorialsymbole – mit sehr "einzelsprachlichen" Phrasenstrukturen.

(e) In jüngeren Ausprägungen der TG wird mit einer abstrakt-semantischen oder explizit-logischen Tiefenstruktur gearbeitet. Diese Tiefenstruktur ist übereinzelsprachlich und als universal gedacht; Syntax und Phonologie sind interpretativ.[25] Diese Theorie ist bisher erst in Ansätzen skizziert worden. Es handelt sich um Versuche, die Relationen zwischen Zeichen sowie einige semantische Zeichenklassenmerkmale, soweit sie gemeinsame Eigenschaften einiger Zeichen bzw. Restriktionen eben dieser Zeichen in der Verbindung mit anderen Zeichen beinhalten, in eine Tiefenstruktur zu verlegen. In Frage kommen etwa Tiefen-Kasus (wie Agens, Patiens, Ziel, Instrumental usw.), Modalitäten, illokutionäre Akte, Merkmale wie "faktitiv", "*have*", "*be*" usw. Eine solche sehr abstrakte "semantische" Tiefenstruktur wird dann durch eine – bisher kaum skizzierte – klassenparadigmatische (und so primär einzelsprachliche) Semantik und eine (ebenfalls einzelsprachliche) oberflächenrelevante syntaktische und morphonologische Komponente "interpretiert".
Die "Semantik" wird somit geteilt, quasi in *basic concepts* und "Auffüllung", wobei die Auffüllung durchaus Kombinationen von *basic concepts* aufweisen kann. So erscheinen Funktionen zumindest leichter interlingual vergleichbar. Bei weitergehender Forschung können wohl immer mehr scheinbar einzelsprachliche Merkmale der "auffüllenden" Semantik in die universale Basissemantik übergeführt werden. Am Ende könnte die einzelsprachliche Semantik zum größeren Teil als spezifische Kombination solcher *basic concepts* in einzelsprachliche SZ mit Extension je nach "Einzel-Sprachzugriff" auf übereinzelsprachlicher Inventarbasis angesehen werden (so etwa auch Bierwisch).

(f) Die Dependenzgrammatik[26] ist dieser jüngsten Richtung der TG nicht unähnlich. In beiden Fällen spielt ein "Satzkern", der in der Oberflächenstruktur meist Verb ist (auch Kopula + Adjektiv), als Bezugspunkt in der dem Satz zugrundeliegenden Struktur eine wichtige Rolle. Solche Dependenzen können nun stärker formal oder inhaltlich gesehen werden ("Ergänzung" durch Subjekt, Objekt bzw. durch Agens, Patiens, Ziel usw. ohne spezielle Berücksichtigung der tatsächlichen Realisierung des Agens als Subjekt, Präpositionalphrase usw.). Für

---

[24] Bes. seit Katz/Postal (1964).
[25] Bes. McCawley, Fillmore, Ross, Lakoff, Heger, Brekle u. a.
[26] Bes. Tesnière, Helbig, Erben u. a.

32

den stärker syntaktisch orientierten Bereich ist innerhalb der deutschen Forschung auch die von Glinz entwickelte operationale Satzgliedanalyse zu erwähnen.[27]

(g) Einige weitere Modelle können hier nur genannt werden, so etwa Heringers Ansatz, der mit Elementen der Konstituentengrammatik und der operationalen Satzgliedanalyse ein Konstitutionssystem des Deutschen aufstellt.[28] Die Tagmemik[29] und die stratifikationelle Grammatik[30] sind ebenfalls Ansätze, die – teils noch strukturalistisch beeinflußt, teils besonders auf semantischem Gebiet davon emanzipiert – sowohl für einzelsprachliche Beschreibungen wie auch bereits für Sprachvergleiche herangezogen worden sind. Beide erlauben diesen Sprachvergleich durch die Möglichkeit der Scheidung in Inhalts- und Formebene. Letzteres gilt auch für den besonders in Polen entwickelten kybernetischen Strukturalismus.[31]

2.2.3. In der traditionellen Grammatik spielte die Beziehung eines Systems zu der Vielzahl der tatsächlichen Realisierungen keine besondere Rolle. Die Grammatik galt sogar meist normativ – als Vorbild des angestrebten Sprachgebrauchs, und sie enthielt so neben den bereits durch die Illustrationen (und nicht durch eine Formalisierung) dargestellten Regeln eine Fülle von Beispielmaterial und Ausnahmen. Der Strukturalismus betrachtete eher das Gesprochene als Ausgangspunkt (Korpus) und zielte auf Aufstellung des Systems einer Sprache (bzw. eines Subsystems dieser Sprache), womit der normative Anspruch dem Anspruch auf Genauigkeit der Deskription wich.
Die TG ihrerseits bestritt, von einem Korpus aus ein System aufstellen zu können, da nur ein Teilkorpus überhaupt verarbeitet werden könne. Weiterhin kämen durch Besonderheiten der Performanz Äußerungen zustande, die keine einwandfreien Schlüsse auf das System, die Kompetenz des Sprechers, erlaubten. Für eine kontrastive Grammatik ergäbe sich auch die Forderung, an der vorhandenen Realität mehrsprachiger Sprecher deren generativen Systemgebrauch zu vergleichen. Dafür sind jedoch kaum Forschungsleistungen erbracht, so daß man meist – unabhängig von den Forderungen des Sprachmodells – auf Korpus-Analysen angewiesen ist.
Schließlich gilt, daß praktisch alle aufgeführten Modelle kaum über den Satz als größte syntaktische Einheit hinausgehen, wie im Bereich der traditionellen

---

[27] Vgl. besonders Glinz ([5]1968), Brinker (1972).
[28] Heringer (1970 a, 1970 b).
[29] Zur Einführung vgl. Cook (1969).
[30] Vgl. Lamb (1966) und Lockwood (1972).
[31] Bes. Zabrocki; vgl. Beiträge in der Zeitschrift *Glottodidactica*.

Grammatik (Wortarten und Satzglieder im Vordergrund) und im allgemeinen auch der strukturellen Grammatik. Eine Textlinguistik wird zwar in den letzten Jahren intensiver betrieben, doch stehen viele Erkenntnisse noch aus. Auch ist es noch nicht gelungen, die verschiedenen Modelle und ihren Beschreibungsapparat auf Satzgruppen- und Textbeschreibungen befriedigend auszuweiten. Generell wird aber an einer "Systembeschreibung auf Satzebene" zunehmend Kritik geübt, ohne daß schon ein brauchbares erweitertes Modell bestünde.

(h) Funktionale Ansätze, etwa der Coserius,[32] machen geltend, daß nicht alles, was ein Sprachsystem "erlaube", auch realisiert sei. Die Norm einer Sprache, eine sprecherübergreifende "Systemauswahl", sei ebenfalls und gerade beim Sprachvergleich zu beachten.

Nicht zuletzt die zweifelhafte Gleichsetzung von Paraphrasierungen[33] (etwa Aktiv/Passiv, Vollsatz/Nominalisierung usw.) in der TG hat zum kontextualistischen, die Satzperspektive einbeziehenden Ansatz verschiedener englischer (Halliday in Nachfolge von Firth)[34] und tschechischer Linguisten (z. B. Firbas)[35] geführt. Unbeschadet der Semantik beteiligter sprachlicher Zeichen ("Nomina", "Verben" etc.) kann durch eigene sprachliche Zeichen, deren Form sich in Oberflächenstrukturanordnungen (Wortstellung usw.) zeigt, die Kommunikationsrelevanz einzelner Teile einer Struktur u. a. deutlich gemacht werden. Erst im Kontext haben dann manche auf Satzebene scheinbar bedeutungslose Zeichenformen (Wortstellung, bestimmte Ausprägungen von Intonation und Betonung u. a.) eigene Bedeutung. Zusätzlich zur Erforschung der engen Verbindungen der Sätze zueinander wird in der kontextuellen und pragmatischen Linguistik die Einbeziehung der gesamten Situation, Hörer und Sprecher[36] in ihrem linguistischen und außersprachlichen Wissensstand, ihrer (sprachlichen) Schichtenzugehörigkeit usw. gefordert.[37] Dies alles ist für den Sprachvergleich gleichermaßen relevant, wobei gerade der unterschiedliche "Kulturhintergrund" verschiedener Sprachen berücksichtigt werden muß.[38]

Für eine derartige "kommunikative (ein- oder mehrsprachige) Kompetenz" (im Gegensatz zu Chomskys weit mehr eingeschränkter "grammatischer Kompe-

---

[32] Coseriu in verschiedenen Aufsätzen (vgl. 1970 a, b, c).

[33] Coseriu (1970 c), S. 13 f.

[34] Vgl. besonders die Veröffentlichungen Hallidays (1961, 1967/8, 1970).

[35] Bes. Firbas (1964).

[36] Dies vornehmlich gegenüber dem idealen Sprecher-Hörer in der TG.

[37] Vgl. Dressler (1971) und Aufsätze von Wunderlich (1969, 1970, 1971).

[38] Vgl. Lado (1957 u. ö.), Ch. 6: *How to compare two Cultures.* Weiterhin Snider/ Osgood (1969).

tenz")[39] wäre entweder – wie Halliday es sieht[40] – die Scheidung von Kompetenz/Performanz nicht mehr sinnvoll, oder es müßte eine Systematik der sprachlichen Kommunikation generell konzipiert werden.[41] Hier wäre zu bedenken, daß Sprache ohnehin nur ein (wenn auch wichtiger) Teilaspekt menschlicher Interaktion und Kommunikation ist. Zumindest ist auf paralinguistische Elemente beim Sprechen (Rhythmus, Stimmqualität usw.), Gestik etc., die teils universal, teils sprechergruppenspezifisch (national?) sein können, zu achten.[42]

2.2.4. Die aufgeführten Modelle oder Modellansätze dienen zur Aufstellung von Hypothesen über das System einer Einzelsprache (teilweise auch Sprache generell). Die von Chomsky vorgeschlagenen Kriterien der deskriptiven und explanatorischen Adäquatheit könnten dazu dienen, die verschiedenen Modelle zu evaluieren. Dies ist zum gegenwärtigen Zeitpunkt noch kaum möglich. Andererseits darf man jedoch nicht Kriterien der Anwendbarkeit, etwa Leichtigkeit der Verwendung eines Modells im Fremdsprachenunterricht, im Sprachvergleich, in der automatischen Übersetzung usw. zum Maßstab der Beurteilung eines Modells machen. Anwendung von Linguistik (2.4) schafft W e r t u n g aufgrund nicht-linguistischer Fakten, während Systemevaluation auf innersystematische Stimmigkeit zielt und durch empirische Erprobung an nicht zweckgebunden vorgeprägter Kommunikation erreicht wird. Dies schließt nicht aus, daß Aspekte der Anwendbarkeit heuristisch bei der Erstellung eines Modells beachtet werden.

KL wird oft als angewandte Sprachwissenschaft bezeichnet. Dies ist eine Folge der Möglichkeit, KL als Hilfsmittel im Fremdsprachenunterricht implizit (weniger explizit) zu verwenden. KL selbst kann auch "nicht-angewandt" als Beschreibung von natürlicher oder künstlich hergestellter Mehrsprachigkeit (vgl. Kap. 1) gesehen werden. Trotzdem liegt die Versuchung nahe, solche "Mehrsprachigkeit" und die Beziehungen (Nebeneinander oder Mischung) der Sprachteile oder Teilsprachen (bei Mischung!) dieser "mehrsprachigen Sprachkompetenz" nach einem Modell zu beschreiben, das bereits kontrastive oder den Vergleich erleichternde Eigenschaften enthält, wie etwa ein traditionelles oder ein universalistisches Modell. Man muß aber die Schwächen solcher Modelle zu vermeiden suchen.

---

[39] Vgl. Campbell/Wales (1970), bes. S. 245 ff.
[40] Vgl. Halliday (1970), S. 145.
[41] Klaus (⁵1969), Henne/Wiegand (1969), Althaus/Henne (1971).
[42] Vgl. Angaben bei Houston (1972), Ch. 16: *Extralinguistic Features of Communication.* Vgl. auch Birdwhistell (1956).

2.3. Umrisse eines Deskriptionsmodells

2.3.1. Prämissen. Der hier vorgeschlagene Rahmen steht den in 2.2.2 (e) skizzierten Ansätzen am nächsten. Da menschliche Sprache und die Sprachlernfähigkeit offenbar universal sind, weiterhin jeder Mensch seine durch Geburt in eine Umwelt trotz angeborener Spracherlernfähigkeit zufällig "zugewiesene" Muttersprache kompetent und andere Sprachen mit wechselnden Graden von Kompetenz erlernen kann, ist jeder Aspekt einer Einzelsprache potentiell universal. Es scheint, daß ein Grundinventar von sprachlich Ausdrückbarem (Substanz und Ausdruck) vorhanden ist, das einzelsprachlich sehr verschieden kombinierbar ist und weiterhin, synchron gesehen, keineswegs in allen Sprachen vollständig vorhanden sein muß (somit diachronisch "verloren" gehen und "neu entdeckt" werden kann).

Im folgenden wird von einem Unterschied Tiefenstruktur–Oberflächenstruktur ausgegangen. Die Tiefenstruktur ist jedoch nicht so abstrakt gefaßt, daß sie nur das allen Sprachen Gemeinsame, Universale enthält. Es handelt sich mehr um ein Arbeitsmodell, das mit verschiedenen Grundklassen sprachlichen Kategorisierens operiert. Die Tiefenstruktur (TS) wird konzeptuell gesehen, die Oberflächenstruktur (OS) bildet diese TS ab. Sowohl TS wie OS sind syntagmatisch und paradigmatisch zu beschreiben.

Die Tiefenstruktur einer Äußerung besteht aus einer oder mehreren Tiefenstruktureinheiten (TSE). Die TSE selbst ist eine Kombination von Klassen der *signifiés* sprachlicher Zeichen, wobei in einer solchen TSE dann jeweils ein *signifié* aus den obligatorisch in der TSE auftretenden Zeichenklassen gewählt wird. Innerhalb der einzelnen Klassen ("Modus", "Zeit" usw., s. u.) sind die *signifiés* paradigmatisch gegliedert. Die sich so ergebenden einzelnen Wortfelder bilden das nicht-syntagmatische Inventar für alle (im traditionellen Sinne lexikalischen, grammatischen und derivationalen) Zeichen-*signifiés*. Paradigmatik und Syntagmatik stehen so in diesem Modell nebeneinander und bedingen sich, da die Paradigmatik auch die Syntagmatik durch Kookkurrenz-Restriktionen beeinflußt. Diese Tiefensyntagmatik ist aber universal und sehr allgemein gefaßt, nicht einzelsprachlich spezifiziert, wie es noch die Phrasenstrukturen der TG-Tiefensyntax waren und wie es jede Oberflächensyntagmatik ist.

Zu den einzelnen *signifiés* ist zu sagen, daß hier der "Inhalt" eines sprachlichen Zeichens, das als Relation von Inhalt und Form (*signifiant*) definiert sei, zu beschreiben ist. Der Inhalt stellt die innersprachliche Einordnung des Bezeichneten, das außersprachlich ist, dar. Das *signifié* kann extensional als eine Klasse von als gleich erachteten Gegenständen oder Sachverhalten, intensional durch semantische Merkmale gefaßt werden, die – besonders in Opposition zu anderen SZ – gerade diesem Denotatum zuerkannt werden. Die sprachliche Einordnung eines Bezeichneten (Denotatum) muß nicht der physikalischen oder logischen Gliederung der außersprachlichen Wirklichkeit entsprechen (z. B. *Die Sonne "geht auf".*).

In paradigmatischer Betrachtung sind beim *signifié* sehr viele Merkmale (je nach Wortfeldoppositionen) für die Beschreibung relevant. Man kann hier von "lexikalischer" Bedeutung sprechen. Bei Eingliederung in den syntagmatischen Rahmen der TSE ist eine Auswahl dieser möglichen Merkmale getroffen (abhängig von den ko-okkurierenden Zeichen der TSE); man kann dann, auch für die TS, von "aktueller Bedeutung" sprechen. [43] Beispiel für den Ansatz der TSE:

TSE	Syntagmatisch: — — — — — — — — — — — — — →			
	Z(eichen-) K(lasse) 1	ZK2	ZK3	ZK4 usw.
	(z. B. illokutionärer Akt)	Modalität	konkreter Gegenstand	Zustand (+ Zeit, Quantoren usw.)
	Za	Za	Za	Za · ·
	b	b	b	*b* · ·
	c	c	c	c · ·
	d	d	*d*	d · ·
		e	e	e · ·
			f	

(Links vertikal: **Paradigmatisch:** ↓)

Würden z. B. vier Zeichenklassen dieser TSE angehören, so wären aus den vier Zeichenklassen je ein Element (hier 1:c, 2:c, 3:d, 4:b) paradigmatisch in ihrer sich in der Syntagmatik ergebenden "aktuellen" Bedeutung verbunden. Um Verständigung zu gewährleisten, müssen Form und Inhalt der sprachlichen Zeichen "vereinbart", d. h. konventionalisiert sein. Diese "Vereinbarung" ist nicht Sache der Einzelsprecher in einer Einzelsituation, [44] sondern sie ist meist (wenn auch nicht immer scharf und eindeutig) in der verwendeten Sprache festgelegt und diachronisch gewachsen.

Auch für die Oberflächenstruktur gelten die Prinzipien der Paradigmatik und Syntagmatik, sogar auf zwei Ebenen. Die eigentliche Abbildung der "geordneten Tiefenstruktur" sind Wortketten der OS mit den Einheiten: Morphem (frei/gebunden), Wort, Satzteil, Satz, Text. Eine 1:1-Entsprechung zur Tiefenstruktur besteht nicht immer, da mehrere *signifiés* der TS in ein Morphem der OS "verschmolzen" sein können — besonders bei flexivischen Sprachen, etwa

---

[43] Diese Begriffe nach W. Schmidt (⁴1967), hier allerdings für das Modell der TSE etwas verändert angewandt.

[44] Dies kann es in Fachsprachen, Verträgen usw. aber auch sein.

-i in lat. *domini* für Numerus, Kasus, Genus (Oberflächenbezug!). Auch durch die Stellung der Morpheme und die suprasegmentalen Phoneme können *signifiés* abgebildet werden.

Die Morpheme selbst sind aus nicht-abbildenden, d. h. nichts "bedeutenden", aber bedeutungsunterscheidenden Elementen, den segmentalen Phonemen, zusammengesetzt (vgl. weiter Kap. 6).

Die Verbindung von TS und OS kann man sich durch Transformationen vorstellen, wobei Endpunkt der lineare Ablauf der einzelsprachlichen Oberflächenstruktur eines Satzes (Textes) ist. Eine Entscheidung darüber, ob die TS linear oder hierarchisch zu konzipieren ist, braucht hier nicht gefällt zu werden. Ebenfalls nicht entschieden werden kann die psychologische Realität dieser (und anderer) Tiefenstrukturen mangels stichhaltiger psychologischer und neurophysiologischer empirischer Beweise. Davon unberührt bleibt die Tatsache, daß der Ansatz einer solchen Tiefenstruktur für die linguistische Deskription fruchtbar sein kann.

2.3.2.   Der TSE kann auf der OS ein Satz entsprechen, muß es aber nicht. So ist auch ein (deutscher oder englischer) Infinitiv als Satzbestandteil, z. B. als Ergänzung oder als Subjekt, auf eine TSE zurückzuführen, wenngleich OS-bezogen die Verbergänzungen (Subjekt, Objekt usw.) deletiert sind.

(a) Da von einer TSE ausgegangen wird und nicht von einem weiteren textlinguistischen Rahmen, ist nur darauf hinzuweisen, daß man die TSE als Kontexteinheit (KE) ansehen könnte, wobei dann Kontextmerkmale (KM) einzubeziehen sind.

KE → KM + TSE

Die Kontextmerkmale wären aufzugliedern. Der Gesamtkontext enthält verschiedene Hörer-Sprecher-Konstellationen, bestimmte Zeit- und Aspektvorstellungen für einen gesamten Kontext beteiligter Sprecher usw. Die KM haben eine Steuerungsfunktion für einzelne TSE, vielfach müssen viele der kontextuellen Zeichen obligatorisch in jeder TSE wieder ausgedrückt werden und erscheinen auch in den OS der Sätze (Tempora, Numeri usw.). Die KM können aber bestimmte Restriktionen (z. B. *consecutio temporum*) auferlegen. Diese KM werden hier nur im Rahmen der einzelnen TSE behandelt.

Gegenüber diesen "weiten" Kontextmerkmalen gibt es auch "engere" Kontextmerkmale. Es handelt sich hierbei um die Konsequenzen einer direkten Verknüpfung benachbarter TSE, z. B. im Falle der Topikalisierung, der Pronominalisierung, der Verknüpfungen temporaler, lokaler, kausaler (usw.) Art.

(b) In der TSE ist ein "Anzeiger" für die Sprechhandlungsfunktion des Auszusagenden nötig: ob eine Frage, eine Aussage, ein Befehl, eine Vorhersage, ein

Versprechen usw. konzeptuell geplant ist. Die hier paradigmatisch aufzugliedern-den sprachlichen Zeichen können als Klasse der "Sprechakte" angesehen werden. Diese Integration der Sprechakte in die "Grammatik"- bzw. Lexikbeschreibung ist jüngeren Datums; Begriffe wie *illocutionary act, illocutionary force,*[45] *speech act,*[46] *mood* (im Gegensatz zu *modality),*[47] *sentence modality* (im Gegensatz zur *verb modality),*[48] *neustic* (im Gegensatz zu *phrastic* [= propositionsbezogen])[49] usw. werden gebraucht. Diese illokutionären Akte sind trotz teilweiser Kontextgebundenheit für jeden Satz zu spezifizieren:

TSE → Ill + TSE'

In der OS erscheinen die *Ill* in vielfältiger Gestalt; als "Vollverb" (*performative verb* in Austins Terminologie) in der 1. Person Singular Präsens – ohne Möglichkeit der Verlaufsform (etwa *I say* (*to you* = *hearer*), *I ask whether, I swear* usw.), als sog. modale Hilfsverben im Englischen (*may* 'erlauben', *shall* 'befehlen' usw./homonym mit OS-Realisiationen für *modality* und Propositionsverben), ohne spezielle Verben (besonders in "Aussage"-Sätzen), mit Intonation (Fragesätze) usw. Der intralinguale und interlinguale (eventuell universale), paradigmatisch zu gliedernde Umfang dieser SZ-Klasse ist noch nicht voll geklärt; doch bietet dieser Ansatz für einzelsprachliche Deskription wie für Sprachvergleich eine gute Grundlage, da z. B. schon zwischen relativ nah verwandten Sprachen wie Deutsch und Englisch bedeutende Unterschiede auftreten.

(c) Die restliche TSE' zerfällt nun in eine Proposition, d. h., den Kommunikationskern, und Gesamtmodifikationen (Mod) dieses Kerns:

TSE' → Mod + Prop

In die Gesamtmodifikationen einer Proposition sind die *signifié*-Klassen für Zeitgliederung, Aspekt und Modus, evtl. auch Aktionsart, soweit diese nicht in den "verbalen" Propositionskernen lexikalisiert sind, zu verweisen. Für "Zeit" ist hier an die obligatorisch in der TSE anzugebende relativ abstrakte Zeitangabe (Sprecherzeit/Handlungszeit-Verhältnis) gedacht,[50] nicht an spezielle Zeitangaben wie *gestern, morgen,* die als optionale Erweiterung der Proposition

---

[45] Vgl. Austin (1962), vgl. weiterhin Ross (1970), Boyd/Thorne (1969), Householder (1971) – bes. Ch. 6: *Mood, modality and illocution* –, Joas/Leist (1971) u. a.

[46] Searle (1969).

[47] Vgl. Halliday (1970 b).

[48] Vgl. Polanski (1969), der allerdings *sentence modality* anders definiert: *declarative, interrogative, greetings, calls, exclamation.*

[49] Vgl. auch Hare (1964).

[50] Die Universalität dieser TSE-Zeichenklassen ist auch möglicherweise noch zu sehr von idg. Sprachen her gesehen, wo Tempora (Oberflächenstruktur) meist obligatorisch sind. In anderen Sprachgruppen (teilweise auch zusätzlich im Idg.) ist der Aspekt primär entscheidend.

auftreten können. "Aspekt"[51] bezieht sich auf die Sicht des Handlungsablaufes. Für die Wahl des jeweiligen Aspekts können Sprechinterpretationen entscheidend sein oder kontextuelle Notwendigkeiten, vgl. *When I came in he was writing (*wrote) a letter.*

In der Klasse "Modus" sind *signifiés* zusammenzufassen, welche Möglichkeit, Wahrscheinlichkeit, Notwendigkeit und weitere Unterkategorien (wie Hallidays *undertones – tentative/assertive*)[52] für eine Prop angeben.[53] OS-Realisationen besonders im Englischen und Deutschen sind Verbflexionen ("Konjunktiv"-Paradigmata), "modale" Hilfsverben, Vollverben (wie *seem, appear to*) und Adverbien (*possibly, perhaps*). "Modus" ist nicht zu verwechseln mit modalisierenden Propositionsbestandteilen, ausgedrückt in OS-Verben für Fähigkeit (*can, be able to*), Verpflichtung usw.[54]

Die Negation ist, sofern sie nicht Negation eines Propositionsgliedes ("Wortnegation") ist, wohl unter die Gesamtmodifikationen der TSE zu stellen. Illokutionäre Akte können jedoch nicht verneint werden, da sie sonst deskriptiven Charakter erhalten und Propositionen innerhalb eines anderen Sprechaktes (z. B. "Ich sage [Ill] daß ich nicht sage" [Prop]) sind. Auch Modi können an und für sich nicht verneint werden.[55] Gleichzeitig mit einer spezifischen modalen Einschränkung der Gesamtproposition kann jedoch die Proposition verneint werden.

Die Modi stehen auch ebenso wie die illokutionären Akte nicht im Zeit-Oppositionsschema. Werden sie auf der OS durch Verben dargestellt, so bietet sich bei Präsens ein "generisches" Präsens; es kann aber auch ein Tempus der Propositions-OS (Vergangenheitszeit) vorneweg ausgedrückt werden (*he seemed to sleep*). Illokutionäre Akte und Modi sind auf den Sprecher bezogen, dessen Zeit-Standpunkt durch eigene SZ ausgedrückt wird; Modi weisen vom Sprecher auf die Proposition, illokutionäre Akte über die TSE hinaus.[56]

---

51 Auch "Stadium", vgl. Christmann (1969).
52 Vgl. Halliday (1970 b), auch Grady (1970), Döhmann (1961).
53 Dabei ist für die Klasse "Modus" auch die "Nichteinschränkung" als SZ zu betrachten, das auf der Oberfläche im Englischen und Deutschen als "Indikativ" auftritt.
54 Hallidays "Modulation"; vgl. Halliday (1970 b).
55 Vgl. Halliday (1970 b), S. 333: "There is no such thing, therefore, as a negative modality; all modalities are positive. This is natural, since a modality is an assessment of probability, and there is no such thing as a negative probability. A modality may combine, of course, with a thesis which is negative; [...]".
Anders bei Leech (1971), bes. S. 66 ff.
56 Die Ähnlichkeiten sind jedoch für die Homonymität besonders im Bereich der Hilfsverben (*may, shall* usw.) verantwortlich. Dies ist jedoch primär ein diachronisches Problem.

Bei einzelsprachlicher Deskription wie beim Sprachvergleich ist eine sorgfältige Trennung der Gesamtmodifikationen untereinander wie auch gegenüber illokutionären Akten und einigen Propositionskernen notwendig, da in den OS häufig Vermischungen der Morpheme (Modus-Zeit, Modus-Negation wie in sich nicht determinierendem *can't/mightn't* usw.) anzutreffen sind. Bei Doppel-Modus ist nur e i n e verbale OS-Ausprägung möglich (*certainly ... might*).[57]
Im idg. Sprachbereich affizieren sich die Gesamtmodifikationen der Prop vornehmlich an die hauptsächliche OS-Realisierung des Prop-Kerns, das Verbum, unabhängig davon, ob die Modifikationen als freie oder gebundene Morpheme auftreten. Die Negation tritt allerdings kaum "verbal" auf, sondern meist in Adverbien oder derivational zu Propositions-Ergänzungen (Nomina, Pronomina wie *none*, *un-*, *nobody*), im Einzelfall des Englischen als Stützwort *do* + Adverb (*not*).
Für die unter Mod zusammengefaßten *signifié*-Klassen verzichten wir in der übereinzelsprachlichen TSE auf eine Hierarchie. Die Zeichenklassen determinieren sich zwar nicht,[58] doch können etwa zwischen Zeit und Aspekt bestimmte gegenseitige Bedingungen vorkommen, die eine Hierarchisierung nahelegen (vgl. etwa die Verhältnisse im Spanischen, Englischen und Russischen). Wir setzen tentativ linear an: Mod → Zeit + Aspekt + Modus ± Negation.

(d) Die bisher aufgeführten *signifié*-Klassen einer TSE können überhaupt nur im Hinblick auf die Proposition relevant werden. Dies wird in vielen Sprachen nicht zuletzt in der OS dadurch deutlich, daß die *signifiés* des nicht-propositionellen Teiles der TSE sich oft in ihren *signifiants* in Form gebundener Morpheme an die *signifiants* "lexikalischer" sprachlicher Zeichen anschließen. Dies gilt primär für den idg. Sprachraum, ist aber keine allgemein-sprachliche Notwendigkeit für OS.
Die Proposition ist als ein Bedingungsfeld von meist komponentenreichen, paradigmatisch offenen[59] Zeichenklassen angehörigen *signifiés* anzusehen. Die auch bei Fillmore[60] und in der Dependenzgrammatik übliche Ansetzung eines Propositionskernes, der in der OS das Verb ist, scheint ein unzulässiger Rückschluß von der OS zur TS zu sein. Man kann jedoch auch semantisch argumentieren und auf der TS-Ebene "verbale" *signifiés* als Propositionskerne mit

---

[57] Vgl. Halliday (1970 b), S. 330, Fn. 20.
[58] Gewisse *co-occurrence*-Restriktionen sind vorhanden; doch soll hier nicht der Versuch einer Hierarchie gemacht werden.
[59] Die in a–c behandelten TSE-Einheiten sowie die noch zu behandelnden Propositions-Teil-Modifikationen werden durch geschlossene Klassen von SZ mit häufig obligatorischer Morphemverknüpfung (Flexionen in der OS) repräsentiert.
[60] Vgl. Fillmore (1968).

obligatorisch zu füllenden syntagmatisch ausgerichteten Valenzstellen-Merkmalen sehen (also "kontextsensitiv"). In die Leerstellen sind "nominale" *signifiés* (SZ ohne solche Leerstellen) einzusetzen;[61] deverbale Nomina (*Sitz des Königs, Gang des Pferdes*) klammern wir hier aus.

Solche "nominale" Valenz-Füller können ihrerseits wieder TSE sein; sie werden in der OS etwa als Subjekt-, Objektsätze, als Partizipialsätze und deverbale Nomina ausgeführt. Sie behalten dann zwar ihre inneren Valenzen, da sie ja einen Propositionskern haben (etwa *going home wasn't easy*), doch sind keine syntagmatisch notwendigen Beziehungen zur TSE, in die sie eingebettet sind, vorhanden. Ausgenommen sind bestimmte Kookkurrenz-Restriktionen aufgrund von Unverträglichkeiten der semantischen Merkmale einzelner komponentenreicher SZ. Wir erachten jedoch auch dies als vom Propositionskern gesteuert bzw. in ihm angelegt (so daß *sing-* ein belebtes Agens braucht und eine resultative nicht-belebte Ergänzung haben kann – für eine OS: *Das Mädchen singt ein Lied*). Man könnte somit für die Proposition einen P-Kern und Ergänzungen (E) ansetzen:

Prop → P-Kern + E (+E) (+E)

Die Analogie zur logischen Analyse ist deutlich (Prädikat/Namen oder Funktor/ Argument). Die P-Kern-*signifiés* sind nach der Zahl ihrer Ergänzungen zu charakterisieren, neben den inhärenten semantischen Merkmalen besitzen sie ja syntagmatische Merkmale, so benötigt "*schlafen*" eine E, "*schlagen*" zwei E, "*legen*" drei E (vgl. in der Logik ein-, zwei- und dreistellige Prädikate).[62] In den meisten Sprachen wird der P-Kern, der ja die Ergänzungen zusammenhält, durch mehrere Klassentypen von SZ geleistet, und zwar durch offene Klassen – in der OS Wortarten wie Verben und Adjektive – und zusätzlich durch geschlossene Klassen, deren Mitglieder meist spezielle Relationen (Zeit, Ort, Grund usw.) ausdrücken, die im komponentenreichen Zeichen, welches OS-Verb wird, oft nicht (ausreichend) charakterisiert sind, vgl. *Er sitzt auf dem Stuhl*. Auf der Oberfläche werden diese SZ in Präpositionen, OS-Kasus und/ oder Wortstellung deutlich.[63] Diese "Relatoren" sind auch für nicht vom P-Kern obligatorisch geforderte Ergänzungen (OS: Adverbialbestimmungen) notwendig. Die Verknüpfung von Ergänzungen und Relatoren zum "nominalen" Wort

---

[61] Ob Verb/Nomen als Universalien zu bezeichnen sind, ist fraglich, da man sie – jedenfalls in ihrer idg. Ausprägung – vielfach rein formal als OS-Wortklassen definiert. So gehören auch Adjektive TS-bezogen eher zu "verbalen" SZ, OS-bezogen eher zu den "nominalen" SZ. Vgl. auch Robins (1952).

[62] Zumindest, was die TSE betrifft. Auf der OS können Deletionen vorkommen.

[63] Auf TSE-übergreifender Ebene sind TSE-Verknüpfer (OS: ∅, Konjunktionen, Satzadverbien usw.) entsprechend, was sich auch in Oberflächenhomonymie (bzw. historisch in Übertragung) verschiedener Präpositionen und Konjunktionen zeigt.

in der OS des Deutschen und Englischen darf nicht darüber hinwegtäuschen, daß die Relationsbeziehungen auf der P-Kern-Ebene liegen.[64] Die "Relatoren" bilden ebenfalls paradigmatisch gegliederte "Wort"felder, wobei besonders im lokalen und temporalen Bereich etwa für das Deutsche und Englische relativ viele Oppositionen auftreten (vgl. die Präpositionen).

Die Ergänzungen können nun weiter modifiziert werden, somit

E → E-Mod + E'.

Zu den Mod gehören verschiedene Erscheinungen. Die Ergänzungen werden einzeln modifiziert, wobei allerdings logische (und tiefenstrukturelle) Analyse (Existenz- und Allquantor) und grammatikalisierte Numerus-Opposition für die OS-Realisierung nicht immer parallellaufen (z. B. dt. *alle/jeder*). Das natürliche Geschlecht von *signifiés* gehört zur semantischen Beschreibung der betreffenden *signifiés*, das "grammatische" Genus, wenn in einer Sprache vorhanden (Deutsch), ist synchron ein (semantisch gesehen) willkürlicher oberflächenstruktur-relevanter Auswahlprozeß von gleichbedeutenden Relator- und Numerus-Honomynen zu E-*signifiés*. Schließlich können E-*signifiés* nach Bestimmtheit/Unbestimmtheit und kontextbezogen nach (Nicht-)Vorerwähntheit klassifiziert werden, vgl. oben KM. In der OS-Struktur wird dies im Deutschen und Englischen durch die Artikel geleistet.

Faßt man die bisher getroffenen Distinktionen nochmals zusammen, so ergibt sich:

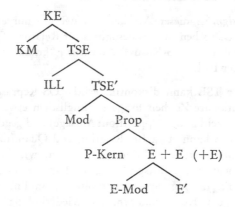

2.3.3. Es wurden bereits bei den einzelnen *signifié*-Klassen der TSE Angaben zu ihrer Umsetzung in *signifiants* der Oberflächenstrukturen des Deutschen und Englischen gemacht. Die OS-Umwandlung ist spezifisch einzelsprachlich, doch

---

[64] Dies wird auch bei Fillmore nicht deutlich, der $K + NP$ ansetzt.

gibt es auch hier verschiedene gemeinsame übereinzelsprachliche Prinzipien und Mittel.

Grundsätzlich gelten als Einheiten der OS Morphem, Wort, Satzteil (im Sinne von *clause*), Satz, evtl. auch Textabschnitt und Text. Vertauschproben und phonetische Kriterien (besonders suprasegmentaler Art wie *tone-group*, Junktur u. a.) geben allerdings kein ganz widerspruchsfreies Instrumentarium zur Bestimmung der Einheiten. (Von der Graphie darf man nicht ausgehen, da sie nur die intuitive Anwendung solcher Teilungsversuche darstellt.) Die Hierarchie der TSE-Gliederung wird auf der OS nur teilweise widergespiegelt. So stehen E-Mod und E meist in einem Satzglied zusammen (z. B. engl. *the boys*), dagegen treten illokutionäre Merkmale und verschiedene Prop-Mod-Elemente oft zusammen mit dem P-Kern auf, Relatoren aus dem P-Kern treten an Ergänzungen usw. Im allgemeinen ist nur bei den *signifiés* für Prop-K und E(rgänzungen), also den Angehörigen offener *signifié-Gruppen*, eine 1:1-Entsprechung von *signifié* und *signifiant* die Regel, so z. B. "*schlaf-*"/[ʃlaːf]. Besonders bei den meist komponentenärmeren *signifié*-Gruppen geschlossener Klassen sind folgende Fälle zu beobachten:

(a) In der OS kann das erweisbare Morphem fehlen; man spricht dann von Null-Morphem(en), wie für "Indikativ", "Singular" usw. im Englischen. Die Null-Ansetzung ergibt sich aus den formal expliziten Formen etwa für den Plural ({-S}; {-en}) und natürlich aus der TSE.

(b) Für mehrere *signifiés* dieser Art kann in der OS nur ein Morphem vorhanden sein. [65] Im Deutschen ist dies besonders für Relator + Quantifizierung (in der Oberflächenstruktur = OS-Kasus + Numerus + "grammatisches" Geschlecht) bei Ergänzungen der Fall.

(c) Ein *signifié* der TSE kann diskontinuierliche OS-Repräsentationen haben; so wird das illokutionäre Zeichen Frage im Englischen etwa für die Satzfrage durch Intonationsauszeichnung (Opposition: Aussage) und gegebenenfalls *do* dargestellt, im Deutschen kann etwa für Relation und Quantifizierung in der OS Umlaut + gebundenes Morphem ("Endung") stehen, wie in *Wort – Wörter*, ohne daß eine eindeutige 1:1-Entsprechung bzw. -Zuweisung vorläge. Hierher gehören auch die für die idg. Sprachen typischen, im Englischen heute schon weitgehend beseitigten Konkordanzen, so Wiederholung von Person und Numerus beim *signifiant* des P-Kerns usw.

---

[65] Diachronisch meist als "Verschmelzung" zu erklären. Kennzeichen flexivischer Sprachen.

(d) Auf das Problem der "grammatischen" Synonymie und Homonymie kann hier nicht ausführlich eingegangen werden. Für den ersten Fall wären etwa die acht "Plural"-Morpheme des Deutschen anzuführen, für den zweiten Fall Genitiv- und Pluralmorphem ({-S}) des Englischen. Diese Synonymie und Homonymie kommt aber auch bei komponentenreichen SZ vor.

Auf Satzglied- und Satzteilebene sind die morphologischen Fragen interessant (flexivische, isolierende, agglutinierende Typen). Bisweilen kann in einem synchronisch beschriebenen Sprachabschnitt Teilsynonymie zwischen verschiedenen Morphemtypen herrschen (so im Engl. bei {-S}-Genitiv und *of*-Konstruktion für possessive Relation). Ebenfalls wichtig ist die Tatsache, daß P-Kern/ E-Relationen – teilweise nach TSE-kontextuellen Aspekten – verschieden auf der OS erscheinen können, z. B. verschiedene Subjektivierungen (Aktiv/Passiv, "Mediopassiv" usw.).

Oberflächen von TSE können linear verbunden werden. Textuelle Gründe können dann OS-Deletionen von vorerwähnten Elementen einer TSE bewirken, z. B. Objekt-Deletion bei verschiedenen OS-transitiven Verben (TS: mindestens zwei-valenter P-Kern mit Patiens- oder *effected-object*-Relation), wie in *heute waschen wir* (deletiert *"Wäsche"*: *Hemden, Strümpfe*; aber meist nicht: *Auto*). Bei Einbettung von TSEn ineinander, wodurch eine TSE2 an eine E von TSE1 angeschlossen wird oder an deren Stelle tritt, zeigen sich vielfach Pronominalisierungen (z. B. Relativsätze) und noch weitergehende Deletionen (z. B. Infinitive, Partizipien). In den jeweils zugrundeliegenden TSE sind die notwendigen *signifiés* im Rahmen dieses Modells natürlich anzusetzen.

2.3.4. Bisher wurde ein Rahmenmodell für Sprachdeskription (und auch – vgl. Kap. 3) für Sprachvergleich entwickelt. Damit ist die ("grammatische") Kompetenz eines ein- oder mehrsprachigen Sprechers oder einer Sprechergruppe zu beschreiben. Die Spezifikation für die kommunikatorische Kompetenz ist zugegeben nicht umfangreich genug.

Normfragen sind je einzelsprachlich zu lösen. Fragen der Performanz, was Norm und eventuelle sonstige Restriktionen des System-Gegebenen (Vielfach-Einbettung usw.) sowie Fehler[66] in der Umwandlung von TS zu OS durch Sprecher oder durch OS-Ambiguität entstehende Hörermißverständnisse betrifft, sind damit noch nicht einbezogen. Sie werden notwendig wichtig, wenn in Kap. 3 neben den systematischen Sprachvergleich die Behandlung von Äquivalenzproblemen tritt.

---

[66] Hier wären dann auch Fragen der Akzeptabilität und Grammatikalität zu behandeln.

2.4. Kontrastive Deskription — Angewandte Kontrastive Linguistik (AKL)

2.4.1. Der eben skizzierte Beschreibungsrahmen dient für einzelsprachliche Deskription wie für den Sprachvergleich. Wie steht dies nun zur Charakterisierung der KL als "Angewandte Linguistik"? Reine Linguistik verpflichtet den Forscher, ständig seine Hypothese über das System von Sprache und Einzelsprache zu verbessern – in der theoretischen Stimmigkeit des Modells wie in der Erprobung an der Realität der Performanz von Sprechern.

Die Verbesserung der Hypothese ist ein wissenschaftlicher Selbstzweck. Wird vom Ziel der "Gewinnung von Erkenntnis um ihrer selbst willen", der "Erweiterung des Wissens ohne Bedachtnahme auf sonstige Nutzbarkeit" [67] abgegangen, um einen anderen Zweck zu verfolgen, spricht man von angewandter Wissenschaft. Dabei handelt es sich in der Regel nicht nur um einen Unterschied in der Intention, sondern meist auch um die Aufgaben von Selektion, Gradierung und Normierung. Sie sind in der reinen Wissenschaft, die auf volle "Wahrheit" abzielt, nicht enthalten. [68] Da alle gegenwärtigen linguistischen Modelle verbesserungsfähig sind, sind sie auch unvollständig. Somit ist eine Anwendung streng genommen noch gar nicht möglich. Für Zwecke der Praxis muß man jedoch ein geschlossenes System annehmen, das entweder den "gegenwärtigen Stand" darstellt, oder sogar noch eine Reduzierung dessen. Sprachwissenschaft kann "angewandt" werden als Verwendung solcher "Teilergebnisse" zur Erkenntnisförderung in einer anderen reinen Wissenschaft (wie Psychologie, Anthropologie usw.) und als Hilfe für die Lösung von Aufgaben in der Praxis. Man sollte aber etwa die Sprachpsychologie nicht als "angewandte" Wissenschaft bezeichnen, in der Ergebnisse linguistischer Modellbildung oder linguistischer Korpusanalyse usw. "angewandt" werden. Die Praxis, in der mit Sprache und Ergebnissen ihrer Systembeschreibung gearbeitet wird, wie beim Sprachunterricht, beim (automatischen) Übersetzen und Dolmetschen, in der Logopädie, der Entwicklung und Ordnung von Schriftsystemen (Orthographie, Stenographie), der Lexikologie und der (Schul-)Grammatikschreibung, der Normenfestlegung (etwa DIN) in Fachsprachen usw., darf auch wiederum nicht "angewandte Sprachwissenschaft" genannt werden, denn, so Back:

> gemeint wäre damit offenbar, "Anwendung von Sprachwissenschaft", denn die Tätigkeit selbst, das Lehren, das Übersetzen etc. ist eben "Praxis" und nicht Wissenschaft. [69]

---

[67] Vgl. Back (1970), S. 23.
[68] Auch Chomskys Adäquatheitsforderung würde in der "wahren" Grammatik hinfällig, sie wäre d i e adäquate Grammatik.
[69] Siehe Back, S. 25.

"Angewandte Sprachwissenschaft" kann sich somit auf sehr verschiedenartige Bereiche von Praxis beziehen und es ist offenbar, daß in solche mit Sprache im weitesten Sinne beschäftigte Praxis auch Elemente anderer angewandter Wissenschaften (selektiert aus "reinen" Wissenschaften wie Psychologie, Medizin, Naturwissenschaften usw.) eingehen.

2.4.2. Die jeweilige Praxis benötigt nun linguistische Grundlagen in "anwendbarer" Form und keineswegs auch immer auf allen Ebenen linguistischer Beschreibung. So ist für Fachnormen der semantische, für Schriftsysteme der phonetische und morphologische Teil der verwendeten Sprachbeschreibung wichtig. Für den Fremdsprachenunterricht sind angewandte Ergebnisse der Linguistik (oft für Teil-Kompetenzen nur Teilbeschreibungen von Subsystemen, z. B. für das 1. Jahr Englisch)[70] und Psychologie aufeinander zu beziehen. Auch aus dieser Sicht ist somit ein einheitliches Gebiet "angewandte Linguistik" nicht sehr sinnvoll.[71]

Die Anforderungen der Praxis haben aber nicht nur einen Einfluß auf Selektion und Ordnung wissenschaftlicher Erkenntnis im Rahmen der Anwendung. Vielfach wird von dieser Praxis her über die angewandte Linguistik die empirische Nachprüfung der Modellthesen vorgenommen und eine – von dieser Sicht allerdings auch nicht immer objektive – Wertung der verwendeten Hypothesen im jeweiligen Modell der reinen Wissenschaft vorgenommen.[72] Das Prinzip der "formalen Bildung" war am morphologisch-syntaktisch orientierten Modell der traditionellen Grammatik eher plausibel, dem audiolingualen Unterricht entsprach mehr die satzbezogene und dabei aber Oberflächenstrukturen als Ausgangspunkt verwendende strukturelle Grammatik. Automatische Übersetzung war an der noch dem taxonomischen Strukturalismus verpflichteten Konstituentengrammatik und dem (schwach generativen) Modell der *finite-state*-Grammatik entwickelt worden. Die weitgehende Ausklammerung der Semantik im strukturalistischen Beschreibungsansatz begünstigte Anfangserfolge in automatischer Übersetzung und audiolingualem Lernen, später wurden Nachteile erkannt, die zu Stagnation in der automatischen Übersetzung und zum Vorschlag semantisch besser fundierter *pattern*-Vorschläge im Fremdsprachenunterricht führten.[73]

---

[70] Vgl. Bauer (1971), S. 1; Hoffmann (1968), S. 277; Raabe (1972), S. 61.

[71] Vgl. Back, S. 32 (2.4.1.).

[72] Allerdings ist umgekehrt gerade im Fremdsprachenunterricht häufig ein Einfluß der Modelle der reinen Wissenschaft auf die Praxis erfolgt. Die gegenseitige Abhängigkeit ist nicht immer klar; vgl. Gutschow (1970), Denninghaus (1970/1), Glabsch (1953).

[73] Vgl. Berndt (1970).

So wenig wie die Praxis aber mehr als heuristische Erkenntnisse bzw. Erprobung eines reinen oder "angewandt" beschränkten linguistischen Modells liefern kann, so wenig kann sich ein linguistisches Modell aus sich heraus für die Praxis empfehlen bzw. Entscheidungskriterien für verschiedene Ausrichtungen, etwa der Unterrichtspraxis für Fremdsprachenerlernung geben. Gerade dies aber ist oft geschehen, ohne daß die Verknüpfung mit anderen angewandten Ergebnissen von Psychologie, Didaktik, Methodik usw. immer hergestellt wurde.[74] Traditionell-logische Grammatik von K. F. Becker[75], strukturalistische Grammatik von Fries und seiner Schule,[76] funktionaler Strukturalismus im Sinne der Prager Schule,[77] transformationell-generative Grammatik,[78] kontextuelle Grammatik,[79] kybernetischer Strukturalismus[80] bieten Beispiele für die Postulierung angeblicher Eignung als "angewandte Sprachwissenschaft" für die Unterrichtspraxis.

2.4.3. Ist nun kontrastive Sprachwissenschaft ein Gebiet der Praxis, mißverstanden als "angewandte Sprachwissenschaft", ist sie ein Teil dieser letzteren oder kann sie als "reine" Wissenschaft deklariert werden? Die Einbeziehung von KL in linguistisch fundierte Sprachlehrmethoden – nicht zuletzt präjudiziert durch die Forscher-Personalunion in R. Lado – hat hier zur Begriffsvermischung beigetragen. Fremdsprachenunterricht, Lexikologie, (automatische) Übersetzung usw. sind Gebiete der Praxis, in denen mehr als eine Sprache bzw. Sprachkontraste eine Rolle spielen. Fehleranalyse im Fremdsprachenunterricht ist ebenfalls ein Gebiet der Praxis, in dem eine angewandte sprachvergleichende Sprachwissenschaft – neben angewandter Psychologie (Interferenz, Transfer-Lehre) – von Bedeutung ist. Doch Übersetzung, Fehleranalyse usw. "sind" nicht KL.[81]
Kontrastiv linguistische Beschreibung (etwa die Beschreibung einer Mehrsprachigkeit eines Individuums) kann in jedem Fall als sekundäre "reine"

---

[74] Vgl. zusätzlich zu den Fn. 72 Genannten noch Helbig (1967), Helbig (1969), Hüllen (1971 – bes. für Strukturalismus, TG und Kontextualismus), Erlinger (1969), Bolinger (1968), Marckwardt (1970), Zabrocki (1970), Moulton (1966), den Sammelband *Linguistic Theories and their Application* (1967, mit Aufsätzen von Coseriu, Isačenko, Catford, Rivenc), Leontiev (1963) u. a.
[75] Vgl. bes. Glinz (1947).
[76] Vgl. die in Kap. 1 zitierten Werke von Fries, Lado/Fries, dazu Leisinger (1966), für Verbreitung in Schulbüchern vgl. Viereck (1969), Mindt (1971) u. a.
[77] Vgl. Fried (1965).
[78] Für TG vgl. Graustein (1968), Nickel (1967), Saporta (1966), Berndt (1971), Roth 1971 u. a.
[79] Vgl. Gutschow (1968), Hüllen (1971) u. a.
[80] Zabrocki (verschiedene Aufsätze, siehe Lit.-Verzeichnis).
[81] Auch Nemser/Slama-Cazacus KL ist es trotz ihres Lerner-Bezugs nicht (1970, bes. S. 108/9).

Sprachwissenschaft angesehen werden. Sekundär deswegen, weil Sprachvergleich im Gegensatz zur natürlich unbewußten Erlernung der muttersprachlichen Einsprachigkeit und auch der Mehrsprachigkeit, in der kein Erlernen des Vergleichens impliziert ist, "künstlich" ist. Die verschiedenen Ebenen in der Kompetenz eines mehrsprachigen Sprechers können Gegenstand einer theoretischen kontrastiven Untersuchung sein. Es braucht sich daher bei KL noch nicht *a priori* um angewandte Sprachwissenschaft zu handeln. (Daß es dies in der Praxis meist ist, ist hier nicht relevant.) Linguistik als primäre reine Wissenschaft kann aber nur sehr bedingt aus der Sicht einer idealen Modellierung der einzelsprachlichen Deskription an der natürlichen Hypothesenbildung (beim Erwerb einer e i n z e l sprachlichen Kompetenz als Ergebnis eines muttersprachlichen Sprachlernprozesses) für den Sprachvergleich "angewandt" werden. In diesem Sinne ist auch etwa Catfords Meinung zu interpretieren:

> *Applied Linguistics* is a term used to cover all those applications of the theory and categories of general linguistics which go beyond (i) the elucidation of how languages work and (ii) the description of a particular language or languages for its/their own sake. The theory of translation is essentially a theory of applied linguistics.[82]

Wir glauben aber, daß Sprachvergleich neben Einzelsprachendeskription zu stellen ist, und beide "rein" oder "angewandt" betrieben werden können. Verschiedene Sprachmodelle beziehen bereits kontrastive oder universale Gesichtspunkte bei der Einzelsprachen-Deskription ein (traditionelle Grammatik wie TG). Das in 2.3 vorgeschlagene Modell gibt einen Rahmen für einzelsprachliche wie kontrastive Deskription; es dient als allgemeines *tertium comparationis* für den Vergleich. Die Ablehnung eines solchen *t. c.* war ja auch der Grund, daß im Strukturalismus KL sich eher als Parallelgrammatik ausbildete. Im vorgestellten Rahmen sind alle Sprachen einzeln und vergleichend beschreibbar.

Somit ist Mehrsprachigkeit – natürliche wie künstliche – auch als Vorhandensein mehrerer Einzelkompetenzen (k_1, k_2, k_n) innerhalb einer sie übergreifenden generellen Sprachkompetenz (K_0) zu sehen:

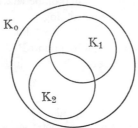

[82] Catford (1965), S. 19. Auf die Schwierigkeiten, die sich aus der notwendig einzelsprachlichen Beschreibung von K_0 ergeben, wurde schon mehrfach hingewiesen, vgl. Hüllen (etwa S. 145) und Coseriu (1970 c), der deshalb den Wert einer KL für einzelsprachliche Deskription gering, wenn nicht sogar als gefährlich, einstuft.

49

Wird wie in strukturalistischer Sicht jede Sprache nur aus sich heraus für beschreibbar gehalten, so ist KL in der Tat angewandte Linguistik, da sie theoretisch gar nicht möglich ist. Einige in der Parallelität der Sprachen "ähnliche" bzw. stark unterschiedene Systembereiche können aber wirkungsvoll und hilfreich zur Demonstration oder zur Fundierung im Fremdsprachenunterricht im wörtlichen Sinne "kontrastiv" eingesetzt werden. In einem universalistischen Modell ist KL aber eher Bewußtmachung [83] der einzelsprachlichen Kompetenz bzw. einzelsprachlicher Kompetenzen (sowohl insgesamt wie zueinander) zur generellen Kompetenz K_0. Diese hat in der (unbewußten) Kompetenz des Einzelsprechers potentiellen Charakter, befähigt ihn überhaupt zur Mehrsprachigkeit und wächst auch mit dem Erwerb dieser Mehrsprachigkeit in Richtung auf die K_0. K_0 ist voll nur im linguistischen Modell vorhanden und damit nur theoretisch gegeben. Von einer solchen K_0 her gesehen, füllen dann k_1, k_2, k_n einen Teil dieser K_0 auf, sind Ausprägungen von K_0. [84] Die einzelsprachlichen k_{1-n} sind somit, gemessen an den Möglichkeiten menschlicher Sprache, "unvollständig". Dies sind sie aber alle gleichermaßen, wodurch normative Ansprüche zugunsten bestimmter Sprachen (z. B. Latein) oder Charakterisierungen wie "primitive Sprache" auf Grund von Sprachvergleichen hinfällig werden. Die "Unvollständigkeit" ist sowohl synchron zwischen Sprachen wie diachron in einzelnen Sprachen oder generell wandelbar und unterschiedlich.

Somit ist der Vergleich von zwei Einzelsprachen nur eine Erweiterung der ebenfalls bereits "kontrastiven" Analyse zur Beschreibung eines einzelsprachlichen Systems vor dem Hintergrund der K_0. K_0 ist Vergleich-"Sprache" und *tertium comparationis*; im Fall des Vergleichs von zwei Einzelsprachen ist K_0 implizit in der Beschreibung beider enthalten und speziell noch einmal als *t. c.*. Eine angewandte kontrastive Linguistik kann dann, aus dieser "reinen Wissenschaft" selektierend, auf verschiedene Bereiche der Praxis bezogen werden, z. B. eben Fremdsprachenunterricht, Fehleranalyse, Übersetzung, [85] Lexikologie usw. K_0 kann dann zum Beispiel eine Sammelkompetenz Deutsch–Englisch sein (vgl. Kap. 3). Das in 2.4.1 Gesagte gilt hier analog.

Kap. 3 erweitert diesen Ansatz von "reiner" KL. Fragen der "Anwendung" werden in der Interaktion mit Psychologie und Pädagogik in Kap. 4 und 5, an Beispielen des Sprachvergleichs Deutsch–Englisch in Kap. 6 bis 8 gezeigt.

---

[83] Bei natürlicher Erlernung mehrerer Sprachen ist weder die Bewußtmachung der einzelsprachlichen Kompetenz noch der K_0 nötig und erstrebenswert, bei künstlicher Erlernung der Zweitsprache (Schüler, Linguist) tritt jedoch beides hervor.

[84] Wir betrachten sie aber (auch aus terminologischen Gründen) als einzelsprachlich in sich ausbalanciertes System.

[85] Für Übersetzung gilt aber auch situationelle Äquivalenz (vgl. Kap. 3).

2.5. Erläuterungen und Literaturhinweise

Die Sprachmodelle, besonders die in diesem Jahrhundert entwickelten, sind in verschiedenen Handbüchern, wie bei Robins (1967) – für frühere Ansätze –, Arens (²1969), Helbig (1971) u. a. nachzulesen. Für die letzten zehn Jahre müssen aber in besonderem Maße die laufend erscheinenden Primärwerke (Aufsätze, Bücher) herangezogen werden. Dies gilt besonders für die sich schnell wandelnde TG.

Die in Kap. 1 und 3 genannten Werke zur KL setzen sich meist auch mit einzelnen Sprachmodellen auseinander.

Für "Angewandte Sprachwissenschaft" als Forschungsbereich siehe besonders v. Teslaar (1963) und Back (1970). Im übrigen vgl. die folgenden bibliographischen Angaben.

Althaus, H. P./Henne, H.: "Sozialkompetenz und Sozialperformanz. Thesen zur Sozialkommunikation", in: *ZDL* 38 (1971), 1–15

Arens, H.: *Sprachwissenschaft. Der Gang ihrer Entwicklung von der Antike bis zur Gegenwart*, Freiburg/München ²1969

Austin, J. L.: *How to Do Things with Words*, Oxford 1962 (zitiert nach der Paperback-Ausgabe, ed. J. O. Urmson, 1971)

Back, O.: "Was bedeutet und was bezeichnet der Ausdruck 'angewandte Sprachwissenschaft'?", in: *Die Sprache. Zeitschrift für Sprachwissenschaft* 16 (1970), 21–53

Bauer, E. W.: "Applied Contrastive Linguistics and the Development of a Pedagogical Grammar", *Vortrag* gehalten auf dem *International Symposium on Applied Linguistics* (Stuttgart 1971), Ms.

Berndt, R.: "Recent Approaches to Grammar and their Significance for Contrastive Structure Studies", in: *YSCECP. B. Studies* 3 (1971), Zagreb, 1–37

Bierwisch, M.: "Semantics", in: *New Horizons in Linguistics*, Ed. J. Lyons, Harmondsworth 1970, 166–184

Birdwhistell, R.: *Kinesics*, Louisville 1956

Bolinger, D.: "The Theorist and the Language Teacher", in: *Foreign Language Annals* II (1968), 30–41

Boyd, J./Thorne, J. P.: "The semantics of modal verbs", in: *Journal of Linguistics* 5 (1969), 57–74

Brinker, K.: *Konstituentenstrukturgrammatik und operationale Satzgliedanalyse*, Frankfurt/M. 1972

Campbell, R./Wales, R.: "The Study of Language Acquisition", in: *New Horizons in Linguistics*, Ed. J. Lyons, Harmondsworth 1970, 242–260

Chafe, W. L.: *Meaning and the Structure of Language*, Chicago/London 1970

Chomsky, N.: *Syntactic Structures,* 's-Gravenhage 1957

Chomsky, N.: *Aspekte der Syntax-Theorie*, Frankfurt/M. 1969 (Übs. von *Aspects of the Theory of Syntax* [1965])

Christmann, H. H.: "Zum Aspekt im Romanischen", in: *Romanische Forschungen* 71 (1969), 1 ff.

Cook, W. A.: *Introduction to Tagmemic Analysis*, New York 1969

Corder, S. P.: *Introducing Applied Linguistics*, Harmondsworth 1973

Coseriu, E.: *Einführung in die strukturelle Betrachtung des Wortschatzes*, Tübingen 1970 (a)

Coseriu, E.: *Sprache – Strukturen und Funktionen*, 12 Aufsätze (Hgb. U. Petersen), Tübingen 1970 (b)

Denninghaus, F.: "Die wechselseitigen Einflüsse zwischen der Linguistik und dem Fremdsprachenunterricht", in: *Praxis des neusprachlichen Unterrichts* 17 (1970), 407 –418; 18 (1971), 31–40

Döhmann, K.: "Die sprachliche Darstellung der Modalfunktoren", in: *Logique et Analyse*, N. S. 4 (1961), 55–91

Dressler, W.: *Einführung in die Textlinguistik*, Tübingen 1972

Erlinger, H. D.: *Sprachwissenschaft und Schulgrammatik*. Strukturen und Ergebnisse von 1900 bis zur Gegenwart, Düsseldorf 1969

Fillmore, Ch. J.: "The Case for Case", in: *Universals in Linguistic Theory* (1968), 1–88

Firbas, J.: "On Defining the Theme in Functional Sentence Analysis", in: *TLP* 1 (1964), 267–280

Fried, V.: "The Prague School and Foreign Language Teaching", in: *Prague Studies in English* 11, Praha 1965, 15–32

Fried, V.: "Contrastive Linguistics und analytischer Sprachvergleich", in: *Linguistische und methodologische Probleme einer spezialsprachlichen Ausbildung*, Hgb. I. Schilling, Halle 1967, 24–32

Geckeler, H.: *Strukturelle Semantik und Wortfeldtheorie*, München 1971

Glabsch, K. H.: *Zur Frage der theoretischen Grundlagen des Grammatikunterrichts und ihrer methodischen Bedeutung für den Unterricht in den modernen Fremdsprachen*, Diss. Greifswald 1953

Glinz, H.: *Die innere Form des Deutschen*. Eine neue deutsche Grammatik, Bern 1952, ⁵1968

Grady, M.: *Syntax and Semantics of the English Verb Phrase*, The Hague 1970

Graustein, G.: "Zur Verwendung eines neuen Grammatikmodells in der Sprachausbildung", in: *Wiss. Zeitschrift der Karl-Marx-Univ. Leipzig* 17 (1968), Gesellschaftssprachwiss. Reihe, 519–523

Greenberg, J. H.: "Some Universals of Grammar with Particular Reference to the Order of Meaningful Elements", in: *Universals of Language*, Ed. J. H. Greenberg, Cambridge/Mass. 1963, 58–90

Gutschow, H.: "Der Beitrag des britischen Kontextualismus zur Theorie und Praxis des Fremdsprachenunterrichts", in: *Der fremdsprachliche Unterricht* 6 (1968), Heft 2, 23–39

Gutschow, H.: "Der Einfluß linguistischer Theorien und technischer Entwicklungen auf die Gestaltung des Fremdsprachenunterrichts", in: *Neusprachliche Mitteilungen* 23 (1970), 92–102

Halliday, M. A. K.: "Categories of the Theory of Grammar", in: *Word* 17 (1961), 241–292

Halliday, M. A. K.: "Notes on transitivity and theme in English", in: *Journal of Linguistics* 3 (1967), 37–81, 177–274; 4 (1968), 153–308

Halliday, M. A. K.: "Language Structure and Language Function", in: *New Horizons in Linguistics*, Ed. J. Lyons, Harmondsworth 1970, 140–165

Halliday, M. A. K.: "Functional Diversity in Language as Seen from a Consideration of Modality and Mood in English", in: *Foundations of Language* 6 (1970), 322–361

Hare, R. M.: *The Language of Morals*, New York 1964

Haselbach, H.: *Grammatik und Sprachstruktur. Karl Ferdinand Beckers Beitrag zur Allgemeinen Sprachwissenschaft in historischer und systematischer Sicht*, Berlin 1966

Helbig, G.: "Die Bedeutung syntaktischer Modelle für den Fremdsprachenunterricht", in: *Deutsch als Fremdsprache* 4 (1967), 195–204, 259–267

Helbig, G.: Zur Anwendbarkeit moderner linguistischer Theorien im Fremdsprachenunterricht und zu den Beziehungen zwischen Sprach- und Lerntheorien", in: *Sprache im technischen Zeitalter* 8, H. 32 (1969), 287–305

Helbig, G.: *Geschichte der neueren Sprachwissenschaft*. Unter dem besonderen Aspekt der Grammatiktheorie, München 1971

Henne, H./Wiegand, H. E.: „Geometrische Modelle und das Problem der Bedeutung", in: *ZDL* 36 (1969), 129–173

Heringer, H. J.: *Theorie der deutschen Syntax*, München 1970 (a)

Heringer, H. J.: *Deutsche Syntax*, Berlin 1970 (b)

Hoffmann, L.: "Probleme der linguistischen Fundierung eines modernen Fremdsprachenunterrichts", in: *Probleme der strukturellen Grammatik und Semantik*, Hgb. R. Růžička, Leipzig 1968, 271–287

Householder, F. W.: *Linguistic Speculations*, Cambridge 1971

Houston, S. H.: *A Survey of Psycholinguistics*, The Hague 1972

Hüllen, W.: *Linguistik und Englischunterricht*, Heidelberg 1971

Jellinek, M. H.: *Geschichte der neuhochdeutschen Grammatik von den Anfängen bis auf Adelung*, 2 Bde., Heidelberg 1913/4

Joas, H./Leist, A.: "Performative Tiefenstruktur und interaktionistischer Rollenbegriff – Ein Ansatz zu einer soziolinguistischen Pragmatik", in: *Münchener Papiere zur Linguistik* 1 (1971), 31–54

Katz, J. J.: *Philosophie der Sprache*, Frankfurt/M. 1969 [1966]

Katz, J. J./Postal, P. M.: *An integrated theory of linguistic descriptions*, Cambridge/ Mass. 1964

Katz, J. J./Fodor, J. A.: "The structure of a semantic theory", in: *Language* 39 (1963), 170–210

Kühlwein, W.: *Die Verwendung der Feindseligkeitsbezeichnungen in der altenglischen Dichtersprache*, Neumünster 1967

Lamb, S. M.: *Outline of Stratificational Grammar*, Georgetown UP, Washington, D. C. 1966

Leech, G. N.: *Meaning and the English Verb*, London 1971

Leisinger, F.: *Elemente des neusprachlichen Unterrichts*, Stuttgart 1966

Leontiev, A. A.: "The Plurality of Language Models and the Problems of Teaching Languages and Grammar", in: *IRAL* 1 (1963), 211–222

Linguistic Theories and their Application, Ed. Council for Cultural Co-operation of the Council of Europe, Aidela, Strasbourg 1967

Lockwood, D. G.: *Introduction to Stratificational Linguistics*, New York 1972

Marckwardt, A. H. (Ed.): *Linguistics in School Programs*. The 69th Yearbook of the National Society for the Study of Education, Part II, Chicago 1970

Michael, I.: *English Grammatical Categories and the Tradition to 1800*, Cambridge 1970

Mindt, D.: *Strukturelle Grammatik, generative Transformationsgrammatik und englische Schulgrammatik*, Frankfurt/M. 1971

Moulton, W. G.: *A Linguistic Guide to Language Learning*, New York 1966

Mues, W.: *Strukturanalyse und ihre Bedeutung für den modernen Englischunterricht*, Frankfurt/M. 1962

Nickel, G.: "Welche Grammatik für den Fremdsprachenunterricht", in: *Praxis des neusprachlichen Unterrichts* 14 (1967), 1–16

Pike, K. L.: *Language in relation to a unified theory of the structure of human behavior*, The Hague ²1967 [1954/9]

Polanski, K.: "Sentence Modality and Verbal Modality in Generative Grammar", in: *Biuletyn Fonograficzny* 10 (1969), 91–100

Robins, R. H.: "Noun and verb in universal grammar", in: *Language* 28 (1952), 289–298

Robins, R. H.: *A Short History of Linguistics*, London 1967

Ross, J. R.: "On Declarative Sentences", in: R. A. Jacobs/P. S. Rosenbaum (Eds.): *Readings in English Transformational Grammar*, Waltham/Mass. 1970, 222–272

Roth, E.: *Transformationsgrammatik in der englischen Unterrichtspraxis*, Frankfurt/M. 1971

Saporta, S.: "Applied linguistics and generative grammar", in: A. Valdman (Ed.): *Trends in language teaching*, New York 1966, 81–92

Searle, J. R.: "Austin on locutionary and illocutionary acts", in: *The Philosophical Review* 77 (1968), 405–424

Searle, J. R.: *Speech Acts*, Cambridge 1969 (dt. Übs. 1971)

Siertsema, B.: *A Study of Glossematics*. Critical Survey of its Fundamental Concepts, The Hague 1965

Schmidt, W.: *Lexikalische und aktuelle Bedeutung*. Ein Beitrag zur Theorie der Wortbedeutung, Berlin ⁴1967

Snider, J. G./Osgood, Ch. E. (Eds.): *Semantic Differential Technique*, Chicago 1969

Teslaar, A. P. v.: "Les domaines de la linguistique appliquée (1)", in: *IRAL* 1 (1963), 50–77

Twaddell, W. F.: "The Durability of 'Contrastive Studies'", in: *Contrastive Linguistics and Its Pedagogical Implications* (1968), 195–201

Universals in Linguistic Theory, Ed. E. Bach/R. T. Harms, New York 1968

Universals of Language, Ed. J. H. Greenberg, Cambridge/Mass. 1963

Viereck, W.: "Die Revolution in der Grammatik und das amerikanische Schulbuch", in: *Praxis des neusprachlichen Unterrichts* 16 (1969), 55–68

Weinreich, U.: "On the Semantic Structure of Language", in: *Universals of Language*, Ed. J. H. Greenberg, Cambridge/Mass. 1963, 114–171

Whorf, B. L.: *Sprache, Denken, Wirklichkeit* (Übs.), Hamburg 1963

Wunderlich, D.: "Unterrichten als Dialog", in: *Sprache im technischen Zeitalter* 32 (1969), 263—287

Wunderlich, D.: "Die Rolle der Pragmatik in der Linguistik", in: *Deutschunterricht* 22 (1970), H. 4, 5–41

Wunderlich, D.: "Pragmatik, Sprechsituation, Deixis", in: *Lili* 1 (1971), 153–190

Zabrocki, L.: "Entwickeln und Integrieren von Unterrichtsmaterial", in: *Probleme des Deutschen als Fremdsprache*, Hgb. M. Triesch, München 1969, 56–79

Zabrocki, L.: "Die Methodik des Fremdsprachenunterrichts vom Standpunkt der Sprachwissenschaft", in: *Glottodidactica* V (1970), 1–35

3. Kontrastive Deskription

3.1. Ansätze der Forschung

3.1.1. Bereits in Kap. 2.4 wurde KL, bei Anwendung eines bestimmten, partiell universalistischen Sprachmodells, als "reine" Wissenschaft vorgestellt. Dabei wurde auch der einzelsprachlichen Deskription ein kontrastiver Aspekt zugewiesen. Doch soll KL in der weiteren Darstellung primär für Vergleiche zweier Einzelsprachen näher erläutert werden, wenn auch auf dem Hintergrund der generellen Übereinzelsprachlichkeit von K_0.

Für den Einzelsprachen-Vergleich steht infolge des universalistischen Rahmenmodells, in dem nur paradigmatisch zu gliedernde Klassen von SZ spezifiziert sind, die Füllung dieser Klassen im Vordergrund der zwei-sprachig ausgerichteten KL, d. h., ein Wortfeld-Vergleich innerhalb der jeweiligen paradigmatischen Klasse der TSE im Rahmen der in der TSE universal aufgestellten Zeichenklassen (z. B. Wortfeld der illokutionären Akte: *fragen, versprechen, behaupten* usw.). Damit ergibt sich ein universalistisch-onomasiologischer Ausgangspunkt der Untersuchung, die weiterschreitet zu semasiologischer Betrachtung der Einzelsprache(n) und schließlich die semasiologischen Ergebnisse wieder auf das universalistische Modell bezieht. Die Untersuchung semantischer Gleichheit (Äquivalenz) oder Verschiedenheit innerhalb der paradigmatisch aufgeschlüsselten[1] Klassen hat Vorrang vor formaler Kongruenz, da dieser ganz verschiedene TS-Kombinationen zugrundeliegen können.

Bei einem solchen Vergleich von System-Teilen zweier Einzelsprachen gehen wir von der Existenz zweier voll ausgebildeter Systeme aus, die statisch beschrieben und verglichen werden. Dieses Vorgehen beinhaltet eine Abstraktion sowohl gegenüber einer mehrsprachigen Kompetenz eines Sprechers, der realiter immer nur über eine "Teil"-Kompetenz der betreffenden Sprachsysteme verfügt, wie auch gegenüber dem dynamischen Aufbau einer Zweitkompetenz des Fremdsprachenlernenden.

3.1.2. Eine Kontrastive Linguistik, die auf die Betrachtung des Aufbaus individueller Zweitkompetenzen eingeschränkt ist, wird von Nemser/Slama-Cazacu[2] vorgeschlagen – in scharfer Ablehnung anderer Ansätze:

---

[1] Bei großen Klassen, besonders den offenen (P-Kerne, Ergänzungen) sind hier vielfältige Unterteilungen in der paradigmatischen Analyse nötig ("Wortfelder") – vgl. Kap. 7.

[2] Nemser/Slama-Cazacu (1970).

[...], the crucial differences between contrastive linguistics and comparative typology have not been generally recognized: in the second case, all typical relationships between languages are recorded, while in contrastive linguistics only those which the learner himself establishes are pertinent. The contrastive analyst begins with an *a priori* assumption of uniformity among learners in the "same" contact situation.[3]

Trotzdem ist im Ansatz von Nemser/Slama-Cazacu die KL nicht als (nur) "angewandte" Linguistik, vom Zweck des Lernens dominiert, zu verstehen: das mehrsprachige System des einzelnen wird betont. Auch auf dem Gebiet der "reinen" Linguistik (ohne Bezug auf Lerntheorien und Anwendungsprobleme) muß die statische Abstraktheit eines Vergleichs zweier "Sprachsysteme" (wie Deutsch und Englisch), die ja keine "Realität" haben, durchbrochen werden. Die praktische Durchführbarkeit ist allerdings beschränkt:

The contrastive analyst proceeds: a) as though B [= base language] and T = [target language] met in the mind of the learner at the level of "language" as an abstract entity [...] – while contact is actually effected between concrete individual systems [...]; and b) as though the systems met *in toto* – while exposure to T is necessarily gradual, and while the individual system in contact represents personal selections from B and T [...] by the learner, on the one hand, and his T-speaking interlocutors on the other.[4]

Diese Einzelsysteme (als "realitätsmögliche" Gebiete eines Vergleichs) können dann erweitert gedacht werden – wiederum systembezogen – auf ein approximatives "Lerner-System" einer L1 für eine Zweitsprache L2 (ohne Bezug auf den Lerner dann für den Vergleich "Deutsch"-"Englisch"):

[...] evidence for the reality of approximative systems is abundantly present in the regular patterning of the T-varieties of learners sharing the same native language, i. e. their characteristic "foreign accent".[5]

Solche Systembeschreibungen sind eine notwendige Ergänzung abstrakter L1/L2-Vergleiche, nicht zuletzt deshalb, weil erst sie eigentlich in eine "angewandte kontrastive Linguistik" überführt werden können. Nemser/Slama-Cazacu weisen aber darauf hin, daß auch diese Sicht der Dinge noch immer statisch sei und dynamisiert werden müsse:

While viewing the learner as the size of the "meeting" of the two systems, B and T, it fails to take account of the learning process itself, as it occurs within the learner, which is individual and dynamic. The result is a contrastive linguistics which inadvertantly approaches closer in spirit to comparative language typology.[6]

3.1.3. Der Vorwurf, die gegenwärtige KL ähnele zu sehr der Sprachtypologie, wird auch von Vertretern einer linguistischen Disziplin "Übersetzungswissen-

---

[3] Ebda., S. 108/9.
[4] Ebda., S. 111.
[5] Ebda., S. 120.
[6] Ebda., S. 114.

schaft" vertreten.[7] Der Übersetzungswissenschaft werden von Jäger die historisch-vergleichende Sprachwissenschaft, die Areallinguistik und die Typologie gegenübergestellt. Diese letzteren Disziplinen sehen (nach Jäger) zu sehr nur die einzelnen Systemteile (grammatische, lexikalische usw.) zueinander in Kontrast. Damit ist aber nur ein teilweiser Vergleich, schon gar nicht eine Übersetzung möglich, die eine Integration der Systemteile erfordert. Jägers Vorschlag für eine "Isopraktik" lautet:

> Sie hat, ungeachtet der Ähnlichkeit oder Unterschiedlichkeit der Form, Elemente von jeweils zwei Sprachen, die in ihrer Funktion äquivalent sind, miteinander zu verknüpfen und dabei die Elemente beider Sprachen restfrei zu erfassen.[8]

Sie ist jedoch eigentlich nur in Zuordnung von Systemen zueinander, d. h. praktisch innerhalb verglichener oder transponierter TSEn und ihrer Oberflächenumwandlungen möglich.

Die einzelsprachliche Füllung des vorgestellten TSE-Rahmens kann als System einer Sprache oder eines Sprechers statisch oder dynamisch (im Sinne von kontrastiv-statisch)[9] beschrieben werden. Damit ist über Äquivalenz einzelner SZ oder funktionelle Äquivalenz (oder gar Übersetzung) von Ketten sprachlicher Zeichen für L1/L2 (Mehrsprachigkeit oder Sprachvergleich) noch nichts ausgesagt, da bisher nur die Syntagmatik von *signifié*-Klassen (übereinzelsprachlich), nicht aber die Syntagmatik von paradigmatisch opponierten Einzelelementen solcher Klassen (einzelsprachlich) einbezogen ist.

Da es nun zwar d i e lexikalische Bedeutung eines SZ in einer Einzelsprache gibt, aber nicht d i e aktuelle Bedeutung, sondern deren viele, ist Vergleich zwischen zwei Sprachen zuerst nur als Vergleich von System-Teilen möglich; sonst müßten ja eine sehr große (theoretisch unendliche) Menge von TSEn, auf denen die Äußerungen in einzelsprachlicher Performanz basieren, verglichen werden. Außerdem würden die Norm-Beschränkungen der jeweiligen Einzelsprache bestimmte System-Teile verdecken können (die Schwierigkeit jeder Korpus-Analyse). Die Praxisnähe[10] eines Vergleichs einzelsprachlich syntagmatischer Ketten ist zwar offensichtlich, und Gleichheit oder Verschiedenheit von Äußerungen kann nur auf diese Weise festgestellt werden, doch wird damit der System-Vergleich entweder ausgelassen oder implizit vorausgesetzt.[11]

---

[7] Vgl. etwa Jäger (1968), besonders S. 213.

[8] Jäger (1968), S. 216.

[9] Die dynamische Systematik eines Lernprozesses ist linguistisch allerdings äußerst schwer zu beschreiben; das gilt für Erst- wie für Zweit- (oder Dritt-)Sprachenerwerb.

[10] Heuristisch ist ein Ausgang vom Korpus sicher nötig. Vgl. dazu Filipović (1969) und Bujas (1967) im Rahmen des YSCECP.

[11] Besonders wenn vor diesem Hintergrund wieder einzelne Zeichen verglichen werden.

Die Möglichkeit und Fähigkeit des mehrsprachigen Sprechers, Sätze in zwei Sprachen als äquivalent zu bezeichnen, ist nicht allein die Folge seines Wissens um funktionelle Äquivalenz von Äußerungen, die er durch Erfahrung an außersprachlicher Wirklichkeit und durch Hören einer großen Menge von Sätzen bei Erfahrung dieser Wirklichkeit erworben hat. Sie beruht weitgehend auf der generellen Kompetenz jedes Sprechers, semantische Universalien in der anderen Sprache zu erkennen bzw. in der einen Einzelsprache L1 nicht erscheinende potentiell universale Merkmale in der anderen Einzelsprache L2 zu "entdecken" und in seine mehrsprachige Kompetenz (quantitativ als K_{1+2} zwischen einer idealen K_0 und K_1 bzw. K_2 angesiedelt) zu integrieren. Nur bei "wiederholter Rede", nicht aber den vielen erstmals gehörten oder erstmals produzierten Sätzen bzw. Äquivalenzentscheidungen, kann von einer System-Reflexion beim Vergleich abgesehen werden.

3.1.4. Innerhalb des universal-syntagmatischen Rahmens ist aber nun sowohl eine kontrastive Linguistik der einzelnen paradigmatisch gegliederten Klassen (KL1) als auch eine kontrastive Linguistik der syntagmatischen Reihung solcher einzelner Klassen-Elemente (KL2) möglich.

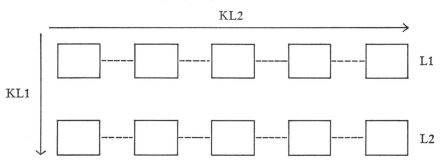

Für KL2 bedeutet dies Einengung der Syntagmatik auf Performanz-Vorbereitung; eine Einbeziehung der Norm, der Akzeptabilität und evtl. Oberflächenstrukturrestriktionen in größerem Umfang würde in diesem Rahmen zu weit führen.
KL1 wird von der sog. komparatistischen und sprachtypologischen Linguistik betrieben. In unserem Ansatz wird allerdings die übliche Trennung in Lexikon und Grammatik aufgehoben, da beide als Semantik (offener bzw. geschlossener Klassen) beschrieben werden. In der Forschungspraxis standen und stehen (vgl. 3.3) dabei die Unterschiede zwischen Sprachen im Vordergrund.
KL2 wird vornehmlich von der Übersetzungswissenschaft betrieben, wobei angestrebte und tatsächliche Äquivalenz (Gleichheit) – nicht zuletzt als intuitives

tertium comparationis – im Vordergrund stehen. KL1 und KL2 werden verbunden von einigen Forschern, die Übersetzungsäquivalenz als Ausgangspunkt für KL generell ansehen. Sie verfolgen aber keine angewandten Ziele ("Übersetzungspraxis"), sondern nehmen Äquivalenz lediglich als Kriterium der Vergleichbarkeit. Halliday/McIntosh/Strevens[12], Dingwall[13], Krzeszowski[14], Marton[15] u. a. haben dies vorgeschlagen. KL1 und KL2 können zwar komplementär sein, dürfen aber dabei nicht vermischt werden.

Da eine KL2 ihr Vergleichskriterium von der Ebene der Performanz her bezieht, muß eine KL1 ihr Kriterium entweder in einer universalistischen übereinzelsprachlichen Systematik haben oder darauf verzichten, KL anders als Parallellinguistik zu betreiben. In einem semantischen Modell (wie in 2.3 entwickelt) ist echte KL1 wohl leichter als in einem Modell mit einer syntaktischen Basis zu realisieren. In einem solchen wurde von TG-orientierten Linguisten (Klima, Dingwall, Stockwell, Bolinger u. a.) das Kriterium der "Stellung der Regeln in der Grammatik"[16] für die Entscheidung von Äquivalenzen vorgeschlagen.[17] Dabei wurde allerdings eine schon einzelsprachlich geprägte Phrasenstruktur – mit universal gedachten Kategorialsymbolen (NP, VP, Aux) und Transformationen (Deletion, Permutation usw.) – angesetzt; und es wurde unter weitgehendem Ausschluß der paradigmatischen Semantik lediglich im Bereich der Phrasenstrukturen (TS) und ihrer Umwandlung zur einzelsprachlichen OS versucht, Unterschiede und Ähnlichkeiten zu spezifizieren, insbesondere aber den Punkt der Abweichung auf dem Weg von den interlingual ähnlichen TS zu einzelsprachlich unterschiedlichen OS.[18] Zu diesem Zwecke wurden *conversion tables*[19], *transformulations*[20] usw. aufgestellt. Implizit und intuitiv wird hier aber auch auf die Übersetzungsäquivalenz der in die Strukturen einzusetzenden einzelsprachlichen Wortfolgen spekuliert.

Eine Skizzierung der Ansätze für KL1 und KL2, teilweise vergleichend, findet sich bei Coseriu (kritisch zu KL1 im besonderen)[21], Hüllen[22], James (verglei-

---

[12] Halliday/McIntosh/Strevens (1964).
[13] Dingwall (1964).
[14] Krzeszowski (1967, 1971, 1972).
[15] Marton (1968).
[16] Hamp (1968), Krzeszowski (1972).
[17] Klima (1962), Dingwall (1964), Stockwell u. a. (1965), Bolinger (1965).
[18] Krzeszowski (1972), S. 79.
[19] Dingwall (1964).
[20] Bolinger (1965).
[21] Coseriu (1970 c), zu KL 2 besonders 11 ff., zur TG 13 ff.
[22] Hüllen (1971), S. 144.

chend) [23], Krzeszowski [24], Filipovič [25], Wagner [26], Ivir [27], Nemser/Slama-Cazacu [28] u. a. Bevor KL1 und KL2 näher unter dem generellen Gesichtspunkt der Äquivalenz in Kap. 3.3 und 3.4 untersucht werden, muß im folgenden noch näher über die tatsächliche Herstellung des Vergleichs (die Auswahl des *Was*) gesprochen werden.

3.2. Herstellung des Vergleichs

3.2.1. In 2.4 wurde angedeutet, daß nach dem hier vorgeschlagenen Modell der einzelsprachliche Vergleich mit dem *tertium comparationis* der potentiellen und modellgebenden K_0 durchzuführen ist. Für zwei Einzelsprachen ist auch eine summative, nur L_1 und L_2 umfassende K_{1+2} als *t. c.* denkbar. [29] Diese Notwendigkeit eines *t. c.*, das auch Raabe [30] stark betont, ist in den einzelnen Ausprägungen von KL nicht immer eindeutig gegeben.

In der traditionellen Grammatik und dem auf ihr aufbauenden Sprachvergleich sind sowohl das latein-orientierte Beschreibungssystem wie eine nicht explizit gemachte Übersetzungsäquivalenz *t. c.* Dies ist weder für wissenschaftliche noch für angewandt-pädagogische Zwecke befriedigend. [31] Auch läßt die überwiegend formbezogene Ausrichtung der Beschreibung manche Vergleichsgegenstände oft gar nicht erkennen. [32] Teilweise wird der bereits für einzelsprachliche Deskription gewählte kontrastive Hintergrund gar nicht bemerkt und der Vergleich im lateinischen Prokrustesbett noch von L1 gerichtet nach L2 durchgeführt.

Strukturalistische Linguistik stellt keine eigentlichen Vergleiche her. In dieser "Parallel-Linguistik" werden mit intuitivem Bezug zu einer Übersetzungsäquivalenz Formoppositionen einander gegenübergestellt – oft unsystematisch.

---

[23] James (1969), S. 86 ff., und James (1972), S. 26.
[24] Krzeszowski (1972), S. 76/7. Vgl. auch seine Formulierung:
"jene mißliche Alternative [...], ob man Sätze und Konstruktionen zu vergleichen sind, wie man es anhand der Übersetzungsäquivalenz versucht hat, oder grammatische Systeme und grammatische Regeln anhand von Form und Stellung der Regeln."
[25] Filipovič (1967, 1969).
[26] Wagner (1969).
[27] Ivir (1971, 1969, 1970).
[28] Nemser/Slama-Cazacu (1970), S. 115.
[29] Damit ist man allerdings streng genommen schon im angewandten Bereich.
[30] Raabe (1972), S. 61 ff.
[31] Fried (1967), S. 24, Twaddell (1968), S. 96. Gilt letztlich auch für Sommer und Glinz.
[32] Vgl. Bolinger (1972), der span. *ser/estar* gegen engl. *all/*all* + Adj. als grammatisch obligatorischen gegen scheinbar optionalen lexikalischen, aber doch ebenfalls "versteckt" grammatikalisch äquivalenten Bereich ansetzen und erweisen kann.

Dies kritisiert etwa Fried an Lado und Kufner, besonders für den lexikalischen und grammatischen Bereich[33]; Hamp faßt die Unzufriedenheit an der Kriterienarmut für den Vergleich zusammen.[34]

Die Gefahr einer reinen Parallel-Linguistik besteht auch in einigen TG-Ansätzen. Vgl. dazu Nemser/Slama-Cazacu:

> [...], an arbitrary selection is made of major structural areas of B and T for comparison (e. g. nominal phrases in the two languages), each of which is then, however, described in *sui generis* terms, without the establishment of further correspondences between them. The result is not a contrastive analysis but parallel description.[35]

Auch Krzeszowski tadelt – allerdings von der Warte einer KL2-beeinflußten KL1 – verschiedene Arbeiten (Marton, König, Dingwall):

> Es gibt zwar zahlreiche kontrastive Studien im Rahmen verschiedener Varianten der TG [...], doch bleiben diese Studien ihrer Natur nach taxonomisch: Sie zielten nämlich darauf ab, Inventare von Unterschieden zu erstellen und möglicherweise von Ähnlichkeiten entweder zwischen parallelen Stellen in den verglichenen grammatischen Systemen, oder, im besten Fall, zwischen verschiedenen Arten von Regeln, die auf verschiedenen Derivationsebenen operieren.[36]

Trotz dieser Einwände müssen die TG-Ansätze als Versuch gelten, ohne Präjudizierung durch die Oberflächenform vergleichbare Einheiten zu finden.[37] Als Ausgangspunkt dienen für die TG der Regel einfache Sätze, wohl in Nachwirkung der "Kernsatz"-Lehre.

Wie schon in 3.1.4 angedeutet, sind jedoch die meisten dieser Ansätze versteckte KL2-Darstellungen, da eine Übersetzungsäquivalenz (allerdings ohne spezielle paradigmatisch-semantische Auffüllung) impliziert wird.[38] Man vergleicht hauptsächlich Phrasenstrukturen und Transformationsregeln. Nach ersten Untersuchungen von Stockwell[39] und Schachter[40] spezifizierte Dingwall dies in

---

[33] Fried (1967), S. 26 ff.

[34] Hamp (1968).

[35] Nemser/Slama-Cazacu (1970), S. 115.

[36] Krzeszowski (1972), S. 76.

[37] Dabei soll hier ausgeklammert werden die Kritik an der "Trivialität von übereinzelsprachlichen Tiefenstrukturen" durch Twaddell (1968), S. 198, die Kritik an der nicht sich vom europäischen semantischen (und grammatischen) System lösenden universalistischen Grammatik durch Moulton (1963) und die Forderung nach einer funktional-kontextuellen kontrastiven Grammatik durch Coseriu (1970 c), Oksaar (1970) u. a. Gerade letzteres darf aber im weiteren Rahmen nicht übersehen werden. Die Anforderungen können im Augenblick noch nicht erfüllt werden.

[38] Vgl. etwa Dingwall (1964 a), S. 148: "one aligns various steps in the derivation on the basis of translational equivalence." Vgl. auch Dingwall (1964 b).

[39] Stockwell bearbeitete auch kontrastive Analysen Englisch–Tagalog.

[40] Schachter (1959). In den letzten Jahren erscheinen auch verschiedene kontrastive Dissertationen unter der Leitung von Schachter (vgl. *Dissertation Abstracts*).

conversion tables mit vier Stufen (L1 *unit*/L1 *rewriting* // L2 *equivalent*/L2 *source*) und 12 *directives*, auf Chomskys Regelwerk aufbauend.

Harris[41] und Klima[42] arbeiten im Prinzip ähnlich mit In-Beziehung-Setzung von Regeln an gleicher Stelle im Regelwerk. Doch während Dingwall einen nichtgerichteten Vergleich intendierte, also Sprachen parallel kontrastiert, arbeiten Harris und Klima mehr mit einem gerichteten Vergleich. Harris spezifizierte Regeln zusätzlich zum System von L1, um L2 herzustellen; für eine Sprache A (beschrieben durch S_A) benötigt man, um ihr System dem System S_B der Sprache B "anzugleichen", einen Regelapparat S_{B-A}, der nicht ohne weiteres dem umgekehrt operierenden Regelwerk S_{A-B} gleich ist. Diese "subtraktiven" Regelwerke nennt Harris *transfer grammars*. Ähnlich Klima:

> The relationship between one style (L_1) und another L_2 will be thought of in terms of the rules (E_{1-2}) that is necessary to add as an extension of L_1 in order to account for the sentences of L_2. [...] Fundamental structural difference, varying in nature and degree, will be considered to exist between systems L_1 and L_2 when the set of rules G_2 for most economically generating the sentences of L_2 ist not equivalent to G_1 plus its extension E_{1-2}. (S. 2)

Ähnlich wie Dingwall geht auch Bolinger[43] mit der Methode der *transformulation* vor, die er als "translation from the standpoint of *la langue*" ansieht. Dabei erweist sich die Satzgeschichte als "gauge of similarity", da mit zunehmender Aufgliederung der jeweiligen Elemente des Satzes die Gleichheit immer unwahrscheinlicher wird. Dahinter steht das Postulat gleicher Tiefenstrukturen (besonders im Bereich der noch abstrakteren Formanten) und verschiedener Oberflächenstrukturen zu vergleichender Sprachen. Bei Marton[44] herrscht das gleiche Prinzip vor, doch wird ausdrücklich die durch einen Bilingualen abgesicherte semantische Äquivalenz der zu vergleichenden Sätze (im Sinne einer KL2) gefordert.

Stockwell/Bowen/Martin[45] haben dieses phrasenstrukturbezogene Vergleichsprinzip dann für die kontrastive Analyse Englisch/Spanisch voll durchgeführt. Basisstrukturen können in jeder Sprache optional gesetzt werden und damit zu Vergleichsgegenständen erhoben werden, wobei das für den Vergleich (d. h. die Ähnlichkeiten bzw. Unterschiede) Wichtige die jeweils in L1/L2 unterschiedlichen obligatorischen Folgen der optionalen Setzung sind. Diese Folgen sind aber als rein syntaktische Folgen interpretiert. Aus den Unterschieden werden

---

[41] Harris (1954).
[42] Klima (1964).
[43] Bolinger (1965).
[44] Marton (1968); er zitiert Bolinger nicht.
[45] Stockwell u. a., 2 Bde. (1965). Dazu Rezension Bolinger (1968), der besonders die alleinige Stützung auf die Opposition *optional-obligatory* kritisiert.

(ohne empirische Belege) Hierarchien von Lernschwierigkeiten abgeleitet.[46] Ohne speziellen TG-Ansatz stellt Schlecht[47] auf der Basis eines semantisch-funktionalen Grammatikansatzes für Deutsch/Englisch kontrastive Formeln in Konstruktion-Funktion(= OS/TS)-Beziehungen auf. Hier sind Inhalt und Form gleichermaßen einbezogen, wobei aber zwischen den aus einzelsprachlichen Formoppositionen sich ergebenden Inhaltsunterschieden und ihrer Verwendung als interlinguale Vergleichsbasis auch noch eine Lücke klafft, die nur durch KL2-Bezüge überbrückt werden kann.

Mitarbeiter des PAKS-Projektes haben syntaktisch orientierte, ab 1968 dann auch in Anlehnung an Fillmores Ansatz[48] tiefensemantische Modelle verwendet.[49] Auch in amerikanischen Dissertationen[50] wird Fillmores Modell zunehmend für kontrastive Untersuchungen herangezogen. Dieses Modell bietet wie das hier vorgeschlagene einen generellen semantisch-universalen Rahmen, die Syntax ist interpretativ. Doch ist Fillmores Modell bisher zu sehr nur auf die Relationen der "Verbergänzungen" zugeschnitten. Gegenüber der "klassischen" TG wird in unserem Rahmen nicht eine rein syntaktische TS, sondern eine syntagmatisch bezogene Kette von Zeichenklassen vorgeschlagen.

3.2.2. Fillmores Teilmodell und unser Ansatz eines universalen syntagmatischen Rahmens sowie eines universalen Inventars für die einzelsprachliche Füllung des Rahmens bieten ein "Dach", unter dem zwei Sprachen (in der Mehrsprachigkeit des Individuums) bestehen und verglichen werden können. Beide Modelle bieten jedoch die "starke" Lösung einer universalen "Supra-Lingua" (K_0). Diese müßte letzlich, besonders für den semantisch-paradigmatischen Teil des Modells, alle durch Merkmale faßbaren Bedeutungsoppositionen aller Sprachen zu allen Zeiten in Form von Semen fassen. Einzelsprachen würden dann aus dieser Supra-Lingua subtrahiert, da sie nur einen Teil dieser paradigmatischen Auffüllungen des Rahmens zeigen. Werden zwei Einzelsprachen verglichen, so wäre ihr Ähnlichkeitsgrad nicht danach zu beurteilen, wie man L1 erweitern muß, um L2 zu erreichen (vgl. Harris, Klima), sondern man müßte sehen, ob die Subtraktionen aus der Supra-Lingua ähnlich oder sehr unterschiedlich sind.

---

[46] Stockwell/Bowen/Martin (1965), S. 282 ff., Stockwell/Bowen (1965), S. 16 ff.; dagegen Nemser/Slama-Cazacu (1970), S. 115.
[47] Vgl. Schlecht (1967), besonders S. 67 ff.: Der synchronische Vergleich zweier Sprachen – mit Sprachvergleichsformeln (Rezeptionsformeln, S. 91 ff., und Produktionsformeln, S. 152 ff.).
[48] Fillmore (1968).
[49] Besonders PAKS. Vgl. Wagner (1970), Rohdenburg (1969).
[50] Besonders von P. Schachter angeregt.

Im Folgenden soll mit der "Interlingua", einer "schwächeren" Version der Supralingua, gearbeitet werden. Interlingua-Überlegungen haben besonders in der automatischen Übersetzung längere Zeit eine Rolle gespielt,[51] die Konzeption ist aber auch für den Vergleich von Systemteilen zweier Sprachen (im Sinne von KL1) nutzbar zu machen. Andreyev nennt sechs Möglichkeiten der Interlingua.

*A-priori*sche Möglichkeiten sind die Verwendung einer natürlichen Sprache oder einer logisch-universalen Sprache. Die erste Version wurde mit der Verwendung von Latein (oder Englisch) als impliziter Vergleichsbasis schon häufig für den Sprachvergleich verwendet. Die Sprache der (symbolischen) Logik wurde als universaler Rahmen besonders für semantische Probleme der Übersetzung verwendbar. Diese Interlingua wäre – im Gegensatz zum folgenden Typ der Summenkompetenz, weil *apriorisch* – nicht durch einzelsprachliche und im Vergleich oft schwer beschreibbare Idiosynkrasien, Polysemien und Ambiguitäten belastet, könnte die letzteren aber auch nicht übersetzen. Dies und praktische Gründe lassen – zumindest für (automatische) Übersetzung – diese Art von Interlingua für Andreyev als nicht besonders wirkungsvoll erscheinen:

> Nevertheless, the proposition is absolutely impractical, because the logical representations of a *PL* [= Paralanguage/"Ausgangssprache"] sentence are many times longer than the sentence itself (and often they are impossible to construct at all). Human languages are much nearer to each other, than to symbols of any variation of a logical system, and consequently an effective *IL* [= Interlanguage] must be sufficiently similar to spoken human *PL*'s.[52]

Für die interlinguale Aufbereitung und Formulierung semantisch-syntagmatischer Aspekte, weniger für die Paradigmatik von SZ-Klassen, ist diese Interlingua aber doch als Bezugspunkt geeignet (vgl. für englische Wortbildung und Syntax Brekle).

*A-posteriori*sche Möglichkeiten einer Interlingua sind nach Andreyev die Summen-Interlingua (*summarizing type*)[53] und die Wahrscheinlichkeits-Interlingua (*probability type*). Die Summen-Interlingua entspricht unserer schwächeren Version der "Supra-Lingua"; in diese Summen-Interlingua werden dann beide Sprachen, die zu übersetzen oder vergleichen sind, übergeführt. Die Summen-Interlingua enthält dann relative Universalien[54] und einzelsprachliche

---

[51] Vgl. Andreyev (1967), Kulagina/Mel'čuk (1967), Sgall (1964), u. a. Die folgenden Ausführungen stützen sich vornehmlich auf Andreyev S. 5 ff.: Possible types of an intermediary language.

[52] Andreyev, S. 5.

[53] Besonders von Mel'čuk propagiert (1958: "The intermediary language for M.T.").

[54] Wir übernehmen diesen Begriff von Raster (1971): Ein relatives Universale ist dem absoluten Universale gegenübergestellt, letzteres wäre "ein Sprachtyp, der vorhersagbar in allen Sprachen der Übersetzung und auch allen weiteren Sprachen, die noch der Übersetzung zugeordnet werden könnten, enthalten ist." (S. 48).

Besonderheiten. Im Rahmen der Summen-Interlingua kann der Nachdruck nun (a) auf der Gesamtheit der zwei Systeme L1/L2 ("Maximal-Interlingua"), (b) dem Gemeinsamen der zwei Systeme L1/L2 ("Minimal-Interlingua") und (c) den Unterschieden der zwei Systeme L1/L2 ("kontrastive" Interlingua im wörtlichen Sinn) liegen. Alle drei Standpunkte werden vertreten, ohne daß die betreffenden Linguisten immer diese Summen-Interlingua explizit nennen.

Eine solche Summen-Interlingua ist auch implizit in den *transfer grammars* von Harris und Klima enthalten (Typ c), rechnet man zwischen L1 und L2 Gleiches und Verschiedenes (die eigentliche *t. g.*) zusammen.[55] Nickel spricht – allerdings unter angewandt-pädagogischem Gesichtspunkt – von der "*partial grammar* G_c, which is made up of the sum of the differences between the grammar of the source language (G_1) und that of the target language (G_2)".[56] Eine solche *differential grammar* sei das Zentrum didaktischen Programmierens.

Ellis[57] bezeichnet diese Summen-Interlingua als *aggregate system* und stellt es dem *generic system* (in Anlehnung an W. S. Allen[58]) gegenüber, welches, eine Umkehrung der Summen-Interlingua, jedoch nur über sie möglich ist.[59] Statt auf den Unterschieden (*transfer grammar*) liegt der Nachdruck auf dem Gemeinsamen (Typ b), vgl. Ellis:

> reduction of the two systems to a "generic system" [. . .] plus the remaining terms in each system[60]

Diese Methode nennt Ellis *system-reduction method*, die bei Allen und ihm dann stark quantifizierende Züge aufweist.

Beeinflußt von Harris und Schachter (*transfer grammar*) argumentiert Wyatt[61] ähnlich wie Ellis und Allen mit dem Ansatz einer *common core transformational grammar*. Dieser "Kern" ist dann neutral für den Vergleich (wenn dieser nicht gerichtet ist), dazu treten dann L1- bzw. L2-spezifische Regeln. Bei gerichtetem Vergleich (bei Wyatt: Englisch/Portugiesisch) muß eine Auswahl in L2 getroffen werden. Wyatt betont auch den heuristischen Wert solcher Studien für die Auffindung von (empirischen) Universalien — vgl. auch Kap. 2.1 (c).

Für Typ (a) sind auch Hüllens Hinweise auf die Metagrammatik des Sprachvergleichs[62], Gruczas Anmerkungen zur Metasprache für den interlingualen

---

[55] Allerdings ist dies für den syntaktischen Bereich leichter als für die Semantik.
[56] Nickel (1971), S. 9.
[57] Ellis (1966), S. 52.
[58] Allen (1953). Er untersucht das Problem allerdings vorwiegend historisch.
[59] Vgl. Allens Ansatz der "language of reference", S. 58, seine Kritik an der traditionellen Komparatistik, S. 79, und seine Ansätze zum *generic system* *AB, S. 98 ff.
[60] Ellis, S. 52.
[61] Wyatt (1967), Wyatt (1971).
[62] Hüllen (1971), S. 145.

semantischen Zuordnungskode[63], Czochralskys bilaterales Modell[64] (die hier nicht erläutert werden) und Zabrockis "Sammelspeicher"[65] zu beachten.

Im Modell von Zabrocki ist dieser Sammel- oder Urspeicher nach verschiedenen Ebenen (phonetische/semantische/grammatikalische Universalien, dann Kombinationen) gegliedert. Zabrocki versucht ähnlich wie hier, "Supra-Lingua" (quasi als Urspeicher) und "Interlingua" (quasi als Sammelspeicher), welche auch für angewandte Linguistik verwendbar ist, abzugrenzen:

> Den universellen Speicher aller Sprachen der Welt bezeichnen wir als Sprachuniversum. Vom richtig aufgebauten Sprachuniversum können alle Sprachen der Welt abgeleitet werden, können alle Sprachen der Welt generiert werden. Für die Zwecke der angewandten konfrontativen Grammatik wird der Speicher der zu erlernenden Sprache mit dem Urspeicher aller derjenigen Sprachen verglichen, die im Lernprozeß als Muttersprachen gelten werden. [66]

Andreyev lehnt die Summen-Interlingua mit dem Hinweis ab, sie sei "nothing more than a disguise of binary translation." [67] Doch handelt es sich nicht um direkte Übersetzung einer L2 auf der Basis von L1 und die Frage von Übersetzungsäquivalenzen im Sinne von KL2, sondern, wenn überhaupt, um gegenseitige Übersetzung von L1 und L2 in die summative Interlingua – unabhängig von Richtungen zwischen L1 und L2. Zielgerichtete Übersetzung kann jedoch zu interlingua-ähnlichen Ansätzen von Systemteilen führen, besonders im Sinne der "system-reduction method" und darauf zu spezifizierender Unterschiede. [68] Vgl. dazu Halliday/McIntosh/Strevens:

> In transfer comparison, on the other hand, one starts from the description of one language and then describes the second language in terms of the categories set up for the first. Traditional descriptions of English are in a sense transfer comparisons based on Latin; they might have been very useful for ancient Romans studying modern English. [69]

Trotzdem ist es auch für diesen Typ von Transfer-Vergleich, welcher Aspekte des Übersetzens, der Maximal-Interlingua (Typ a) und der Unterschiedsgrammatik (Typ c) zu verbinden sucht, nötig, eine Summen-Interlingua als Hintergrund zu haben, besonders um den Charakter der einseitig gesehenen L2 zu erkennen und keine Übersetzungsäquivalenzen auf Systemteile zu über-

---

[63] Grucza (1967).

[64] Czochralski (1966).

[65] Zabrocki in *Probleme der kontrastiven Grammatik* (1970), S. 42 ff.

[66] Zabrocki, ebda., S. 44. Auf seine Ausführungen zu "Ursprachen und synchronischer Urspeicher", die in die Nähe Allens führen, gehen wir hier nicht ein.

[67] Andreyev (1967), S. 6.

[68] James (1969), S. 98 f., zur Frage der Abhängigkeit und Unabhängigkeit bei einer Interlingua-Konstruktion.

[69] Halliday/McIntosh/Strevens (1964), S. 120.

tragen.[70] Halliday u. a. deuten dies an und betonen vornehmlich den heuristischen Wert der gerichteten Vergleiche:

> Although a transfer comparison faces one way, as it were, this does not imply that it can be made effective without a prior description of both languages, since unless one has a clear picture of each it is difficult adequately to adapt the description of one to fit the categories of the other. What it means is that, both languages being fully understood, the picture of one of them is deliberately distorted by its being viewed through the matrix set up to account for the other.[71]

Die anderen Arten von Interlinguen sind in unserem Zusammenhang weniger wichtig. Die Wahrscheinlichkeitsinterlingua als weitere Möglichkeit *a-posteriori-scher* Interlingua reduziert als "calculus of properties of PL's" (= Paralangues/ "Ausgangssprachen")[72] bei der Notwendigkeit von Übersetzungen in viele Sprachen die Zahl der notwendigen Interlinguen (die bei n beteiligten Sprachen ebenfalls n bzw. bei einer Sprache als Ausgangssprache immer noch n–1 ist).

Misch-Interlinguen gehören (nach Andreyev) entweder zum *simplification type* (Basic English, Pidgins) oder zum *grouping type* ("Protosprachen", wie ein künstliches "Skandinavisch" oder "Slavisch", aufgebaut aus Gemeinsamkeiten verwandter Sprachen).[73]

Wir halten die schwächere Version der universalen Summenkompetenz K_0, die summative Interlingua (etwa Deutsch+Englisch), für den geeigneten Rahmen eines Vergleichs. Da dieser Vergleich in einer KL1 vornehmlich semantisch-paradigmatisch ausgerichtet ist, soll noch nach dem Verhältnis dieses Ansatzes zu semasiologischer und onomasiologischer Betrachtungsweise gefragt werden. Jede Einzelsprache wird semasiologisch beschrieben. Dabei ergibt sich im Paradigma der Zeichenklassen eine bestimmte Zahl von Merkmalen, die potentiell universal sein können, was bei dieser schwächeren Version der Interlingua aber nicht entscheidend ist. Jedenfalls opponieren diese Merkmale einzelsprachliche Zeichen, so z. B. bei *signifiés* der Zeitvorstellungen, der P-Kerne für "Bewegungen" (vgl. Kap. 7) oder "Ergänzungen" wie *"meat/flesh"* im Englischen. Die Merkmale der zu vergleichenden Einzelsprachen werden addiert, wobei sich viele Überlagerungen ergeben und einige je-einzelsprachliche Merkmale übrigbleiben. Die Merkmalkombinationen zu addieren, ist nur heuristisch sinnvoll, doch könnte man sich auch eine interlinguale Zeichenaddition *"Fleisch+flesh +meat"* vorstellen, wie sie bei einem Mehrsprachigen, der sich seine Mehrsprachigkeit bewußt macht, wohl auch Realität ist. In der Interlingua wird nun auch semasiologisch deskribiert, wobei die (einzelsprachlichen) Zeichengrenzen

---

[70] Vgl. auch Oksaar (1970), S. 83 – Gegensatz zu Czochralskys (1966) bilateralem Modell; vgl. auch Halliday u. a., S. 125.

[71] Halliday u. a., S. 120.

[72] Andreyev (1967), S. 6.

[73] Ebda., S. 5/6.

überschritten werden können (vgl. 3.3.2.2). Bei dem Rückbezug auf die Einzelsprachen, der Subtraktion aus der Interlingua, kann aber nun auch onomasiologisch gefragt werden, ob bestimmte in der L1/L2-Interlingua vorhandene Merkmalkombinationen in der Einzelsprache L1 als ein Zeichen oder als Zeichenkombination [74] realisiert sind oder z. B. mangels eines nur L2-spezifischen Merkmals gar nicht in L1 realisierbar sind. Dieser onomasiologische Ansatz, der auch ohne semasiologischen (interlingualen) Hintergrund bei der Beschreibung von Einzelsprachen angewandt wird, ist in unserem Modellansatz semasiologisch unterbaut. [75] Somit ist diese semasiologisch beschreibbare Maximal-Interlingua "Dach" der kontrastiven Analyse zweier Einzelsprachen (Deutsch/ Englisch). Sie bildet außerdem aber auch das *tertium comparationis* dieses Vergleichs.

3.3. KL1 und Äquivalenz

3.3.1. KL1 betrifft den Vergleich der paradigmatischen Auffüllungen des vorgegebenen interlingualen wie universalen syntagmatischen Rahmens. "Lexikalische" wie "grammatikalische Morpheme" sind in ihren *signifiés* einbezogen. Für KL1 beschränken wir uns hier auf die intensionale Bedeutungsbeschreibung. In den Einzelsprachen muß ein *signifié* in Relation zu einem *signifiant* stehen, gleich welcher Art letzteres ist (freies/gebundenes Morphem, Intonation usw.). Die Interlingua weist keine realisierten Formen auf.

3.3.2. Der KL1-Vergleich findet im Rahmen von Klassen von *signifiés* statt. Da SZ ja die außersprachliche Wirklichkeit abbilden, könnte man versucht sein, von den Denotata der SZ auszugehen. Da Äquivalenz oder Nicht-Äquivalenz Kernpunkt jeder KL ist, könnte man von Denotata aus nach referentiellen Äquivalenzen suchen und die L1/L2-spezifischen Zeichen, welche die Denotata abbilden, danach beurteilen.

---

[74] So braucht in der Tiefenstruktur der Interlingua nicht immer schon festgelegt sein, ob eine Merkmalkombination ein oder zwei oder gar keine einzelsprachlich L1/L2-äquivalente Zeichenformen auf der Formebene bedingt, da es keine Oberflächenstruktur der Interlingua gibt. So können etwa im Feld "Fortbewegung" bestimmte Arten der Fortbewegung (Spezifizierung lokaler, instrumentaler und modaler Art) als Komponente eines einzelsprachlichen Verbs in dessen Form oder als Verb + Adverb (2 Zeichenformen) wiedergegeben sein (vgl. *schlendern*, aber *barfuß gehen*); vgl. Baumgärtner (1967), bes. S. 180 ff.

[75] Implizit arbeitet Heger (1963) in seinem onomasiologischen Ansatz derart.

3.3.2.1. Ausgangspunkt: referentielle Äquivalenz. Hier wäre folgendes Schema anzusetzen:

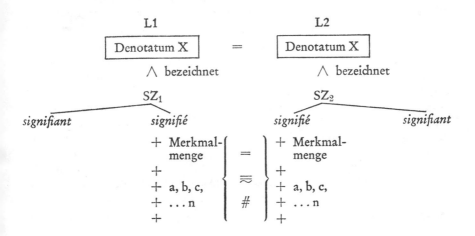

Möglichkeiten für *signifiés* L1/L2: Merkmalmengen sind gleich, ähnlich oder verschieden je nach Ausfüllung von . . . n.

Man geht hierbei davon aus, daß außersprachliche Gegenstände oder Sachverhalte (oder Beziehungen zwischen ihnen) gleich sind. Dies ist bei nachprüfbaren Denotata-Feldern wie Farben, Temperaturen, Tönen oder Verwandtschaftsverhältnissen möglich. Es handelt sich dabei um überschaubare, teilweise sogar geschlossene Klassen von Denotata. Gleichheit der Eigenschaften und Bedingungen für linguistische Bezeichnungsexperimente lassen sich einwandfrei und durch wenige Messungen feststellen; quantifizierbare Ergebnisse sind möglich. Es werden dann die einzelnen SZ verglichen, die Sprecher verschiedener Sprachen (oder Subsysteme der "gleichen Sprache") für objektiv gleiche Farben (Töne, Temperaturen usw.) verwenden. Man könnte nun versucht sein anzunehmen, daß aufgrund feststellbarer und vorgegebener referentieller Äquivalenz die gebrauchten SZ der verschiedenen Sprachen auch begrifflich äquivalent seien, also z. B. *yellow* und *gelb* aufgrund der Bezeichnungsgleichheit auch Bedeutungsgleichheit aufweisen. Dies ist aber ein Fehlschluß, da die Äquivalenz hier denotatumgebunden ist. Es ist damit noch nicht geklärt, ob die entsprechenden SZ nicht in anderen Denotatum-Konstellationen unabhängig voneinander für objektiv dann verschiedene Denotata auftreten. "Gleichheit" besteht nur im je e i n e n Fall des Versuches; dies braucht für das Sprachsystem keine Relevanz haben. In dem e i n e n Fall kann eine Teilsumme der Merkmale eines Begriffs in L1 zufällig der Gesamtsumme der Merkmale eines Begriffs in L2 entsprochen haben. Man denke etwa an das bekannte Beispiel von walisisch *glas*, das in verschiedenen Fällen von referentieller Äquivalenz jeweils zu engl. *green, blue* oder *grey* auch begrifflich äquivalent s c h e i n t, es aber auf der Ebene der beiden Sprachsysteme weder zu einem der drei englischen SZ noch zu ihrer Summe ist, womit folglich auch keine begriffliche Äquivalenz besteht.

Bei diesem Ansatz von referentieller Äquivalenz wird jedoch vorausgesetzt, daß die Menschen, unabhängig von ihrer (Mutter-)Sprache und dem ihr entsprechenden "Sprachzugriff" (bezogen auf die *signifiés* für Farben, Töne usw., die ja in verschiedenen Sprachen quantitativ und qualitativ [Merkmaloppositionen!] recht unterschiedlich sind), konzeptuell gleich erkennen. Man müßte also sehen, ob der Waliser Farbunterschiede in Denotata, die er mit *glas* bezeichnet, in Ja/Nein-Antworten weiter differenziert und dabei wie ein Engländer, Deutscher, Nootka-Indianer usw. reagiert. Der Einfluß der Einzelsprache auf die konzeptuelle Gliederung der außersprachlichen Wirklichkeit ist noch nicht eindeutig feststellbar.[76] Vertreter der Sapir-Whorf-Hypothese[77] postulieren, daß die erlernte Muttersprache das Konzeptualisierungsvermögen steuere und einschränke.

Kann die referentielle Äquivalenz experimentell nachgewiesen werden, so fällt doch – abgesehen von der Gefahr, fälschlicherweise auf begriffliche Äquivalenz zu schließen – für diesen Ansatz zusätzlich ins Gewicht, daß referentielle Äquivalenz nur bei einer sehr geringen Zahl von Denotata (und damit SZ) objektiv ansetzbar ist. Lenneberg bezeichnet diese SZ als "Sprache der Erfahrung".[78] Auch Kulagina/Mel'čuk äußern sich ähnlich; zu gering sei aber bisher der Bereich eindeutig beschriebener "Situationen" (*physical reality*); eine darauf aufbauende Wissenschaft sei noch im Anfangsstadium:

The study of correlations between situations (physical reality) and meanings (thoughts about reality) constitutes, in effect, a science dealing with human thinking, with human cognition of the world, with ways the human brain extracts and stores information about this world. Of all real situations only very few (highly special, hardly occurring in everyday practice) are described by exact sciences. However, even in scientific texts, not to speak of fiction or journalism, there are many, in no way special, everyday situations whose description and classification seem to be largely (if not absolutely) ignored so far. It is high time that description of such situations became the object of a special branch of science. In other words, we must proceed to build up a regular encyclopedia of the man-in-the-street's knowledge

---

[76] Vgl. Lenneberg (1971), etwa zur Unterscheidungsschärfe, S. 422, Lenneberg (1961), McNeill (1972) u. a.

[77] Vgl. dazu Gipper (1972), Brown (1967), Miller (1968) u. a.

[78] Lenneberg (1971), S. 411.

about the everyday world, or a detailed manual of naive home-spun 'physics' written in an appropriate technical language.[79]

Bei der gegenwärtigen Unkenntnis der physiologischen und psychologischen Vorgänge beim Erkennen bzw. der Fähigkeit, wiederzuerkennen und zu klassifizieren, scheint es fraglich, ob eine solche allgemein-menschliche "Denotata-Enzyklopädie" möglich ist, inwieweit dabei nicht Willkür der Deskription vorherrschen würde, wie es bei einer onomasiologischen, nicht durch semasiologische Stützung erreichten Sprachbetrachtung vorkommen kann.

Da die Metasprache außer bei den physikalischen Eigenschaften, also objektiv meßbaren Denotata, ja wiederum sprachlich – und damit einzelsprachlich – sein müßte, ist ein *circulus vitiosus* kaum zu durchbrechen. Bei Abstrakta potenzieren sich dabei die Schwierigkeiten noch. Lediglich im Bereich von Fachsprachen ist für konkrete Denotata oder meßbare Sachverhalte der jeweilige sprachliche Begriff "manipulierbar" und der Bezeichnung gleichzuschalten. Die Merkmale der verwendeten *signifiés* von SZ können interlingual gegenüber den jeweiligen Umgangssprachen festgelegt, verändert und beschränkt werden. Die "Definition" kann interlingual – wenn auch mit Schwierigkeiten – durchgesetzt werden;[80] in diesem Fall ist dann referentielle und begriffliche Äquivalenz anzutreffen; die jeweils zusätzlichen, interlingual meist nicht äquivalenten Merkmale der benutzten gemeinsprachlichen Zeichen sind neutralisiert.

Objektiv feststellbar gleichen Denotata können aber auch gemeinsprachlich in notwendigerweise "aktueller" Bedeutung sonst nicht äquivalente SZ zugeordnet werden, wie im Fall: Denotatum ⟨London⟩: biggest city of England – capital of England – my home town – my birth-place.[81]

Die bisherige Diskussion soll jedoch nicht ausschließen, daß eine Art intuitiver referentieller Äquivalenz – nicht-systematisiert, sondern auf je eine spezielle Situation bezogen – als *tertium comparationis* bei begrifflich ähnlichen (oder gleichen, s. u.) SZ verschiedener Sprachen verwendet wird. Es geht dann nicht primär um absolute Gleichheit der Denotata oder der SZ zu ihrer Abbildung, sondern nur um vollkommenes oder auch nur ausreichendes Verständnis etwa bei einer von L1 in L2 übersetzten Äußerung oder bei Verständigung in gebrochener Sprache. Diese Äquivalenz kann dann getestet werden (z. B. durch Fragen mit außersprachlicher "Antwort" – auch: eine Handlung nach sprach-

---

[79] Kulagina/Mel'čuk (1967), S. 145/6. Vgl. auch Catford (1965), S. 50 zu Fragen einer "general theory of situation substance" (a general pleretics).

[80] DIN-Normen; besonders *DIN 2330. Begriffe und Benennungen.* Vgl. auch die internationalen *ISO-Recommendations.*

[81] Vgl. Kulagina/Mel'čuk, S. 142 ff. (dort auch ähnliches Beispiel). Umgekehrt kann eine Äußerung natürlich auch (ohne begrifflich doppeldeutig zu sein) verschiedene Situationen bezeichnen.

licher Aufforderung (z. B. SZ *run*!) ausführen, zwischen mehreren Objekten wählen lassen etc.). Ein Bilingualer kann diese Äquivalenz dann auch sprachlich kraft seiner mehrsprachigen Kompetenz feststellen. Diese Art der Äquivalenz kann als situationelle Äquivalenz (Situation aber als Einzelfall und außersprachlicher Kontext von Einzeläußerungen) bezeichnet werden. Sie sagt noch nichts über die begriffliche Äquivalenz der verwendeten SZ im absoluten Sinne aus. Wie unten (3.3.2.2) aufgeführt wird, ist diese "lexikalische" begriffliche Äquivalenz sogar äußerst selten. Die situationelle Äquivalenz ist verwandt der funktionellen Äquivalenz von Äußerungen. Diese wird in 3.4 aber über die Syntagmatik von SZ-Ketten und deren Bezug zur Wirklichkeit eingeführt, während die eben erwähnte "unwissenschaftliche" referentielle Äquivalenz auch an Einzelwörtern (oft ohne notwendigen sprachlichen Kontext) appliziert wird.

3.3.2.2. Ausgangspunkt: Begriffliche Äquivalenz. Hier wäre folgendes Schema anzusetzen:

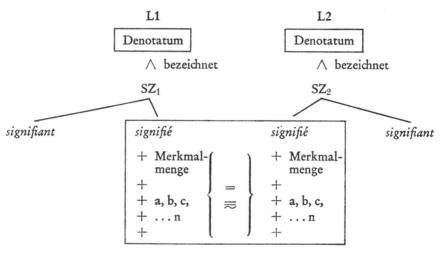

Im Falle einer perfekten begrifflichen Äquivalenz müßten alle paradigmatisch ermittelten Merkmale der sprachlichen Zeichen in L1 und L2 übereinstimmen. Die phonologische Beschaffenheit der *signifiants* ist nicht wichtig; Verschiedenheit ist die Regel. Weiterhin wird vorerst Ebenengleichheit der morphologischen Gestalt angenommen (also 1:1-Entsprechung der SZ). Dies ist aber nicht prinzipiell Bedingung (s. u.).
In unserem Ansatz der semasiologisch gestützten Onomasiologie ist zuerst auf die semasiologische Analyse der einzelsprachlichen Zeichen einzugehen (vgl. auch Kap. 7). Diese SZ werden in einem Wortfeld beschrieben, welches durch

die syntagmatisch-universal bestimmte Zeichenklasse gegeben ist oder im Falle der offenen Klassen eine Teilmenge dieser Klasse ist. Theoretisch kommen in der Deskription eines *signifié* sämtliche im Wortfeld zur Opponierung der dem Wortfeld angehörigen SZ nötigen Merkmale vor. Bei den geschlossenen Zeichengruppen handelt es sich um komponentenärmere SZ, größere Wortfelder der offenen Klassen werden zur Deskription ebenfalls als "synchron geschlossen" angesetzt. [82]

Nimmt man nun ein Feld von SZ, die Propositionskern sein können und (als Unterklasse) alle ein Merkmal "Fortbewegung" enthalten, so stößt man im Deutschen wie im Englischen auf OS-Verben [83] mit einer obligatorischen "nominalen" Ergänzung (Agens-Bezug) und möglichem Richtungsbezug, z. B. dt. *gehen, laufen, fahren, reiten, rennen, sausen* usw. und engl. *go, walk, drive, ride, run, hurry* usw. Diese SZ sind sowohl intralingual wie interlingual teilweise merkmalgleich. Es kann aus ihnen somit auch ein Feld der Interlingua erstellt werden. Zur lexikalischen Beschreibung der SZ ist bei der Größe der Felder eine große Zahl von Merkmalen nötig. Die Polysemie mancher SZ, etwa *gehen/go, rennen/run* u. a.,[84] macht eine Feldzuteilung dieser SZ ohnehin problematisch. Diese Schwierigkeiten könnte man umgehen, wenn man verstärkt Homonyme ansetzt, wie dies die strukturelle Semantik fordert. [85]

Unabhängig davon, ob man nun die einzelsprachlich semasiologisch ermittelten Merkmale der SZ in L1 und L2 sofort gegenüberstellt (Parallel-Linguistik) oder ob man über interlinguale Semasiologie und Rekurrieren von interlingualen SZ (z. B. *go+gehen*) mit Subtraktion zu einzelsprachlichen SZ (*go* oder *gehen*) vorgeht, wird deutlich, daß Äquivalenz meist nicht auftritt. Referentiell scheinbar "gleiche" Sachverhalte werden sprachlich verschieden gestaltet. Der einzelne (mehrsprachige) Sprecher hat darauf keinen Einfluß, die Gebrauchsbedingungen der SZ sind verschieden. (Allerdings können Gruppen mehrsprachiger Sprecher leichter solche Gebrauchsbedingungen ändern – vgl. bilinguale Gebiete, Sprachmischung Englisch–Französisch im MA., Amerikanismen heute usw.). Auch kann

---

[82] Die Abgrenzung der Wortfelder, besonders in den offenen SZ-Klassen, ist nicht immer leicht und ohne Willkür. Dies wurde auch an der Wortfeldsemantik kritisiert; vgl. allgemein dazu Hoberg (1970). Für die Gefahren auch unter kontrastivem Aspekt, vgl. Spalatin (1967), S. 132 f., der den Kategorienvergleich als zu "intuitiv" ablehnt und die *back-translation method* befürwortet.

[83] Wir verzichten jetzt auf TS-Darstellung mit Anführungszeichen und Wurzelangabe wie *geh-, fahr-*.

[84] Vgl. Bedeutungen wie in: Die Uhr *geht* falsch, Wie *geht's*; to *go* by car, to *run* a firm usw.

[85] Vgl. dazu Gipper (1971) und Geckeler (1971).

der objektive referentielle Tatbestand vernachlässigt sein, wie in *aufgehen/rise* (für die Sonne), wo die SZ noch ein überholtes Weltbild spiegeln.

Welche SZ in L1 und L2 sind aber nun miteinander zu vergleichen, wenn die volle Äquivalenz der "kontextlosen" lexikalischen Bedeutungen der SZ so selten ist? Die Lexikologie als "angewandte" KL1 hat sich mit Ähnlichkeit der Merkmalsummen und zusätzlicher Heranziehung einer funktionellen Äquivalenz (KL2) beholfen. Dabei werden dann verschiedene "aktuelle" Bedeutungen aus als äquivalent erachteten und in Übersetzung gegebenen Sätzen aufgeführt und zur lexikalischen Bedeutung der einzelsprachlichen SZ addiert. Doch ist diese Vermischung von KL1 und KL2 nur ein Notbehelf, der durch die "Anwendung" zu rechtfertigen ist.

Entscheidend ist, daß sprachliche Zeichen in der Betrachtungsweise von KL1 größere Bedeutungsumfänge haben als in KL2, vgl. auch dazu Raabe:

[...] daß einzelne "parole"-Realisierungen nur auf bestimmte Merkmalkombinationen der in der "langue" angelegten gesamten Merkmalreihe rekurrieren, daß je nach Ansiedlung in "langue" und "parole" verschiedene relevante Bedeutungsumfänge anzutreffen sind. In diesem Sinne stellt das tc in seiner konkreten Form (bei Anwendung in "parole" nichts weiteres dar als die zwischensprachlich übereinstimmenden, relevanten inhaltlichen oder (bei Annahme konstanter Form) formalen Merkmale sprachlicher Zeichen, wobei unter den irrelevanten "langue"-Merkmalen zwischen L1 und L2 keine weitere Übereinstimmung auftreten braucht und kann. [86]

Da das *tertium comparationis* in KL1 aber die summative Interlingua ist, ergeben sich besonders dann Schwierigkeiten, wenn 1 SZ aus L1 als Ausgangspunkt des Vergleichs genommen wird, wenn also gerichteter Vergleich wie im zweisprachigen Lexikon vorliegt. Meier[87] weist auf die Schwierigkeiten des kontextlosen Lexemvergleichs hin, wo dann bis zu 20 L2-SZ mit teilweiser Merkmalentsprechung für ein SZ aus L1 auftreten. Dabei handelt es sich meist nicht um Fälle einfacher Divergenz (bzw. Konvergenz von L2–L1) wie etwa bei *Fleisch – meat/flesh*, sondern um Abteilungsunterschiede an verschiedenen Teilen eines Feldes. Es empfiehlt sich daher, eine Merkmalsumme für das ganze betrachtete Feld anzulegen und dann interlinguale Oppositionsreihen anzulegen, etwa nach dem Schema:

[86] Raabe (1972), S. 66/7.
[87] Meier (1967), S. 19 ff., gegen mögliche Zusammenstellungen von "Teilentsprechungen" in einer KL (L1/L2), die in der Realität der L2 (für den Lernenden) dort für den Muttersprachensprecher keine Affinität haben, vgl. Hadlich (1965). Dagegen wiederum Berndt (1969).

SZ — L1   Interlingua-   SZ — L2
                 Merkmale

m_1
m_2
m_3
m_4
m_5
m_6
m_7
m_8
m_9
m_{10}
m_{11}
m_{12}
.
.
.
m_n

Nur mit solchen Feldoppositionen, die für praktische Darstellung in Teilfelder aufzugliedern wären, kann ein Vergleich der lexikalischen Bedeutungen teilweise äquivalenter SZ durchgeführt werden. Gemeinsame Merkmale in L1/L2 hätten dann relative Universalität für K_{1+2}.

Aber auch bei geschlossenen Klassen von SZ ist interlingual volle Äquivalenz selten gegeben. Bei den komponentenärmeren Ergänzungs-Relatoren, die auf der OS der englischen und deutschen Sprache als Präpositionen und/oder Oberflächenkasus (auch als Wortstellung) erscheinen, ist besonders im temporalen und lokalen Bereich Äquivalenz selten.[88] Gleiches gilt für Zeiten[89] und modale SZ (Hilfsverben, Adverbien in der OS), sogar für deiktische Wörter.[90] Hier handelt es sich allerdings seltener um große Merkmalunterschiede als vielmehr um verschiedenartige Kombination. Die Merkmale bei den komponentenärmeren SZ haben somit eine höhere universale Potentialität. Da hierauf noch in Kap. 8 für Deutsch/Englisch näher Bezug genommen wird, folgen keine ausgeführten Beispiele.

---

[88] Vgl. Burgschmidt (erscheint).
[89] Tempus als "adverbale" obligatorische Einheit der OS für "Zeit"-Bedeutungen.
[90] Catford (1965), S. 37 f., 44 ff.

Trotz mangelnder Total-Äquivalenz (oder *formal correspondence*)[91] stehen zwischen Deutsch/Englisch aber doch die Ähnlichkeiten im Vordergrund. So dürfen bei allem Nachdruck auf "kontrastiver" Linguistik diese Ähnlichkeiten nicht übersehen werden, letztlich machen sie Transfer (auf dem Hintergrund der K_0 oder K_{1+2}) und Spracherlernung zur mehrsprachigen Kompetenz erst möglich; vgl. etwa dazu Nickel/Wagner.[92] Zabrocki stellt innerhalb einer konfrontativen Grammatik, die Ähnlichkeiten und Unterschiede faßt, dann erst eine speziell kontrastive Grammatik heraus.[93] Von ihrer besonderen Sicht der Lerner-KL erhalten die Ähnlichkeiten ihren besonderen Stellenwert für eine KL bei Nemser/Slama-Cazacu:

> The term "contrastive" is a partial misnomer since similarities between T and B are usually a prerequisite for interference. Where *no* counterpart exists in B for an element of T [...], the problem is apparently one of either total learning (for English learners of those languages) or an *ad hoc* forgetting (for speakers of these languages who are learning English), [...]
> Contrastive analysis plays a greater role in the more numerous and complex cases where *partial* similarity [...] leads learners to make unviable identifications between the two systems by assuming total similarity where only partial similarity exists [...].[94]

Aber auch die Unterschiede müssen betont werden. Die Unterschiede in sprachlich relevanter Konzeptualisierung sind dabei nicht unbedingt parallel der kulturellen "Entfernung" der Sprachgemeinschaften, sondern können auch bei nahe verwandten Sprachen synchron groß sein. Dies betont auch Nickel für die Unterschiede zwischen Deutsch und Englisch.[95] Für diese beiden Sprachen gilt das nicht zuletzt auf dem Gebiet der (Semantik der) SZ – offene Klassen – aufgrund des größeren, "romanisch angereicherten" Wortschatzes des Englischen und der damit größeren und diffiziler gegliederten Wortfelder. Natürlich kann aber auch der extralinguistische Lebensraum durch Bezeichnungsnotwendigkeiten Einflüsse ausüben, so daß für erkennbare Unterschiede in Denotata mehr oder weniger SZ (mit größerer oder geringerer Merkmalmenge) vorhanden sein können (z. B. die vielen SZ für "Schnee" bei den Eskimo, für "Kuh" bei afrikanischen Stämmen; in Fachsprachen generell usw.).

3.3.3. Der Ansatz einer KL von der Betrachtungsweise der "begrifflichen

---

[91] Catford (1965), S. 27: "A formal correspondent, [...] any TL category (unit, class, structure, element of structure, etc.) which can be said to occupy, as nearly as possible, the 'same' place in the 'economy' of the TL as the given SL category occupies in der SL."

[92] Nickel/Wagner (1968), S. 253.

[93] Zabrocki in *Probleme der kontrastiven Grammatik* (1970), S. 31 ff.

[94] Nemser/Slama-Cazacu (1970), S. 104/5.

[95] Nickel (1966), Nickel (1971).

Äquivalenz" her rechtfertigt letztlich den Begriff "kontrastiv" im Sinne von komparatistisch, da praktisch keine völlige Übereinstimmung möglich ist und nur Kontraste bestehen. Neben dem möglichen Einwand, dieser Ansatz erlaube keine exakte Zuordnung sprachlicher Zeichen aus L1 und L2, etwa für Zwecke der Übersetzung[96], wird jedoch noch weitere Kritik geübt.

Besonders Coseriu wies auf die Gefahren einer bereits "kontrastiven" Deskription von Einzelsprachen hin und bezweifelte die Sonderung von Denkinhalten, die von der Einzelsprache trennbar, und solchen, die nicht trennbar sind.[97] Mit dem Begriff der tatsächlichen und potentiellen Universalität für eine interlinguale Tiefenstruktur scheint es allerdings möglich, über "mehrsprachige" Denkinhalte ("Interlingua"-Begriffe) einzelsprachliche Zeichen generell interlingual zu beschreiben und auch Einzelsprachen unter Umständen genauer zu charakterisieren. Dieser interlinguale Vergleich muß jedoch durch eine gewisse universal-syntagmatische Steuerung in Kategorienfelder semantischer Natur (TSE-Gliederung) durchsichtiger gemacht werden. Dabei wurden offene und geschlossene Klassen postuliert. Gerade bei den offenen ist dann eine gewisse Willkür bei der Limitation solcher SZ-Unterklassen zum Zwecke ihrer Deskription (die ja nur "geschlossen" möglich ist) weder einzelsprachlich noch für die Interlingua auszuschalten. So kritisiert Spalatin die unumgänglich intuitive und auch zum Teil idiosynkratisch einzelsprachlich beeinflußte Einteilung und Limitierung bestimmter Kategorien, so etwa bei Pronomina (von unserer Sicht der TSE aus: Ergänzungssubstitutions-SZ[98] und deiktische SZ) – vgl. auch die Frage des Anschlusses von *nobody* an die Personalpronomina.[99]

Bei einer syntagmatisch erfolgenden Vorab-Aufteilung der Vergleichsgegenstände darf auch nicht vergessen werden, daß manche SZ-Klassen nicht ohne Bezug auf Syntagmatik beschrieben werden können. Dies gilt für P-Kerne ("Verben") mit ihren Valenzstellen und daraus sich ergebenden Kookkurrenz-Restriktionen ebenso wie für Beziehungen innerhalb der Mod-Klassen (Prop-Mod, E-Mod). Ein weiterer wichtiger Einwand gegen die KL1 ist die oft nur mangelhafte Aussage darüber, ob verglichene Elemente in L1/L2 jeweils dem System, aber nur in einer Sprache (L1 und L2) der Norm angehören (vgl. auch 3.6). Dem kann aber entgegnet werden, daß auf dieser Ebene noch gar keine Angaben über die Norm gemacht werden können und daher auch nicht gemacht werden sollten. Zu solchen Normfragen[100] kommt auch, daß die Einteilung in "obligatorisch" und "optional" manchmal nach Gesichtspunkten

---

[96] Vgl. Kap. 3.4 – Diskussion von Jäger (1968).
[97] Coseriu (1970 c), S. 10 ff.
[98] Auf der OS z. B. Personal-, Relativpronomina usw.
[99] Spalatin (1967), S. 32/3.
[100] Coseriu (1970 c), S. 15/6, besonders zu Agard/di Pietro (1966).

getroffen wird, die zu sehr oberflächenbezogen sind. Bolinger[101] zeigt, wie die *ser/estar*-Opposition im Spanischen auch im Englischen systemhaft widergespiegelt wird, wenn auch formal in ganz anderer Weise durch Kookkurrenz-Forderungen (*be* + *all* + Adj./*think* [x] *to be* [y] u. a.). Vgl. auch Bolingers Zusammenfassung:

> Die Ähnlichkeit der Menschen auf der ganzen Welt ist doch so groß, daß es zumindest sehr wahrscheinlich erscheint, daß grundlegende Ideen, die in der einen Sprache formal wiedergegeben sind, auch in einer anderen formalen Ausdruck finden. Da wir immer gleich zu Paraphrasen greifen, sobald wir keine direkte Äquivalenz entdecken können, haben wir diese Parallelen übersehen. Aber die gleichen Bedeutungen sind vielleicht irgendwo in einem entlegenen Teil der Grammatik verborgen. Es lohnt sich, sie ausfindig zu machen, einmal wegen ihres theoretischen Wertes als Beweis für die grundlegende Gleichheit von Sprache, zu anderen wegen ihres praktischen Wertes als Hilfe für den Lernenden.[102]

Trotz gewisser Einschränkungen erscheint so die Kombination syntagmatisch-universaler und einzelsprachlich-paradigmatischer Ansätze für eine KL1 gerechtfertigt. Der universal-paradigmatische Rahmen (mit seinen direkten Folgen für einzelne Zeichenoppositionen) müßte aber noch wesentlich genauer dargestellt und empirisch unterbaut werden, besonders im Bereich der illokutionären Akte, der Propositions- und der Ergänzungsmodifikatoren (Modalität, Zeit, Aspekt, Quantifizierung, Bestimmung u. a.), aber auch im Bereich der TSE-verknüpfenden "kontextuellen" Zeichenklassen, die hier weitgehend ausgeklammert wurden. Diese letzteren manifestieren sich zwar erst im Text, sie gehen aber in einzelne Satz-Oberflächenstrukturen ein, so daß sie auch in diesem Zusammenhang berücksichtigt werden müssen. Außerdem gehört auch der Text zur syntagmatischen System-Ebene und nicht (nur) zur Performanz. Die Textlinguistik und die Pragmatik müssen jedoch hier erst Kategorien auffinden und beschreiben (vgl. auch Kap. 3.6).

3.4.   KL2 und Äquivalenz

3.4.1.   In einer KL1, in der einzelne sprachliche Zeichen als Angehörige von Feldern interlingual verglichen wurden, war kaum Äquivalenz zu erwarten. Nur ein relativ komplexer Feldvergleich ist sinnvoll; sondert man dagegen ein SZ aus L1 aus, bieten sich in L2 verschiedene ähnliche, aber meist nicht merkmalgleiche SZ zum Vergleich oder als Entsprechung an.

Nun werden aber bereits intralingual im Kommunikationsakt nie lexikalische Bedeutungen einzelner SZ aneinandergereiht, sondern in der Kookkurrenz der

---

[101] Bolinger (1972).
[102] Bolinger (1972), S. 156.

sprachlichen Zeichen in einer TSE, die dann als Satz oder Satzteil realisiert wird, werden nur Teile der lexikalischen Bedeutung "aktuell" relevant; die anderen Merkmale werden gleichsam neutralisiert.[103] Da es aber viele "aktuelle" Bedeutungsvarianten eines SZ geben kann, sind diese als Teil der einzelsprachlichen TSE-Syntagmatik schon Bestandteil der jeweiligen Rede, auch wenn es bestimmte häufige (und somit im Lexikon speziell erwähnte) "aktuelle" Bedeutungen gibt. In dem hier verwendeten Modell sähe das für eine zur Rede vorbereitete TSE so aus:

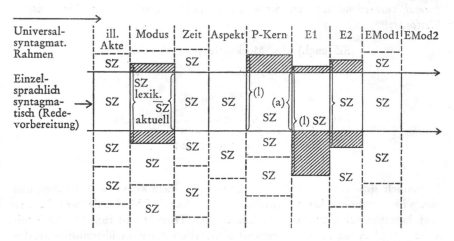

Die durchbrochenen Linien zeigen SZ paradigmatisch in einem Feld; eine TSE-Zeichenfolge schneidet aus je einem dieser SZ (in seiner lexikalischen Bedeutung) für jedes (universal) syntagmatisch notwendige Element der TS die "aktuelle" Bedeutung heraus. Kommunikation läuft nur in TSE-Einheiten (als Tiefenstruktur der einzelsprachlichen Performanz) und den entsprechenden Satzumwandlungen (OS) ab. TSE-Einheiten und Sätze (bzw. Satzteile bei Einbettung) bilden somit komplexe Sachverhalte ab, die Funktion in der Kommunikation tragen.

3.4.2. Interlingual ist es nun viel einfacher, TSEn aus L1 und L2 als äquivalent zu erweisen als Einzelteile aus TSE-SZ-Klassen. Zum einen ist die Wahrscheinlichkeit von Äquivalenz bei den kleineren "aktuellen" Merkmal-

---

[103] Hier ist keineswegs nur an Fälle von Polysemie zu denken, auch bei relativ "eindeutigen" SZ wird im Kommunikationsakt nicht die Opposition zu allen anderen Mitgliedern des Feldes relevant, da die syntagmatisch benachbarten SZ an der "Einengung" der kommunikatorisch "wichtigen" Merkmale beteiligt sind.

mengen der SZ größer. Zum anderen ist die gegenseitige Stützung der SZ bei der Abbildung bzw. Interpretation des Gesamt-"Denotats" der Äußerung (etwa eines Satzes) ein wesentlicher Vorteil gegenüber der Isolation bei einzelnen SZ. Beide Aspekte zusammengenommen machen deutlich, daß zwei Sätze aus L1 und L2 interlingual als funktional (oder auch kommunikatorisch oder situationell) äquivalent betrachtet werden können, auch wenn weder die Merkmale der lexikalischen Bedeutungen der einzelnen SZ noch sogar deren aktuelle Bedeutungen übereinstimmen. Catford spricht von *textual equivalence*, die er der *formal correspondence* (im Sinne einer KL1) gegenüberstellt. Ein Beispiel Catfords:[104]

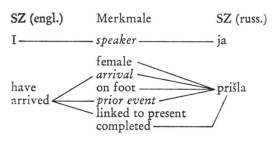

Es handelt sich hier um zwei SZ-Gruppen mit einem komponentenreichen und einem bzw. mehreren komponentenarmen SZ. Nur drei Merkmale (wobei *arrive* noch komplex ist) stimmen begrifflich überein. Trotzdem ist funktionelle Äquivalenz gegeben, da in der betreffenden Situation die nicht übereinstimmenden Merkmale der lexikalischen wie auch aktuellen Bedeutungen quasi neutralisiert werden.

In manchen Fällen kann unter Umständen aber keine echte Vergleichbarkeit bzw. Äquivalenz im Bereich "aktueller Bedeutungen" hergestellt werden. Dies kann außersprachliche Ursachen haben, indem entweder durch fehlende Situationsbezüglichkeit (etwa bei geschriebenem oder unvollständig vorliegendem Text) und/oder aus zusätzlichen linguistischen Gründen wie Polysemie oder Homonymie,[105] die – OS-bezogen – vom Hörer oder Interpreten nicht immer situationell aufgelöst werden kann, Unklarheit besteht. Linguistisch kann bei sehr verschiedenartiger Konzeptualisierung durch SZ der relevanten Sprachen Deckungsgleichheit gelegentlich weder durch 1:1-Entsprechung zur Deckung begrifflicher oder auch nur situationeller Äquivalenz (zu geringe Deckung) erreicht werden noch durch 1:2-Entsprechung (zu "mächtige" Deckung, da in dem

[104] Catford (1965), S. 39.
[105] Catford (1965), S. 94 ff.

einen SZ von L1 nicht intendierte Merkmale in den zwei SZ aus L2 auch situationell nicht ausschaltbar mitausgedrückt würden), z. B. schematisch:

$$
\begin{array}{cccc}
\text{L1} & & \text{L2} & \\
\wedge & & \overbrace{\qquad\qquad} & \\
\text{SZ} & \text{SZ1} & \text{SZ2} & (signifiés)
\end{array}
$$

m_1 +		m_1 +	m_5 +
m_2 +		m_2 +	m_6 +
m_3 +		m_3 +	m_7 +
m_4 +		m_4 +	m_8 +
m_5 +			m_9 +
m_6 +			

Beispiele sind etwa *pub* – *Wirtshaus/Gasthaus/Kneipe* oder *voyage* – *Reise* (zu geringe Deckung)/*Seereise/Schiffsreise* (teilweise zu mächtige Deckung). War in den genannten Fällen (in der Interpretation) das Denotatum entweder nicht klar erkennbar oder auf der linguistischen Ebene zu verschieden in SZ konzeptualisiert, so kann auch in einer Sprache ein Denotatum ganz fehlen, z. B. die Denotata, für die engl. *speaker* (Parlament) oder finn. *sauna* [106] stehen. In solchen Fällen müßten die sprachlichen Zeichen für Teil-Denotata (wie sie in den zu vergleichenden Sprachen [vielleicht] konzeptualisiert sind) zu einer langwierigen, im Ende doch nicht angemessenen und gleichzeitig viele nicht relevante Merkmale mit einführenden "Beschreibung" durch SZ-Ketten verbunden werden. Dies ist bei sehr verschiedenem Kulturhintergrund häufig der Fall, man denke etwa an die Problematik der Bibelübersetzungen. [107]

Textual equivalence (Catford), kommunikatorische Äquivalenz, *textual translation equivalence* (Halliday/McIntosh/Strevens) [108] kann, aber muß nicht im Zusammenhang mit Übersetzung gesehen werden. Sicher ist sie für Übersetzung am ehesten relevant, doch sind auch die von einem Bilingualen abgesicherte Äquivalenz zweier Äußerungen von einander nicht verstehenden L1- und L2-Sprechern oder die Verständigungsmöglichkeiten zwischen zwei Sprechern, die jeweils L1 bzw. L2 als Muttersprache verwenden, aber über L2 und L1 (als Fremdsprachen) nur jeweils rezeptiv verfügen, hier anzuführen. Es wird hiermit eine spezielle Art von Vergleichbarkeit überhaupt erst möglich:

If one says that a text is a special case of a linguistic description, in the sense that it is a description of itself, this is thought-provoking but in fact trivial: it is rather like saying that Beethoven's Fifth is a special case of a description of a symphony.

---

[106] Catford (1965), S. 99.
[107] Vgl. Nida (1964) u. a.
[108] Halliday u. a. (1964), S. 123.

But if one pursues the analogy, to say that a pair of texts in translation is a special case of comparison, this ceases to be trivial, for this reason: that textual translation equivalence is itself one way of establishing comparability. That is to say, the occurrence of an item or pattern in language A, and of another item or pattern in language B, in actual use and under conditions that allow us to refer to these items as 'equivalent', is a piece of evidence of a kind that is crucial to useful comparative studies. [109]

KL2 und Übersetzung sind aber nicht gleichzusetzen. Zum einen brauchen von Bilingualen als kommunikatorisch äquivalent erklärte Äußerungen nicht auf äquivalenten TSE beruhen, zum anderen wird bei Übersetzungen keineswegs immer volle Äquivalenz angestrebt.

Insbesondere Krzeszowski [110] und Marton [111] argumentieren mit dem Ansatz äquivalenter Sätze. Es ist zwar Krzeszowskis Ansicht:

Die Fähigkeit, äquivalente Sätze zu erkennen, ist Teil der Kompetenz einer zweisprachigen Person, während die Fähigkeit zu übersetzen Teil der Übersetzungsperformanz ist. [112]

generell zuzustimmen, doch ist zu bemerken, daß auch bei Annahme von "aktuellen" Bedeutungen die meisten zu vergleichenden Sätze (wenn nicht international genormter Wortschatz enthalten ist) nicht äquivalent sind, sondern höchstens für quasi äquivalent erklärt werden können. Solche "Erklärungen" können (für Übersetzungspraxis u. a.) sogar normativen Charakter annehmen.

Bei Krzeszowski und Marton müssen nun aber Tiefenstrukturen (oder Eingabestrukturen [113]) so definiert werden, daß äquivalente Sätze in L1 und L2 praktisch *a priori* möglich sind. Zur Forderung nach Äquivalenz der jeweils verwendeten Zeichen (der lexikalischen Bedeutungen?) sollte noch die zusätzliche Gleichheit der Transformationsmöglichkeiten beider Sätze berücksichtigt werden, was aber ausgeklammert wird. [114] Damit nähert man sich aber wieder der mehr oder weniger sicheren, sprecher- und situationsabhängigen Äquivalenz-"Erklärung", da Sätze mit "entschärften" Tiefenstrukturen eben nicht mehr *per se* äquivalent sind. Das Eingeständnis, daß es kaum völlig äquivalente SZ und auch TSE zwischen zwei Sprachen gibt, ändert ja nichts an der Tatsache, daß die

[109] Ebda.
[110] Krzeszkowski (1971, 1972).
[111] Marton (1968). Beide benützen diesen Äquivalenzbegriff, um ihn gegen "Kongruenz" abzusetzen, bzw. in der Transformation L1/L2-äquivalenter TS zu OS den eventuellen Abweichungspunkt der formalen Kongruenz in L1 bzw. L2 zu erkennen.
[112] Krzeszowski (1972), S. 80.
[113] Krzeszowski (1972) bevorzugt "Eingabestruktur", weil der Begriff "Tiefenstruktur" in der TG bereits sehr verschiedenartig gebraucht wird.
[114] Vgl. Krzeszowski (1971).

Inventare und Klassen von SZ zwischen den Sprachen zum Teil gleich sind, nur die Koppelung ist verschieden.

In der Praxis gilt nun auch, daß es den idealen Bilingualen gar nicht gibt, der als lebende Repräsentation der Interlingua gelten könnte. Identifikationen von Äquivalenz können somit auch falsch sein (über Interferenz, vgl. Kap. 4.2).[115] Wir glauben daher, daß die funktionale Äquivalenz als Äquivalenz-Erklärung in jedem Fall auf der mehrsprachigen, situationsbezogenen und keineswegs notwendig fehlerfreien Performanz-Ebene (des Einzelnen oder eine Gruppe) zu suchen ist.

3.4.3. "Übersetzung" sollte im Rahmen einer KL2 nicht als Praxis oder als "angewandte kontrastive Linguistik", beeinflußt durch eine Praxis des Übersetzens oder Dolmetschens gesehen werden, sondern als Erweiterung einer KL1 durch das Element der Fähigkeit, Systemteile einander fest zuordnen zu können und deren Äquivalenz in der syntagmatischen Reihung im Sinn einer KL2 zu bewerten.

Eine solche linguistische "Übersetzungswissenschaft" hat zwar auf Äquivalenz-"Erklärung" zu rekurrieren, das Ziel ist jedoch eine Systematisierung, weg von der Einzelsituation und einem bilingualen Idiolekt. Eine derartig definierte Übersetzung ist dann frei von Beschränkungen der Art, wie sie bei tatsächlichen Übersetzungen geschriebener Texte in der Praxis auftritt. Dort muß der Übersetzer erst über eine (durch den Status des Geschriebenen oft noch beschränkte) OS eines "Sprechers" X einen bereits in L1 (Ausgangssprache) interpretierten Text herstellen, ihn in L2 (TS) übertragen, in die OS der L2 umsetzen, wo dann ein Leser ("Hörer") erneut über Interpretation in der L2 (Zielsprache des Übersetzers, Muttersprache des "Hörers") die OS in der "Endfassung" (TS L2/ ohne Bezug auf L1) herstellt.[116] Für KL sei nun nur das Produkt der Übersetzungen, nicht der Prozeß maßgeblich.[117]

Übersetzung aber auch in dieser "System"-Ausrichtung ist im Gegensatz zu KL1 ein gerichteter Vergleich. Will man zur Ergänzung von KL1 kommen, muß man vor dem Hintergrund erwiesener oder postulierter funktionaler Äquivalenz von Äußerungen in L1 und L2 die Elemente dieser Äußerungen einander zuzuordnen versuchen. Jäger[118] und Spalatin[119] haben dies versucht. Jäger nennt diesen Zweig der vergleichenden Sprachwissenschaft Isopraktik und stellt drei

---

[115] Vgl. Weinreich (1953), S. 7 ff.
[116] Vgl. Irmen (1971). Stilistische Aspekte (wozu besonders Wandruszka, Malblanc u. a. – vgl. noch 3.6), Aspekte der Übersetzbarkeit mancher poetischer Texte usw. bleiben hier beiseite.
[117] Bausch (1970).
[118] Jäger (1968), bes. S. 214.
[119] Spalatin (1967), S. 29 ff., Ivir (1969), Ivir (1970), u. a.

Stufen auf. Die erste Stufe entspricht einer Parallel-Aufstellung von semantisch ähnlichen *signifiés* von SZ in L1/L2[120] – bei Jäger U-u-Modell. Die zweite Stufe (E-u-Modell) ist eine Verknüpfung von Elementen der Ausgangssprache mit Einheiten der Zielsprache. Dieses Modell erlaubt nun eine klare Zuordnung von Äquivalenten aus L2 zu L1-Elementen und kann damit für einen Teil des Übersetzungsprozesses aus L1 in L2 verwendet werden. (Implizit ist natürlich die Annahme funktionaler Äquivalenz, auch wenn Einzelteile verglichen werden.) Für einen Vergleich von L1 und L2 hat dies zur Folge, daß dabei L1 in seiner Beschreibung entsprechend dem Funktionsplan von L2 aufgegliedert erscheint. Dies ist typisch für Vergleiche im Rahmen einer Übersetzungswissenschaft, die keine vermittelnde Interlingua kennt. Vgl. dazu Jäger:[121]

> Eine solche Beschreibung der Sprache L_A bedeutet aber nichts anderes als eine von der L_B abhängige Analyse der Sprache L_A, die zu ganz anderen Ergebnissen führt als eine einsprachige Analyse der L_A, d.h. eine Analyse, die nur die Verhältnisse der L_A berücksichtigt.

Damit lassen sich nun zwar Divergenzen von L1 nach L2 beschreiben, nicht jedoch Konvergenzen. Hierfür braucht man (nach Jäger) ein E-e-Modell, das eine wechselseitige Abbildbarkeit gewährleistet.[122] Daraus ergibt sich nun ein Funktionsplan, der keiner der beiden Sprachen mehr zugeordnet ist, sondern eine Mittlersprache darstellt. Da Jäger jedoch die funktionelle Äquivalenz beibehält, so ist diese "n + 1. Sprache" bzw. "Mittlersprache" für eine multilinguale "Translation"[123] quasi als Syntagmatik eines (KL1)-Interlingua-Systems zu sehen.

Spalatin schlägt die Methode der *back-translation* vor. Auch er operiert vor dem Hintergrund kontextueller Äquivalenz für die zu vergleichenden Texte.[124] Diese Methode ist eine speziell gesteuerte Übersetzung, sie dient ausschließlich kontrastiver Analyse:

> Another possible method, termed here "back-translation method", conceives the FL as given, that is we select a body of grammatical items in the FL and these items become the text of the Source Language. The NL translation equivalents are then established. Now the NL translation equivalents become the Source Language text and they are translated into FL (now TL), but the choice of translation equivalents in FL is no longer free: they are selected only from among the possibilities contained in the originally selected body of FL formal items.[125]

---

[120] Jäger (1968) operiert zuerst mit L1/L2, dann auch mit LA/B. Wir behalten hier immer L1/2 bei (außer in Zitaten).

[121] Jäger (1968), S. 219.

[122] Ebda., S. 220.

[123] Ebda., S. 221.

[124] Spalatin (1967), S. 31 f.

[125] Spalatin (1967), S. 33. FL = Foreign Language, NL = Native Language; TL = Target Language.

Es wird deutlich, daß Spalatin durch diese Steuerung im 2. Übersetzungsschritt (der eigentlichen *back-translation*) die dritte Stufe Jägers, die Isopraktik, die dieser gegenwärtig für noch nicht verwendbar bezeichnete,[126] ansetzt. Er kann dieses Modell der vollständigen gegenseitigen Abbildbarkeit zu einer Teilbeschreibung nutzbar machen. Im Gegensatz zur richtungsneutralen Interlingua in KL1 steht somit eine doppelgerichtete funktionale Abbildungsbeziehung L1/L2. Ein von Spalatin unabhängiger Versuch der Validierung von Sprachbeschreibung (afrikanische Sprachen) und damit verbundenem Sprachvergleich, wurde von Alverson unternommen und ebenfalls als *back-translation* bezeichnet.[127]
Gegenwärtige Modelle tatsächlicher praxisbezogener Übersetzung arbeiten allerdings meist mit der Auswertung verschiedener möglicher Übersetzungsäquivalente (in L2) einzelner L1-Sätze.[128] Halliday/McIntosh/Strevens schlagen dabei eine "rank-bound translation" vor, von der aus man zu Gliedentsprechungen komme (setzen also die von Jäger und Spalatin implizit angenommene Zwischenstufe für funktionelle Äquivalenz-Erklärung an).

In one way or another translation equivalences come to be attached to grammatical categories and items, and to lexical items, as such.[129]

Da es aber keine 1:1-Entsprechungen gibt, ist Übersetzung (im Modell)[130] als Selektionsprozeß die Auswahl des wahrscheinlichsten Äquivalents der Zielsprache auf *rank*-Ebene (Morphem, Wort, *group, clause*).
Im Vergleich zu Jäger findet bei der "rank-bound translation" zwar auch eine (einseitige) Abbildung statt, jedoch hierbei die Abbildung von L2 auf L1 im Prozeß, nicht im Produkt der Übersetzung oder in der Postulierung von Einheiten des Produkts.[131] Dieser Selektionsprozeß mit jeweils anschließendem "Teil-Vergleich" ist aber somit eingebettet in den linearen Ablauf der Textübersetzung generell:

---

[126] Jäger (1968), S. 221.
[127] Alverson (1969).
[128] Vgl. Kirkwood (1966). Levenstons (1972) Untersuchungen zur Taxonomie der Wahl von Ü-Äquivalenten gehört bereits in den (quantitativen) Bereich der AKL.
[129] Halliday u. a. (1964), S. 125.
[130] Halliday u. a. (1964), S. 126. Vgl. auch Huddleston (1963).
[131] Levy (1967).

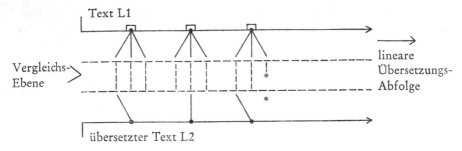

Text L1

Vergleichs-Ebene

lineare
Übersetzungs-
Abfolge

übersetzter Text L2

3.4.4. Die Lexikographie ist ein (meist allerdings angewandter) Zweig der KL2. In zweisprachigen Wörterbüchern werden wahrscheinliche bzw. in langer Kontakt- und Übersetzungspraxis bereits "normativ" festgelegte interlinguale Entsprechungen aufgelistet. Da gegenseitige Abbildung, wie in 3.4.3 beschrieben, sehr kompliziert ist, ist sie nur im Einzelfall durch kombinierte Anwendung der einseitigen Abbildungen (Deutsch-Englisch-Teil + Englisch-Deutsch-Teil) zu leisten.

Dabei ist das Lexikon im allgemeinen auf offene Klassen von SZ, die es in einer (meist zweckgebundenen) Auswahl – nach dem orthographischen Alphabet – auflistet, beschränkt. Die geschlossenen Klassen von SZ werden im allgemeinen in der "Grammatik" abgehandelt – zusammen mit der Syntagmatik der SZ. "Grenzfälle" wie Präpositionen, Konjunktionen werden in beiden Teilen der Deskription dargestellt. Trotz der doppelten Aufführung fehlt aber eine (durchaus notwendige) lexikonartige Darstellung der geschlossenen Klassen [132] – im Sinne einer gegenseitigen Abbildung oder zumindest einer Kombinierung wie beim zweisprachigen Wörterbuch.

In den zweisprachigen Wörterbüchern ist das *item* der Ausgangssprache im allgemeinen nicht beschrieben, die zielsprachigen Entsprechungen werden teils in ihren lexikalischen Bedeutungen (somit ein Teil von KL1), teils in den hauptsächlichen "aktuellen" Bedeutungen – meist mit Satz- oder Satzteil-Beispielen – angeboten. [133]

Solche Lexika bedingen aber, daß eine zumindest ungefähre Beschreibung der beiden Sprachen vorhanden ist, Übersetzungsäquivalenzen durch Bilinguale abgesichert bzw. bereits durch Übersetzungstradition vorhanden sind. [134] Dieser Zustand ist jedoch nur für einen kleinen Teil von Sprachen der Welt gegeben, wenn auch für die wichtigsten und am meisten gebrauchten (europäische Spra-

---

[132] Leonhardi/Welsh (1966).
[133] Vgl. zum Problem der Übernahme "zweckfreier Übersetzungspaare" in eine "langue-orientierte KG1", vgl. Raabe (1972), S. 68/9.
[134] Man könnte dies als interlinguale Entsprechungsnorm bezeichnen.

chen wie Englisch, Französisch, Russisch, Deutsch, Spanisch u. a., Chinesisch, Suaheli, Hindi, Urdu u. a.). Wird jedoch eine Sprache erstmals linguistisch beschrieben, wird sie vom meist nicht "eingeborenen" Forscher ja kontrastiv zu seiner Muttersprache erarbeitet. Hier ist nur ein mühsamer Weg über funktionale Äquivalenzen und damit "aktuelle" Bedeutungen von sprachlichen Zeichen möglich.

Zur Frage der interlingualen Übersetzung im ethnographischen "field-work" schrieben Phillips[135] und Alverson (letzterer mit dem Prinzip einer generellen, nicht wie bei Spalatin eingeschränkten *back-translation*). Quine[136] hat genau dargelegt, wie ein Forscher mit sog. *observation sentences* (mit intersubjektivem *stimulus meaning*) quasi "aktuelle" Bedeutungen sammeln kann. Erst von da aus kann er zu einem Lexikon (mit "lexikalischen" Bedeutungen) und einer Grammatik gelangen, die er für die Generierung von Sätzen ohne direkten empirischen Nachweis ihrer Übersetzungsrichtigkeit verwenden kann:

> How then does our linguist push radical translation beyond the bounds of mere observation sentences and truth function? In broad outline as follows. He segments heard utterances into conveniently short recurrent parts, and thus compiles a list of native "words". Various of these he hypothetically equates to English words and phrases, in such a way as to produce the already established translations of whole sentences. Such conjectural equatings of parts may be called analytical hypotheses of translation. [...] Taken together these analytical hypotheses of translation constitute a jungle-to-English grammar and dictionary, which the linguist then proceeds to apply even to sentences for the translation of which no independent evidence is available.[137]

Hiermit ist der Gegenpol, aber auch die Ergänzung zum Ansatz der KL1 gegeben.

3.5. Kongruenz

3.5.1. In Anlehnung an Krzeszowski, Marton u. a. wird mit "Kongruenz" die Übereinstimmung semantisch äquivalenter oder auch nicht äquivalenter Sätze in L1 und L2 hinsichtlich ihrer Form (Oberflächenstrukturen) bezeichnet. Geht man von einer KL2, also funktioneller Äquivalenz aus, so spezifiziert man zuerst die jeweiligen Tiefenstrukturen der zu vergleichenden Sätze. Ist diese als Phrasenstruktur definiert, so können Abweichungen von der Kongruenz bereits auf dieser Ebene (trotz Äquivalenz) beobachtet werden. Für die Herstellung der Oberflächenstruktur kann nun die Kongruenz der notwendigen

---

[135] Phillips (1959).
[136] Quine (1959).
[137] Ebda., S. 165.

Transformationen (im Sinne "obligatorischer" Transformationen) untersucht werden. Marton trifft dabei für den Vergleich noch den Unterschied zwischen *identical* und *similar* im Hinblick auf Transformationen, die auf gleichen *base strings* und darin auf gleichen *parts of strings* in L1- bzw. L2-Sätzen operieren. *Similar* werden vergleichende Transformationen genannt, wenn sie zwar dem gleichen Typ (Permutation, Deletion, Addition usw.) angehören, aber gegenüber voller Identität "different in details of performance" sind, d. h. gewisse morphologische Unterschiede in L1/L2 aufweisen. Ähnliche Überlegungen stellt Bolinger [138] an:

One measure of resemblance between two languages is how far it is possible to go down the phrase-structure tree keeping the rewrites the same. [138]

Weiter können Ähnlichkeiten (bzw. Abweichungen) in optionalen Transformationen von L1/L2-Sätzen zusätzlich in die Kongruenz-Forderung einbezogen werden, ebenso wie das Kriterium der Grammatikalität als Entscheidungskriterium für absolute Kongruenz. [139]

Wie absolute begriffliche oder auch nur funktionelle Äquivalenz zwischen Sätzen in L1 und L2 selten ist, so ist auch Kongruenz (in Transformationen und deren Ergebnis auf der OS in morphologischem, morphonologischem, syntaktischem und phonologisch-suprasegmentalem Aufbau [140]) nicht häufig. Solche Kongruenz, wenn vorhanden, setzt aber keineswegs prinzipielle semantische Äquivalenz voraus, sie kann (wenn auch selten) reiner Zufall sein. Gerade bei nah verwandten Sprachen ist dies aber anzutreffen, [141] die bei (noch) ähnlichem Formen-Inventar sich semantisch schneller (auseinander-)entwickelten. Gerade für Deutsch-Englisch hat zum Teil auch eine starke Form-Dissoziation stattgefunden (Entwicklung des Englischen zum isolierenden Sprachtyp.).

3.5.2. Die bisher angeführten Untersuchungen behandelten vornehmlich Satzstrukturen. Geht man von einer semantisch ausgerichteten TS aus, sind Fragen der Kongruenz auch im Bereich der paradigmatisch aufgegliederten Zeichenklassen interessant. In verschiedenen Fällen bedeutet der Versuch der Herstellung begrifflicher oder (zumindest) situationeller Äquivalenz ein Abgehen von

---

[138] Bolinger (1965).
[139] Bolinger (1965), S. 139. Vgl. auch Coseriu (1970c), der anhand Agard/di Pietro kritisiert, daß, um Vergleichbarkeit willen, Sätze verglichen werden, die nur in einer Sprache der Norm entsprechen, in der anderen aber – nicht normgerecht – nur syntaktisch möglich und somit nur sehr theoretisch vergleichbar sind.
[140] Der Aufbau des SZ aus Phonemen kann – weil meist prinzipiell interlingual verschieden – nicht Hauptgegenstand solcher Überlegungen zur Kongruenz sein.
[141] Vgl. Krzeszowski (1971) mit den 4 Möglichkeiten der Äquivalenz-Kongruenz-Zuordnung.

dem Vergleich (OS-bezogener) "gleicher" Wortklassen und morphemzahl-
gleicher SZ (in L1 oder L2).

Läßt man Äquivalenz im weiteren Sinne auch als über dem einzelsprachlichen
Begriff liegende Merkmalsummen-Äquivalenz zu, dann können (wie in "freier"
gegenüber "wörtlicher" Übersetzung) einmorphemische mit mehrmorphemischen
Bildungen verglichen werden, wenn die Merkmalsummen dies erlauben oder gar
fordern (im Dt. ist z. B. meist kein einmorphemisches Zeichen für engl. *leave* –
weggehen/verlassen äquivalent). Allerdings ist zu beachten, inwieweit Begriffs-
zahlenverschiedenheit nicht zur Merkmal-Überrepräsentanz in einer der beiden
Sprachen führt (vgl. 3.4.2).

In manchen Fällen müssen nicht nur Morphemzahl-, sondern auch Wortart-
grenzen überschritten werden, wie etwa zum Teil bei *to have a wash* – *sich
waschen*. Ist hier noch derivationaler Bezug deutlich, der eine gewisse Merkmal-
konsistenz garantiert, so ist dies bei situationellen Äquivalenzen wie *he keeps on
doing this* – *er tut dies immer wieder* nicht mehr der Fall. Es können in weiter
gesteigerter Durchbrechung der mit Formäquivalenz gepaarten Begriffsäquiva-
lenz verschiedene Ebenen wie Grammatik und Semantik verglichen werden.
Besonders im Bereich geschlossener Klassen – traditionelles Gebiet der "Grammatik" – sind Wechsel der Repräsentationsebene, etwa im Vergleich Deutsch/
Englisch, häufiger als im Bereich der komponentenreichen offenen SZ-Klassen:
Unterschiede zwischen gebundener und freier Morphemform (flexivischer "Konjunktiv" – Hilfsverben), Morphemgestalt und Morphemordnung (Relationen-
Darstellung: Oberflächenkasus gegen Wortstellung), segmentaler und supra-
segmentaler Repräsentation. Dabei ist allerdings beim Vergleich grammatikalisierte (obligatorische) gegen fakultative (optionale, stilistische) Verwendung von
Zeichen zu beachten. So sind deutsche SZ wie *gerade, schon, ja* (zumindest
einige der jeweiligen Homonyme) als meist fakultativ zu setzende Zeichen der
englischen, dort meist obligatorischen Wahl *expanded/non-expanded form* des
Verbs begrifflich und funktionell äquivalent. Vgl. ähnlich die Struktur mit *man*
(+ Vb. im Aktiv) gegenüber dem englischen Passiv.

Ist bei vielen Sätzen – besonders zwischen dem Deutschen und Englischen –
eine ganze oder teilweise "wörtliche" Übersetzung bzw. ein Vergleich einzelner
SZ und ihrer OS-Repräsentationen leicht möglich, so ist dies bei sehr unterschiedlichen Sprachen oft nicht machbar, wo die gesamte Konstruktionstypik
sehr unterschiedlich ist (z. B. inkorporierende Sprachen gegen flexivische Sprachen).

Auch aus ganz anderen Gründen ist gelegentlich ein Einzelvergleich von Satzteilen nicht möglich, für das Deutsche und Englische etwa bei phraseologischen
Zeichengruppen. Für *Shut up! Get lost! How do you do?* ist eine Suche nach
begrifflicher oder funktioneller Äquivalenz zu deutschen Zeichen als Teilen der

jeweiligen Gruppe sinnlos, da sie nur in ihrer Gesamtheit verglichen werden können und semantisch als ein Zeichen gelten müssen. Die funktionell äquivalenten Entsprechungen wären im Deutschen (*Halt's Maul!*) bzw. *Quatsch, Hau ab!* bzw. *Scher dich zum Teufel!, Guten Tag.* Wörtliche Übersetzung wäre entweder falsch oder semantisch nicht klar. Die Gesamtbedeutungen der jeweiligen Ausdrücke (Zeichengruppen) sind nicht aus einer Funktion der Merkmalmengen der einzelnen einzelsprachlichen SZ ableitbar, so daß der ganze Ausdruck möglicherweise als jeweils ein Idiom zu gelten hat. Auf vergleichende Idiomatik können wir hier jedoch nicht eingehen.

3.6. Äquivalenz und Kontext

3.6.1. Bisher wurde begriffliche Äquivalenz bzw. Nicht-Äquivalenz wie auch die situationelle Äquivalenz auf homogene Vergleichssprachen bezogen. Weiterhin wurden im wesentlichen nur sprachliche Zeichen, TS-Einheiten oder Sätze verglichen. Der Begriff der *textual equivalence* reicht jedoch noch weiter:

A textual equivalent is any TL text or portion of text which is observed on a particular occasion ... to be the equivalent of a given SL text or portion of text. [142]

Diese Feststellung über Äquivalenz der Texte bedarf einiger zusätzlicher Erläuterungen. Ein Text wird in seiner Art nicht nur durch die Konzeptualisierung einer gegebenen Situation bestimmt, sondern auch durch die Bedingungen, denen die Teilnehmer des Kommunikationsprozesses unterliegen. Jeder "Sender" – und damit auch jeder Text – ist in einem Koordinatennetz zu lokalisieren, das geographisch[143] (regionaler Dialekt), sozial (Soziolekt) und temporal (1300, 1500, 1950) definiert ist.[144] Diese Kriterien sind primär unabhängig von der außersprachlichen Situation und für jeden Sprecher relativ konstant – soweit der Sprecher nicht in seiner eigenen Sprache über mehrere Dialekte regionaler/sozialer Art verfügt.

Drei weitere Kriterien beziehen sich auf das jeweilige Verhältnis von Situation und Sprecher bzw. Hörer: (a) das Register ("variety of language related to the wider social rôle played by the performer at the moment of utterance, e. g. 'scientific', 'religious', 'civil service' etc." [145]), (b) der Stil (Beziehung zwischen

---

[142] Catford (1965), S. 27.

[143] Regional (scheinbar) neutrale Dialekte, wie etwa *Standard English*, sind als Sonderfall geographischer Bestimmung anzusehen.

[144] Von idiolektischen Eigenheiten des Sprechers abgesehen. Vgl. hierzu auch Bowen (1965), der als fünf Möglichkeiten der Variation *time, space, level, spoken/written* form und *intention* nennt, s. weiter Crystal/Davy (1970).

[145] Catford (1965), S. 85.

Sprecher und Hörer, Absichten des Sprechers in bezug auf den Hörer), (c) das Medium (gesprochene oder geschriebene Sprache).

Wenn also zwei Texte oder Äußerungen miteinander verglichen werden sollen, ist, abgesehen von dem Problem der begrifflichen bzw. situationellen Äquivalenz, eine Abfragung der Texte nach diesen Kriterien notwendig. Strenggenommen muß eine Vernachlässigung dieser Bestimmung zu einem Vergleich ausschließlich der Teile der Tiefenstruktur führen, die den konzeptuellen Gehalt der Äußerung enthält.

Ein Bilingualer, der im Einzelfall über die situationelle Äquivalenz positiv oder negativ zu entscheiden hat, gehört somit auch zwei Subsystemen (Teilmengen von L1 und L2) an. Das zweisprachige Wörterbuch ist dann als ein situationsverallgemeinernder "Bilingualer" mit den jeweiligen Standards von L1 und L2 als Vergleichskorpora zu charakterisieren. Für Einzelgespräche und Texte ist nun die Beachtung der jeweiligen angesprochenen Subsysteme wegen der parole-Bezogenheit der situationellen Äquivalenz sehr wichtig. Erst dann kann wieder nach Norm- oder Systemerstellung solcher üblichen SZ-Gleichungen (situationelle Äquivalenz quantifiziert: "In einer solchen Situation sagt man immer das [oder jenes]") gefragt werden. Die Darstellung der KL bisher muß somit modifiziert werden durch gruppenbezogene Teiläquivalenzen.

Es darf hier nicht eingewandt werden, daß die o. a. Kriterien zum Teil außersprachlicher Natur und daher irrelevant für den linguistischen Vergleich seien, denn diese außersprachlichen Bestimmungen manifestieren sich in der Beschaffenheit des sprachlichen Materials, z. B. in der Bevorzugung spezieller Vokabeln und Strukturen usw.

3.6.2. Völlige Bestimmungsgleichheit kann nur für den temporalen Bereich als Vergleichsbedingung aufgestellt werden (z. B. Deutsch von 1970 – Englisch von 1970). Die sprach-geographischen und sozialen Gegebenheiten sind an Ort, Kultur und Sozialgefüge einer Nation und deren Sprecher gebunden; es ist folglich sinnlos, nach sich genau entsprechenden Subsystemen in verschiedenen Sprachen zu suchen.

Allerdings ist es möglich und notwendig, funktionale Abgrenzungen eines Subsystems innerhalb einer Sprache anzugeben und dann nach approximativen Entsprechungen innerhalb der anderen Sprache zu suchen – etwa bei der Wiedergabe von Cockney-Texten durch den Berliner Dialekt. In der Regel werden aber nur funktionale Ähnlichkeiten zu ermitteln sein. So findet – im Bereich der Phonologie – die *Received Pronunciation* des britischen Englisch keine genaue funktionale Entsprechung im Deutschen. Das "Bühnendeutsch" ist abgesetzt durch das Register, sonstiges regional neutrales Hochdeutsch durch geringere soziale Implikationen: mundartlich gefärbtes Deutsch ist nicht unbedingt ein Kennzeichen sozialer Inferiorität innerhalb des deutschen Sprachraums, vor allem nicht in Österreich oder der Schweiz.

Ein Vergleich sich nicht entsprechender Subsysteme – etwa Bairisch/*Standard English* ist damit natürlich nicht ausgeschlossen, nur muß er unter der methodischen Prämisse geschehen, daß diese beiden Systeme als in sich ruhende, abgeschlossene Systeme gesehen werden, also mit expliziter (!) methodischer Neutralisation einiger Kriterien (z. B. des Stellenwerts im L1- bzw. L2-typischen System der Subsysteme).

Aufgrund der obigen Kriterien und der möglichen Kriterienkombinationen ist die deutsche, englische (usw.) Sprache zu sehen als ein (additives) System von (Sub-)Systemen, wobei die Sprecher in der Regel für mehrere dieser Subsysteme (zumindest als Hörer) kompetent sind. [146]

Im konkreten Sprechakt manifestiert sich aber auch die Norm eines Systems, d. h. jenes linguistische Material, das die Möglichkeiten des Systems in einer bestimmten Weise ausnützt und dem Sprecher aufgrund seiner sprachlichen Erfahrung zur Verfügung steht. "Im allgemeinen kann man keine Sprache nur mit Kenntnis der Systeme sprechen: eine Kenntnis der situationellen und kontextuellen Anwendungsnormen ist ebenso notwendig." [147] Dabei ist qualitative Norm (die Verwendung einer Konstruktion ist nicht akzeptabel) und quantitative Norm (Verteilung mehrerer Möglichkeiten) zu unterscheiden. Gerade letztere ist sehr häufig und wird beim Systemvergleich nicht als relevant betrachtet bzw. beim Performanzvergleich übersehen.

Es fällt unter die Domäne der vergleichenden Systembeschreibung, daß Adverbien im Englischen bzw. Französischen von Adjektiven durch Suffigierung (*-ly/-ment*) abgeleitet werden können. Aufgabe der vergleichenden Normbeschreibung dagegen ist es festzustellen, wie diese im System verankerte Möglichkeit ausgenützt wird. In diesem Falle zeigt das Französische "aus sprachästhetischen Gründen dem qualifizierenden *-ment*-Adverb gegenüber eine traditionelle Abneigung, das Englische verhält sich gegenüber gewissen *-ly*-Adverbien, nämlich denen aus Partizipien, zurückhaltend." [148] Demzufolge muß beim Vergleich deutlich gemacht werden, ob auf die Systeme oder die Normen der betreffenden Sprachen Bezug genommen wird.

Die Relevanz dieser Unterscheidung sei an weiteren Beispielen erläutert. Einige Nil-Sprachen weisen, wie ähnlich das Deutsche oder Englische, den Aktiv-Passiv-Kontrast auf (System), doch werden dort die Passivformen im allge-

---

[146] Welche Anzahl von Subsystemen ein Sprecher beherrschen kann, ist noch nicht festgestellt worden.
[147] Coseriu (1970a), S. 43 f. und Coseriu (1970b), S. 193 ff. zu einer ausführlichen Darstellung des Unterschieds zwischen System, Norm (und Rede).
[148] Vgl. Pelz (1963), S. 33. Vgl. auch Truffaut (1971), S. 84 ff.

meinen bevorzugt (Norm). Im bolivianischen Ketschua besteht die Möglichkeit, den Plural durch das Suffix -*runa* anzuzeigen (System). Dieses Suffix ist jedoch strictly optional, and though it can be used for any plural in English or Spanish, it is certainly not used with anything like the frequency with which Spanish or English would use plural formations. A Quechua text full of word endings in -*runa* could be judged as grammatically correct – that is, there would not be any word which was grammatically wrong; nevertheless, the total effect of the sentence would be bad.[149]

Das "strictly optional" des Zitats bezieht sich also nur auf das System, von einer Norm-Optionalität kann nicht die Rede sein. Die Wiedergabe aller englischen Plurale durch -*runa* in einer Ketschua-Übersetzung wäre ein Beispiel einer Übersetzung mit sog. formaler Äquivalenz,[150] die Angleichung des -*runa*-Vorkommens an die Norm des Ketschua ein Beispiel mit sog. dynamischer Äquivalenz, die von Nida folgendermaßen beschrieben wird:

In contrast with formal equivalence translation others are oriented toward dynamic equivalence. In such a translation the focus of attention is directed, not so much toward the source message, as toward the receptor response. A dynamic-equivalence (or D–E) translation may be described as one concerning which a bilingual and bicultural person can justifiably say, "That is just the way we would say it." It is important to realize, however, that a D–E translation is not merely another message which is more or less similar to that of the source. It is a translation, and as such must clearly reflect the meaning and intent of the source.

One way of defining a D–E translation is to describe it as "the closest natural equivalent to the source-language message." This type of definition contains three essential terms: (1) equivalent, which points toward the source-language message, (2) natural, which points toward the receptor language, and (3) closest, which binds the two orientations together on the basis of the highest degree of approximation.[151]

D. h., eine Übersetzung mit dynamischer Äquivalenz setzt einen kontrastiven Vergleich von Ausgangs- und Zielsprache voraus unter Einbeziehung der Subsystem-Kriterien und der normbedingten Manifestation des Systems; sie ist damit ein "textual equivalent" im Sinne Catfords.

Wenn ein englischer Text etwa die Fügung *my father's house* enthält, muß der Übersetzer entscheiden, ob sie mit *das Haus meines Vaters, meines Vaters Haus, das Haus von meinem Vater* oder *meinem Vater sein Haus* wiederzugeben ist. Die deutsche Übersetzung (und damit die Basis des Vergleichs) wird dabei von der soziolektischen Klassifikation des englischen Textes ausgehen müssen, wobei in diesem speziellen Fall die Fügung der Ausgangssprache soziolektal nicht markiert ist, d. h., die Entscheidung des Übersetzers basiert auf einer größeren kontextuellen Einheit. Der kontrastive Vergleich der beiden Sprachen kann

---

[149] Nida (1964), S. 197.
[150] Nida (1964), S. 165.
[151] Ebda., S. 166.

ohne Berücksichtigung von *das Haus von meinem Vater* und *meinem Vater sein Haus* nur unvollkommen bleiben.

Ohne vorherige Bestimmung der Subsysteme können sich damit "Äquivalenzen" ergeben: *annoyed = sauer, steal = klauen, goggle-box = Fernsehgerät, I think = meines Erachtens* usw.

In der Praxis des ("reinen" wie "angewandten") Vergleichs wird meist ein Sprachmaterial zugrundegelegt, das folgendermaßen bestimmt ist:

geographisch – (neutral, bzw.) Standard

sozial – höhere Mittelschicht

temporal – "heutige" Sprachstufe(n)

Register – unspezifiziert

Stil – zwischen umgangssprachlich und formal

Medium – geschriebene Sprache.

Abgesehen von der Tatsache, daß diese Spezifikation meist nicht explizit deutlich gemacht wird (es ist in der Regel vom "Englischen" und "Deutschen" die Rede), ist gegen diese Praxis aus deskriptionsökonomischen Gründen natürlich nichts einzuwenden. Nur entspricht das Sprachmaterial nicht unbedingt der Realität.

3.7. Angewandte kontrastive Linguistik

3.7.1. In Kap. 2.4 wurde bereits die Stellung einer KL generell hinsichtlich ihres Status als "reine" oder "angewandte" Wissenschaft erörtert. In Kap. 3 wurde KL als rein sprachwissenschaftliche Disziplin behandelt. Dabei sehen wir auch Nemser/Slama-Cazacus Ansatz der lerner-bezogenen, idiolektische Systeme beschreibenden KL noch nicht als angewandte KL, sondern geradezu als strenge Form wissenschaftlicher KL, da hierbei nicht das oben in 3.6 skizzierte "neutrale" Sprachmaterial zugrundeliegt.

Eine angewandte kontrastive Linguistik (AKL) wird durch die Praxis bestimmt, die eine Selektion oder Gewichtung der Ergebnisse reiner KL bedingt. Solche Gebiete der Praxis (Fremdsprachenunterricht, Fehleranalyse, Übersetzen, Dolmetschen, Lexikographie, Grammatikschreibung) können verschiedenartige Auswirkungen auf die AKL haben, so daß es keine einheitliche AKL, sondern nur verschiedene angewandte Versionen (oft nur Teilbereiche) von AKL gibt.

Für eine AKL ergibt sich als Selektionsmöglichkeit:

(a) Auswahl (und Gewichtung) auf dem Gebiet der wissenschaftlichen Genauigkeit; Generalisierungen; "Theorien mittlerer Reichweite"[152] können bestimmt werden.

---

[152] Kufner (1971), S. 203.

(b) Auswahl des Modells, nach dem die zu vergleichenden Sprachen und eine eventuell anzusetzende Interlingua zu beschreiben sind – nach dem Beschreibungsapparat der traditionellen, strukturell-taxonomischen, transformationell-generativen Linguistik.

(c) Auswahl der speziellen Art von KL (KL1 oder KL2 oder Mischung). Es muß jedoch betont werden, daß die genannten Gebiete der Praxis nicht ausschließlich durch Anwendung von KL determiniert sind. Zweckfreiheit und mangelnde Reichweite ausschließlich linguistischer Beschreibung sind zu beachten, denn im Bereich des Sprachlernens, der Fehleranalyse usw. kommen auch Erkenntnisse der Psychologie, Pädagogik (methodische Aspekte wie ein-/zweisprachiger Unterricht) zum Tragen. Quantität des Kontrasts – linguistisch festgestellt (wie etwa bei Stockwell u. a.) – entspricht noch nicht dem Umfang von Lernschwierigkeiten,[153] systematisch sich am nächsten liegende "Äquivalenzen" zwischen zwei Zeichenklassen aus L1/L2 müssen noch nicht die beste, geeignetste oder normativ erwartete Übersetzung sein usw.

3.7.2. Im folgenden sollen die Auswirkungen der Praxis für eine quasi isolierte AKL auf einigen Gebieten der Anwendung in Auswahl skizziert werden. Es handelt sich dabei im wesentlichen um den Fremdsprachenunterricht, sowie um Lexikographie und Grammatikschreibung, soweit sie dort eine Rolle spielen. Es ist zu beachten, daß AKL in diesen Gebieten einmal bewußte "Anwendung" von KL durch Lehrer oder Lehrwerk-Verfasser, gleichzeitig aber auch Reflex auf einen Zustand von Mehrsprachigkeit ist, der selbst Sprachkontakt und nicht KL ist, aber dabei durchaus zu offenen oder (besonders beim einsprachigen Unterricht) versteckten Versuchen in KL (etwa des Schülers, des Übersetzers mit einem Wörterbuch) führen kann. Dieser Versuch zur KL ist dann aber ihrem Wesen nach "reine", wenn auch "dilettantische" KL – ebenso wie die Beschreibung des mehrsprachigen Individuums oder solcher Versuche von KL durch den Linguisten.

3.7.2.1. Für den Bereich des Fremdsprachenunterrichts gilt es zuerst, den Bereich des Sprachvergleichs für AKL nicht als Selbstzweck, sondern als unbewußten Zustand bzw. als Prozeß beginnender und fortschreitender Mehrsprachigkeit zu sehen. Der Lehrer allein ist Vertreter der AKL. Wie in den meisten Fällen von AKL sind gerichtete KL-Modelle häufiger in "Anwendung", aber nicht Bedingung. Kennzeichen des Schulunterrichts ist, daß die Muttersprache (M) bereits vollkommen dominant ist, die Zielsprache (Z) ist Zusatz. Es gibt nun Auswirkungen sowohl auf L1 (M) wie auf L2 (Z). L2 wird quasi als "tote" Sprache gelehrt. Bei den sog. "Kultursprachen" ist das meist der Standard (Hochsprache), doch sind auch funktionale Varianten und die meist kontextuellen Aspekte des gelehrten fremdsprachlichen Subsystems neutralisiert.

Da L2 stufenweise aufgebaut wird, sind zusätzlich eine Serie von sich ständig erweiternden Teilsystemen (*transitional competence*) zu beschreiben, die möglichst in sich stimmig sein sollen und viele wissenschaftlich notwendige Systemoppositionen außer acht lassen müssen, um nicht sofort den Lernenden zu überfordern. Dabei treten im Lernprozeß Interferenzen auf (vgl. dazu Kap. 4). Doch auch für die L1 (M) werden oft Beschränkungen wirksam. Da besonders im zweisprachigen Unterricht die Erlernung der L2 kognitiv geschieht, muß oft auch die Bewußtmachung des muttersprachlichen Systems erfolgen, sei es für eine kontrastiv aufgebaute Regel, für das Wörterbuch oder für Aspekte der Rückübersetzung (Version). Hier besteht nun die Gefahr, daß auch L1 als ein beschränktes System dargestellt wird, bzw. daß besonders in Lehrwerken der muttersprachliche Standard verwendet wird.[154] L1 ist aber für viele Schüler ihr muttersprachlicher sozio-regionaler Dialekt; die Hochsprache ist für sie, vornehmlich auf den Gebieten der Phonologie[155] und Syntax zumindest produktiv fast eine "Fremdsprache".

Der Aufbau der L2 als "tote" Sprache ist nicht ungefährlich, da der Lernende diese zwar bei mehrsprachiger oder ausschließlich fremdsprachiger Kommunikation produzieren kann und dabei verstanden wird; bei der Rezeption wird der Lernende aber oft von Standard-unähnlichen Subsystemen überfordert. Somit fordert die Praxis hier eine Differenzierung nach produktiven und rezeptiven Fertigkeiten innerhalb der Mehrsprachigkeit (und damit für die AKL).

$$\boxed{L1} \; + \; L2\text{-Sprecher} \; \rightarrow \; \boxed{L1} \; + \; L2\text{-Hörer} \Big\langle \begin{matrix} L2a \\ L2b \\ L2c \\ L2d \dots \end{matrix}$$

Das Ziel des Fremdsprachenunterrichts ist, die Lernenden das Erzeugen von Äußerungen in der Fremdsprache ohne Vermittlung über die Muttersprache zu lehren, also in ihm ein *coordinate system*[156] zu schaffen, das die Muttersprache vorübergehend ausschalten kann. Doch muß vorher das fremdsprachliche System in Kontrast zur Muttersprache aufgebaut werden, wobei die semantische Komponente über funktionale Äquivalenz (KL2) – durchgeführt durch Vokabellernen in Situationen und Wortgruppen[157] – und metasprachliche Bedeutungs-

---

[153] Brière (1966, 1968), Nemser (1971).

[154] Dies ist in gedruckten Lehrwerken, die vielen Schülern zugänglich sein müssen, auch nicht zu vermeiden. Um so größer ist die Verantwortung des Lehrers, dies im Unterricht zu differenzieren.

[155] Burgschmidt/Götz (1972).

[156] Ervin/Osgood (1964).

[157] James (1969), besonders S. 86 ff., Jones (1966).

erschließung (KL1 – Metasprache ist meist die Muttersprache)[158] erreicht werden kann. Sicherlich kann in der Schule keine bewußte (angewandte) KL1 durchgeführt werden, aber das Vermitteln des Wortschatzes in paradigmatisch sinnvollen Gruppen kann zum Erkennen der anders gearteten Merkmalkombinationen und der begrifflichen Nicht-Äquivalenz L1/L2 führen.[159] Die traditionelle Grammatik, die durch ihre Formbezogenheit bei den geschlossenen Gruppen semantisch zusammengehöriger SZ (Zeit, Modus, Relationen zwischen Ergänzungen, Quantifizierung) den Zusammenhang zerreißt, erreicht dieses Ziel seltener. Allerdings ist eine angestrebte KL1-Fähigkeit der Schüler nur mit reduzierten Feldern zu erreichen, da sonst die Teilkompetenzen ungleichmäßig werden. Eine solche Näherungs-KL1 würde in Übertragung auf AKL aber Züge der Gerichtetheit aufweisen, wie sie für KL2-Modelle wie das Jägers typisch sind. L1 (M) wäre soweit semantisch bewußt zu machen, wie es für Nichtäquivalenz zu L2 (Z) und Divergenz-Disambiguierung in L2 notwendig wäre. Dies ist jedoch nicht unbedingt nur auf aktuelle Bedeutungen beschränkt, obwohl das der Ausgangspunkt im Unterricht ist. Was für den Schüler in jedem Fall wie AKL (ad KL2) "aussieht", ist für den Lehrer eine Mischung aus KL1 und KL2.

Ist schließlich schon in einer wissenschaftlichen KL1 die Interlingua selbst schwer und nur durch die metasprachliche Verwendung der verglichenen und in der Interlingua addierten Einzelsprachen möglich, so gilt für den Lehrer bzw. den Grammatik- und Lehrbuchverfasser, hier die Interlingua durch eine klar und eindeutig abgefaßte muttersprachliche Metasprache (im Falle eines einsprachigen Unterrichts durch eine oft im Bereich der Semantik sehr schwierig zu erreichende z i e l sprachliche Metasprache) für die Regeln der Z i e l sprache nutzbar zu machen.

3.7.2.2. Übersetzung ist das "angewandte" Gebiet der KL2. Dabei ist für die Praxis die einseitige Zuordnung, also gerichtete KL2, wichtig – abgesehen von der wissenschaftlichen Verwendung der *back-translation*. Stellt man selektierte Mengen derartiger gerichteter funktioneller Äquivalenzen im Rahmen einer AKL als Lehr- und Übungsmaterial für Übersetzer und Dolmetscher auf, so ist allerdings auch zu fragen, auf welcher Stufe der Übersetzer die Äquivalenz sieht (Satz, Wort, oder bei "freier" Übersetzung auch Textteil). AKL dieser Art wäre somit noch Modell, vgl. auch Halliday/McIntosh/Strevens zum Modell der "rank-bound translation":

---

[158] Grucza (1967, 1970).
[159] Dies wird meist durch den informationsbezogenen Aufbau der Wortschatzvermittlung (Lektionsstoff), der auf paradigmatische Felder-Darbietung keine oder wenig Rücksicht nimmt, verhindert.

It is not of course suggested that this is how the translator actually proceeds: this is a model, not a description, of the process. The translator may never consciously formulate equivalents below the sentence. [160]

In der Praxis ist das Wörterbuch die Auflistung solcher, meist funktionell verstandener Äquivalenzen. Daß es (besonders für "wiederholte Rede") noch kaum Satz-"Wörterbücher" gibt, ist ein ernster Mangel. Da eine Gegenüberstellung von *signifiants* von SZ in L1 und L2 – überhaupt ohne Kommentar oder mit Kommentar (und Beispielen) in der deklarierten Zielsprache – nur unter Annahme implizierter funktioneller Äquivalenz der *signifiés* sinnvoll ist, sind (zweisprachige) Wörterbücher somit die ältesten Exempla für AKL und KL2 überhaupt. Neben den Beschränkungen der Praxis (Handwörterbücher, Fachwörterbücher, Schulwörterbücher, *slang*-Wörterbücher usw.) ergeben sich ungewollte Einschränkungen durch die Unzuverlässigkeit bei der Äquivalenz-Aufstellung (Wörterbuch-Fehler) oder unausgewogene Korpusfundierung. Eine AKL 1 wäre nur in Form eines Feldwörterbuchs denkbar.

Im Bereich der automatischen Übersetzung ist mit den Überlegungen zur Interlingua die Möglichkeit einer nicht-gerichteten bzw. doppelt-gerichteten AKL2 (auf der Grundlage von AKL1) aktuell geworden. Weitere Probleme im Bereich dieses Gebiets von AKL sind Aspekte des zu verwendenden Deskriptionsmodells, da bei automatischer Übersetzung linear an Oberflächenstrukturen erst analysiert werden muß. Damit wurden anfangs *finite-state*-Modelle und Kongruenzprobleme wichtig. Die Vielzahl sich überkreuzender funktioneller Äquivalenzen (aufgrund semantischer Selektionsforderungen oder -restriktionen) ist hier für eine AKL2 ein kaum überwindbares Problem, weil die "formalen" Folgen solcher semantischer Beziehungen meist nicht formal gleichartig sind, sich oft erst bei "optionalen" Transformationen zeigen und auch Kollokationsproben linear schwer zu lösen sind, besonders wenn die "wichtige" Information nach der Problem-Stelle kommt. Für ein beschränktes Gebiet, etwa international genormte Fachsprachen, scheint eine solche AKL noch am ehesten möglich.

3.7.3. In Kap. 4 und 5 sollen Aspekte der AKL im Bereiche des Fremdsprachenunterrichts behandelt werden. Interferenz, Fehleranalyse, Unterrichtsgestaltung und Test-Erstellung sind jedoch nur Gebiete, in denen AKL auch eine Rolle spielt. Es ist daher notwendig, diese Rolle neben den psychologischen, didaktischen und methodischen Prämissen dieser Gebiete zu sehen. In jedem Fall aber ist KL (und AKL) ein Zweig der Linguistik, der für den Sprachlehrer hohe Relevanz hat, aber nicht Selbstzweck sein darf. Nur mit diesem Instrument kann der Lehrer mehrsprachige Realität (im Schüler) selbst

---

[160] Halliday u. a. (1964), S. 126.

beschreiben bzw. seinen Unterricht auf diese Schülersysteme einstellen. Dies geht für den Lehrer weit über den verfügbaren Besitz von angemessenen fremdsprachlichen Fertigkeiten hinaus.

3.8. Erläuterungen und Literaturhinweise

Da in diesem Kapitel bereits verschiedene Ansätze zur KL ausführlicher diskutiert wurden, erübrigen sich längere Erläuterungen.

Kritische Stimmen, erste Vergleiche und Zwischenbilanzen zur KL gibt es erst seit einigen Jahren. Dabei ist besonders Coseriu (1970 c) zu erwähnen, der einzelsprachliche Deskription auf der Basis von KL (bei ihm 2.3) und das Ansetzen von außereinzelsprachlichen Denkinhalten zum Zwecke des Vergleichs kritisiert. Coseriu (1970 c) und Oksaar (1970) weisen auch auf den mangelnden Bezug der bisherigen KL-Modelle zu funktionell-kontextueller Sprachbetrachtung hin.

Hamp (1968) und Lee (1968) bringen ebenfalls eine Zusammenfassung von Argumenten gegen KL, besonders gegen die Überbewertung von KL, wie sie im angewandten Bereich zu beobachten ist. Hierauf wird auch in Kap. 4 noch eingegangen. Überhaupt werden vielfach Argumente für KL und AKL vermischt. So muß auch James (1971 bzw. 1972) in seiner Verteidigung für KL auf beide Aspekte eingehen. Eine der besten, aber auch kritischsten Beschreibungen ist Nemser/Slama-Cazacu (1970), die neben Kritik an herkömmlichen KL-Modellen ihre eigene Version von systematischer Lerner-KL vortragen.

Für KL2 ist eine Verbindung von nicht-gerichtet vergleichender Sprachwissenschaft und Übersetzungswissenschaft nötig. Werke zur Übersetzungswissenschaft gehen dabei seltener speziell auf KL ein, beide Aspekte finden sich gut bei Halliday/McIntosh/Strevens (1964), Jäger (1968), und den Veröffentlichungen im Rahmen des YSCECP (bes. Spalatin, Ivir).

Abraham, W.: "Neue Wege der angewandten Sprachwissenschaft – Erkennungs- und Erzeugungsgrammatik", in: *Muttersprache* 80 (1970), 181–191

Abraham, W.: "Kompetenz und Mittelwertgrammatik. Zur Taxonomie der 'angewandten Sprachwissenschaften'", in: *Lingua* 25 (1970), 339–357

Allen, W. S.: "Relationship in Comparative Linguistics", in: *Transactions of the Philological Society* 1953, 52–108

Alverson, H. S.: "Determining Utterance Equivalences in Interlingual Translation", in: *Anthropological Linguistics* 11 (1969), 247–253

Andreyev, N. D.: "Linguistic Aspects of Translation", in: *Proceedings of the 9th International Congress of Linguistics*, Ed. H. G. Lunt, The Hague 1964, 625–637

Andreyev, N. D.: "The intermediary language as the focal point of machine translation", in: *Machine Translation*, Ed. A. D. Booth, Amsterdam 1967, 1–27

Baumgärtner, K.: "Die Struktur des Bedeutungsfeldes", in: *Satz und Wort im Heutigen Deutsch*, Sprache der Gegenwart, Schriften des Instituts für deutsche Sprache in Mannheim I., Hgb. H. Moser. Düsseldorf 1967, 165–197

Bausch, K. R.: "Die Transposition. Versuch einer neuen Klassifikation", in: *Linguistica Antwerpiensia* 2 (1968), 29–50

Bausch, K. R.: "Kontrastive Linguistik und Übersetzen", *Vortrag* gehalten auf der GAL-Jahres-Tagung 1970, Stuttgart

Berndt, R.: "Lexical Contrastive Analysis", in: *Brno Studies in English* 8 (1969), 31–36

Berndt, R.: "Recent Approaches to Grammar and their Significance for Contrastive Structure Studies", in: *YSCECP. B. Studies* 3 (1971), 1–36

Bolinger, D.: "'Transformulation': Structural Translation", in: *Acta Linguistica Hafniensia* 9 (1965), 130–144

Bolinger, D.: [Rezension zu Stockwell u. a. (1965)]: "A Grammar for Grammars. The Contrastive Structures of English and Spanish", in: *Romance Philology* 21 (1968), 186–212

Bolinger, D.: "Das Essenz-Akzidenz-Problem", in: *Reader zur kontrastiven Linguistik* (1972), S. 147–156

Bowen, D.: "Linguistic Variation as a Problem in Second-Language Teaching", in H. B. Allen (Hgb.): *Teaching English as a Second Language*, New York 1965, 248–257

Brière, E. J.: "An experimentally defined hierarchy of difficulties of learning phonological categories", in: *Language* 42 (1966), 768–796

Brière, E. J.: *A Psycholinguistic Study of Phonological Interference*, The Hague 1968

Brockhaus, U.: *Automatische Übersetzung. Untersuchungen am Beispiel der Sprachen Englisch und Deutsch*, Braunschweig 1971

Brown, R. L.: *Wilhelm von Humboldt's Conception of Linguistic Reality*, The Hague 1967

Burgschmidt, E.: *Die englischen Präpositionen*, Dortmund (erscheint)

Burgschmidt, E./Götz, D.: "Kontrastive Phonologie Deutsch–Englisch und Mundartinterferenz", in: *Linguistik und Didaktik* 11 (1972), 209–225

Bujas, Z.: "Concordancing as a Method in Contrastive Analysis", in: *Studia Romanica et Anglica Zagrabiensia* 23 (1967), 49–61

Carroll, J. B.: "Linguistic Relativity, Contrastive Linguistics, and Language Learning", in: *IRAL* 1 (1963), 1–20

Carstensen, B.: "Stil und Norm. Zur Situation der linguistischen Stilistik", in: *ZDL* 37 (1970), 257–279

Czochralski, J.: "Grundsätzliches zur Theorie der kontrastiven Grammatik", in: *Linguistics* 24 (1966), 17–28

Catford, J. C.: *A Linguistic Theory of Translation. An Essay in Applied Linguistics*, London 1965

Crystal, D./Derek, D.: *Investigating English Style*, London 1970

DIN 2330. Begriffe und Benennungen. Allgemeine Grundsätze, Berlin/Köln 1961

Dingwall, W. O.: "A Transformational Generative Grammar and Contrastive Analysis", in: *Language Learning* 14 (1964), 147–160

Dingwall, W. O.: "*Diaglossic Grammar*", Ph. D. Diss. Georgetown Univ. Washington, D. C. 1964

Eckert, R.: "Analyse der Wortbedeutung und Vergleich der Translate", in: *Actes du Xième Congrès des Linguistes*, [Bucarest 1967], Bd. 2, Bucarest 1970, 703–9

Ellis, J. O.: "General Linguistics and comparative philology", in: *Lingua* 13 (1958), 134–174

Ellis, J. O.: *Towards a General Comparative Linguistics*, The Hague 1966

Engler, L. F.: *Problems in English–German Contrastive Analysis*, Unpubl. Ph. D. Diss., Univ. of Texas 1963

Ervin, S. M./Osgood, Ch. E.: "Second Language Learning and Bilingualism", in: *Journal of Abnormal and Social Psychology* 49 (1954), Supplement, 139–146

Faiß, K.: "Übersetzung und Sprachwissenschaft – eine Orientierung", in: *IRAL* 10 (1972), 1–20

Filipović, R.: "The Choice of the Corpus for the Contrastive Analysis of Serbo-Croatian and English", in: *YSCECP. B. Studies* 1 (1969), Zagreb, 37–46

Filipović, R.: "Contrastive Analysis of Serbo-Croatian and English. Theory and Practice", in: *Studia Romanica et Anglica Zagrabiensia* 23 (1967), 5–27

Fink, H.: *Amerikanismen im Wortschatz der deutschen Tagespresse*, München 1970

Friederich, W.: *Technik des Übersetzens*. Englisch und Deutsch, München 1969

Gipper, H.: "Polysemie, Homonymie und Kontext", in: *Grammatik. Kybernetik. Kommunikation*. Festschrift für A. Hoppe, Hgb. K. G. Schweisthal, Bonn 1971, 202–214

Gipper, H.: *Gibt es ein sprachliches Relativitätsprinzip?* Untersuchungen zur Sapir-Whorf-Hypothese, Frankfurt/M. 1972

Grosse, S.: "Sprachwandel als Übersetzungsproblem (Mittelhochdeutsch und Neuhochdeutsch)", in: *Wirkendes Wort* 20 (1970), 242–258

Grucza, F.: "Metasprachen, Kodematik, Fremdsprachenunterricht", in: *Glottodidactica* 2 (1967), 11–20

Grucza, F.: "Fremdsprachenunterricht und Übersetzung", in: *Glottodidactica* 5 (1970), 37–50

Güttinger, F.: *Zielsprache. Theorie und Technik des Übersetzens*, Zürich 1963

Hadlich, R. L.: "Lexical Contrastive Analysis", in: *Modern Language Journal* 49 (1965), 426–429

Hamp, E. P.: "What a Contrastive Grammar is not, if it is", in: *Contrastive Linguistics and its Pedagogical Implications* (1968), 137–147

Harris, R.: "Semantics and Translation", in: *Actes du Xième Congrès des Linguistes*, [Bucarest 1967], Bd. 2, Bucarest 1970, 461–7

Harris, Z.: "Transfer Grammar", in: *IJAL* 20 (1954), 259–70

Hartmann, P./Vernay, H. (Hgb.): *Sprachwissenschaft und Übersetzen*. Symposium an der Univ. Heidelberg 24. 2.–26. 2. 1969, München 1970

Heger, K.: *Die Bezeichnung temporal-deiktischer Begriffskategorien im französischen und spanischen Konjugationssystem*, Tübingen 1963

Hoberg, R.: *Die Lehre vom sprachlichen Feld*, Sprache der Gegenwart 11, Düsseldorf 1970

Huddleston, R.: *A Descriptive and Comparative Analysis in French and English*. An Application of Grammatical Theory, Ph. D. Thesis, Edinburgh 1963

Irmen, F.: "Das Problem der Textarten in übersetzungsrelevanter Sicht", in: *IRAL-Sonderband* (Kongreßbericht der 2. Jahrestagung der GAL), Heidelberg 1971, 49–55

Ivir, V.: "Contrasting via Translation", in: *YSCECP. B. Studies* 1 (1969), Zagreb, 13–25

Ivir, V.: "Remarks on Contrastive Analysis and Translation", in: *YSCECP. B. Studies* 2 (1970), Zagreb, 14–26

Ivir, V.: "Generative and Taxonomic Procedures in Contrastive Analysis", in: *Zagreb Conference* (1970), Hbg. R. Filipović, Zagreb 1971

Jakobson, R.: "On Linguistic Aspects of Translation", in: *On Translation*, Hgb. R. A. Brower, Cambridge/Mass. 1959, 232–239

James, C.: "Deeper Contrastive Study", in: *IRAL* 7 (1969), 83–95

Jones, R. M.: "Situational Vocabulary", in: *IRAL* 4 (1966), 166–173

Kade, O.: *Subjektive und objektive Faktoren im Übersetzungsprozeß*, Phil. Diss., Leipzig 1964 (Mschr.)

Kann, H. J.: *Übersetzungsprobleme in den deutschen Übersetzungen von drei anglo-amerikanischen Kurzgeschichten*: Aldous Huxleys "Green tunnels", Ernest Hemingways "The Killers" and "A clean, well-lighted place", München 1968

Katičič, R.: *A Contribution to the General Theory of Comparative Linguistics*, The Hague 1970

Kirkwood, H. W.: Translation as a Basis for Contrastive Analysis", in: *IRAL* 4 (1966), 175–182

Kirkwood, H. W.: "Some systematic means of 'functional sentence perspective' in English and German", in *IRAL* 8 (1970), 103–114

Klima, E.: "Relatedness between Grammatical Systems", in: *Language* 40 (1964), 1–20

Kress, G. R.: "Sentence complexity in contrastive linguistics", in: *Papers in Contrastive Linguistics*, Hgb. G. Nickel, Cambridge 1971, 97–102

Krzeszowski, T.: "Fundamental Principles of Structural Contrastive Studies", in: *Glottodidactica* 2 (1967), 33–39

Krzeszowski, T.: "Equivalence, congruence and deep structure", in: *Papers in Contrastive Linguistics*, Hgb. G. Nickel, Cambridge 1971, 37–48

Kufner, H. L.: "Deskriptive Grammatik – Kontrastive Grammatik – Pädagogische Grammatik", in: *Fragen der strukturellen Syntax und der kontrastiven Grammatik*, Sprache der Gegenwart. Schriften des Instituts für deutsche Sprache 17, Hgb. H. Moser, Düsseldorf 1971, 201–209

Kulagina, O. S./Mel'čuk, I. A.: "Automatic Translation. Some theoretical aspects and the design of a translation system", in: *Machine Translation*, Ed. A. D. Booth, Amsterdam, 137–171

Lee, W. R.: "Thoughts on Contrastive Linguistics in the Context of Language Teaching", in: *Contrastive Linguistics and its Pedagogical Implications* (1968), 185–194

Lenneberg, E. H.: *Biologische Grundlagen der Sprache* [1967], Frankfurt/M. (Übs.) 1972

Lenneberg, E. H.: "Color Naming, Color Recognition, Color Discrimination: A Re-Appraisal", *Percept. Motor Skills* 12 (1961), 375–382

Leonhardi, A./Welsh, B. W. W.: *Grammatisches Wörterbuch*, Dortmund 1966

Levenston, E. A.: "The Translation Paradigm. A Technique for Contrastive Syntax", in: *IRAL* 3 (1965), 221–225

Levenston, E. A.: "Über- und Unterrepräsentation – Aspekte der muttersprachlichen Interferenz", in: *Reader zur kontrastiven Linguistik* (1972), 167–174

Levy, J.: "Translation as a Decision Process", in: *To Honor Roman Jakobson* II, The Hague 1967, 1171–1182

Liston, J. L.: "Formal and Semantic Considerations in Contrastive Analysis", in: *YSCECP. B. Studies* 2 (1970), 27–50

Ljudskanov, A.: *Mensch und Maschine als Übersetzer*, Halle/München 1972

Marton, W.: "Equivalence and congruence in transformational contrastive analysis", in: *Studia Anglica Posnaniensia* 1 (1968), 53–62

McNeill, N. B.: "Colour and colour terminology", in: *Journal of Linguistics* 8 (1972), 21–33

Meier, G. F.: "Linguistische Gesichtspunkte für die Erarbeitung neuer Methoden im Sprachunterricht", in: *Linguistische und methodologische Probleme einer spezialsprachlichen Ausbildung*, Hgb. I. Schilling, Halle 1967, 9–23

Milewski, T.: "Voraussetzungen einer typologischen Sprachwissenschaft", in: *Linguistics* 59 (1970), 62–107

Miller, R. L.: *The Linguistic Relativity Principle and Humboldtian Ethnolinguistics*, The Hague 1968

Mounin, G.: *Die Übersetzung. Geschichte, Theorie, Anwendung*, München 1967

Nemser, W.: *An Experimental Study of Phonological Interference in the English of Hungarians*, The Hague 1971

Neubert, A. (Hgb.): *Grundfragen der Übersetzungswissenschaft*. Beihefte zur Zeitschrift *Fremdsprachen* II, Leipzig 1968

Neubert, A.: "Semantik und Übersetzungswissenschaft", in: *Probleme der strukturellen Grammatik und Semantik*, Hgb. R. Růžička, Leipzig 1968, 199–207

Newmark, L.: "How not to interfere with language learning", in: *Readings in Applied Transformational Grammar*, Ed. M. Lester, New York 1970, 219–227

Nickel, G.: "Contrastive linguistics and foreign-language teaching", in: *Papers in Contrastive Linguistics*, Hgb. G. Nickel, Cambridge 1971, 1–16

Oksaar, E.: "Zum Passiv im Deutschen und Schwedischen", in: *Probleme der kontrastiven Grammatik* (1970), 82–106

Paternost, J.: *From English to Slovenian: Problems in translation equivalence*, Pennsylvania State Univ. 1970

Pelz, H., geb. Wagner: *Das französische qualifizierende Adverb und seine Übersetzung im Englischen und Deutschen*, Diss. Tübingen 1963

Phillips, H. P.: "Problems of Translation and Meaning in Field Work", in: *Human Organization* 18 (4) (1959), 184–192

Pilch, H.: "Sprachtheoretische Grundlagen der maschinellen Übersetzung", in: *Archiv* 200 (1963/4), 13–35

Quine, W. V.: "Meaning and Translation", in: *On Translation*, Ed. R. A. Brower, Cambridge/Mass. 1959, 148–172

Raster, P.: *Zur Theorie des Sprachvergleichs*, Braunschweig 1971

Reiß, K.: *Möglichkeiten und Grenzen der Übersetzungskritik*, München 1971

Rohdenburg, G.: "Kasusgrammatik und kontrastive Analyse", in: *PAKS-Arbeitsbericht* 2 (1969), Kiel, 35–58

Schachter, P.: *A Contrastive Study of English and Pangasian*, Ph. D. Diss., Univ. of California 1959, Berkeley

Schmidt, K.: "Aufgaben und Probleme einer Übersetzungstheorie", in: *Beitr. zur Linguistik und Informationsverarbeitung* 15 (1969), 50–64

Schwarze, Ch.: "Grammatiktheorie und Sprachvergleich", in: *Linguistische Berichte* 21 (1972), 15–29

Sciarone, A. G.: "Contrastive Analysis – Possibilities and Limitations", in: *IRAL* 8 (1970), 115–131

Sdun, W.: *Probleme und Theorien des Übersetzens in Deutschland vom 18. bis 20. Jahrhundert*, München 1967

Sgall, P.: "The intermediate language in machine translation and the theory of grammar", in: *Computational Linguistics* 2 (1964), 35–62

Spalatin, L.: "Contrastive Methods", in: *Studia Romanica et Anglica Zagrabiensia* 23 (1967), 29–45

Spalatin, L.: "Approach to Contrastive Analysis", in: *YSCECP. B. Studies* 1 (1969), Zagreb, 26–36

Tosh, W.: *Syntactic Translation*, The Hague 1965

Tosh, L. W.: "Stratificational grammar and interlingual mapping for automatic translation", in: *Actes du Xième Congrès des Linguistes*, [Bucarest 1967], 4. Bd., Bucarest 1970, 1049–1060

Truffaut, L.: *Grundprobleme der französischen Übersetzung*, München [4]1971

Übersetzen [I. Dichtung]/*Übersetzen II: Sprache und Computer*, in: Sprache im technischen Zeitalter 21/23 (1967), 1–82, 207–304

Veith, W. M.: "Kontrastive Sprachbeschreibung. Versuch einer Begriffserklärung", in: *Linguistische Berichte* 12 (1971), 22–30

Vermeer, H. J.: "Generative Transformationsgrammatik, Sprachvergleich und Sprachtypologie", in: *ZPhon* 23 (1970), 385–404

Wagner, K. H.: "The Relevance of the Notion 'Deep Structure' to Contrastive Analysis", in: *PAKS-Arbeitsbericht* 6, Stuttgart 1970, 1–42

Walmsley, J. B.: "Transformation theory and translation", in: *IRAL* 8 (1970), 185–199

Whitman, R. L.: "Contrastive Analysis: Problems and procedures", in: *Language Learning* 20 (1970), 191–197

Winter, W.: "Basic principles of the comparative method", in: *Method and theory in linguistics*, Ed. P. L. Garvin, The Hague 1970, 147–153

Wyatt, J. L.: "The Common-core transformational grammar: a contrastive model", in: *Journal of English as a Second Language* 2 (1967), 51–65

Wyatt, J. L.: "Deep structure in a contrastive transformational grammar", in: *Papers in Contrastive Linguistics*, Hgb. G. Nickel, Cambridge 1971, 75–82

4. Kontrastive Linguistik und Spracherlernung

4.1. KL und psychologische Aspekte der Mehrsprachigkeit

KL, wie sie in Kap. 3 dargestellt wurde, kann ohne Bezug zu einer psychologischen Realität gesehen werden. KL bedeutet dann das Zusammensehen zweier Sprachsysteme – unabhängig davon, ob außer in dem kontrastiven Linguisten für einen solchen Vergleich eine Realität besteht – in einer Weise, in der L1/L2 absolut,[1] vollkommen "erlernt" und statisch gedacht sind. Das "reale Gegenstück" wäre ein absoluter Bilingualer als Linguist.

Real sind aber meist Gruppen mehrsprachiger Personen, die – in wechselnden Graden von Dominanz – entweder bereits annähernd bilingual sind oder, wie in der Schulsituation, "Fremdsprachen" zu ihrer Muttersprache hinzulernen. Beide Gruppen verfügen über mehr als ein einzelsprachliches System; das mehrsprachige System kann aber auch ein Mischsystem sein, oder es kann eines der beiden Systeme unvollständig bzw. vom anderen System beeinflußt sein.

KL kann – streng genommen – hier immer nur Idiolekte genau zu beschreiben versuchen. Die dynamischen Spracherlernungsprozesse lassen aber noch zusätzlich bei einem einzigen Individuum oft viele abgestufte mehrsprachige Idiolekte entstehen. Treten bei einem mehrsprachigen Idiolekt die Systeme nicht getrennt auf,[2] so kann sich die KL zumindest folgende Aufgaben stellen:

(a) genaue Beschreibung des Mischsystems;

(b) Vergleich des Mischsystems mit unvermischter L1/L2 bzw., wenn nur ein System (L2) beim mehrsprachigen Individuum beeinflußt ist, einen Vergleich des beeinträchtigten Systems L2a mit dem "normgerechten"[3] System L2b und mit L1;

(c) Beschreibung der besonderen Bedingungen dieser Mischungen und Hinweise auf Systembeeinflussungen semantischer, syntaktischer und phonologischer Art.

KL kann jedoch nicht das Zustandekommen solcher Beeinflussungen (meist Interferenz einer L1 auf L2) erklären, und sie kann solche Interferenzen auch nur zum Teil vorhersagen.

---

[1] D. h. ohne quantitative und qualitative Einschränkungen in den Idiolekten.

[2] Man spricht dann von *compound system* (Ervin/Osgood [1954] im Gegensatz zum *coordinate system*. (Vgl. unten.))

[3] Vgl. zu den Schwierigkeiten solcher "Norm" die Abschnitte über Interferenz und Fehleranalyse (4.3 und 4.4).

Für die Bilingualforschung, für Zwecke der Fehleranalyse und Übungsplanung im Fremdsprachenunterricht usw. ist die KL (bzw. AKL) ein Beschreibungsinstrument für Zustände der Mehrsprachigkeit. Bedingungen bestimmter Ausprägungen, Veränderungen können nur mit Zuhilfenahme psychologischer Erklärungen genauer bestimmt werden – diese benötigen jedoch die Methoden einer allgemeinen deskriptiven Linguistik und der KL als Grundlage. Beide Wissenschaftszweige bedingen somit einander. In diesem Kapitel wird die Möglichkeit der Beschreibung von KL als gegeben vorausgesetzt und hauptsächlich auf psychologische Aspekte der Mehrsprachigkeit eingegangen. "Mehrsprachigkeit" ist dabei sprecherbezogen definiert, "Sprachkontakt" wird sprachsystembezogen verwendet.

4.2. Psychologie und Spracherlernung

4.2.1. Das Interesse der Psychologie an Sprache galt zwar teilweise auch dem Zustand des Sprachkönnens (Assoziationspsychologie), meistens stand (und steht) jedoch die Erlernung der Sprache (oder mindest Aspekte der Erlernbarkeit – z. B. Lernen neuer Assoziationen in der Transfer- und Interferenzlehre –) im Mittelpunkt.

Im ganzen sind jedoch nur wenige Bereiche der menschlichen Sprache bzw. Spracherlernung psychologisch untersucht. Dies liegt, trivial gesagt, vor allem an der sehr großen Komplexität der menschlichen Sprache bzw. der Einzelsprachen. Die Sprachpsychologie des 20. Jh. hat bald versucht, von der rein introspektiven (und damit auch möglicherweise sehr subjektiven) Beschreibung von Assoziationen und Bewußtseinsvorgängen wegzukommen und wissenschaftlich einwandfreiere, experimentell gestützte Ergebnisse zu erzielen. In der Beschreibung von Lernprozessen bei Tieren wurden auch bald Fortschritte erzielt – gleich, ob es sich um behavioristische oder gestaltpsychologische Ausgangspunkte handelt. Die Untersuchung menschlichen Sprachlernens ist jedoch mit methodischen Schwierigkeiten belastet. Eine ständige Beobachtung ist kaum möglich, da die Spracherlernung sehr lange dauert. Bei Lernprozessen in Tieren können zudem leicht Laborbedingungen hergestellt, einwandfrei kontrollierbare Testbedingungen geschaffen und Ergebnisse somit auch quantifiziert werden. Weiterhin können völlig "neue" Aufgaben gestellt werden. Beim erwachsenen Menschen ist die Erfahrung (außer- und innersprachlich) nicht einwandfrei auszuschalten, mit Kindern (die einen geringeren Erfahrungshintergrund aufweisen) sind Experimente nur schwer durchzuführen. Um Laboruntersuchungen über menschliche Spracherlernung überhaupt kontrollierbar anzustellen, wurden meist nur Wort-

reihen – und um die Erfahrung auszuschalten – oft *nonsense*-Wörter gewählt. [4]
Dies erlaubt aber nur Aussagen über einige Elemente des Sprachsystems, nicht
über Zustand oder Entwicklung von Sprache als Kommunikationsmittel. Syntaktische Einheiten (Sätze, Texte) sind kaum experimentell testbar, die Reaktionen sind zu verschieden. [5]

4.2.2. Unabhängig davon, ob man die Sprachlernfähigkeit als angeboren betrachtet, ist doch Erlernung einer Einzelsprache – unter welchen Bedingungen auch immer – für jeden Menschen eine Notwendigkeit. Somit sind die Ergebnisse der Lernpsychologie für die Bereiche des Spracherlernens (sei es frei und situationell gelernt oder speziell gelehrt) einzubeziehen. Der Sprachunterricht – der muttersprachliche, besonders aber natürlich der fremdsprachliche – hat denn auch immer wieder die Verbindung zur Sprachlernpsychologie gesucht, man denke besonders an den audio-lingualen Unterricht, dessen Grundlagen sowohl vom Sprachmodell her (taxonomisch-strukturell) als auch in der Methodik (*pattern*-Übungen) behavioristisch beeinflußt sind. Im allgemeinen hat jedoch hauptsächlich die Pädagogik Anleihen gemacht, [6] die Sprachpsychologie hat von sich aus kaum in den (Fremd-)Sprachenunterricht hineingewirkt.

4.2.3. In diesem Buch kann kein Abriß der Sprachpsychologie und der (Sprach-)Lerntheorien gegeben werden. [7] Doch im Hinblick auf Spracherlernung ergeben sich einige zentrale Probleme, die für alle wissenschaftliche Richtungen und "Schulen" in irgendeiner Form von Belang sind:
(a) Es stellt sich die Frage nach der Vergleichbarkeit tierischen und menschlichen Lernens. Tierversuche sind experimentell leichter durchzuführen, und viele Details des Lernens generell sind zuerst daran erkannt worden. Lernen

---

[4] Vgl. Jung (1968).
[5] Größere Versuche, Sprache generell psychologisch zu beschreiben, müssen bisher als gescheitert gelten. Dies gilt auch für Skinner (1957).
[6] Dabei wurden allerdings oft nur einige Leitgedanken (*trial-and-error*, Verstärkung usw.) übernommen und – ohne den Gesamtzusammenhang im Werk der betreffenden "Schule" von Psychologen zu beachten – auf Lehrmethoden und Schulverhältnisse übertragen und verallgemeinert, so besonders einige von Thorndikes und Skinners Ansätzen für den Fremdsprachenunterricht, vgl. Rivers (1964).
[7] Vgl. Hörmann (1967), Correll ([11]1971), Houston (1972), Gagné (1969), Roth ([13]1971), bes. S. 179 ff.; Hilgard/Bower (1971), die jeweils eine Zusammenfassung der "Schulen" unter einigen Zentralpunkten bringen; Rivers (1964), für den Fremdsprachenunterricht speziell; List (1972), de Cecco (1968), Herriott (1970), McGeoch ([2]1953), Staats (1968), sowie Sammelbände von Dixon/Horton (1968), Jakobovits/Miron (1967), Saporta (1961), Lyons/Wales (1966) u. a.

bedeutet, im Rahmen der biologischen Möglichkeiten [8] Verhaltens- und Leistungsformen entweder neu zu erwerben oder schon vorhandene zu verbessern – und zwar mit einer gewissen Dauerhaftigkeit des jeweiligen Resultats, d. h. der Verhaltensänderung.

(b) Verschiedene Ansichten wurden geäußert dazu, wie gelernt wird: durch Gewohnheiten (*habits*) oder kognitive Strukturen. Reiz-Reaktions-Psychologen tendieren zur ersten Ansicht, Gestaltpsychologen zur zweiten. Damit ergeben sich auch für die Frage des Problemlösens zwei Ausrichtungen: Lernen durch Versuch und Irrtum oder Lernen durch Einsicht.

(c) Für das menschliche Lernen stellt sich weiterhin die Frage, wie die biologisch angelegte Lernfähigkeit, die auf Grund innerer Spannung durch Reize ausgelöst wird, [9] durch sozio-kulturelle Einflüsse (der Umwelt, die auf den Lernenden einwirkt) gesteuert wird.

(d) Es ist zu beachten, inwieweit generelle und individuelle Intelligenz und Begabung für Lernprozesse eine Rolle spielen. In den Faktoren für Intelligenzmessung ist wohl auch ein Faktor des sprachlichen Verstehens (V-Faktor) enthalten; aber auch die Fähigkeiten, Gestalten umzustrukturieren und logisch zu denken, spielen für Spracherlernung eine Rolle. [10]

(e) Kein lebendes Wesen hat eine derart lange Entwicklungszeit wie der Mensch. Damit wird auch die Frage der jeweils spezifischen "Reifevoraussetzungen" [11] für bestimmte Lernakte relevant. Piaget [12] hat besonders die Aspekte der konzeptuellen Entwicklung in fünf Stufen zu fassen versucht. Für die Spracherlernung sind solche Reifevoraussetzungen ebenfalls sehr wichtig – soweit sie nicht schon ohnehin als mit der konzeptuellen Entwicklung verknüpft zu denken sind. Aber gerade die Unterschiede zwischen dem muttersprachlichen Spracherwerb und dem Fremdsprachenerwerb in der Schule sind genau zu beachten.

4.2.4. Die einzelnen "Schulen" haben zu diesen Fragen unterschiedlich Stellung genommen. Die auf die Interpretation von Ideen und Vorstellungen konzentrierte Psychologie der Jahrhundertwende wurde von psychologischen Richtun-

---

[8] Bestimmte Dinge können von bestimmten Arten nicht gelernt werden, z. B. das Fliegen nicht vom Menschen, das Kommunizieren z. B. nicht von Tieren, die nur "informieren", vgl. Marshall/Wales in Lyons (1970).

[9] Lernvorgänge schaffen dann *drive-reduction*. Der innere Spannungszustand wird meist mit einer zugrundeliegenden "Furcht" erklärt, die durch das Lernen in Befriedigung aufgelöst wird (vgl. die verschiedenen Zwei-Faktoren-Theorien, bes. Mowrer).

[10] Vgl. Roth (131971), bes. S. 129; Correll (111971), S. 95 ff.

[11] Roth, S. 183.

[12] Piaget (1947, 71968), Piaget/Inholder (1958).

gen abgelöst, die "Bedeutung" als Verhalten (und zwar nachprüfbares Verhalten) ansahen. Behavioristische Schulen[13] und Gestaltpsychologie[14] unterscheiden sich aber grundsätzlich in der Frage nicht-kognitiven oder kognitiven Lernens (als Verhaltensänderung).

4.2.4.1. Lernen im Behaviorismus ist (dauerhafte) Herstellung einer Assoziation zwischen einem *stimulus* (Reiz) und einer *response* (Reaktion). Lernen ist als Erwerb bedingter Reaktion (mit klassischer Konditionierung), durch Versuch und Irrtum oder durch Teilverstärkung kleiner Schritte (mit operativem oder instrumentalem Konditionieren) möglich.[15] Skinner hat in *Verbal Learning* (1957) versucht, diesen letzten Ansatz – gewonnen in Tierversuchen – auf die menschliche Spracherlernung und Sprachbeherrschung anzuwenden. Er wurde zwar von Chomsky[16] u. a. widerlegt, doch haben besonders die Untersuchungen zur Verstärkung[17] und zur Kontiguität, zur Extinktion, zur spontanen Erholung, zu Lernkurven usw. nachhaltig auf die Psychologie des Fremdsprachenunterrichts eingewirkt. Dies gilt gleichermaßen für Transfer und Interferenz, die bei Kombination und Reihung von Lernaufgaben relevant werden.

Für den Bereich menschlicher Spracherlernung läßt der Behaviorismus fast völlig die Fragen der biologisch vorgegebenen Spracherlernfähigkeit und Reifevoraussetzungen außer acht. Auch die Tatsache, daß die Muttersprache viel komplexer ist als die Reihungen von Assoziationen, außerdem hierarchisch strukturiert und kaum extinguierbar, wird zu wenig beachtet.

Versuche des Sprachlehrens wurden vornehmlich mit *serial learning* und *paired associate learning* (speziell S–R)[18] durchgeführt. *Serial learning* könnte Syntax implizieren, da diese aber trotz linearer Reihenfolge der segmentalen Phoneme (als kleinsten Bestandteilen der OS) nicht-linear (im Sinne zusammengehöriger Morpheme) sein kann,[19] handelt es sich meist um Wort-Serien, wobei Ordnung,

---

[13] Wir gehen nicht auf alle Richtungen ein, vgl. Hilgard/Bower, Houston, Rivers.

[14] In den weiteren Bereich der kognitiven Lerntheorien gehört auch Tolmans Zeichenlehre und die Feldtheorie Lewins.

[15] Damit ergibt sich von seiten des Lernenden eine Diskrimination, er muß lernen, was Erfolg/Befriedigung – durch Verstärkung primärer oder sekundärer Natur – bringt.

[16] Chomsky (1959).

[17] Die Erkenntnisse (heute verbessert) beruhen maßgeblich auf Thorndikes Frequenz- und Effektgesetz. Frequenz des Assoziationsangebotes muß aber mit Diskrimination der *stimuli* einhergehen, sonst ist sie weitgehend wirkungslos.

[18] Vgl. Jung (1968), 37 ff., vgl. auch generell dazu *Verbal Learning and Verbal Behavior* (1961), Underwood (1959), *Verbal Behavior and Learning* (1963), Gibson (1940), Underwood (1964) u. a. (Lit.-Angaben in den genannten Werken).

[19] Z. B. inkorporierende Sprachen. Vgl. auch Kress (1971).

Listen-Teile oder Stellenrang von *items* zu lernen sind, also kein expliziter Wort-Stimulus für *responses* existiert. *Paired-associate learning* arbeitet mit Listen, die jeweils ein Stimulus- und ein Response-Wort paaren (etwa Liste bei Vokabellernen)[20] und letzteres zur Überprüfung des Lernerfolgs "abfragen". Lernen bedeutet über die einzelne Liste hinaus auch Fähigkeit zur Stimulusgeneralisation.[21] Werden mehrere Listen gelernt, so können bestimmte Ähnlichkeiten oder Unähnlichkeiten der *items*, der Listen sowie Abfolgereihen einen positiven oder negativen Transfer bewirken. Die Bedeutung der Zeichen spielt nicht unbedingt eine Rolle; um Erfahrung auszuschalten, wird oft mit *nonsense*-Worten bzw. -Silben gearbeitet.

Näher an der Realität menschlicher Sprache sind zwei andere erweiterte assoziationistische S-R-Ansätze. Noble,[22] besonders aber Deese[23] haben – nicht unähnlich der linguistischen Feldtheorie (vgl. Kap. 3 und 7) – die Assoziationen von Wörtern in einer Sprache zu messen versucht, wie sie dem Sprachverhalten einzelner und Gruppen entsprechen.[24] Freilich ist die Assoziation hier nicht ohne weiteres mit linguistischem (semantischem) Merkmal gleichzusetzen. Die psychologisch exakte, empirisch erforschte und nachprüfbare "Bedeutung" eines Wortes ist hier als Netz seiner Assoziationen, d. h. als Summe der *responses*, die es als Stimulus hervorruft, zu beschreiben. Für das Erlernen, das im einzelnen hier auch durch Kontiguität von Assoziationen (und Verstärkung) zu bewirken ist, sind nun Assoziationsketten nötig, insbesondere beim Umfang des menschlichen Spracherlernens. Um zu Kettenbildungen von Assoziationen, besonders auch solchen, die bisher bei einem Individuum noch nicht hergestellt waren, und zu semantischer Generalisation zu kommen, müssen vermittelnde Glieder (auch Assoziationen, aber R-S-gerichtet) angenommen werden. Dies führte zu den sog. Mediationstheorien. Schema ist für eine repräsentationale Sequenz bzw. eine vermittelnde *response*:[25]

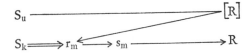

[20] Gerade die Auswirkungen auf Vokabellernen im Fremdsprachenunterricht sind aber wenig untersucht worden.
[21] Bes. Gibson (1940), Gibson (1959, 1964), Jung (1968) als Zusammenfassung.
[22] Noble (1952).
[23] Deese (1965).
[24] Der linguistischen Feldtheorie wird mangelnde Stützung vorgeworfen.
[25] Etwas abgewandelt nach den üblichen Diagrammen, vgl. Hörmann (1967), S. 185. S_u = unkonditionierter Stimulus, S_k = konditionierter St., R,r = *response*, m = *mediating*.

Zu einem verbalen oder nicht-verbalen Stimulus, der nicht konditioniert ist, wird ein verbaler Stimulus (konditioniert) als Vermittlungsglied eingebaut (S_k). Ist der unkonditionierte Stimulus verbaler Natur, wird quasi "Wortfeld"aufbau oder -erweiterung betrieben. Während Bousfield mehr die Verbalität der S-R-Kette betont, weist Osgood[26] auf Aspekte des Gesamtverhaltens bei S_u und [R] hin, an die verbale (Teil-)Assoziationen angeschlossen werden.
Mit diesen Modellen wird man dem komplexen Aufbau der menschlichen Sprache eher gerecht, auch grammatische Erscheinungen könnten so gelernt werden.

4.2.4.2. Die Vertreter der Gestalttheorie haben sich grundsätzlich wenig mit Sprache befaßt, außerdem mehr mit Wahrnehmung als mit Erlernung. Mit Versuchen an Menschenaffen wurde die Möglichkeit des Lernens durch Einsicht, durch Strukturierung von Situationen[27] nachgewiesen. Die Vorerfahrungen der Lernenden spielen eine wesentliche Rolle bei der Suche nach der Lösung von Problemen. Dabei wurde die Spurentheorie entwickelt, die v. Parreren[28] und Belyayev[29] auch für sprachliche Interferenz- und Sprachlernprobleme näher erläutert haben. Vorerfahrung und Organisationsfähigkeit wirken beim Lernen zusammen. Auch wenn Lernen durch Einsicht dem Lernen durch Versuch und Irrtum manchmal äußerlich ähnelt, gibt es doch deutliche Unterschiede.[30]
Komplizierte Sachverhalte, für die sich keine einfachen Stimuli anbieten, werden sicher häufig durch (teilweise plötzliche) Einsicht gelöst. Ähnliches dürfte auch für Erscheinungen der Sprache gelten (zumindest zum Teil), da einerseits nicht nur durch Imitation gelernt wird, und andererseits einzelsprachliche Erscheinungen nicht spezifisch (sondern nur strukturell-universal) angeboren sind (vgl. unten).

4.2.4.3. Seit etwa 1960 setzte eine gegen den Behaviorismus (besonders Skinnerscher Prägung) gerichtete und an biologischen Erkenntnissen[31] orientierte "linguistische Psychologie" ein, die zwar ebenfalls experimentell arbeitet, jedoch gegenüber dem mechanistischen Behaviorismus weitgehend mentalistisch ausgerichtet ist.

---

[26] Osgood geht auch vornehmlich auf konnotative Bedeutungen ein, vgl. Osgood/Suci/Tannenbaum (1956) und Snider/Osgood (1969).
[27] Die hierzu postulierten Gesetze der Prägnanz, der Ähnlichkeit, der Nähe, der Umschlossenheit und der guten Fortsetzung können hier nicht näher erläutert werden, da Anwendung auf sprachliche Phänomene kaum erfolgte.
[28] v. Parreren (1966).
[29] Belyayev (1963).
[30] Vgl. Hilgard/Bower (nach Yerkes), S. 276.
[31] Penfield/Roberts (1959), Lenneberg (1972).

Der Behaviorismus sah ja – ohne es meist speziell zu betonen – auch die Sprache als generell vergleichbar den Formen tierischen Verhaltens an. Nur wenige Behavioristen haben über das gesamte menschliche Sprachverhalten Überlegungen angestellt. Chomsky wies auf dem Hintergrund der von ihm entwickelten TG Skinners Ansätze scharf zurück.[32] Der wichtigste Vorwurf in unserem Zusammenhang ist, daß die von Skinner im Rahmen des *operative conditioning* postulierte *stimulus control* keineswegs fundiert, d. h. experimentell nicht nachweisbar sei und zu sehr den traditionellen Denotata ähnele, die eben nur über den "Sprachzugriff" – und damit subjektiv – zu fassen seien.[33] Über Strukturen spreche Skinner kaum. Damit ist die Komplexität und hierarchische Struktur von Sprache angesprochen, die von Behavioristen mit ihrem notwendigen OS-Bezug kaum zu erfassen ist. Chomsky und andere Psychologen halten (gegenüber dem Behaviorismus) weiterhin Beginn und Ablauf der Erstspracherlernung für so einheitlich, übereinzelsprachlich und universal, daß biologische Prädispositionen anzusetzen seien.[34] Dafür spricht auch die Vererbbarkeit von Sprachfehlern.[35] Die Prädisposition gilt nicht nur für mögliche Erlernbarkeit generell (bei geeigneter Verstärkung zu irgendeiner Zeit), sondern auch für ein ganz bestimmtes Lebensalter zur Erst- oder Mutterspracherlernung sowie für ein Reservoir an formalen und substantiellen Universalien (phonologische Universalien,[36] syntaktische Strukturprinzipien usw.). Bei gleichem Lernablauf aller Menschen ist lediglich die "Wahl" der Einzelsprache situationell (Geburt in eine Umgebung und deren Stimuli) bestimmt.[37] Offensichtlich bestehen auch universale Beziehungen zwischen Ausbildung des Problemlösungsvermögens (Konzeptualisierung usw.) und Spracherwerb.[38]

Es ist zwar nicht zu bestreiten, daß Nachahmung, Verstärkung usw. eine fördernde Rolle auch bei der Erstspracherlernung haben, doch ist Nachahmung vor (reifebedingter) Erlernbarkeit gar nicht möglich,[39] andererseits bilden die Kinder aufgrund ihrer Teilgrammatik auch "Sätze", die sie nicht gehört haben (können). Was aufgrund ihrer Grammatik "bildbar" ist, kann für die Mutter-

---

[32] Chomsky (1959). Seine Einzelkritik an Skinnerschen Begriffen (wie *tact, mand*) muß hier ausgeklammert werden.

[33] Vgl. Chomsky (1959), 33.

[34] Lenneberg (1972), Zusammenfassung Lenneberg (1970); vgl. bes. Lenneberg (1972), S. 157 ff.

[35] Lenneberg (1970, 1972).

[36] Vgl. Jakobson/Halle (1956), S. 37 ff. Allgemein auch McNeill (1970), dort auch Zusammenfassung der Literatur; Herriott (1970); verschiedene Aufsätze bei Oldfield/Marshall (1968).

[37] Vgl. Lenneberg (1972).

[38] Vgl. die Untersuchungen Piagets. Dazu Campbell/Wales (1970), bes. S. 252 ff.

[39] McNeill (1970), z. B. S. 106.

sprache nach Abschluß der Aufbau-Teilkompetenzen – im Gegensatz etwa zu erlernten Assoziationen bei Tieren – kaum mehr extinguiert werden. [40] Generell läßt sich somit für die Muttersprache sagen, daß sie nicht oder nur zum Teil ein durch Verstärkung aufgebautes Verhalten ist, das ständiger Übung gegen Gefahren retroaktiver Interferenz (s. u.) oder Extinktion bedarf.

Diese "linguistische" Psychologie ist stark an der TG (in deren ersten Ausprägungen) orientiert. Im Gegensatz zu Behaviorismus und Strukturalismus wird die Linearität der Sprachmodelle abgelehnt, dafür TS und OS angenommen. Zwischen diesen werden Transformationen postuliert, deren psychologische Realität man auch zu beweisen versuchte. [41] Die TS werden als interlingual relativ ähnlich erachtet (Inventar der Kategorien plus Transformationen), während die Oberflächenstrukturen als sehr spezifisch einzelsprachlich anzusehen seien. Die OS der Kinder spiegelten, so wird postuliert, noch TS-nähere, daher universalere Strukturen wider als dies bei der OS der einzelsprachlichen Erwachsenennorm der Fall sei. [42]

Dieser TG-ausgerichteten Psychologie kann nun vorgeworfen werden, den Verstärkungsmechanismus zu sehr in Abrede zu stellen (was etwa bei den sozialen Dialekten in "Sprachgeübtheit" deutlich wird); außerdem werden die Semantik und der Aufbau der kommunikativen Kompetenz [43] zu sehr vernachlässigt. Dies ergibt sich aber meist aus dem spezifisch Chomsky-abhängigen Ansatz. Frühere Beschreibungen der Kindersprache, vornehmlich zweisprachiger Kinder, [44] sind zwar oft linguistisch-deskriptiv weniger präzis, beachten aber stärker diesen Aufbau der kommunikativen Kompetenz.

4.2.4.4. Wenig untersucht ist bisher das genaue Verhältnis von konzeptuellem Aufbau und (mutter)sprachlicher Entwicklung sowie die Frage nach der (mehrsprachigen) Sprachbegabung.

Die Faktorenanalysen für Intelligenz setzen im allgemeinen einen V-Faktor (*verbal ability*) an, der für die Muttersprache gerade zwischen dem 8. und 11. Lebensjahr stark anwächst – dem Alter, in dem die Strukturentwicklung weitgehend abgeschlossen wird und somit eine freiere "Verfügung" möglich

---

[40] Ausnahmen bei Bilingualismus im Kindesalter, wo eine kurzfristig neu hinzutretende Sprache auch schnell wieder vergessen werden kann, vgl. Vildomec, S. 30.

[41] Vgl. Miller (1962), McNeill (1970), Johnson/Laird (1970) u. a.

[42] Vgl. McNeill (1970).

[43] Campbell/Wales (1970).

[44] Vgl. Abschnitte in Saporta (1961), Abschnitt 6.: *Language Acquisition, Bilingualism, and Language Change* (S. 331 ff.); Vildomec (1963), S. 25 ff., Ronjat (1913), Leopold (1952), Sadlo (1935), Ramge (1973), Kenyeres (1938), Leopold (1939–1949), Templin (1957), McCarthy (1954), Kainz (1964), Wieczerkowski (1965), u. a.

wird (andererseits die freie Lernbarkeit z. B. für Fremdsprachen stark nachläßt).[45] Thurstone[46] setzte einen V-Faktor (besonders für verbale Relationen) und einen W-Faktor (besonders für [Einzel-]Wörter) an. Carroll[47] teilte den V-Faktor in einen C-Faktor (*Comprehension*) und einen J-Faktor (*Judgement*, besonders für die Anwendung verbaler Relationen). Für Fremdsprachenerlernung entwickelten Carroll und Carroll/Sapon Tests zur Messung der *linguistic aptitude*.[48] In ihnen werden besonders vier Elemente getestet: *phonetic coding, grammatical sensitivity* (besonders an Formwörtern), *rote memorization* und *inductive language learning ability*. Pimsleur setzte diese Untersuchungen fort.

Im allgemeinen ist hier aber noch zu wenig Gesichertes vorhanden.

4.2.5. Obwohl gerade für den Fremdsprachenunterricht psychologische, besonders behavioristische Fundierung gesucht wurde, sind kaum psychologisch-experimentelle Untersuchungen unternommen worden. Außer den schon genannten Arbeiten zur Spracherlernung bilingualer Kinder sind nur wenige weitere Arbeiten, besonders von Lambert,[49] verfaßt worden.

Der Mensch ist, wie gesagt, grundsätzlich zur Mehrsprachigkeit fähig. Nun läßt aber der behavioristische Ansatz glauben, Spracherlernung sei – über Imitation, Verstärkung und erfolgender *habit*-Formung – unabhängig vom Alter und für beliebige Mehrsprachigkeit zu erreichen.

Das Spracherwerbsalter spielt jedoch eine wesentliche Rolle. In der "vorprogrammierten" Sprachlernperiode (etwa 15. Monat bis zum Ende des 5. Lebensjahres für die wesentlichsten Sprachelemente) können Einzelsprachen als "Muttersprache" nach einem offensichtlich universalen Ablaufschema gelernt werden. Mit gewissen Einschränkungen[50] können auch zwei Sprachen als (fast) gleichwertige Muttersprachen gelernt werden. Interferenz tritt dabei (fast) nicht auf. Eine gewisse Dominanz ist – je nach der Art der verstärkenden Umgebung – möglich.[51]

---

45 Spearman (1927), Burt (1949), Vernon (1950).
46 Thurstone (1941).
47 Carroll (1963).
48 Carroll (1963) und Carroll/Sapon (1959). Vgl. auch Pimsleur.
49 Vgl. z. B. Lambert (1955, 1956, 1958, 1963), Lambert/Tucker (1972), Gardner/Lambert (1972)
50 Solche Einschränkung kann in einer gewissen Retardation des Sprachlerntempos liegen, jedoch keineswegs – wie manchmal postuliert – in Intelligenzbeeinträchtigung.
51 Dazu noch speziell Wieczerkowski (1965), Dato (1971), Geissler (1938), Emrich (1938), Rūke-Dravina (1967), Elwert (1960), u. a.

Eine Muttersprache wird zumindest von jedem normal entwickelten Kind gelernt. Nach der genetisch bestimmten Sprachlernperiode ist Spracherlernung (etwa ab dem 9. Lebensjahr) nur noch mit Einschränkungen möglich. Der Aufbau einer zweiten Sprache ist nur noch auf der abgeschlossen erlernten ersten Sprache, d. h. auf den an ihr und mit ihr erworbenen Konzeptualisierungen und Formen, gegeben. Die Erlernung der Zweit- und Drittsprachen verläuft somit nicht parallel zu einer generellen konzeptuellen Entwicklung, die ja auch weitgehend universal ist, und geht nicht mehr durch ein langsames Durchmessen verschiedener "halb-fertiger" Strukturen vor sich. [52]

Die Tatsache, daß meist auch viel weniger Zeit, viel geringere Motivation (eine Sprache zur Befriedigung des generellen und angeborenen Kommunikationsdranges ist schon vorhanden) und – besonders beim Unterricht im Muttersprachenland – keine verstärkende Umwelt [53] vorhanden ist, hat ebenfalls große Restriktionen in der Zweitsprachenbeherrschung zur Folge. Generell kann nach Ablauf der Sprachlernperiode auch bei besten "Bedingungen" (Leben im Fremdsprachenland, Motivation) im allgemeinen keine akzentfreie Beherrschung der Zweitsprache erreicht werden (vgl. Emigranten). [54]

Im allgemeinen wird anerkannt, daß Erstsprachen- und Zweitsprachenerlernung sich grundsätzlich unterscheiden. Newmark/Reibel [55] wenden sich allerdings gegen die aufgeführten Argumente und machen eher "Ignoranz" als muttersprachliche Interferenz für die mangelnden Zweitsprachenfähigkeiten geltend. Gegenüber dem behavioristisch nicht überzeugend charakterisierbaren Erstsprachenerlernen ähnelt aber nun – was von der TG nicht genügend gewürdigt wird – das Bemühen um eine zweite Sprache viel eher dem Pattern der Verhaltenspsychologie. Proaktive Hemmung (Muttersprache → Fremdsprache), proaktive und retroaktive Hemmungen (zwischen Fremdsprachen), Verifizierbarkeit der Merkmale von Verstärkung, Extinktion, Verstärkungsauswirkungen (Lernkurven), Motivation im Unterricht und deren Folgen u. a. lassen für Fremdsprachen die Möglichkeit von Lernformen, die auch für andere Ver-

---

[52] Zabrocki (1966; 1970, bes. S. 21) weist darauf hin, daß Kinder die Erst- (und evtl. Zweit-)Sprache auf der Basis der Großzahlentheorie lernen, was die Hypothesenbildung über das Sprachsystem erleichtert, während im Schulunterricht nach der Methode der Kleinzahlentheorie gelernt wird. Metasprachliche Unterstützung ist unumgänglich.

[53] Der Lehrer als Vertreter der fremdsprachlichen Umwelt für eine Klasse ist kaum ein Ersatz.

[54] Lenneberg hat den Abschluß der Sprachlern"bereitschaft" auch physiologisch nachzuweisen versucht. Er falle mit der Lateralisierung der Hirnbereiche für Sprachlernen und -wissen in der linken Hirnhemisphäre zusammen.

[55] Vgl. Newmark/Reibel (1970). Anders aber Jakobovits (1970), Lane (1962), Titone (1964), S. 18. Vgl. auch Cook (1969).

haltensbeeinflussungen (im Tierversuch) erprobt wurden, als akzeptabel erscheinen. Eine Gleichsetzung mit den Lernprinzipien beim Muttersprachenerwerb scheidet aber aus.

4.2.6. Es sind somit die psychologischen Voraussetzungen für den Zweitsprachenerwerb je nach Alter (und zum Teil auch Motivation, Umgebung usw.) verschieden. Dies ist dann auch für die spezielle Art der Relation zweier oder mehrerer Sprachen in einem Individuum verantwortlich. Die KL, besonders in der Hand des Linguisten und des Fremdsprachenlehrers, hat solche Zustände zu erkennen; sie beschreibt, wie die verschiedenen Sprachsysteme zueinander stehen und wie sie einander beeinflussen (Interferenz) – vgl. Kap. 4.3.
Es fragt sich in diesem Zusammenhang auch, inwieweit ein Individuum, das bereits mehrsprachig ist oder zusätzliche Sprachen zu seiner Muttersprache erwirbt, selbst vergleicht. Es scheint, daß bei Mehrsprachigkeit, die im "vorprogrammierten" Sprachlernalter entsteht, kaum bewußter Vergleich auftritt. Bilinguale sind oft nicht in der Lage, gut zu übersetzen, auch wenn sie intuitiv Äquivalenzen beurteilen können. Dagegen erfolgt späterer Erwerb von Mehrsprachigkeit oft in Bahnen der Muttersprache und dabei auch meist "bewußt" (oft gegen die Intentionen einer spezifischen Sprachlernmethode) im Vergleich und in Übersetzung zu ihr.
Hier soll bereits kurz über sprachpsychologische Einflüsse auf die Sprachlehrmethoden gesprochen werden – besonders in der Stellung zur KL (vgl. speziell Kap. 5).
Lerntheorien haben Lehrtheorien nur zum Teil beeinflußt. Die Jahrhunderte geübte grammatikalisierende Methode war eigentlich nur Übertragung von Kapiteln einer formal-semantischen Grammatik in die Unterrichtswirklichkeit. Im 20. Jh. wurden für bestimmte Lehrmethoden Überlegungen Thorndikes und Skinners relevant. Aspekte der Kontiguität, der schrittweisen Sofort-Verstärkung, der zu meidenden Interferenz durch einsprachigen Unterricht zeigen deutlich behavioristischen Einfluß. Bereits die "direkte" Methode hatte versucht, den rein grammatikalisierenden Unterricht zu überwinden und Ähnlichkeit zur "natürlichen" Spracherlernung (Muttersprache oder mehrsprachige Kinder) angestrebt.
Die audiolinguale Methode hält eine genaue Planung für unerläßlich, diese soll aber dem Schüler nicht bewußt werden. Primat im Unterricht haben die *skills* (Fertigkeiten, besonders Hörverstehen und Sprechen). Der Unterricht soll einsprachig in kleinen Lernschritten (eventuell als linear[56] programmierter

---

[56] Hauptsächlich Skinner, vgl. als Lektüre dazu Correll (1965). Daneben das Prinzip der verzweigten Programme, die mehr auf dem Prinzip des *trial-and-error* aufbauen. Vgl. Lamérand (1971).

Unterricht) ablaufen, um Fehler nach Möglichkeit auszuschalten. Die KL wird herangezogen, um die zu erwartenden Interferenzen aufzuzeigen bzw. sie vorherzusagen, und um für diese speziellen Lernschritte geeignetes Übungsmaterial in besonderer Gewichtung zu bringen. (Der Nachdruck liegt allerdings – noch vom taxonomischen Strukturalismus beeinflußt – auf dem phonologischen Aspekt des Hörverstehens und den syntaktischen Mustern der Produktion). Somit ist KL hier ein Mittel in der Hand des Lehrers, den vermuteten Schwierigkeiten des Schülers von Anfang an entgegenzutreten. Die möglichen kontrastiven Überlegungen von seiten des Schülers sollen durch einsprachigen Unterricht weitgehend vermieden werden (was aber sicher nicht immer gelingt). Die Planung, die auf Ausschaltung der Schüler-KL (unbewußtes Übertragen aus der Muttersprache oder sogar bewußtes Übersetzen) abzielt, soll dem Schüler verborgen bleiben. Imitation und Übung des Richtigen sollen in *drill patterns* die Fertigkeiten in der Zweitsprache – nicht ohne bewußte Analogie und Anleihen beim Erstsprachenlernen – herstellen. [57]

In teilweiser Anlehnung an den traditionellen Sprachunterricht und an gestaltpsychologische Überlegungen formuliert Carroll [58] seine *cognitive-code-learning theory*. Hier wird wieder mehr Wert auf W i s s e n , das durch Einsicht und Anwendung der Strukturierungsfähigkeit erworben wurde, gelegt. Gegenüber der audio-lingualen Methode wird betont, daß automatisierte fremdsprachliche Strukturen (besonders wenn Semantik vernachlässigt wird) noch nicht die Fähigkeit mit sich bringe, in Kommunikationssituationen richtig zu handeln. Hierfür sei eine kognitive Kontrolle über die Strukturen der Sprache nötig, automatisierte *responses* reichten nicht. Damit wird KL auch kognitiv in den Unterricht einbezogen, um die Differenzierung der zwei Sprachen bewußt leisten zu können. [59]

Beide Ansätze zeigen somit ein unterschiedliches Verhältnis von KL zum Schüler. Das betrifft jedoch nicht die Planung und Erklärfähigkeit des Lehrers, für ihn ist KL in beiden Methoden gleichermaßen wichtig.

4.3.   Interferenz

4.3.1.   Mehrsprachigkeit ist nicht KL, sondern Sprachkontakt in einem Individuum. Dieser Zustand kann mit Mitteln der KL beschrieben werden. Vgl. auch Weinreich:

---

[57] Zur eigentlichen Methodik, vgl. Kap. 5.
[58] Carroll (1965).
[59] Vgl. bes. Scherer/Wertheimer (1964) zum Vergleich der Ansätze.

In the present study, two or more languages will be said to be IN CONTACT if they are used alternately by the same persons. The language-using individuals are thus the locus of the contact.[60]

Diese Definition braucht nicht nur für Bilinguale[61] zu gelten, sondern für alle Mehrsprachige, auch solche, die es nicht zur fließenden Beherrschung einer Zweitsprache gebracht haben. Die Bedingungen der Mehrsprachigkeit und ihrer Einschränkungen sind ein Beschreibungsgegenstand der Sprachpsychologie.

Bei Mehrsprachigkeit wird seit Ervin/Osgood[62] meist – unabhängig, wie die Sprachen erlernt wurden – zwischen *coordinate* und *compound system* unterschieden. Beim *coordinate system* werden die beteiligten Sprachsysteme getrennt gebraucht, es gibt (zumindest theoretisch) keine Vermischung. Beim *compound system* kodiert der Sprechende teilweise oder weitgehend nach einem der beiden Systeme (meist seiner Muttersprache) und überträgt vieles (vor allem auf der semantisch-konzeptuellen Ebene) in die andere Sprache, auch wenn er deren Oberflächenstrukturen, besonders in der phonologischen Gestalt der Wörter benutzt. Man kann diesen Zustand als e i n e n *culture context* verstehen, in dem der Mehrsprachige dann beide Sprachen auch kodiert und dekodiert, womit noch nichts über Dominanz gesagt werden braucht.

Zur Verdeutlichung von *compound* und *coordinate*: im Gegensatz zu dt. *bringen*, das die Merkmale 'hin zum Sprecher' und 'weg vom Sprecher' alternativ enthält, weist engl. *bring* nur 'hin zum Sprecher' auf ('weg vom Sprecher' = *take*).

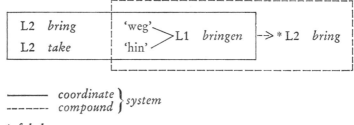

———— *coordinate* } *system*
- - - - *compound* }

* falsch

Interferenz im linguistischen Sinne wird als Systemübertragung aus einer L1 in L2 und damit Systembeeinträchtigung von L2 verstanden. Sie ist nur im *compound system* anzutreffen.

Beide Typen (*compound* bzw. *coordinate*) kommen rein kaum vor. Weinreich[63]

[60] Weinreich (1953), S. 1 ff.
[61] Allerdings sind die meisten Studien an Bilingualen durchgeführt.
[62] Ervin/Osgood (1954), dagegen Diller (1967), und zitiert bei Houston (1972), S. 205, der *coordinate systems* als zu ideal gedacht ablehnt.
[63] Weinreich (1953), S. 9 f., vgl. auch Interpretation bei Haugen (1956), S. 69 ff.

hat noch eine Aufspaltung des "compound"-Typs angesetzt; er spricht von *coexistence* vs. *merging*. Typ A entspricht bei ihm dem *coordinate system*. In Typ B wird von zwei Zeichen in L1/L2 ausgegangen, die aber in der Bedeutung nicht getrennt werden;[64] im Typ C wird nur ein Zeichen (mit zwei *signifiants* – zu einem *signifié* jeweils derselben "Sprache") angesetzt.

Die meisten Untersuchungen betreffen "natürlichen" Sprachkontakt, studieren also bilinguale Sprechergruppen in Gegenden mit mehreren Verkehrssprachen wie der Schweiz u. a.[65] Auch die theoretischen Schriften[66] befassen sich meist mit echtem Bilingualismus, kaum mit Schüler-Mehrsprachigkeit. Die "Schüler-Mehrsprachigkeit" zeigt aber nun einen starken Unterschied: in der Dominanz[67] der L1 gegenüber der L2 und der vollständigen "Unversehrtheit" der L1, was bei echten Bilingualen nicht immer gegeben ist. "Bilingualismus" sollte aber nicht definitorisch nur auf ausgewogene Zweisprachigkeit festgelegt werden.[68]

4.3.2. Beeinflussen sich zwei Systeme L1/L2 gegenseitig oder ein System L1 das System L2 ("einseitig"), so spricht man von Interferenz oder negativem Transfer. Da diese Begriffe teilweise verschieden verwendet werden, sind zuerst Begriffserklärungen notwendig.[69]

Mit Transfer meint man heute im allgemeinen nicht mehr Transfer im Sinne formaler Bildung, wie sie, aufbauend auf eine Vermögenspsychologie, die Theorie des Fremdsprachenunterrichts besonders im 19. Jh. beherrschte.[70] Die Fremdsprachen galten – ähnlich wie die Mathematik – als Gegenstände, die allgemeines Strukturvermögen, Gedächtnis usw. besonders fördern würden.

Die heutige Psychologie bezieht sich mit Transfer und Interferenz meist auf Ergebnisse der experimentellen Psychologie, die schon Ende des 19. Jh. im deutschsprachigen Bereich (Ebbinghaus, Ranschburg) begannen, besonders aber im nordamerikanischen Behaviorismus fortgesetzt wurden.[71] Die meisten

---

[64] Es brauchen aber nicht alle Zeichen der Bilingualen *compound signs* sein, und die jeweilige Bedeutung der Nicht-*compound-signs* kann die der Sprache L1 oder L2 sein.

[65] In den in 4.2 genannten Schriften, besonders zu bilingualen Kindern. Vgl. auch v. Weiss (1958), Weinreich (1953) und dort angegebene Literatur, sowie Kap. 1, Anm. 9–13.

[66] Vgl. schon Epstein (1915).

[67] Vgl. die Aufsätze Lamberts, bes. (1958, 1967); Christ (1964); Haugen (1956), S. 69 ff. u. a.

[68] Juhász (1970), S. 11, weist darauf hin, daß gerade Weinreich, Haugen u. a. die Interferenzprobleme zu sehr auf Bilingualismus-Aspekte beziehen.

[69] Vgl. Juhász (1970), 30.

[70] Vgl. Lehmensick (1926).

[71] Zur Geschichte vgl. Postman in: *Verbal Learning and Verbal Behavior* (1961), S. 152–196.

Experimente wurden mit Wortlisten oder Listen mit *nonsense*-Silben oder Zahlen durchgeführt, wobei zwei Listen mit jeweils Stimulus und Response-Paaren gegenübergestellt wurden. (Übertragungen der Ergebnisse auf Lernsituationen mit "ganzen" Sprachsystemen sind somit sehr gewagt.) Man erkannte früh, daß der Grad der Ähnlichkeit zwischen den Listen (insgesamt bzw. zwischen je Stimuli oder Responses) das Lernen beeinflußte. Dabei wurde Transfer vornehmlich unter dem Aspekt der *item*-Ähnlichkeit der S-R-Elemente der ersten Liste in bezug auf die zweite gesehen, während Interferenz im Zusammenhang mit Behalten und Vergessen[72] sowie Probleme des Langzeit- und Kurzzeitgedächtnisses als gegenseitige Beeinträchtigung zweier Listen (Lernaufgaben), bedingt durch ihre zeitliche Aufeinanderfolge, bei nachträglicher Prüfung beider Listen gesehen wurde. Da in beiden Untersuchungstypen die Ähnlichkeit von *items* eine Rolle spielt, wurde besonders negativer Transfer oft mit Interferenz gleichgesetzt; der Blickwinkel ist an und für sich aber verschieden:

Transfer:

Experimentgruppe L (= Liste) 1 + Liste 2

$\uparrow\!\!\downarrow$ →Testvergleich: Unterschied (L1) — L2

Kontrollgruppe – – – – – – – – – – – – –> L (= L2)

Interferenz:

Experiment-   L1 + L2 – – –>L1 bzw. L2
gruppe   Zeit $\uparrow\!\!\downarrow$ $\uparrow\!\!\downarrow$ —→Testvergleich: Unterschied:

Kontroll- – – – – – – – – – – – – – – –>L1 bzw. L2   L1 ——— L1
gruppe   ╳
                                                  L2 ——— L2

proaktive (L1 → L2) Interferenz
retroaktive (L2 → L1) Interferenz

Die sich durch Variation der *item*-Ähnlichkeiten in S- und R-Teilen der Listen ergebenden Unterschiede sind zu komplex, um hier berichtet werden zu können.[73] Positiver und negativer Transfer sind Funktionen der Listenähnlich-

---

[72] Vgl. bes. Underwood (1957), Kintsch (1969), v. Parreren (1966), S. 366, Jung (1968), Postman (1961) u. a.

[73] Vgl. als guten Überblick Jung (1968), S. 78 ff. (Ch. 5: *Transfer of Training*), S. 102 ff. (Ch. 6: *Retention: Long-and Short-Term Memory*).

keit.[74] Jede Testanordnung für Interferenzuntersuchung schließt ein Transfer-paradigma ein, so daß besonders bei spezieller Response-Unterschiedlichkeit (und Stimulusähnlichkeit bzw. -gleichheit) negativer Transfer[75] und Interferenz gleichermaßen zu konstatieren sind.[76] Ähnliche Beobachtungen machte bereits Ranschburg[77] (Prinzip der homogenen Hemmung); Kontrastmangel – im behavioristischen Begriffssystem praktisch Stimulusgleichheit (und dann Sti-mulusgeneralisation) – wirkt nach Ranschberg interferierend.[78] Für die Erklärung der beobachtbaren Daten wurde besonders von v. Parreren der schon in der Gestaltpsychologie verwendete Begriff der "Spur" verwendet. Der Lernprozeß führt zu (Gedächtnis-)Spuren, die wieder aktualisiert werden können. Einzelspuren müssen in Spurensysteme integriert werden; ein solches Spurensystem ähnelt dann einem psychologischen Feld, das Organisation auf-weist.[79] Auch Belyayev spricht – schon angewandt auf Sprachenlernen – von "dynamic stereotype" und versucht, die neurologischen Grundlagen dieser Spuren zu beschreiben.[80]

4.3.3. Für die Anwendung auf Bilingualismus und Fremdsprachenerlernung ergeben sich nun gewisse Schwierigkeiten. Nemser/Slama-Cazacu bezweifeln die Relevanz der Übernahme des Transfer-Interferenz-Ansatzes, besonders in einer "übersimplifizierten Form" durch die KL.[81] Zwischen prädiktablen Labor-tests für Wortlisten und der Frage der Fehlerprädiktion in einem komplexen Sprachsystem bei Sprachkontakt oder der Frage nach Leichtigkeit oder Schwere der Erlernung von verwandten Sprachen (eventuell Kontrastmangel)[82] besteht eine tiefe Kluft. Weder sind bei Spracherlernung die Bedingungen kontrollierbar noch läßt sich kognitive Erfahrung, die bei "bedeutendem" Sprachmaterial mit-spielt, exakt messen. Soll man bei *compound system*-ähnlicher Mehrsprachigkeit von Einzelinterferenz oder von globaler Interferenz sprechen, wie Juhász dies tut?[83]

---

[74] Die ursprünglich postulierte Identitätsforderung der *items* (Thorndike) wurde schon früh zurückgewiesen.
[75] Die eigentlich zu erwartende Stimulusdifferenzierung, die eher positiven Transfer erwarten läßt, wird überlagert.
[76] Vgl. auch hierzu v. Parreren (1966), S. 314 ff., S. 345 ff.
[77] Ranschburgsches Phänomen, vgl. auch Juhász (1970), S. 92 (dort genauere Lit.-Angaben).
[78] Ranschburg (1928), S. 200.
[79] v. Parreren (1966), S. 215 ff., S. 282 ff.
[80] Belyayev (1963), S. 194 ff.; Meier (1967), S. 10.
[81] Nemser/Slama-Cazacu (1970), S. 112 ff., 103.
[82] Vgl. Juhász (1970), S. 92 ff., Vildomec (1963), S. 18.
[83] Juhász (1970), S. 10.

Dominiert in einem *compound system* keines der zwei (oder drei) Glieder erheblich, so kann Interferenz in beiden Richtungen auftreten, vgl. etwa Typ III bei v. Weiss[84] (Estland), der gegenüber Typ I (beide Sprachen ohne Sprachmischung) und Typ II (Hauptsprache ohne, Nebensprache mit Sprachmischung) Sprachmischung in beiden Sprachen zeigt. Da die Sprachen in einem solchen Fall miteinander gelernt werden, wäre es äußerst schwierig, pro- und retroaktive Interferenz jeweils genau zu bestimmen.

Pro- und retroaktive Interferenz ist auch bei der Erlernung von "Fremdsprachen" zu beobachten, wobei die Richtung meist leichter feststellbar ist. Im allgemeinen dominiert bei Mehrsprachigkeit eine Sprache, sowohl bei "natürlichen" Bilingualen wie selbstverständlich bei "künstlichen" Bilingualen (Schulunterricht in Fremdsprachen). Dabei zeigt sich, daß bei letzteren kaum retroaktive Interferenz auftritt,[85] die proaktive Interferenz dagegen in besonderer Hartnäckigkeit und Umfang, weit über das sonst experimentell zu erwartende Maß[86] hinaus. (Dagegen spricht nicht, daß es bei der Übersetzung, besonders der Version, "augenblickshafte", d. h. *parole*-Interferenzen retroaktiver Natur geben kann.[87])

War bisher der Blick mehr auf das mehrsprachige Individuum gerichtet, so wäre auch zu fragen, ob es Gruppeninterferenz bei gleicher *compound system*-Konstellation von L1 und L2 gibt, also Konstanten von systemhaften interferenzbedingenden Unterschieden, die – etwa bei Schülern mit der gleichen Muttersprache und zu lernender gleicher Fremdsprache – weithin gleich auftreten. Zwar liegen bisher eindeutige Belege in ausreichender Zahl nicht vor (vgl. auch 4.4), doch spricht die Erfahrung für diese Annahme.

Solche Gruppeninterferenz würde auf System-Interferenz schließen lassen und könnte mit KL angegangen werden. Hält man Interferenzerscheinungen jedoch nur für die Folge eines Verlustes der kognitiven Kontrolle über das Handeln,[88] so könnte man manche Interferenzen auch als Sprechakt-Interferenz bezeichnen, die zufällig sein kann und von der höchstens in Form von Quantitäten wieder Schlüsse auf System-Interferenz gezogen werden können (vgl. hierzu näher im Kap. 4, "Fehleranalyse").[89]

---

[84] v. Weiss (1958), S. 125.
[85] Gelegentlich bei langem und endgültigem "Auslandsaufenthalt" doch zu beobachten.
[86] Lado (1972), S. 16.
[87] Bausch (1970), S. 6; Jakobovits (1969), der von *backlash interference* spricht.
[88] v. Parreren (1966), S. 347 f.
[89] Weinreich (1953), S. 11, scheidet zwischen *langue*- und *parole*-Interferenz, Juhász (1970) wendet sich dagegen (S. 10).

4.3.4. Die psychologische Interferenzforschung ist empirisch begründet. Auch die Linguistik hat, auf ganze Systemteile bezogen, versucht, Interferenzvorhersage zu betreiben. [90] Weinreich skizziert diesen Standpunkt:

> The forms of mutual interference of languages that are in contact are stated in terms of descriptive linguistics. Even the causes of specific interference phenomena can, in most cases, be determined by linguistic methods: If the phonic or grammatical systems of two languages are compared and their differences delineated, one ordinarily has a list of the potential forms of interference in the given contact situation [...]. But not all potential forms of interference actually materialize. [91]

Doch Weinreich hat auch klargemacht, daß der Status einer Sprache in einem mehrsprachigen Individuum oder einer mehrsprachigen Gruppe von verschiedenen, nicht aus dem Sprachsystem ableitbaren Bedingungen abhängt. So kommen zu neurophysiologisch-psychologischen Aspekten strukturell linguistische und nicht-strukturelle Faktoren, [92] die besonders im Gesamtzusammenhang einer AKL wichtig sind. Letztere sind z. B. des Sprechers generelle Sprachfähigkeit (*verbal ability* und *linguistic aptitude*), [93] die jeweilige Fertigkeit in den einzelnen Sprachen (Dominanz), eventuelle Spezialisierung im Gebrauch nach Situation und Kommunikationspartner, Art der erfolgten Spracherlernung und Art der (emotionellen) Haltung zur Mehrsprachigkeit. Zu solchen individuellen Faktoren kommen gruppenrelevante Aspekte wie Größe, politisches und kulturelles Gewicht der zweisprachigen Gruppe (bzw. der Untergruppen mit verschiedener Dominanz von L1 und L2), Prestigefaktoren, Toleranz von Mehrsprachigkeit, Sprachmischung und Sprachfehlern, und das Verhältnis zu Sprechergruppen, die nur eine der beiden Sprachen sprechen.

Sind diese nicht-strukturellen Faktoren auch wesentlich für bilinguale Gruppen aufgestellt, so gelten einige auch für "künstliche" Zweisprachigkeit, besonders die individuellen Faktoren, weiter Fragen der Motivation, des Prestiges u. a. Auch spielt, wie schon ausgeführt, das Alter, in dem erlernt wird, eine große Rolle. [94] Der Unterschied zwischen langsamen und spontanen L2-Reaktionen [95] und Wissen oder Nicht-Wissen um Sprachunterschiede [96] gehören für die Schulsituation dazu. Weinreich hat die linguistischen Interferenztypen auf dem

---

[90] Empirische Studien zum "echten" Bilingualismus sind nicht häufig; so Friedl (1926), Bossard (1945), Vildomec (1963), S. 123 ff.

[91] Weinreich (1953), S. 3.

[92] Im folgenden nach Weinreich. Vgl. auch Vildomec (1963), S. 30 f., S. 219 f.; v. Weiss (1958), S. 38, S. 125 ff.; Juhász (1970), S. 41 f.; Hüllen (1971), S. 142. Von den experimentellen Psychologen vgl. Lambert/Havelka/Crosby (1958).

[93] Haugen (1956), S. 69 ff.; Carroll, Chapman/Gilbert (1937), Vildomec (1963), S. 43.

[94] Carroll (1968).

[95] Mikes (1971), bes. für *spontaneous speech reaction*.

[96] Gegen KL als Vermittlerin dieses Wissens, vgl. Hadlich (1965).

Hintergrund von auslösenden und einschränkenden Aspekten der strukturellen und nicht-strukturellen Interferenzursachen dargestellt[97] ("strukturell" hier auf das linguistische System bezogen).

4.3.5. Es ist äußerst schwierig, psychologische, strukturell linguistische und kulturelle Aspekte bei der Beurteilung von Mehrsprachigkeit zu berücksichtigen oder gar exakt messen zu wollen; noch dazu ist das Ergebnis bei den meisten Menschen – auch in "gleicher" Gruppe – auf Grund der immer speziellen Entwicklungsprozesse verschieden. So wird meist mit einem recht allgemeinen Begriff von Interferenz gearbeitet, der (allerdings aus ökonomischen Gründen verständlicherweise) wissenschaftlichen Ansprüchen nicht gerecht werden kann. Geht man von einem universalistischen Sprachmodell aus, so ist ein bestimmter Grundstock an syntagmatischer TS-Struktur und semantisch-konzeptuellem Inventar allen Sprachen weitgehend gemeinsam (vgl. Kap. 3); Gleiches gilt für Formelemente (phonologische Merkmale, syntaktische Mittel, morphologische Bauprinzipien). Der einzelsprachliche semantische "Zugriff" (Kombination von Merkmalen in sprachlichen Zeichen) sowie unterschiedliche Umformung zu Oberflächenstrukturen schaffen dann die Verschiedenheiten der Einzelsprachen und damit Interferenzmöglichkeit bzw. -wahrscheinlichkeit. Doch ist sowohl auf Grund der universellen Gleichheit menschlicher Sprache Sprach(erlern)fähigkeit, wie auch besonders bei genetisch (noch sichtbar) verwandten Sprachen Transfer (positiver Transfer) in hohem Maß gegeben. Erst die prinzipielle Transfermöglichkeit gewährleistet ja Zweit- und Drittsprachenerlernung in größerem Umfang.

Da eine Beschreibung nur im Rahmen von Einzelinterferenz (und nicht Globalinterferenz) möglich ist, stellt sich die Frage nach der Einheitlichkeit aller Interferenztypen. So wurde darauf hingewiesen, daß Interferenz im phonologischen Bereich am hartnäckigsten,[98] Interferenz im Wortschatzbereich dagegen noch am ehesten durch "Willenskraft" zu lenken sei.[99] Auch die Frage eines Unterschiedes von rezeptiver und produktiver Interferenz ist noch nicht eindeutig zu beantworten. Gleiches gilt für die Frage, ob Divergenz (1 SZ/L1 > 2 SZ/L2) leichter zu überwinden sei als Konvergenz (2 SZ/L1 > 1 SZ/L2).[100] Dagegen ist Interferenz bei einer Notwendigkeit zum quasi automatisierten Gebrauch (z. B. spontanes Sprechen) immer höher als bei "verzögertem" Gebrauch (z. B. Schreiben), wo kognitive und willensmäßige Ausschaltung der Interferenz eher

---

[97] Weinreich (1953), Tabelle S. 64/5.
[98] Twaddell (1968).
[99] Vildomec (1963), S. 81.
[100] Mikes (1971).

möglich ist. Linguistisch feststellbare Interferenz läßt sich danach scheiden, ob in L2 nach der Strukturierung in L1 identifiziert wird, ob die L2-Strukturen nach L1-Regeln verteilt werden oder ob direkt aus L1 in L2 übertragen wird.[101] Dabei ist zu beachten, ob die betreffende Abweichung überhaupt interlinguale Ursachen hat, ob nicht nur intralingual (L2) gegen das System oder die Norm verstoßen wurde.[102] Zu selten wurde bisher auch die *cross-level-interference* untersucht, d. h. Interferenz bei äquivalenten, formebenenverschiedenen Zeichen.[103]

4.3.6. Zu sehr ist in den letzten Jahren über die Prädiktion von Interferenz spekuliert worden, zu wenig wurde dabei eine Überprüfung an empirischen Ergebnissen (Fehleranalyse) vorgenommen. Dabei wurden Interferenzvorhersagen ohnehin nur im Bereich einer grammatischen Kompetenz, nicht aber im Bereich kontextueller, kommunikativer Kompetenz getroffen.

Kernfrage ist der Einfluß der Quantität (und Qualität) von Unterschieden in den Systemteilen von L1 und L2 auf die Stärke bzw. Wahrscheinlichkeit der Interferenz (je nach Richtung L1 → L2 bzw. L2 → L1). Folgende Ansichten wurden vertreten:

(a) Es können linguistisch begründete Hierarchien der zu erwartenden Interferenzen aufgestellt werden. Die bisher expliziteste Hierarchie stammt von Stockwell/Bowen/Martin,[104] die kurz dargestellt werden soll, auch wenn sie inzwischen zurückgewiesen wurde.[105] SBM gehen davon aus, daß derjenige, welcher L1 und L2 vergleicht oder L1 in L2 übersetzt, bei zwei Sätzen das nächstliegende Äquivalent sucht. Dafür sind jeweils in L1 und L2 bestimmte Variablen (*choices*) in Form generativer Regeln vorhanden. Für 1:1-Entsprechungen müßten die Wahlmöglichkeiten gleich sein. Es gibt aber verschiedene Abstufungen, eine Hierarchie der Nicht-Entsprechungen. SBM unterscheiden *negative match* und *positive match*. Bei *negative* ist in L1 oder L2 keine Wahlmöglichkeit (ϕ). Bei *positive* ist *optional choice* (die Regel existiert in L1 und L2, muß aber z. B. nur in L1 obligatorisch angewandt werden) und *obligatory choice* möglich. Dabei ergeben sich wieder jeweils Möglichkeiten abwechselnd der strukturalen und/oder funktional semantischen Korrespondenz.

---

[101] Ebda.
[102] v. Weiss' Klassifizierung in idiomatische Fehler und Fehler der spontanen [?] Sprachmischungen ist analog, terminologisch aber nicht glücklich. Vgl. S. 31, 67 ff. Vgl. auch Arabskys (1968) Scheidung in *external* und *internal interference*.
[103] Vgl. Schubiger (1965), Bolinger (1972), Bickerton (1971) u. a.
[104] Stockwell u. a. (1965), Tabelle S. 284; Lado (1965) für Semantik.
[105] Bolinger (1968).

		English Type of Choice	Structural Correspondence	Lexi. /Seman. Correspondence	Spanish Type of Choice
I	1	∅	≠		Ob
	2	∅	≠		Op
II	3	Op	≠	≡	Op
	4	Ob	≠	≡	Ob
	5	Op	≠	≡	Ob
	6	Ob	≠	≡	Op
III	7	Ob	≠		∅
	8	Op	≠		∅
IV	9	Op	=	≠	Op
	10	Ob	=	≠	Ob
	11	Op	=	≠	Ob
	12	Ob	=	≠	Op
V	13	Op	=	≡	Ob
	14	Ob	=	≡	Op
	15	Op	=	≡	Op
	16	Ob	=	≡	Ob

Verschiedene Arbeiten, die ab 1960 angefertigt wurden, befürworten die Prädiktion, so vornehmlich auf syntaktischem Gebiet Schlecht, Barrutia u. a.,[106] für Phonologie Kohler.[107] Besonders der Anspruch auf völlige Vorhersagbarkeit wird diskutiert und mit Vorsicht beurteilt, z. B. von James[108] und Nickel/Wagner.[109] Auch Vertreter des empirischen Ansatzes der Fehleranalyse betonen, daß KL und Fehleranalyse-Ergebnisse nicht gleichgesetzt werden dürften;[110] für Syntax und Phonologie wird im allgemeinen eine teilweise Bestätigung von Voraussagen als möglich angesehen. Betreffend die Semantik (der offenen Klassen von SZ) ist man dazu (noch) kaum in der Lage.[111]
(b) Die Interferenzvorhersage durch KL wird besonders von Newmark/Reibel abgelehnt. Das Lernen ohne Kontexte sei "interference with language learning",

---

[106] Schlecht (1967), Barrutia (1969), bes. S. 49 ff. (Kap. VI), S. 57, 64 f.; vgl. auch Pascascio (1961), Kleinjans (1958), Oller (1971), Mach (1971), Hida (1965), James (1972), S. 32, u. a.
[107] Vgl. Kohler (1971), Nemser (1971), Mach (1971) u. a.; Brière (1966, 1968).
[108] James gegen Newmark/Reibel, (1972), S. 34/5.
[109] Nickel/Wagner (1968), S. 250 f.
[110] Di Pietro (1972), S. 137.
[111] Vgl. etwa Duskova (1969), Grauberg (1971), PAKS V (1970), Nickel (1972).

aber nicht Systemauswirkung.[112] Dabei gehen NR aber kaum auf KL ein, sondern nur auf die Relevanz der Interferenzvorhersage für den Unterricht. Dies ist aber ein anderes Problem, das beispielsweise auch von Corder skeptisch gesehen wird.[113]

(c) Skepsis, fundiert meist auf empirischen Untersuchungen, wird an der Vorhersagbarkeit geäußert, ohne daß die Tatsache der linguistischen Unterschiede als Interferenzquelle geleugnet wird. Für den Bereich der Phonologie haben Baird, vor allem aber Brière und Nemser[114] festgestellt, daß Hierarchien der linguistischen Unterschiede und Lernhierarchien einander nicht entsprechen. Nemser/Slama-Cazacu[115] weisen zudem mit Recht darauf hin, daß bei rein linguistischer Vorhersage auch das jeweils gewählte Sprachmodell für die getroffenen Vorhersagen verantwortlich sei.

Die prädiktive Interferenzanalyse hat somit wohl nur heuristischen und probabilistischen Wert; die Fehleranalyse hat zur empirischen Validierung beizutragen. Umgekehrt verleiht aber KL der Fehleranalyse gerade mehr explanatorischen Charakter (vgl. Kap. 4.4). Eine Kombination von KL und Fehleranalyse ist auch aus ökonomischen Gründen sinnvoll, da Fehleranalysen auf breiter Basis sehr zeitraubend sind,[116] außerdem Fehler nur in objektiven Tests eindeutig klassifiziert werden können. Verschiedene Fehlertypen werden aber erst in *integrated-skills*-Tests deutlich, die jedoch nicht immer objektive Ergebnisse liefern.

4.3.7. Es ist zu einfach, nur den Einfluß des muttersprachlichen Systems auf das fremdsprachliche System als Ganzes in der Charakterisierung von Interferenz beim Sprachlernprozeß zu betrachten. Besonders bei künstlich erzeugter Mehrsprachigkeit (mit starker Dominanz der Muttersprache) ist der Sprachlernprozeß für eine (bzw. mehrere) Fremdsprache(n) gestuft. So lehnen auch Nemser/Slama-Cazacu eine statische Interferenzbetrachtung ab[117] und plädieren speziell für eine KL der *learner speech*.

Fremdsprachenlernende durchlaufen im Lernprozeß verschiedene Teilsysteme (*transitional competence*), ohne dabei eine völlige Meisterschaft in der Fremdsprache zu erreichen (*approximate language*). Die jeweils zu erlernende Teilkompetenz kann nur einen Ausschnitt des Systems der Zielsprache und seiner funktionellen Oppositionen bieten, sollte aber in sich möglichst stimmig sein,

---

[112] Newmark (1970).
[113] Corder (1967), dagegen Nickel (1971), S. 8.
[114] Baird (1967), Brière (1966, 1968), Nemser (1971), Nemser/Slama-Cazacu (1970); vgl. auch Wardhaugh (1970).
[115] Nemser/Slama-Cazacu (1970), S. 109.
[116] Vgl. Nickel/Wagner (1968), S. 237.
[117] Ebda., S. 112.

d. h. es sollte zu möglichst wenig intralingualen Analogiefehlern (eben auf Grund der Beschränkung) verleiten. Der Schüler kann nämlich, wenn er Aussagen nach seinem Teilsystem "generiert", leicht die Grenzen des Teilsystems erreichen und dann Irrtümer (vgl. 4.4) begehen. Weiterhin wird der Schüler auch innerhalb des Teilsystems Fehler machen, die interlingualer Natur (mit Interferenz als Ursache) sind. Diese Teilkompetenzen sind aber nun in sich Interferenzquellen für die Erlernung des "idealen" zielsprachigen Standards; man übersieht dies, wenn man nur die Norm der Zielsprache im Auge behält. Diese nähere Untersuchung von Teilkompetenzen wird zunehmend gefordert, so von James, [118] Nickel/Wagner, [119] Corder [120] und Nemser/Slama-Cazacu:

> The pressures exerted on the learner are not just unidirectional (from T only – as is supposed in the practice of traditional foreign-language pedagogy) or even bidirectional (from B and T – as is supposed in contrastive linguistics), but tridirectional, since they also include the influence of the storage itself. [121]

Diese Lernproblematik entsteht unbeeinflußt von der angewendeten Lernmethode; durch stilles Übersetzen *(inner verbalization)* tritt auch bei einsprachigem Unterricht ("direkte" Methode, audio-lingualer Unterricht) Interferenz der Muttersprache und Interferenz der Teilzielsprachen auf. [122]

Doch ist es gleichermaßen zu simpel, nur generell von muttersprachlicher Interferenz zu sprechen. Zwar sind bestimmte Interferenzerscheinungen typisch für einen generellen Lernprozeß einer spezifischen L2 (z. B. Englisch) auf der Basis einer L1 (z. B. Deutsch) – Erscheinungen, die nicht vergleichbar sind für die Erlernung derselben L2 auf der Basis einer anderen L1 (z. B. Französisch). [123]

Doch auch innerhalb einer L1 schaffen verschiedene regionale und sozial(-regional)e Dialekte, besonders aber partielle "muttersprachliche Mehrsprachigkeit" (Regionaler Dialekt + Hochsprache als "erste Fremdsprache") mögliche weitere Interferenzquellen (z. B. für Deutsch/Englisch im Bereich der Tempora Präteritum und Perfekt, im Bereich der Phonotaktik des sth./stl. alveolaren Frikativs [s/z] u. a.).

4.3.8. Interferenzerkennung im linguistischen Bereich (ohne den Anspruch des empirisch-experimentellen Nachweises) hat zwei Voraussetzungen. Einmal muß

---

[118] James (1972), S. 29.
[119] Nickel/Wagner (1968).
[120] Corder (1967), Corder (1971, 1972).
[121] Nemser/Slama-Cazacu (1970), S. 112.
[122] Gelegentlich kann Wissen um Interferenzen zur Überkompensation führen, vgl. James (1972), S. 29.
[123] So lehnt Harris (1968) KL (im Sinne Lados für Test-Herstellung) weitgehend ab – jedoch vor dem Hintergrund von muttersprachlich heterogenen Klassen von Englischlernenden.

ein *native speaker* (L2) Abweichungen des L2-Erlernenden mit L1 als Muttersprache feststellen. Dann muß zum anderen der Linguist auf Grund von Sprachvergleichen untersuchen, ob L1-Ähnlichkeiten für abweichende L2-Äußerungen bestehen. Er kann dann eine Wahrscheinlichkeit der Interferenz postulieren; zufällige Ähnlichkeit ohne Interferenz läßt sich dabei nicht ausschließen. Abgesehen davon, daß Fehler oft – besonders in sog. subjektiven Tests – nur schwer interpretierbar sind (4.4), kommt dem (L2-)Sprachgefühl des Beurteilers in L2 besondere Bedeutung zu. Er hat zuerst über die Grammatikalität und Akzeptabilität der Äußerungen zu entscheiden.[124] Doch auch er verfügt nur über Teil- und Mischsysteme seiner Muttersprache. Die vom L1-muttersprachlichen Lerner gesprochene Norm – z. B. des Standards von L2 – ist vom Beurteiler nicht immer richtig einzuschätzen, man denke etwa an Schwierigkeiten, die deutsche *native speakers* bei der Beurteilung von Sätzen mit Konjunktiven haben. Ist der untersuchende Linguist nicht selbst für die untersuchten L1 und L2 weitestgehend bilingual (was meist nicht der Fall ist), sind Einschränkungen der Interferenzbeurteilung nicht zu vermeiden.

Diese Schwierigkeiten der Beurteilung werden noch erhöht, wenn der Beurteiler von möglichen Interferenzen der L2-Lerner ebenfalls L1 als Muttersprache spricht. Dies ist heute im Schulunterricht für Fremdsprachen die Regel. Die Sprache des Lehrers als (meist) einziges L2-Vorbild der Schüler ist somit schon generell interferenz-belastet – zusätzliche Interferenzquelle zu zielsprachlichen und teilzielsprachlichen Interferenzen der Schüler. Die Lehrersprache ist zwar meist auf den zu erlernenden Standard der L2 (Schüler-Ziel) eingestellt, was beim L2-Beurteiler (*native speaker*) oft nicht der Fall ist – doch ist die Sprache des Lehrers häufig zu sehr an geschriebener Sprache orientiert und generell der Dynamik einer lebenden Sprache (Wandel von Idiomen usw.) wenig angepaßt.[125]

Juhász[126] hat versucht, sowohl für zielsprachliche Norm (Fehlerbeurteilung durch zielsprachliche Muttersprachensprecher) wie für Interferenzen aus der Sicht des Verursachers Tests zu entwickeln (Reizsätze, Beurteilungs- und Operationstests). Es zeigt sich deutlich, daß eine Dichotomie "falsch-richtig" oft gar nicht möglich ist.[127]

---

[124] Auch der Verursacher des Fehlers kann meist nur wenig zur Lösung dieser Frage beitragen, wenn er nach oder bei Richtigstellung des Fehlers auf dessen Ursache angesprochen wird.

[125] Vgl. Juhász (1970), S. 35.

[126] Vgl. Juhász (1970) und Juhász (1965); Mackey (1965) u. a.

[127] Vgl. auch die Forschungen Quirks, Greenbaums, Svartviks u. a. in London, sowie Steube (1966).

Die Unmöglichkeit, Fehler eines nicht-muttersprachlichen L2-Sprechers immer zu erkennen und/oder auf ihre Ursachen zurückzuführen, hat auch grundsätzliche synchrone und diachrone Auswirkungen auf Sprachen im Kontakt (sei es im natürlichen oder – allerdings weit weniger – im künstlichen Kontakt). Mehrsprachigkeit in der Art der *compound systems* führt zur generellen Festigung von Interferenzen. Weinreich beschreibt das Verhältnis von KL-Theorie und dieser Situation:

> While in theory, then, the basic units – phonemes; features of order, selection, dependence, etc.; and semantemes – of two languages are not commensurable, in practice classificatory overlappings of physical sound and of semantic identifications only increase this overlapping; hence the particularly extensive parallelisms between languages which have been in long and intensive contact. [128]

Überträgt man diese Tatsachen auf die Sprachgeschichte, so sind "Lehnbedeutungen", "Lehnsyntax" usw. auch als (ursprüngliche) Fälle von Interferenz zu interpretieren. [129] Solche "Übernahmen" sind synchronisch zuerst Abweichungen einzelner (meist bilingualer) Sprecher; sie können dann zu Einheiten des Systems einer Sprachgruppe werden (ohne daß diese Sprachgruppe bilingual zu sein brauchte). [130] Beispiele sind etwa der Sprachkontakt Englisch/Anglo-Normannisch im Mittelalter (viele Bilinguale) und der Einfluß von "Amerikanismen" in Sprachen des modernen Europa (teilweise Bilinguale). Die Abweichungen können – meist unbewußt – im "Sprechakt" entstehen, doch treten sie auch in Übersetzungen [131] auf – bewußt, gelegentlich sogar notwendig, [132] aber auch da möglicherweise unbewußt. Nur ein Teil wird meist Gemeingut ganzer Sprachgemeinschaften. Sprachwandel durch Interferenz tritt auch innerhalb von Subsystemen einer "Gesamt"sprache wie "Deutsch" (unter den Dialekten) auf – KL (und somit auch Interferenz beim Sprachkontakt) wurde ja ausdrücklich auch für diesen Bereich definiert (vgl. Kap. 3).

Sprachveränderung durch Interferenz bedingt Mehrsprachigkeit (zumindest des ersten 'interferierenden' Individuums). Dagegen ist bei Transferenz diese Mehrsprachigkeit nicht vorhanden und nötig: es werden nur Elemente eines Systems von L2 in L1 übernommen (Fremdwörter u. a.). [133]

---

[128] Weinreich (1953), S. 8.

[129] Lüllwitz (1970), S. 663 ff.

[130] Haben ganze Gruppen (oft bilinguale Sprachgemeinschaften) ein *compound system*, so ist über Interferenz (oft gegenseitig zwischen L1 und L2) eine Sprachmischung möglich.

[131] Vgl. Lüllwitz (1970), S. 669 ff.

[132] Vgl. bes. im Mittelalter den Einfluß des Lateins auf Übersetzungen in die europäischen Einzelsprachen (Deutsch, Französisch, Englisch u. a.).

[133] Lüllwitz (1970), S. 646 ff.

4.4. Fehleranalyse

4.4.1. Interferenz bei einem L2-Lerner tritt in von der L2-Norm abweichenden Äußerungen zutage. Dabei spricht man allgemein von "Fehler". Fehleranalyse – besonders als Gebiet pädagogischer Praxis[134] – erfordert nun sowohl KL (speziell AKL) für die Feststellung[135] und Interpretation wie auch psychologische Erkenntnisse zur Beschreibung der Ursachen. Mehrere "angewandte" Wissenschaften müssen so zusammenwirken.

Fehleranalyse wird hier weitgehend am Beispiel des Schülers, der mit einem abgeschlossenen muttersprachlichen System eine "Fremd"sprache erlernt, gesehen (künstliche Mehrsprachigkeit). Bei Bilingualen (Individuen und Gruppen) ist der Fehler oft viel weniger relevant. Vom einsprachigen System her mag manches als Fehler interpretierbar sein, was im bilingualen System (oft *compound system*) integriert ist und als Systemcharakteristikum nicht mehr als "Fehler" gelten kann. Allerdings gibt es auch in bilingualen Gruppen Toleranzschranken.

Keineswegs alle Fehler (als Begriff vorläufig im umgangssprachlichen Sinne gebraucht) bei der Verwendung einer Fremdsprache entstehen nun aber durch Interferenz. Prädiktive KL und psychologische Interferenztheorie haben hier gelegentlich falsche Vorstellungen erweckt. Wir verweisen schon hier auf den Exkurs zu diesem Kapitel. Rechnet man intralinguale Fehler (Interferenz der Teilkompetenz) und interlinguale (muttersprachliche) Interferenz zusammen, so sind selten mehr als 50 % der in einer normalen Sprechsituation auftretenden Abweichungen echte Interferenzfehler und für einen bestimmten nichtmuttersprachlichen L2-Sprecher typisch. In spezifischen Tests für interferenzgeladene Einzelbereiche (Syntax, Semantik komponentenarmer Zeichen usw.) erhöht sich diese Zahl allerdings.

Um überhaupt zur Identifizierung und Charakterisierung von L2-Abweichungen zu gelangen, ist es nötig, Situation, Verursacher des Fehlers (Muttersprache L1, spricht in L2) und Beurteiler (L2-Sprecher ± L1) einzubeziehen. Mit "Situation" ist der außersprachliche Kontext gemeint. Der Verursacher eines Fehlers kann diesen durch reines Mißverstehen der objektiven Wirklichkeit (ohne Irreführung durch den "Sprachzugriff") produzieren.[136] Solche Fehler könnten auch von muttersprachlichen Sprechern gemacht werden. Dieser Fehler äußert sich zwar in "Sprache", ist aber nicht primär ein Sprachfehler – inwieweit dies der Beurteiler sofort erkennt, ist eine andere Frage. Hiermit ist noch

---

[134] Vgl. Raabe (1972), S. 60, zur Stellung der Fehleranalyse im Verhältnis zur KL.
[135] Feststellung allein kann auch durch einen *native speaker* (L2) ohne L1-Kenntnisse getroffen werden.
[136] Vgl. auch Juhász (1970), S. 40.

ein zweiter Aspekt von "Situation" angesprochen. Es ist für die Beurteilung eines Fehlers wichtig, ob der Beurteiler in der Situation, innerhalb derer ein Fehler auftritt, anwesend ist, den Fehler an der außersprachlichen Wirklichkeit messen kann und eventuell den Verursacher befragen kann (dies gilt nun für "außer"- und innersprachliche Fehler). Bei Fehlern, die in geschriebenen Texten auftreten, ist dies oft nicht möglich, und Ambiguitäten in der Fehlerbeurteilung sind daher unumgänglich.

Natürlich sind solche Fehler oft am Übergang zwischen rein außersprachlichen Mißverständnissen und durch Interferenz verursachten semantischen Fehlleistungen anzusiedeln. Vermeers Begriff der "Interferenz der Situation"[137] kann auch in diesem Sinne verstanden werden − Anhänger der Sapir-Whorf-Theorie, auch der inhaltbezogenen Grammatik, würden postulieren, daß "Erkenntnisfehler" durch die muttersprachlich gebundene "Weltsicht" notwendig auftreten müssen − aber damit sprachliche Fehler (auf der Ebene des sprachlichen "Zugriffs", der sprachlichen "Zwischenwelt") sind.

4.4.2. Sprachliche Fehler können nun − abgesehen vom Problem der Situation − beurteilerbezogen gesehen werden. Dabei soll als Idealfall gelten, daß der Beurteiler auf den (quasi als "tote Sprache" gelernten) L2-Standard des Lerners eingestellt und ein echter *native speaker* (L2) mit "Sprachgefühl" (d. h. weitgehender Kompetenz für Fragen der Akzeptabilität) ist.[138]

Der Beurteiler, der im Gegensatz zum Lehrer weder die "pädagogische Vergangenheit" des Fehlerverursachers zu kennen braucht noch vorerst Überlegungen zur Fehlerschwere anstellen muß, hat ein Urteil abzugeben über die vom Verursacher (im Rahmen einer Kommunikationssituation) abgegebene Information und über den Träger der Information (das "eigentlich Geäußerte", d. h. die Oberflächenstrukturen). Corder[139] hat eine Zusammenstellung der möglichen Kategorien von Beurteilungen gegeben:

---

[137] Vgl. Vermeer (1969).
[138] Also kein selbst interferenz-belasteter L1-sprachlicher Lehrer, vgl. Corder (1972). Vgl. aber auch die Schwierigkeiten des muttersprachlichen Beurteilers, Leisi (1972).
[139] Corder (1972 b), S. 49. Genauere Erklärung, S. 46–48.

Zusammenfassung der plausiblen Interpretationen für Äußerungen von Lernenden

Äußerung	Interpretation		Kommentar
akzeptabel	Wir interpretieren die Bedeutung	richtig (1)	Hier besteht offensichtlich eine Ähnlichkeit zur muttersprachlichen Situation, mit dem Unterschied, daß die Äußerung des Lernenden vielleicht nur durch Zufall richtig ist, z. B. *meine besten Freunde,* aber: **viele anderen Frauen.*
		falsch (2)	Diese Situation ist schwieriger zu entdecken. Im allgemeinen akzeptieren wir die vernünftig erscheinende Interpretation ohne weiteres und entdecken erst später, wenn überhaupt, daß sie falsch war, z. B. *Ich brachte sie nach Hause = I brought her to her home.* Beabsichtigt: *I brought her to my home.*
	Es gibt zwei Möglichkeiten der Interpretation (3)		Dieser Fall tritt in der muttersprachlichen Situation ein, ist aber nicht sehr häufig, da der Kontext die Ambiguität im allgemeinen sofort auflöst.
	Wir können die Bedeutung nicht interpretieren (4)		Formal akzeptabel durch Zufall, aber ziemlich selten. Für gewöhnlich Wahl der falschen lexikalischen Einheit, z. B. *He gave, in contempt, an explanation of the situation.* Kontrastierung mit der Muttersprache kann von Nutzen sein.
nicht akzeptabel	Wir interpretieren die Bedeutung	richtig (5)	Dies ist die bei weitem häufigste Situation, z. B. **I am waiting here since 3 o'clock = I have been waiting . . .*
		falsch (6)	Kommt häufig vor. Im allgemeinen entdecken wir unsere Fehlinterpretation relativ schnell, z. B. **They came to bus stop.* Interpretiert als *. . . to the bus stop.* Tatsächlich beabsichtigte Bedeutung: *. . . to a bus stop.*
	Es gibt zwei Möglichkeiten der Interpretation (7)		Sehr häufig. Wir wissen nicht, welche von zwei gleich geeigneten Interpretationen korrekt ist, z. B. **You must ask a dictionary.* = 1. *consult a dictionary,* 2. *ask for a dictionary.*
	Wir können die Bedeutung nicht interpretieren (8)		Das ist keineswegs ungewöhnlich, z. B. **If you want Indians very lovely, you will talk them.*

Diese Darstellung macht auch klar, daß es für einen Beurteiler, der nicht Lehrer ist, nicht unbedingt primär auf die Akzeptabilität der Äußerung ankommen muß, solange die intendierte Bedeutung der gesamten Äußerung – trotz der Einzelverstöße – in dem Satz oder durch den weiteren sprachlichen (oder auch außersprachlichen) Kontext erfaßbar wird. Letzteres bezieht sich aber auf Fehlerbewertung in Kommunikationssituationen, während die häufig zu sehr grammatikalitätsorientierte Fehlerbeurteilung in der Schulsituation oft am Einzelsatz – ohne weiteren (stützenden) Zusammenhang – tatsächlich meist nur die Grammatikalität lehren und prüfen kann. Didaktische und methodische Konsequenzen der Beurteiler-Aspekte in der Fehleranalyse werden in Kap. 5.2 behandelt.

4.4.3. Für den L2-muttersprachlichen Beurteiler eines Fehlerverursachers spielen die Gründe für diese Fehler keine Rolle. Der L1-muttersprachliche Lehrer des in L2 Fehler verursachenden Schülers hat nun eine Doppelfunktion. Er muß meist als Beurteiler fungieren (mit den entsprechenden Einschränkungen, wenn er keinen *native speaker* zu Rate ziehen kann); da er aber die gleiche Muttersprache spricht wie seine Schüler (abgesehen von dialektalen Unterschieden),[140] sind die Schülerfehler – besonders wenn Interferenz vorliegt – auch seine möglichen bzw. schon überwundenen Fehler. Er kann daher auch die Ursachen der Abweichungen untersuchen, vornehmlich mit Hilfe prädiktiver und explanatorischer (angewandter) KL und der Transfer-Psychologie.

Zuerst ist eine genauere Fassung des Begriffs "Fehler" nötig. Weimer[141] unterscheidet Fälschung (absichtlich), Täuschung (zwangsmäßig, besonders Sinnestäuschungen wie optische Täuschung), Irrtum und Fehler. Die letztere Unterscheidung ist besonders wichtig. Weimer definiert:[142]

> Der Irrtum ist ein seelischer Zustand, Fürwahrhalten des Falschen, das bedingt ist durch die Unkenntnis oder mangelhafte Kenntnis gewisser Tatsachen, die für die richtige Erkenntnis von wesentlicher Bedeutung sind.
> Der Fehler ist eine Handlung, die gegen die Absicht ihres Urhebers vom Richtigen abweicht und deren Unrichtigkeit bedingt ist durch ein Versagen psychischer Funktionen.

Fehler sind somit psychische Fehlleistungen, die außersprachliche Ursachen haben, da ja sprachliche Richtigkeit die "Intention" ist – während die Überschreitung des System-Möglichen ja bereits Irrtum ist. Fehlerursachen können

---

[140] Diese können manchmal – besonders in der Phonologie – die Beurteilungsfähigkeit durchaus schwerwiegend beeinflussen, vgl. Burgschmidt/Götz (1972).

[141] Weimer (²1929), S. 1 ff., vgl. auch Kainz (1967), Bd. IV. Freuds "Fehleranalysen" (Psychoanalyse) werden hier ausgeklammert.

[142] Ebda., S. 5.

in der Umwelt begründet sein (körperliche, geistige, situationelle Faktoren) [143] oder in der Psyche des Individuums liegen. Letztere erzeugt sprachliche Fehlleistungen, die fremdsprachen-sprechende und muttersprachliche Individuen begehen könnten, Geläufigkeitsfehler, perseverative Fehler, Ähnlichkeitsfehler, Mischfehler usw. [144]

Viele Fehler sind somit zufälliger Natur. Die Zuweisung von (relativ regelmäßigen) Interferenzfehlern ist nun nicht ganz einfach. Nur innerhalb des dem Sprachlernenden kognitiv oder nicht-kognitiv Beigebrachten darf man dann von "Fehlern" sprechen, d. h. innerhalb der jeweiligen Teil-Kompetenz. Begeht er auf Grund dieser Kompetenz Analogie"fehler" und versucht er, mit bekanntem Sprachmaterial und Regeln Äußerungen zu tun, die zusätzliche unbekannte Regeln erfordern, sind Irrtümer aus der Sicht der Gesamtkompetenz unvermeidlich. Im letzteren Fall wird er automatisch nach schon bekannten L2-Regeln oder nach L1-Regeln kodieren, da er die richtigen fremdsprachlichen (noch) nicht kennt.

Auch S. P. Corder [145] macht einen Unterschied *error – mistake*. Ohne explizit auf Interferenz einzugehen, trennt er nun *errors of performance*, die er dann *mistakes* nennt, und *errors of competence*, die er als eigentliche *errors* ansieht. Diese Scheidung ist gerichtet auf die Bestimmung der *transitional competence* (vgl. Kap. 4.4.4). In dieser Sicht auf die Durchgangs- oder Teil-Kompetenz ist es allerdings nötig, Weimers Konzept [146] so zu sehen, daß "jede Äußerung des Lernenden eine akzeptable Äußerung in seinem Übergangsdialekt" (minus Performanz-"Fehler") ist. Das Konzept der Ungrammatikalität oder Abweichung (vom L2-Ziel-Standard) ist auf den Lerner nicht anwendbar. [147] Gemachte Abweichungen sind somit entweder unsystematische "slips of the tongue", [148] Anzeichen von Müdigkeit usw. oder *errors*, aus denen der Lehrer das Teilsystem, innerhalb dessen der Schüler keine Irrtümer begeht, konstruieren kann. (Es ist klar, daß bei einem kleinen Test große Schwierigkeiten auftreten, die Grenzen zwischen *mistake* und *error* zu ziehen – was aber nichts an der Richtigkeit des theoretischen Ansatzes ändert.) Die Betrachtungsweise ist allerdings stärker beurteilerbezogen als verursacherbezogen, auch wenn es um die Teilkompetenz des Schülers geht. Interlinguale Fehler, durch Interferenz verursacht, sind aber nun auch innerhalb internalisierter Teilsysteme meist recht

---

[143] Kießling (1925).
[144] Vgl. Weimer ([2]1929); Müller (1965) für muttersprachliches Diktat, Kamratowski/ Schneider (1969), u. a.
[145] Corder (1967), S. 166/7.
[146] Corder bezieht sich nicht darauf.
[147] Corder (1972 a), S. 182.
[148] Corder (1967), S. 166.

gleichförmig und vorhersagbar.[149] Man müßte solche Interferenz f e h l e r daher zwar Performanzfehler nennen, ihnen aber einen gewissen systematischen Charakter zuschreiben. Andernfalls müßte man einen ständigen Wechsel von Verlust und Wachstum in der Teilkompetenz ansetzen, um solche Abweichungen immer als *errors* zu deklarieren. Dies würde aber bedeuten, daß die Wirkung (gefaßt als *error*) durch eine Ursache erklärt wird, die (auch nach Corder) eindeutig *mistakes* hervorruft (Gedächtnisverlust durch Interferenz!).[150] Fehler wie Irrtümer können so durch Interferenz entstehen, müssen es andererseits aber nicht. Irrtümer können auch auf Unkenntnis bestimmter Teile der L2 beruhen, wenn aus L1 gar keine Interferenz in L2 möglich ist (etwa Regeln der *do*-Umschreibung).[151] Eigentlich lohnt es sich – jedenfalls für pädagogische Zwecke – nur, Interferenz f e h l e r zu untersuchen, soweit sie häufige Fehlerquellen sind und nicht rein zufällig auftreten. Interferenz"irrtümer" sollten in der Schule bei einem gutgeplanten Kurs möglichst selten auftreten, ihre Untersuchung hat allerdings heuristischen Wert für Fehlerprädiktion auf der Basis von KL. Im übrigen muß klar sein, daß Interferenzfehler bzw. -irrtümer sich linguistisch überhaupt nicht unterscheiden lassen; entscheidend ist nur der kombinierte Beurteiler-/Verursacher-Standpunkt.

Abweichungen (Fehler wie Irrtümer), die überhaupt als Folgen von Sprachverschiedenheit interpretiert werden können, teilt man (nach schon mehrfach erläuterten Kriterien) in interlinguale und intralinguale "Fehler".[152] Arabski spricht von *external* und *internal interference*.[153] Über die Möglichkeit, (solche) Fehler vorherzusagen, wurde bereits in Kap. 4.3 gesprochen. Da das Auftreten dieser Abweichungen ein wesentliches Kriterium für die Bestimmung der jeweiligen Teilkompetenz bzw. Lernstufe des Schülers ist, seien nun die Ansätze der Forschung zu dieser *transitional competence* noch genauer skizziert.

4.4.4. Corders Ansatz der *transitional competence* wurde schon bei der Besprechung *error – mistake* diskutiert. *Transitional competence* ist nicht gleichzu-

---

[149] Corder weist bei unsystematischen Fehlern auch auf *memory lapses* u. a. hin, läßt aber die Erkenntnisse der experimentellen Psychologie, die Interferenz ja speziell als durchaus systematisches Produkt von Gedächtnisleistungen bzw. -fehlleistungen erwies, außer acht.

[150] Auch v. Parreren (1966) faßt Interferenz als Vorgang auf, der bei Verlust der kognitiven Kontrolle über das Handeln auftritt. Dagegen sei der "kognitive Halt" möglich; vgl. S. 346 ff.

[151] Arabski (1968) faßt dies auch unter Interferenz und zwar als *passive external interference*, S. 73/4. Ob dabei die Fehlerwahrscheinlichkeit am größten ist – vgl. Duskova (1969), S. 18 ff., – ist noch nicht ausreichend erwiesen.

[152] So PAKS V, Duskova, Arabski.

[153] Arabski (1968), S. 73.

setzen mit dem Umfang des bis zu einem gewissen Zeitpunkt Gelernten, sondern nur mit dem zu diesem Zeitpunkt systemkonform Gebrauchten. Die Beschränkungen dieses Teilsystems werden durch die *errors* deutlich. Die *error-analysis* kann und muß auch völlig richtige Einzelsätze (Beurteiler!) einbeziehen, wenn sich herausstellt, daß sie nur durch Zufall richtig sind und nicht regelmäßig nach System-Elementen produziert werden.[154] Bei Bilingualen weist Traill[155] darauf hin, daß bestimmte Lücken in L2 ebenfalls Hinweise auf Systembeschränkungen geben. Diese werden in der Performanz zwar nicht qualitativ als *errors* deutlich, zeigen aber quantitativ schwache Verbreitung (vgl. auch Levenston). Die *transitional competence* muß vom Beurteiler der Abweichungen für das Individuum ermittelt werden, Basis (Korpus) sind die gesamten Äußerungen des jeweiligen Schülers.

Nemser[156] spricht von *approximate language*, die ebenfalls individuell als Lerner-System bestimmt werden muß. Er fügt allerdings in seiner Darstellung den dynamischen Aspekt (Lernfortgang) und die bedingte Verallgemeinerungsmöglichkeit ein. *Approximate languages* sind instabil. Nemser/Slama-Cazacu charakterisieren sie folgendermaßen:[157]

1) When the learner is attempting to communicate in T, he employs a linguistic system, a, distinct from B and T and internally structured.

2) The a's representing successive learning stages form an evolving series $a_1 \ldots _n$, extending from a learner's first attempts to communicate in T to near-perfect use of T. [...] This evolution is presumably marked at every stage by systematic influence from B. It also represents an accretion of elements from T. These stages are definable qualitatively and quantitatively.

3) The a's of learners in the same contact situation (i. e. sharing the same B and T), and at the same level of proficiency (a_x) – defined cross-linguistically –, roughly coincide. Major variations are ascribable to a) differences in learning experience (including the t's which have served as models) [...], b) differences among individual linguistic systems ($b_{1, 2}$, etc.), and c) the learner's psychological characteristics and his specific stock of knowledge (including other languages already learned or being learned, etc.).

Der charakteristische "Akzent" ganz spezieller L1-Sprecher in einer L2 ist Kennzeichen der verschiedenen *approximate languages*. Die einzelnen *a. l.* können im Längsschnitt (im Lernprozeß eines Lerners) und im Querschnitt (Vergleich von *a. l.* verschiedener Lerner – z. B. einer Schulklasse – zu einem bestimmten Zeitpunkt) untersucht werden.[158] Im letzteren Fall wird als Test-

---

[154] Corder (1972 a), S. 180.
[155] Traill (1968).
[156] Nemser (1971), Nemser/Slama-Cazacu (1970).
[157] Nemser/Slama-Cazacu (1970), S. 119.
[158] Ebda., S. 126.

hintergrund dabei eine Ideal-Teilkompetenz, der "bisher behandelte Stoff", vom Lehrer "gesetzt".

Ähnlich argumentiert weiterhin Selinker,[159] der von einer "interlanguage" spricht, definiert als:

a separate linguistic system based on the observable output which results from a learner's attempted production of a TL = [target language] norm.[160]

Selinker sieht die *interlinguage* stärker unter dem Aspekt des Transfer, d. h. als Durchgangsstufe zwischen den Systemen von L1 und L2, weniger temporal als Stufe auf dem Lern-Weg. Ihn interessieren daher vornehmlich Fragen, wie die *IL* reorganisiert werden muß, um zur richtigen Beherrschung der Zielsprache zu kommen.

Die Tatsache der Teilkompetenzen hat auch Auswirkungen für eine AKL. Von didaktischen Erwägungen beeinflußt, muß der Lehrer (bzw. der Lehrbuchautor) Teilkompetenzen aufbauen und sie ständig überprüfen. Dabei muß er Teilsysteme (L2 und evtl. Interlinguen dafür) erstellen, an denen er die Teilkompetenzen der Schüler messen kann. Dies ist in den Lehrbüchern zwar schon immer geschehen – allerdings meist ohne theoretische oder empirische Fundierung der Gradation und Gewichtung der Systemelemente. Ansätze sind von Mackey (*mini-langue*[161]) gemacht worden. Für weitergehende methodische Ausgestaltung wird von Nickel[162] u. a. die pädagogische Grammatik gefordert, deren *input* auch wesentlich eine *differential grammar* sei. Beim Aufbau der Teilkompetenzen spielen didaktische Erwägungen neben KL und psychologischen Fragen eine wesentliche Rolle. Neutraler Ziel-Sprachen-Standard[163] als angestrebte End-Kompetenz ist für Produktion, nicht aber immer für die nicht "vorauszuplanende" Rezeption ausreichend.[164] Gerade die prädiktive KL ist zu sehr sprecher- bzw. produktionsbezogen.

4.4.5. Da der Lehrer Beurteiler- und Verursacherstandpunkt bei der Fehleranalyse gleichermaßen berücksichtigen muß, sollte er versiert in der Beschreibung sprachlicher Korpora sein. Dabei gibt es verschiedene Schwierigkeiten – abgesehen von den rein linguistisch-methodologischen Beschränkungen der Korpusanalyse.

In der motivationsarmen, auf wenige nicht zusammenhängend abgehaltene Schulstunden beschränkten Atmosphäre des Fremdsprachenunterrichts ist der

---

[159] Selinker (1966), Selinker (1971, 1969).
[160] Selinker (1971), S. 35.
[161] Mackey (1971).
[162] Nickel (1971), S. 9; Nickel/Wagner (1968) u. a.
[163] Das ist nicht in allen Sprachen möglich.
[164] Vgl. Hughes (1948).

Lehrer für die Meinungsbildung über die Teilkompetenzen vielfach auf Tests [165] angewiesen. Objektive Tests (Einsetz-, Umsetz-, *multiple-choice*-Tests) ergeben zwar Aufschlüsse über *basic skills*; *integrated skills* sind aber meist nur subjektiv testbar, auch wenn teilweise für approximative Validität und Reliabilität gesorgt werden kann. Vielfach kann auch nur eine relativ enge grammatikalische Kompetenz, weniger aber die letztlich wichtigere kommunikative Kompetenz getestet werden. Neben der Art des Tests spielt auch die Geschwindigkeit (d. h. die Frage nach der Automatisierung der L2-*skills*) eine ganz wesentliche Rolle bei der Beurteilung von Teilkompetenzen – möglicherweise sollte man sogar zwischen einer System-Teilkompetenz (kognitiv) und einer automatisierten Teilkompetenz unterscheiden.

Abgesehen von den Schwierigkeiten, Fehler klar auf ihre Ursachen zurückführen zu können – es müssen ja Oberflächenstrukturen interpretiert werden –, ergeben sich beim Lehrer auch häufig Lücken in der Kenntnis von AKL, ob er nun muttersprachengleich mit seinen Schülern ist oder nicht. Oft liegt der Grund sogar in der mangelnden Fähigkeit, das muttersprachliche System kognitiv beschreiben zu können und es in KL und Fehleranalyse einzubeziehen. Zwar können wachsende Erfahrung und Fehlersammlungen [166] ein gewisser Ersatz sein; doch sind die meisten Fehlersammlungen sehr allgemeiner Natur, vielfach nicht auf ein bestimmtes Verhältnis von L1 zu einer spezifischen L2 abgestimmt und teilweise an veralteten normativen Standpunkten orientiert. Auch wird dem Lehrer die Arbeit nicht abgenommen, Variablen psychologischer und situationeller Art zu beachten, so Belastung der Schüler, Testbedingungen, Kenntnis der pädagogischen Vergangenheit, d. h. Art und Ergebnis früher aufgebauter Teilkompetenzen (individuell für Schüler oder für die Klasse). Die bisherigen Untersuchungen [167] gehen hier zuweilen recht sorglos vor; die Möglichkeit, manche (Interferenz-)Fehler für eine bestimmte L1-L2-Lernsituation bzw. eine -stufe verallgemeinern zu können, darf nicht über die Gefahren einer zu generellen Prädiktion hinwegtäuschen.

Die Frage nach Fehlerschwere und Fehlervermeidbarkeit hat methodische Implikationen (vgl. Kap. 5), aber auch linguistische und psychologische Über-

---

[165] Vgl. Lado (1971), Valette (1967), Gaude-Teschner (^{2}1971), Harris (1969), Davies (1968).

[166] Vgl. Krüger (1918), Paulowsky (1949), French (^{11}1967), Fitikides (1967), Kerr (1969), Brinkmann (^{3}1969), PAKS V (mit Bibliographie Trotnow), für den phonologischen Bereich Kühlwein (PAKS V 1970 bzw. in Nickel 1972), Nida (1950) für Übersetzung, weitere kleinere Aufsätze notiert bei Kreter (1965). Vgl. auch Cheng (1962), Long (1962), Harper (1962), Banathy/Madarasz (1969), Coulter (1968), Berry (1963), Harap (1930) u. a.

[167] Vgl. Gutschow (1968), Heuser (1969), Lado (1948), Mach (1971), Moulton (1962), Frei (1929), Buteau (1970), Fisher (1966); Bausch (angekündigt) u. a.

legungen sind anzustellen. [168] Die Fehlerschwere, die der Beurteiler einer festgestellten Abweichung zuerkennt, kann durch pädagogische Überlegungen bestimmt sein (etwa Verstöße gegen gerade Behandeltes oder Wiederholtes, das spezieller Testinhalt war; Verstöße bei geschlossenen Klassen von SZ-"Grammatik", weil diese SZ häufig vorkommen, praktisch in jedem Satz, und somit die Bekämpfung quantitativ bessere Erfolge verspricht).

Fehler und Fehlerschwere nach Art des nur-zielsprachlichen (L2-)Beurteilers primär danach zu entscheiden, ob Kommunikationserfolg eindeutig gegeben ist, dürfte für die Schule keine praktikable Alternative sein. Es ist ja nicht vorherzusagen, wann ein Defekt in der Teilkompetenz des Schülers zu Kommunikationsmißerfolg führen wird. Der Lehrer muß davon ausgehen, daß ein solcher Defekt theoretisch immer zu Kommunikationsmißerfolg führen könnte (auch wenn durch die generelle Redundanz menschlicher Sprache die Wahrscheinlichkeit meist nicht sehr groß ist). Zudem wäre es für den L1-angehörigen Lehrer, der sich ja auch in den Verursacher (Schüler) hineindenken muß, inkonsequent, dieselbe Abweichung einmal als Fehler zu bewerten, ein anderes Mal nicht. Allerdings müßte man auch Corders Argument, richtige Äußerungen – wenn sie "zufällig" sind – in die Fehleranalyse einzubeziehen, stärker berücksichtigen.

Die Fehlerschwere muß aber auch nach linguistischen und psychologischen Kriterien bemessen werden. Unter diesem Gesichtspunkt spielt dann weniger das Schülerversagen im einzelnen eine Rolle, sondern Ursachen für dieses Versagen, die verallgemeinert werden können. Fehlerschwere in dieser Sicht wäre also proportional der Schwierigkeit, die Ursachen zu beseitigen. Noch liegt hier wenig Gesichertes vor. So stellen sich Fragen wie: Sind linguistische Unterschiede gleich Unterschieden in der Lernschwierigkeit? Sind interlinguale oder intralinguale Fehler leichter zu beseitigen? Sind Fehler (bzw. Irrtümer), die durch Sprachebenen-Überschreitung zustande kommen, schwerwiegender (z. B. Kasus–Wortstellung/D–E; Partikel–Intonation–*expanded form*/D–E; u. a.)? Sind verwandte Sprachen leichter zu lernen als sehr verschiedene, sind bei der Erlernung einer verwandten Sprache auftretende Fehler "leichter", weil meist das Verständnis wenig beeinträchtigt wird, oder "schwerer", weil sie – infolge Kontrastmangels – oft nur schwer zu beseitigen sind?

Es gehört zur didaktischen Entscheidung des Lehrers, wie er der Globalinterferenz bei der Erlernung einer L2 als Zielsprache über Bekämpfung von Einzelinterferenzen beikommen will und wie er dabei die Schwerpunkte legt.

Linguistik und Sprachpsychologie spielen auch herein, wenn man sich bemüht, über Lehrmethoden Abweichungen (besonders der Interferenz) zu verhindern.

---

[168] Als ein Beispiel für viele: Deimel (1961).

Mit *preventive teaching* kann man versuchen, kleine Lernschritte (im Sinne Skinners) mit dem Ziel zu wählen, daß Fehler weitgehend unmöglich werden (sollen).[169] Die sofortige Verstärkung des Richtigen (bzw. Verbesserung des gelegentlich doch Falschen) ist dabei notwendig – vgl. Vier-Phasen-Drill im Sprachlabor usw. Durch einsprachigen Unterricht, der auch bei behavioristisch beeinflußter audio-lingualer Methode gefordert wird, glaubt man auch, Interferenzen von vornherein weitgehend ausschalten zu können, da der Schüler ja keine Gelegenheit zum negativen Transfer (Übersetzungen, zweisprachige Wortschatzlisten usw. werden vermieden) habe. Es ist aber ein Fehlschluß zu glauben, die Muttersprache lasse sich – wenn einmal gefestigt – für drei Stunden pro Woche "ausschalten". Aus psychologischen und pädagogischen Gründen kann weiter geltend gemacht werden, Fehlerverursachung mit anschließender Fehlerverbesserung (bei kognitiver Stützung) habe heilsame Folgen.[170] Die Metasprache der Fehlerverbesserung muß dann natürlich auch die Muttersprache des Fehlerverursachers sein. Diese Art von Unterricht wird mit *curative teaching* bezeichnet.

Weitgehend ungeklärt ist auch noch die Frage, ob der Lernende etwa in einem Lernprogramm nach Art eines linearen Programms[171] allein durch Hören des Richtigen und Vergleich mit seinem entweder (annähernd) Richtigen oder Falschen Fortschritte macht. Bei letzterem erscheint dies oft fraglich, ja möglicherweise schädlich, wenn durch muttersprachliche Interferenz-"Blockade" der Unterschied einfach nicht gesehen und das Falsche in Ermanglung von Beurteilereinwirkung (Beurteiler dann = Verursacher) perpetuiert wird.[172]

4.5. Exkurs: Fehleranalyse in der Praxis

4.5.1. Es hat sich erwiesen, daß KL (besonders als AKL) sowohl für Vorbereitung von Tests zur Bestimmung von *transitional competences* wie zur Analyse der tatsächlich gemachten Fehler und Irrtümer eine wichtige Rolle spielt. In Teil II (Kap. 6 bis 8) gehen wir bei den Beispielen für KL jedoch von Teilen der Sprachsysteme aus (Phonologie, Lexikon, Syntax), nicht von *skills*. Somit ist in diesen Kapiteln auch keine eigentliche "angewandte" Behandlung der KL für eine Praxis der Fehleranalyse möglich, da erst Kommunikations-

---

[169] Die Auswahl und Gewichtung des zu Lernenden kann sich dabei durchaus nach Erkenntnissen von KL und AKL richten.

[170] Vgl. Nickel (1971).

[171] Verzweigte Programme mit genauerer Fehlereinkalkulierung durch den Programmersteller sind im Sprachunterricht noch selten, vgl. Barrutia (1969).

[172] Vgl. van Teslaar (1965), Henning (1966) u. a.

situationen (in quantifizierbarem Ausmaß) und Tests mit den zum Vergleich gewählten *items* erstellt und zur Durchführung hätten gebracht werden müssen. Dies war jedoch in dem erforderlichen Umfang nicht möglich.

Andererseits schien es nötig, wenigstens an einer Stelle des Buches einen der Hauptanwendungsbereiche für KL in seiner Abhängigkeit von KL und Interferenzpsychologie zu zeigen. Es werden daher drei Tests dargestellt, in denen Fehlererwartung (KL prädiktiv), tatsächlich gemachte Fehler in einer für die Interpretation geeigneten Form[173] und mögliche Fehlerursachen zusammen dargestellt werden. Die drei Tests stehen für verschiedene Alters- und Leistungsstufen sowie für verschiedene Testtypen. Für Phonologie und Fehlererwartung haben die Verfasser bereits an anderer Stelle Kriterien aufgestellt.[174]

4.5.2. Im ersten Beispiel wurde der Test von *integrated skills* geplant. Eine präzise Fehlervorhersage erübrigte sich dabei. Es sollte versucht werden, auf die Teilkompetenz bereits fortgeschrittener Lerner in einer L2 (Englisch) zu schließen. An Hand der ausgewählten Abweichungen sollte besonders eine Übersicht über vermutliche Performanz- und Kompetenzfehler (etwa im Sinne Corders, vgl. Kap. 4.4) gewonnen werden, nach Möglichkeit auch Aufschlüsse über deren Anteil an der Gesamtfehlerzahl. Da der Test eine mündliche Leistung forderte und damit automatisierte Fertigkeiten, ist die Zahl der Performanzfehler natürlich relativ groß. Das Fehler-Material entstammt den zunächst wiedergegebenen Texten (1. bis 5.).

Diese stellen die Versuche einiger Studenten der ersten Universitäts-Semester dar, in englischer Sprache – mündlich – die Beschreibung einer Bildfolge zu geben. Die Interpunktion wurde von den Versuchsleitern eingefügt, die zahlreichen kurzen stummen oder mit *äh, em* usw. gefüllten Pausen werden nicht bezeichnet. Notwendige und verdeutlichende Zusätze stehen in eckigen Klammern. Die Ziffern in runden Klammern beziehen sich auf die Besprechung der Fehler (s. u.).

1.

We see a young lady standing before (1) her house, and I think she has forgotten her key inside (2). So she does no/know (3) does not know how to get in. She suddenly had (4) the idea of breaking the window and getting in by this way (5). A young man coming along sees the broken window, is very astonished (6) and cries (7) for the police. The policeman comes along [lange

---

[173] Es ist uns klar, daß der Lehrer im allgemeinen nicht über die Zeit zu solchen Fehlerbild-Strukturierungen verfügt.

[174] Burgschmidt/Götz (1972).

Pause] ah, it's very difficult [sc. die Beschreibung; es folgt Neuansatz] the husband comes along, sees the house and the broken window and thinks of (8) thieves (9), of course. He cries (10) for the police but then he suddenly sees his wife appearing in the window and everything is okay.

2.

A woman returns home. She finds the door close[d?]. She has no key and she wants to enter (11). She takes a piece of stone (12), threws (13) the window and climbs into the room. Some time after (14) her husband returns home and he wa– he is very surprised to find the door locked blocked (15) and the window open. She (16) [sc. he, the husband] calls a policeman and he [sc. the husband] tells the story (17). The policeman is very astonished and some time after (18) the husband sees his wife inside (19) the room and he is very happy.

3.

On the first picture there's a lady standing in front of the house-door (20) and seemingly (21) she lost (22) their she lost their key and therefore smashed in (23) the window, opened it and climbed into into the into the flat. After some time her husband appears and he sees the smashed and open[ed?] (24) window and fortunately a policeman comes near the comes along and he calls him an they stand and both stand on each (25) side of the window waiting for the th– for the thief or or robber (26) – who must a– who must (27) appear, and for (28) the surprise of the husband and the and the anger of the policeman, the wife of the husband (29) appears and the situation is [lange Pause] is [lange Pause, Lachen] the situation [lange Pause] has a happy end (30).

4.

A young lady standing before the door of a house. Obviously she has forgotten the key. Therefore she smashes the window and opens the open its [sic] (31) from inside and climbs in. Some times after (32) her husband stands before the door, sees the broken window and calls a policeman. The policeman come comes to the house and then the the wife of this man appeared (33) at the window, and the policeman is quite [lange Pause] was (34) bothered, not bothered, he's he's startled (35).

5.

A woman a woman arrives at (36) home and she she has lost the skeys (37) [sic] and so she she had to go inward (38) through the window and therefore she has to broke (39) the window. And after a (40) time I think her husband arrives and he sees the broken window and so he he he calls the policeman, because he he thinks that that someone wanted to steal something. The two men, the policeman and the husband they they are waiting near the window and perhaps perhaps they are waiting for the thief (41). And after some time his his wife appears at the window and her husband is happy that all ended well (42).

Zur Phonologie seien nur wenige Bemerkungen angeführt. Alle Versuchspersonen hatten vorher einen anderen Text gelesen,[175] der die meisten der in der Bildbeschreibung auftretenden Wörter enthielt. Es zeigte sich, daß die Aussprache während der Beschreibung meist schlechter war als beim Lesen, z. B. [ˈpɔliːsmæn] gegenüber gelesenem [pəˈliːsmən]). Ohne Zweifel erfordert freies Sprechen ein höheres Maß an verbaler Planung als Lesen, und die Versuchspersonen schienen mit Syntax und Semantik der freien Äußerungen vollauf beschäftigt. Die Intonation – im Sinne einer kommunikationsgerechten Intonation – muß als praktisch "nicht vorhanden" beurteilt werden (sehr monoton, in der Regel nicht einmal spezifisch "deutsch") – wohl aus Gründen des mangelnden Überblicks über die noch zu konstruierenden Teile der Äußerung.

Nun zur Besprechung der durchnumerierten "Abweichungen" vom Standard:

(1) In Verbindung mit *stand* ist *in front of* statt *before* üblich. Durch Interferenz von dt. *vor* erfährt *before* häufig sog. Überrepräsentation.
(2) Performanzbedingte Kontamination von *has forgotten her key* und *has left her key inside*.
(3) Ausgesprochene Performanzschwäche: entweder zunächst *no* statt *not* oder Auslassung des *not*.
(4) Unmotivierter Tempuswechsel aufgrund mangelnder Textplanung und -übersicht.
(5) Korrekt: *this way*. Wahrscheinlich interlinguale Interferenz der Konstruktion von *auf diesem Wege* oder intralinguale Interferenz von *by these means*.
(6) Der Text ließe *surprised* erwarten, wenngleich *astonished* nicht falsch ist. *Signifiant*-Einfluß von dt. *erstaunt*?
(7) Keine genaue Entsprechung von *rufen* im Engl. vorhanden (Wortfeld mit Angehörigen *cry/weep/call/shout* usw.).
(8) *thinks of* infolge *denkt an*? (*think of* eher 's. vorstellen, ausmalen'.)
(9) *thief, theft* implizieren im Engl. 'no violence, secretly'; korrekt: *burglar*. (Die parallele Unterscheidung der dt. Rechtssprache *Dieb – Einbrecher* ist der dt. Umgangssprache nicht immer geläufig.)
(10) s. 7.

(11) *Enter* entspricht nicht der Stilebene, *get in* wäre angemessen.

(12) Kein Interferenzfehler (*ein Stück Stein*); erklärbar höchstens durch Analogie zu *a lump of sugar, a slice of bread, a sheet of paper* usw. Evtl. Übergeneralisierung.

(13) Sicher performanzbedingter Fehler; mangelnde Abrufbarkeit der korrekten Form. Bedeutet noch nicht, daß die Testperson *throw* notwendigerweise immer falsch konjugiert.

(14) Interferenz von *einige Zeit nachher, danach*. Korrekt: *some time later*.

(15) Falsche Wortwahl.

(16) *she*: Performanzfehler, mangelnde Konzentration.

(17) Richtig: *he tells what has happened* o. ä. Sicher direkt nach [...] *und erzählt ihm die Geschichte*.

(18) s. 13.

(19) Falsche Wortwahl: *inside* evoziert einen hier nicht intendierten Kontrast zu *outside*; richtig: *in*.

(20) Das engl. Wort ist *front-door*: Interferenz von *Haustür*.

(21) *apparently* wäre korrekt, doch vgl. die Fehler in der Muttersprache bei der Verteilung von *anscheinend, scheinbar, offensichtlich*.

(22) Falsches Tempus, evtl. Interferenz, da dt. Präteritum und Perfekt von vielen Sprechern undifferenziert nebeneinander gebraucht werden.

(23) *smashed the window*, nicht *smashed in ...* (*schlug ... ein*). *smash* impliziert jedoch Brutalität. Richtig: *break the window*.

(24) *smashed* (s. 23) *and open(ed?)*: ungewöhnliche Kollokation.

(25) logisch falsch; es können nicht beide auf jeder Seite stehen; Ursache wohl: Unkenntnis des Inhalts von *each*.

(26) *robber* impliziert in der Regel Angriff auf Personen, *thief* s. 9.

(27) Übergeneralisierung von *must* als '(logische) Notwendigkeit', richtig wäre *is sure to*.

(28) Falsche Präposition (Wortwahl); richtig: *to*.

(29) Vgl. *die Frau von dem Mann*.

(30) Deutlichstes Beispiel für "Denken in der Muttersprache": *die Lage ist gerettet* (Interferenz). Die Testperson bestätigte den Versuch, die Redewendung wörtlich zu übersetzen.

(31) Mangelhafte Steuerung der Artikulation.

(32) s. 14.

(33) und (34) Mangelnder Textüberblick; unbegründeter Tempuswechsel.

(35) Zweimalige falsche Wortwahl.

(36) Korrekt: *arrives home*. Wohl intralingualer Fehler, bedingt durch lernen von *to arrive at* als Einheit. Vgl. jedoch auch *kommt ... an* (interlingual).

(37) *skeys* (?*S-schlüssel*?).

(38) Wahrscheinlich falsche Hypothese: *inward* : *hinein* → *hineingehen* : *go inward*.

(39) s. 13.

(40) s. 14 (*ein-* aus *nach ein(ig)er Zeit?*).

(41) s. 9, 26.

(42) s. 4, 33, 34.

Gemäß der Ansetzung von Teilkompetenzen kann man versuchen, in Kompetenz- und Performanzfehler zu scheiden. In der Praxis impliziert diese Differenzierung jedoch – besonders bei Fortgeschrittenen – beträchtliche Schwierigkeiten. 13, 18 und 39 können nach einjährigem Unterricht Kompetenzfehler sein, sicher (bzw. hoffentlich) nicht bei Studenten der Anglistik. Konstruktionsmischungen wie 29, anfängliche Konstruktionsschwächen wie 3, mangelnde Textplanung wie bei 4, 16, 33, 34, mangelnde Abrufbarkeit (wieder 13, 18, 39), Schwächen in der Steuerung der Artikulationsmotorik (31) sind bei den betreffenden Testpersonen auf jeden Fall als Performanzschwächen anzusehen, die mehr oder minder auf zu wenig Sprachpraxis zurückgeführt werden können. Die Fehler, die auf interlingualer Interferenz (5–10, 14, 17, 20, [22, 23], 26, 29, 30, 32, 40, 41), auf intralingualer Interferenz (5, 36), falscher Wortwahl (15, 19, [21], 23, 28, 35, 38), Übergeneralisierung (5, 36, evtl. 38) und Unkenntnis der Sprachebenen (11) beruhen, k ö n n e n auf Kompetenzschwächen weisen. Sie können aber ebenso durch Zufälligkeiten (Müdigkeit, Aufregung besonders in der Laborsituation) entstanden sein. Erst größere Testmengen ließen hier die Teilkompetenz klarer hervortreten. Eine eindeutige Fehlerklassifikation scheint nur möglich, wenn die Testperson ihre eigenen Äußerungen korrigieren würde. Dann erst ist das "eigentlich Gewußte" klar vom "nicht Gewußten" zu scheiden.

Die Fehler interlingualer bzw. intralingualer Interferenz haben bei den vorliegenden fünf Texten einen Anteil von ca. 50%, die oben skizzierten Performanzfehler einen Anteil von ca. 32%. Kognitiver oder nicht-kognitiver kontrastiver Unterricht zielt demzufolge auf eine beträchtliche Zahl der Fehler – aber noch lange nicht auf alle.

4.5.3.   Der zweite Test, der hier vorgestellt wird, ist ein Diktat im ersten Jahr Englischunterricht (31 10-jährige). Von einer Nullkompetenz ausgehend ist nach 2½ Monaten eine beschränkte Teilkompetenz aufgebaut, die nun mit einem Test für *integrated skills* geprüft wurde. Das Diktat ist bekanntermaßen

---

[175] Dieser Text wurde freundlicherweise von Herrn D. Heath verfaßt, der auch die Beschreibungen auf Band aufgenommen hat. Herr M. Townson hat die Fehler aus 1. bis 5. mit uns durchbesprochen.

kein valider und zuverlässiger Test,[176] da Hördiskrimination, "Textrezeption" (semantischer und syntaktischer Teilbereich der erreichten Kompetenz in der Richtung Oberflächenstruktur → Tiefenstruktur) und Orthographie (im Englischen nicht regelmäßig und zudem nicht "phonetisch") zusammen geprüft werden. Als Test kommunikativer Rezeptionsfähigkeit ist das Diktat durch die notwendige Darbietung in abgetrennten Stücken und die verminderte Geschwindigkeit kein zuverlässiger Gradmesser. Doch ist es gerade im Anfangsunterricht oft ein wertvoller Gradmesser für einen Überblick über die Klassen-Teilkompetenz. Die Lehre von der *transitional competence* geht davon aus, daß man jeden Schüler ständig beobachten könne. Dies ist meist nicht ausreichend möglich. Vom Lehrer aus gesehen müßte nun die ideale Klassen-Teilkompetenz mit dem von ihm oder dem Lehrbuch projektierten Lernfortschritt (von etwa drei bis vier Lektionen) identisch sein. *Errors* dürften gemessen am Lernfortschritt der Ideal-Teilkompetenz nicht vorkommen. Die tatsächliche Klassen-Teilkompetenz ergibt sich aber aus den von einer größeren Zahl von Schülern gemeinsam gemachten Abweichungen. Sofern es sich nicht eindeutig um singuläre Performanzfehler handelt, muß man solche Abweichungen für den einzelnen Schüler als *error* bezeichnen, da die einzelnen Teilkompetenzen eben einen geringeren Umfang haben als die postulierte Ideal-Teilkompetenz. Trotzdem werden in der Praxis die gemachten Abweichungen als *mistakes* angesehen, weil der Schüler es "eigentlich wissen müßte", es aber "vergessen" hat oder im Zusammenhang oder in der Automatisierung noch nicht gesichert abrufen kann. Für das Diktat existiert eine eingehende Untersuchung von typischen Fehlern, vgl. Kühlwein.[177] Sie soll hier nicht ergänzt werden, es soll aber an einem speziellen Diktat gezeigt werden, welche Aspekte der KL und der Interferenzwahrscheinlichkeit, aber auch welche Probleme einer Bewertung auftreten.

Text:

Dictation

One Monday morning, David and his sisters are in their father's new house. What are they doing? They are painting mother's white kitchen. Look, this seat is blue, this cake on its plate is blue, and that window is blue, too. David is standing on the floor. He has a yellow cap on his head, a long shirt on and an apple in his hand. Vivien and Shirley are painting the short wall and the black curtain. The cat is under the cupboard and is eating a mouse. Bob, the dog, is eating Mrs Dent's shoes. Look, here is Mrs Dent! The woman can see the boys, the girls, and the big dog. She is saying, "Please, put this saucer on the table and wipe my kitchen!"

Gemachte Fehler (in der Folge ihres Auftretens bei der Auswertung):

(1) sisters	sister's (10), siter's (1)
(2) their	there (6), ther (4), here (1), they (3), the (3), thair (1)

---

[176] Man kann ihn allerdings "präparieren", vgl. Dengler (³1969).
[177] Kühlwein (1972).

(3) white	wihte (1)
(4) boys	boy's (2)
(5) girls	girl's (2)
(6) Monday	Mondy (1), Mondey (2), Manday (1), mandy (1), mondai (1), munday (1), montay (1)
(7) they	say (3), the (5), she (1), their (1)
(8) are	ar (1), or (6), a (3)
(9) on	an (8)
(10) mouse	mous (2), mouth (1), mouthe (1)
(11) here	her (2)
(12) mother	mather (1)
(13) paint	peint (4), pent (1), paynt (1)
(14) short	shirt (2), shut (1), sheort (1), shurt (1)
(15) curtain	skirtn (1), curtin (1), cairtin (1)
(16) new	nje (1)
(17) its	it's (1)
(18) shoes	shoe's (3)
(19) one	an (1), oun (1), whan (1), wan (1)
(20) Mrs Dent's	Dents
(21) doing	douing (1), daing (1)
(22) blue	bloue (1)
(23) under	ander (2)
(24) dictation	Diktation (1)
(25) morning	mornig (1)
(26) yellow	yellouy (1)
(27) wall	ball (1)
(28) cupboard	capot (1)
(29) woman	wommen (1)
(30) saying	seying (3)
(31) table	tapple (1), taible (1)
(32) wipe	wibe (1)
(33) my	me (1)
(34) mother's	mothers (4), mother (1)
(35) kitchen	kittchen (1)
(36) father's	fathers (3), father (1)
(37) eating	iting (1)

Erwartet man von dem Fehlerbild eines solchen Diktats weitreichende Aufschlüsse über die Hördiskriminationsfähigkeit und die semantisch-syntaktische
Kombinationsfähigkeit der Schüler, so wird man sicher "enttäuscht". Die

Schüler haben die meisten Wörter in ihrer Gesamtgestalt wiedererkannt und hatten es gar nicht nötig, noch phonologisch "aufzuschlüsseln". Gleiches gilt für die Satzgestalt, die durch die besprochene Lektion (*Learning English* – Klett) bekannt und durch diktierte Interpunktion erleichtert ist. Trotzdem sind sowohl auf phonologischem wie syntaktisch-morphologischem Gebiet Testziele und Schlüsse auf die Teilkompetenz möglich.

Bei nicht-entsprechenden Phonemen des Deutschen und Englischen wird besonders für Englisch *th* [θ, ð] durch Interferenz [s] gehört bzw. produziert, so (7); Überkompensierung dazu in (10) zeigt Kenntnis der Differenzierungsnotwendigkeit, aber noch fehlende Hördiskrimination als *skill* an. Erkannte Wörter wie *they*, *there* und *saying* werden in diesem Stadium schon nicht mehr – zumindest in diesem Punkte – falsch geschrieben. Für den gegebenen Dialektbereich ist weiterhin Differenzierungsschwierigkeit bei stimmhaften und stimmlosen Plosiven und Frikativen gegeben. Hierauf ist im Diktat nicht speziell abgezielt, nur wenige Fehler (6, 31, 32) weisen auf die Unsicherheit hin. Der im Deutschen nicht vorfindliche sehr offene Hinterzungenvokal produziert Fehler wie (9), Fehler wie (27) weisen auf ein sehr komplexes Problem hin, das im allgemeinen in der Produktion von größerer Bedeutung ist (/w/ – /v/ – /b/ – /f/). Bei Hinterzungenvokalen, besonders mit diphthongischer Qualität und *r*-Orthographie treten Fehler auf wie (8, 14, 15), die aber – wie alle bisherigen – noch eher phonologische Gründe haben als intralinguale "Störung" durch Orthographie. Diese Fehler sind daher für Teilkompetenz wichtig.

Spricht man von "Schreiben" als *basic skill*, so ist nicht Orthographie, sondern schriftliche Produktion von Texten gemeint, doch ist Umsetzung in Schrift eine zusätzliche Fertigkeit. Fehler wie die Varianten für *there* (2) sind zum Teil reine Orthographiefehler, also auch Performanzfehler, wie sie Engländern unterlaufen. *There* gehört (besonders in Verwechslung zu *their*) zu den acht am häufigsten falsch geschriebenen Wörtern der englischen *native speakers*.[178] Der Fehler hat meist nichts mit falscher semantischer Dekodierung zu tun. Orthographisch schwierige Wörter, die aber von den Schülern teilweise phonologisch und im ganzen semantisch wiedererkannt waren, verursachten Fehler wie (19 zum Teil, 6 zum Teil, bes. aber 15, 28, [16]). Orthographische Interferenzen der Muttersprache sind (12, 23, 24, 37, 6 zum Teil: *Manday, mandy* – letzteres vielleicht semantisch nicht erkannt). (35) könnte die Übernahme der deutschen Regel (Konsonantengraphem-Verdoppelung nach kurzem Vokal) darstellen, falls man damit nicht überinterpretiert und nur ein reiner Performanzfehler vorliegt wie auch in (25, 1 [*siter's*], evtl. auch [3]). Inwieweit das häufige *the* für *they* (7) Performanzfehler oder Hörfehler ist, ist oft schwer zu

---

178 Vgl. auch Kamratowski/Schneider (1969).

entscheiden. Relativ schwer sind auch die Gründe für Substitutionen wie (2, 7, 33) und Unsicherheiten wie (26, 14 u. a.) anzugeben.

Das wichtigste Ziel des Tests lag aber nicht auf dem Gebiet der Hördiskrimination, sondern auf dem morphologisch-syntaktischen Sektor, der im angestrebten Testbereich im Englischen über die Orthographie gut testbar ist. Es handelt sich um die grammatische Homonymie in Verbindung mit Konvergenz (D → E) [179] bei Genitiv- und Plural-{-S}. Getestet wird somit Textverständnis. Da anzunehmen ist, daß der Unterschied von allen Schülern als Regel internalisiert wurde, im Kontext aber keineswegs automatisch abrufbar ist, erweist sich dieses Testziel als fündig. Die Fehlerzahl in der Klasse ist recht hoch (vgl. 1 [10×], 4, 5, 18, 20, 34, 36), bei einzelnen Schülern ist jedoch keine Konsistenz anzutreffen, weder nach ausschließlich "richtig-falsch" noch nach Betonung einer Fehlerart (nur Genitive falsch oder nur Plurale). Somit sind auch hier wohl mehr Performanzfehler als Kompetenzfehler anzusetzen. *Sisters* und *father's* im ersten Satz zeigen hohe Fehlerquoten – bedeutet dies nicht evtl. auch "Anlaufschwierigkeiten" bei der Regelerinnerung? [180] Die Klassen-Teilkompetenz ist im Bereich der *integrated skills* bei Erkennung von Funktionen und Zuweisung der Orthographie für das Gebiet "Genitiv"/"Plural" als vermindert anzusprechen.

4.5.4. Im letzten Abschnitt soll ein Satz einer Übersetzung im 4. Jahr Englischunterricht (22 14-jährige) dargestellt werden. Einzelsatzübersetzungen lassen Validität und Reliabilität eines Tests zu, wenn das oder die zu prüfenden *items* klar hervortreten und nicht durch zu viele Sonderprobleme "verdeckt" werden.

In dem Satz *Neulich war alles schief gegangen, er war ernstlich krank geworden* werden zwar verschiedene Dinge getestet, jedoch sind sie klar trennbar. Einmal handelt es sich um den Komplex der Tempusbildung. Gefordert ist Erkennung eines Plusquamperfekts im Deutschen und seine Übersetzung. Dabei ist auch die Erkennung im Deutschen bereits ein sprachliches Problem, da es im dialektalen "deutschen" System der Schüler (Franken) an und für sich nicht enthalten ist (die größere Zahl der Imperfekt-Übersetzungen ist darauf zurückzuführen). [181] Interlingual ergibt sich ein Konvergenz-Problem, da im Deutschen eine

---

[179] Konvergenz liegt insofern vor, als für gleiche bzw. vergleichbare Funktionen im Deutschen die OS des "Genitiv" und des Plurals (Nominativ/Akkusativ) morphologisch klar getrennt sind (jeweils mehrere Allomorphe, z. B. Tages/Tage; Ente/Enten; Mannes/Männer; Hofes/Höfe usw.).

[180] Unseres Wissens existieren keine Untersuchungen über Massierung der Fehler in bestimmten Teilen der Tests. Anfang und Schluß sind aber aus jeweils verschiedenen (psychologischen) Gründen fehlerträchtig.

[181] Hiermit ist ein Problem der KL von deutschen Subsystemen angesprochen.

(allerdings ungleichgewichtige) Verteilung der Hilfsverben *sein* und *haben* für die Bildung zusammengesetzter Tempora vorliegt, im Englischen aber nur *have* gebraucht wird.[182] Beim Verbkomplex ergibt sich weiterhin das Problem der richtigen Setzung der Partizip-Perfekt-Formen zweier unregelmäßiger Verben (morphologisches Problem) sowie der Setzung der richtigen idiomatischen Verbalphrasen überhaupt (besonders im zweiten Teil des Satzes relevant). Der zweite Hauptaspekt des Satzes ist Bildung, Differenzierung und Stellung von Adverbien bzw. Adjektiven (4 *items* mit Interferenzaspekten). Für die gemachten Fehler ergeben sich in der Reihenfolge der *items* folgende Fehlermöglichkeiten:

Die Übersetzungen aller 22 Schüler der Klasse für den Satz "Neulich war alles schief gegangen, er war ernstlich krank geworden.":

1. Recently everything went wrong, he had turned seriously ill.
2. Lately everything went wrong, he was fallen seriously ill.
3. The other day everything had went wrong, he had fallen ill.
4. Lately everything had gone wrong, he had fallen seriously ill.
5. The other day, everything had gone wrong, he had seriously been fallen ill.
6. The other day everything went wrong, he has fallen seriously ill.
7. (= 4.)
8. Lately everything had gone wrong, he had seriously fallen ill.
9. Recently all was gone wrong, he really felt ill.
10. (= 8.)
11. Shortly everything had gone wrong, he had been seriously ill.
12. The other day all has gone wrong, he had ernest fallen ill.
13. (= 8.)
14. Recently everything had gone wrong, he ernestly had fallen ill.
15. All had gone wrong the other day, he had fallen seriously ill.
16. (= 4.)
17. Everything lately had gone wrong, he ernestly fell ill.
18. Lately everything went wrong, he became earnestly ill.
19. (= 8.)
20. All had gone wrong, he had earnest fallen ill.
21. The other day everything had gone wrong, he had earnestly fallen ill.
22. Everything had lately gone wrong, he had earnest felt ill.

---

[182] *Be* nur in Sonderfällen: *he was gone* ('er war fort') – und da perfektiv.

Gliederung des Testsatzes nach Fehlertypen:

(a) falsches Wort für übersetztes *neulich*
(b) falsche Stellung von übersetztem *neulich*
(c) falsches Tempus bei übersetztem *war gegangen (went, has gone)*
(d) falsches Hilfsverb für *war gegangen (was)*
(e) falsches Partizip Perfekt für *gegangen (went)*
(f) falsches Idiom
(g) falsches Tempus bei übersetztem *war geworden* (Prät.)
(h) falsches Hilfsverb für *war (geworden)*
(i) falsches Partizip Perfekt für *geworden*
(j) falsches Wort für deutsch *ernstlich (earnest* – formale [und semantische] Interferenz)
(l) keine Adverbbildung von übersetztem *ernstlich (serious* oder falsches *earnest* – vgl. [k])
(m) falsche Adverbstellung von übersetztem *ernstlich (seriously* oder falsches *earnestly).*

In eine solche kontrastive Analyse der gerichtet (D → E) betrachteten semantisch-syntaktischen Tatbestände kann der Lehrer die Fehler eintragen und sofort ein Bild zumindest über die Klassen-Teilkompetenz und das Verhältnis zur idealen Teilkompetenz gewinnen, aber auch den einzelnen Schüler besser beurteilen (s. "Fehlerspiegel" S. 153).

4.6. Erläuterungen und Literaturhinweise

Zur Einführung in die Sprachpsychologie sind zu empfehlen Herriott (1970), Correll (¹¹1971) und List (1972). Hörmann (1967), Hilgard/Bower (1971) und Houston (1972) sind großangelegte Forschungsberichte und zur Orientierung für den Linguisten sehr wertvoll. Über die verschiedenen Schulen hinaus bringt Gagné (1969) eine gute Zusammenfassung und Integration lerntheoretischer Aspekte. Das umfangreichste deutsche Werk zur Sprachpsychologie ist Kainz (1954–1969).

Für die mehr behavioristisch ausgerichtete Sprachlern- und Interferenzpsychologie liegt mit Jung (1968) eine gute Zusammenfassung vor. Über den (Kinder-)Spracherwerb informiert einführend Ramge (1973). Stärker den TG-orientierten Psychologen verpflichtet ist McNeill (1970) mit umfangreicher Bibliographie. Verschiedene Aufsätze dieser Richtung sind vertreten bei Oldfield/Marshall (1968). Biologische Aspekte des Spracherwerbs behandelt Lenneberg (1972). Für die Psychologie des Fremdsprachenunterrichts vergleiche – von verschiedenen Ausgangspunkten her – Belyayev (1963) und Rivers (1964).

Fehlerspiegel der Klasse (s. 4.5.4)

Schüler		Testitems													
	a	b	c	d	e	[f]	g	h	i	j	k	l	m	Fehlerzahl
1			Prät.							(turn)				1
2			Prät.											2
3					went			was			[−]			2
4														
5								[+been]					X	2
6			Prät.				Perfekt							2
7													X	1
8				was			Prät.		felt[!]		really		X	5
9													X	1
10													X	2
11	shortly		Perf.							be				4
12											ernest [!]	X	X	1
13													X	2
14											ernestly [!]		X	[+all]
15														
16		X												
17			Prät.				Prät.				ernestly [!]		X	3
18							Prät.			become	earnestly			4
19													X	1
20	[−]										earnest		X	4 [+all]
21											earnestly		X	2
22		X									earnest		X	5

153

Für die Interferenz ist die Lektüre von Weinreich (1953), Juhász (1970) und Lüllwitz (1970) – und zusammen mit anderen Themengebieten – v. Parreren (1966) zu empfehlen.
Für die Fehlerlehre gibt es wenig grundsätzliche neuere Untersuchungen. Immer noch lesenswert ist Weimer ([2]1929). Einige wichtige Aufsätze finden sich in dem Band Fehlerkunde (Hgb. G.Nickel) – bes. von Corder, Leisi, Kühlwein. Dazu empfiehlt sich auch die Lektüre von Barrutia (1969), Corder (1969, 1972) und Juhász (1970).

Agard, F. B./Dunkel, H.: *An Investigation of Second-Language Learning*, Boston 1948

Alatis, J. E. (Ed.): *Bilingualism and Language contact: anthropological, linguistic, psychological, and sociological aspects.* Report of the 21st Annual Round Table Meeting on Linguistics and Language Studies, Washington, D. C. 1970

Anglin, J. M.: *The growth of word meaning*, Cambridge/Mass. 1970

Arabski, J.: "A Linguistic Analysis of English Composition Errors made by Polish Students", in: *Studia Anglica Posnaniensia* 1 (1968), 71–89

Baird, A.: "Contrastive Studies and the Language Teacher", in: *English Language Teaching* 21 (1967), 130–135

Banathy, B./Madavasz, P. H.: "Contrastive Analysis and Error Analysis", in: *Journal of English as a Second Language* 4 (1969), 77–92

Bar-Adon, A./Leopold, W. (Eds.): *Child Language.* A Book of Readings, Englewood Cliffs 1971

Barrutia, R.: *Linguistic Theory of Language Learning* as related to machine teaching, Heidelberg 1969

Bausch, K. R.: *Zum Verhältnis von Interferenzerscheinungen und Fehleranalyse.* Ein Zwischenbericht über ein deutsch-französisches Projekt, (angekündigt)

Becica, B.: "First Language Background as it effects ESL Teaching", in: *TESOL Quarterly* 3 (1969), 349–353

Belyayev, B. V.: *The Psychology of Teaching Foreign Languages* [1959], Übs. Oxford/London 1963

Berry, T. E.: *The Most Common Mistakes in English Usage*, London 1963

Bickerton, D.: "Cross-level interference: the influence of L1 syllable structure on L2 morphological error", in: *Applications of Linguistics*, Eds. G. E. Perren/J. L. M. Trim, Cambridge 1971, 133–140

Bierwisch, M.: "Fehler-Linguistik", in: *Linguistic Inquiry* 1 (1970), 397–414

Bloom, L.: *Language Development: Form and Function in Emerging Grammars*, Cambridge/Mass. 1970

Blumenthal, A. L.: *Language and Psychology.* Historical aspects of psycholinguistics, New York 1970

Bossard, J. H. S.: "The bilingual individual as a person – linguistic identification with status", in: *Am. Soc. Rev.* 10 (1945), 699–709

Brinkmann, H.: *How to avoid mistakes*, Frankfurt/M. [3]1969

Burt, C.: "The structure of the mind", in: *The Brit. Journal of Educ. Psych.* 19 (1949), 100–111; 176–199

Buteau, M.: "Students' Errors and the Learning of French as a Second Language: A Pilot Study", in: *IRAL* 8 (1970), 133–145

Carroll, J. B.: "A Factor Analysis of Verbal Abilities", in: *Psychometrika* 6 (1941), 279–307

Carroll, J. B./Sapon, S. M.: *Modern Language Aptitude Tests*, New York 1959

Carroll, J. B.: "The contribution of Psychological Theory and Educational Research to the Teaching of Foreign Languages", in: G. Müller (Hgb.): *Internationale Konferenz "Moderner Fremdsprachenunterricht"* 31. 8.–5. 9. 1964. Bericht. Berlin 1965, 365–381

Carroll, J. B.: "Contrastive Linguistics and Interference Theory", in: *Contrastive Linguistics and its Pedagogical Implications* (1968), 113–122

Cecco, J. P. de: *The Psychology of Learning and Instruction. Educational Psychology*, Englewood Cliffs 1968

Chapman, F. L./Gilbert, L. C.: "A Study of the influence of familiarity with English words upon the learning of their foreign language equivalents", in: *Journal of Educational Psychology* 28 (1937), 621–638

Cheng, W.: *A Study of Mistakes made by Chinese Students*, S. A. L. Diss. Edinburgh 1962

Chomsky, C.: *The Acquisition of Syntax in Children from 5 to 10*, Cambridge/Mass. 1969

Chomsky, N.: [Rezension zu Skinner: Verbal Behavior, 1957], in *Language* 35 (1959), 26–58

Christ, F. M.: *Foreign Accent*, Englewood Cliffs 1964

Christopherson, P.: *Second Language Learning*, Harmondsworth 1973

Cook, V. J.: "The analogy between first and second language learning", in: *IRAL* 7 (1969), 207–216

Corder, S. P.: "Idiosyncratic dialects and error analysis", in: *IRAL* 9 (1971), 147–160

Corder, S. P.: "Zur Beschreibung der Sprache des Sprachlerners", in: *Reader zur kontrastiven Linguistik* (1972), 175–184

Corder, S. P.: "Die Rolle der Interpretation bei der Untersuchung von Schülerfehlern", in: G. Nickel (Hgb.): *Fehlerkunde* (1972), 38–50

Correll, W.: *Lernpsychologie. Grundfragen und pädagogische Konsequenzen*, Donauwörth [11]1971

Correll, W. (Hgb.): *Programmiertes Lernen und Lehrmaschinen*. Eine Quellensammlung zur Theorie und Praxis des programmierten Lernens, Braunschweig 1965 u. ö.

Coulter, K.: *Linguistic error-analysis of the spoken English of two native Russians*, Unpubl. M. A. Thesis, Univ. of Washington 1968

Dato, D. P.: "The development of the Spanish verb phrase in children's second language learning", in: *The Psychology of Second Language Learning*, Eds. P. Pimsleur/T. Quinn, Cambridge 1971, 19–33

Davies, A. (Ed.): *Language Testing Symposium. A Psycholinguistic Approach*, London 1968

Debyser, F.: "La linguistique contrastive et les interférences", in: *Langue francaise* 8 (1970), 31–61

Deese, J.: *The structure of associations in language and thought*, Baltimore 1965

Deimel, Th.: *Zur Korrektur und Bewertung neusprachlicher Arbeiten*, Dortmund 1961

Dengler, K.: *English Dictation Practice*, München [3]1969

Diebold, A. R.: "The Consequences of Early Bilingualism in Cognitive Development and Personality Formation", *Paper prepared for the Symposium: The Study of Personality*, Rice Univ. Houston 1966 (Ms.)

Dietrich, G./Walter, H.: *Grundbegriffe der psychologischen Fachsprache*. Begriffe zweisprachig deutsch–englisch, München 1970

Diller, K. C.: *Generative grammar, structural linguistics, and language teaching*, Rowley/Mass. 1971

Diller, K.: "Compound and Co-ordinate Bilingualism: A Conceptual Artefact", *Paper read at the 42nd Annual Meeting of the Linguistic Society of America*, Chicago 1967

Ferguson, Ch. A./Slobin, D. I. (Eds.): *Studies of Child Language Development*, New York 1973

Doyé, P.: *Frühbeginn des Englischunterrichts*, Berlin/Bielefeld 1966

Duskova, L.: "On Sources of Errors in Foreign Language Learning", in: *IRAL* 7 (1969), 11–36

Eisler, F. G.: *Psycholinguistics*. Experiments in spontaneous speech, London 1968

Elwert, Th.: "Das zweisprachige Individuum – Ein Selbstzeugnis", in: *Abhandlungen der geistes- und sozialwiss. Klasse der Akad. der Wiss. Mainz*, Jg. 1959, Nr. 6, Wiesbaden 1960, 265–344

Emrich, L.: "Beobachtungen zur Zweisprachigkeit in ihrem Anfangsstadium", in: *Deutschtum im Ausland* 21 (1938), 419–424

Epstein, J.: *La pensée et la polyglossie*. Essai psychologique et didactique, Lausanne 1915

Ervin-Tripp, S. M./Slobin, D. I.: "Psycholinguistics", in: *Annual Review of Psychology* 17 (1966), 435–474

Ervin-Tripp, S. M.: "Language development", in: Lois & Martin Hoffmann (Eds.): *Review of Child Development Research*, vol. 2, New York 1966, 55–106

Dodson, C. J.: *Language Teaching and the Bilingual Method*, London 1967

Fisher, J. C.: *Linguistics in Remedial English*, The Hague 1966

Fishman, J. A.: "The Sociology of Language: An Interdisciplinary Social Science Approach to Language in Society", in J. A. Fishman (Ed.): *Advances in the Sociology of Language*, vol. I, The Hague, 217–404 (bes. 286–310)

Fishman, J. A.: "Bilingualism, intelligence and language learning", in: *MLJ* 49 (1965), 227–237

Fitikides, T. J.: *Common Mistakes in English*, London 1967

Flavell, J. H.: *Development psychology of Jean Piaget*, London 1963

Frei, H.: *La Grammaire des Fautes*, Paris 1929

French, F. G.: *Common Errors in English*, London [11]1967

Freudenstein, R.: "Lernpsychologische Aspekte im neusprachlichen Unterricht", in: *Der fremdsprachliche Unterricht* 4, H. 16 (1970), 26–41

Friedl, B. C.: *A study of conflict involved in the use of different languages*, Unpubl. M. A. Thesis, Univ. of Chicago 1926

Fries, C. C./Pike, K.: "Coexistent Phoneme Systems", in: *Language* 25 (1949), 29–50

Fuchs, W. R.: *Knaurs Buch vom neuen Lernen*, München/Zürich 1969

Gagné, R. M.: *Die Bedingungen des menschlichen Lernens* [1965], Hannover 1969 (Übs.)

Gardner, R. C./Lambert, W. E.: *Attitudes and Motivation in Second-Language Learning*, Rowley/Mass. 1972

Gaude, P./Teschner, W. P.: *Objektivierte Leistungsmessung in der Schule*, München [2]1971

Geissler, H.: *Zweisprachigkeit deutscher Kinder im Ausland*, Stuttgart 1938

George, H. V.: *Common Errors in Language Learning: Insights from English*, Rowley/Mass. 1972

Gibson, E. J.: "A systematic application of the concepts of generalization and differentiation to verbal learning", in: *Psychological Review* 47 (1940), 196–229

Grauberg, W.: "An error analysis in German of first-year university students", in: *Applications of Linguistics*, Eds. G. E. Perren/J. L. M. Trim, Cambridge 1971, 257–263

Grève, M. de/Passel, F. van: *Linguistik und Fremdsprachenunterricht*, München 1971

Gutschow, H.: "Zur Analyse von Schülerfehlern", in: *Englisch* 3 (1968), 77–79

Harap, H.: "The Most Common Grammatical Errors", in: *English Journal* 19 (1930), 440–446

Harper, D. L.: *Error Analysis*, S. A. L. Diss. Edinburgh 1962

Harris, D. P.: "The Linguistics of Language Testing", in: A. Davies (Ed.): *Language Testing Symposium*. A Psycholinguistic Approach, London 1968, 36–45

Harris, D. P.: *Testing English as a Second Language*, New York 1969

Haseloff, O. W.: *Psychologie des Lernens*, Berlin 1970

Hayer, J. R. (Ed.): *Cognition and the Development of Language*, New York 1970

Helmers, H.: *Zur Sprache des Kindes*, Darmstadt 1969 (Wege der Forschung 42)

Long, Heng Hua: *One thousand Verb Errors*, S. A. L. Diss. Edinburgh 1962

Henning, W. A.: "Discrimination Training and Self-Evaluation in the Teaching of Pronunciation", in: *IRAL* IV (1966), 7–17

Hermann, T.: *Einführung in die Psychologie*, Vol. 5: *Sprache*, Frankfurt/M. 1972

Herriott, P.: *An Introduction to the Psychology of Language*, London 1970

Heuser, J.: "Bewertung und Behebung von Fehlern", in: *Englisch* 3 (1968), 68–74

Higa, M.: "The psycholinguistic concept of 'Difficulty' and the Teaching of Foreign Language Vocabulary", in: *Language Learning* 15 (1965), 167–179

Hilgard, E. R./Bower, G. H.: *Theorien des Lernens* I/II (Übs.), Stuttgart ²1971/1971

Hill, J. H.: "Foreign accents, language acquisition and cerebral dominance revisited", in: *Language Learning* 20 (1970), 237–248

Hörmann, H.: *Psychologie der Sprache*, Berlin 1967

Dixon, D. L./Horton, Th. R. (Eds.): *Verbal Learning and General Behavior Theory*, Englewood Cliffs 1968

Hughes, J. D.: "Let us stop teaching imaginary languages", in: *The Modern Language Journal* 32 (1948), 405–410

Jakobovits, L. A./Miron, M. S. (Eds.): *Readings in the Psychology of Languages*, Englewood Cliffs 1967

Jakobovits, L. A.: "Second Language Learning and Transfer Theory", in: *Language Learning* 19 (1969), 55–86

Jakobovits, L. A.: *Foreign Language Learning*. A Psycholinguistic analysis of the issues, Rowley/Mass. 1970

Jakobovits, L. A.: "Implications of Recent Psycholinguistic Developments for the Teaching of a Second Language", in: M. Lester (Ed.): *Readings in Applied Transformational Grammar*, New York 1970, 253–276

Jakobson, R.: *Kindersprache*. Aspekte und allgemeine Lautgesetze, Frankfurt/M. 1969

Jakobson, R./Halle, M.: *Fundamentals of Language*, 's-Gravenhage 1956

Johnson-Laird, P. N.: "The Perception and Memory of Sentences", in: *New Horizons in Linguistics*, Ed. J. Lyons, Harmondsworth 1970, 261–270

Jones, W. R.: *Bilingualism in Welsh Education*, Cardiff 1966

Juhász, J.: *Richtiges Deutsch – 16 Gespräche über typische Fehler in der Umgangssprache für Ungarn*, Budapest 1965

Juhász, J.: "Das Ranschburgsche Phänomen beim Lernen von Fremdsprachen", in: *Linguistik und Didaktik* 1 (1970), 215–221

Juhász, J.: *Probleme der Interferenz*, München 1970

Jung, J.: *Verbal Learning*, New York 1968

Kainz, F.: *Psychologie der Sprache*, 5 Bde, Stuttgart ²1954–69 (1941 ff.), Bd. 4: *Spezielle Sprachpsychologie*

Kainz, F.: "Die Sprachpsychologie und die sprachpsychologischen Grundlagen des modernen Sprachunterrichts", in: *Erziehung und Unterricht* 5 (1958), 257–271

Kainz, F.: *Die Sprachentwicklung im Kindes- und Jugendalter*, New York 1964

Kamratowski, J./Schneider, J.: "Zum Problem der englischen Rechtschreibung", in: *Englisch* 4 (1969), 69–74

Kausler, D. H. (Hgb.): *Readings in Verbal Learning*, New York 1966

Kenyeres, E. & A.: "Comment une petite Hungaroise de sept ans apprend le français", in: *Archives de psychologie* 26 (1938), 321–366

Kerr, J. Y.: *Common Errors in Written English*, Burnt Mill 1969

Kessel, F. S.: *The role of syntax in children's comprehension from ages six to twelve*, Chicago 1970

Kießling, A.: *Die Bedingungen der Fehlsamkeit*, Leipzig 1925

Kintsch, W. & E.: "Interlingual Interference and Memory Processes", *J. of Verbal Learning and Verbal Behavior* 8 (1969), 16–19

Kleinecke, W.: "Theoretische Grundlagen der Fehlerbewertung im Englischen", in: *MADNV* 13 (1960), 144–147

Kleinjans, E.: *A Descriptive Comparative Study Predicting Interference of Japanese in Learning English Noun-Head Modification Patterns*, Ph. D. Diss., Univ. of Michigan 1958

Kohler, K.: "On the adequacy of phonological theories for contrastive studies", in: *Papers in Contrastive Linguistics*, Ed. G. Nickel, Cambridge 1971, 83–88

Krüger, G.: *Unenglisches Englisch*, Dresden/Leipzig 1918

Kühlwein, W.: "Fehleranalyse im Bereich des englischen Vokalismus", in: G. Nickel: *Fehlerkunde* (1972), 51–66

Lado, R.: "A Prime Source of Student Errors", in: *Language Learning* 1 (1948), No. 3, 1–3

Lado, R.: "Patterns of Difficulty in Vocabulary", in: H. B. Allen (Ed.): *Teaching English as a Second Language*, New York 1965, 208–221

Lado, R.: *Testen im Sprachunterricht* [1961], München 1971 (Übs.)

Lado, R.: "Meine Perspektive der kontrastiven Linguistik 1945–1972", in: *Reader zur kontrastiven Linguistik* (1972), 15–20

Lambert, W. E.: "Measurement of the Linguistic Dominance of Bilinguals", in: *Journal of Abnormal and Social Psychology* 50 (1955), 197–200

Lambert, W. E.: "Measurement of the Linguistic Dominance of Bilinguals", in: *Journal of Social Psychology* 43 (1956), 83–104 (3 Teile)

Lambert, W. E./Havelka, J./Crosby, C.: "The Influence of Language-Acquisition Contexts on Bilingualism", in: *J. of Abnormal and Social Psychology* 56 (1958), 239–244

Lambert, W. E.: "Psychological Approaches to the Study of Language", in: *The Modern Language Journal* 47 (1963), 51–62, 114–121

Lambert, W. E./Preston, M. S.: "The Interdependence of the Bilingual's Two Languages", in: K. & S. Salzinger (Eds.): *Research in Verbal Behavior and Some Neuropsychological Implications*, New York 1967, 115–9

Lambert, W. E./Tucker, G. R.: *Bilingual Education of Children*. The St. Lambert Experiment, Rowley/Mass. 1972

Lamérand, R.: *Programmierter Unterricht und Sprachlabor*. Theorien und Methoden, München 1971

Lane, H. L.: "Some differences between first and second language learning", in: *Language Learning* 12 (1962), 1–14

Lehmensick, E.: *Die Theorie der formalen Bildung*, Göttingen 1926

Leisi, E.: "Theoretische Grundlagen der Fehlerbewertung", in: G. Nickel: *Fehlerkunde* (1972), 25–37; auch bereits *MADNV* 13 (1960), 137–144

Lenneberg, E. H.: "The Capacity for Language acquisition", in: M. Lester (Ed.): *Readings in Applied Transformational Grammar*, New York 1970, 61–95

Leont'ev, A. A.: *Sprache – Sprechen – Sprechtätigkeit*, Stuttgart 1971

Leopold, W.: *Speech Development of a Bilingual Child*. A linguist's record, 4. vols., Evanston 1939–1949

Leopold, F. W.: "Kindersprache", in: *Phonetica* 4 (1959), 191–214

List, G.: *Psycholinguistik*. Eine Einführung, Stuttgart 1972

Löwe, H.: *Einführung in die Lernpsychologie des Erwachsenenalters*, Berlin 1971

Lyons, J./Wales, R. L.: *Psycholinguistics Papers*, Edinburgh 1966

Mackey, W. F.: "Bilingual Interference: Its Analysis and Measurement", in: *The Journal of Communication* 15 (1965), 239–249

Mackey, W. F.: *La Rentabilité des Minilangues*, Quebec: Univ. Laval (Centre international de recherches sur le bilinguisme) 1971

Mach, V.: "Comparative analysis of English and Czech phonology and prediction of errors in learning", in: *Papers in Contrastive Linguistics*, Ed. G. Nickel, Cambridge 1971, 103–106

Marshall, J. C.: "The Biology of Communication in Man and Animals", in: *New Horizons in Linguistics*, Ed. J. Lyons, Harmondsworth 1970, 229–241

McCarthy, D.: "Language Development in Children", in: L. Carmichael (Ed.): *A Manual of Child Psycholgy*, New York [2]1954, 492–630

McGeoch, J. A.: *The Psychology of Human Learning*, New York [2]1953

McNeill, D.: *The Acquisition of Language. The Study of Developmental Psycholinguistics*, New York 1970

Menyuk, P.: *Sentences children use*, Cambridge/Mass. 1969

Menzel, W.: *Theorie der Lernsysteme*, Berlin/Heidelberg 1970

Mikes, M.: "Contrastive analysis of the Hungarian and Serbocroatian noun phrase", in: *Applications of Linguistics*, Eds. G. E. Perren/J. L. M. Trim, Cambridge 1971, 335–339

Miller, G. A./Galanter, E./Pribram, K. H.: *Plans and the structure of Behavior*, New York 1960

Miller, G. A.: „Some psychological studies of grammar", in: *American Journal of Psychology* 17 (1962), 748–762

Moulton, W. G.: "Towards a Classification of Pronunciation Errors", in: *Modern Language Journal* 46 (1962), 101–9

Moskowitz, A. I.: *The acquisition of phonology*, Berkeley/Univ. of California 1970

Müller, R.: "Rechtschreibung und Fehleranalyse", in: *Schule und Psychologie* 12 (1965), 161–173

159

Nemser, W.: "Approximative Systems of Foreign Language Learners", in: *YSCECP. B. Studies* 1 (1969), Zagreb, 3–12

Nemser, W.: "The predictability of interference phenomena in the English speech of native speakers of Hungarian", in: *Papers in Contrastive Linguistics*, Ed. G. Nickel, Cambridge 1971, 89–96

Newmark, L./Reibel, D. A.: "Necessity and Sufficiency in Language Learning", in: M. Lester (Ed.): *Readings in Applied Transformational Grammar*, New York 1970, 228–252

Nickel, G.: "Problems of Learners' Difficulties in Foreign Language Acquisition", in: *IRAL* 9 (1971), 219–227

Nickel, G.: "Kontrastive Sprachwissenschaft und Fehleranalyse", in: *Fragen der strukturellen Syntax und der kontrastiven Grammatik*, Sprache der Gegenwart 17, Hgb. H. Moser, Düsseldorf 1971, 210–217

Nickel, G. (Hgb.): *Fehlerkunde.* Beiträge zur Fehleranalyse, Fehlerbewertung und Fehlertherapie, Berlin 1972

Nida, E. A.: "The Most Common Errors in Translating", in: *BT* 1 (1950), 51–56

Niyekawa-Howard, A. M.: *A Study of Second Language Learning.* The Influence of 1st Language on Perception, Cognition and Second Language Learning. A Test of the Whorfian Hypothesis, Honolulu 1968

Noble, C. E.: "An analysis of meaning" in: *Psychological Review* 59 (1952), 421–430

Oksaar, E.: "Sprachliche Interferenzen und die kommunikative Kompetenz", in: H. Pilch/J. Thurow (Hgb.): *Indo-Celtica*, München 1972

Oldfield, R. C./Marshall, J. C.: *Language.* Selected Readings, Harmondsworth 1968 u. ö.

Oller, J. W.: *Difficulty and Predictability*, Los Angeles 1971 (Ms.)

Oller, J. W.: *Transfer and Interference as Special Cases of Induction and Substitution*, Los Angeles 1971 (Ms.)

Osgood, Ch. E./Suci, G. J./Tannenbaum, P. H.: *The measurement of meaning*, Urbana 1957

Parreren, C. F. v.: *Lernprozeß und Lernerfolg.* Eine Darstellung der Lernpsychologie auf experimenteller Grundlage, Braunschweig 1966

Parreren, C. F. v.: "Die Systemtheorie und der Fremdsprachenunterricht", in: *Praxis des neusprachlichen Unterrichts* 11 (1964), 213–219

Pascascio, E. M.: "Predicting Interference and Facilitation for Tagalog Speakers in Learning English", in: *Language Learning* 11 (1961), 77–84

Paulovsky, L. H.: *Errors in English*, Wien 1949

Peck, A.: "Die Bedeutung der kontrastiven Analyse für den Fremdsprachenunterricht", in: *Fragen der strukturellen Syntax und der kontrastiven Grammatik*, Sprache der Gegenwart 17, Hgb. H. Moser, Düsseldorf 1971, 228–235

Penfield, W./L. Roberts: *Speech and Brain-mechanisms*, Princeton, N. J. 1959

Piaget, J.: *Psychologie der Intelligenz*, Zürich 1947

Piaget, J.: *Le langage et la pensée chez lènfant*, Neuchâtel [7]1968

Piaget, J./Inhelder, B.: *The Growth of Logical Thinking from Childhood to Adolescence*, New York 1958

di Pietro, R. J.: "Kurze orientierende Bemerkungen zur Untersuchung sprachlicher Verschiedenheit", in: *Reader zur kontrastiven Linguistik* (1972), 136–146

Pimsleur, P.: "Testing Foreign Language Learning", in: A. Valdman (Ed.): *Trends in Modern Language Teaching*, New York 1966, 175–214

Pimsleur, P./Sundland, D. M./McIntyre, R. D.: *Underachievement in Foreign Language Learning*, New York 1966

Politzer, R. L.: "An Experiment in the Presentation of Parallel and Contrasting Structures", in: *Language Learning* 18 (1968), 35–43

Pregel, P.: "Kindersprache als Gegenstand der Forschung", in: *Westermanns Pädagogische Beiträge* 21 (1969), 324–330

Průcha, J.: *Information Sources in Psycholinguistics.* An Interdisciplinary Handbook, The Hague 1972

Ramge, H.: *Spracherwerb. Grundzüge der Sprachentwicklung des Kindes*, Tübingen 1973

Ranschburg, P.: *Die Lese- und Schreibstörungen des Kindesalters*, Halle/S. 1928

Richards, J. C.: "A Non-Contrastive Approach to Error-Analysis", in: *ELT* 25 (1970/1), 194–219

Rivers, W. M.: *The Psychologist and the Foreign Language Teacher*, Chicago 1964

Ronjat, J.: *Le développement du language observé chez un enfant bilingue*, Paris 1913

Roth, H.: *Pädagogische Psychologie des Lehrens und Lernens*, Hannover [13]1971

Rūke-Dravina, V.: *Mehrsprachigkeit im Vorschulalter*, Lund 1967

Sadlo, J.: *Influences phonétiques francaises sur le langage des enfants polonais en France*, Paris 1935

Saporta, S. (Ed.): *Psycholinguistics. A Book of Readings*, New York 1961

Scherer, G. A./Wertheimer, M.: *A Psycholinguistic Experiment in Foreign-language Teaching*, New York 1964

Schubiger, M.: "English Intonation and German Modal Particles – A comparative Study", in: *Phonetica* 12 (1965), 65–84

Schwanzer, V.: "Angleichung syntaktischer Strukturen im interlinguistischen Verkehr", in: *Actes du Xième Congrès des Linguistes*, [Bucarest 1967] Bd. 2, Bucarest 1970, 1067–1072

Selinker, L.: *A Psycholinguistic Study of Language Transfer*, Ph. D. Diss., Georgetown Univ., Washington, D. C. 1966

Selinker, L.: "Language transfer", in: *General Linguistics* 9 (1969), 67–92

Selinker, L.: "The psychologically relevant data of second-language learning", in: *The Psychology of Second Language Learning*, Eds. P. Pimsleur/T. Quinn, Cambridge 1971, 35–43

Selinker, L.: "Interlanguage", in: *IRAL* 10 (1972), 209–230

Sinclair de Zwart, H.: *Acquisition du langage et développement de la pensée*, Paris 1967

Skinner, B. F.: *Verbal Behavior*, New York 1957

Skowronek, H.: *Lernen und Lernfähigkeit*, München 1969

Slama-Cazacu, T.: *La Psycholinguistique*, Paris 1972

Slobin, D. I.: *Suggested universals in the ontogenesis of grammar*, Berkeley, Univ. of California 1970

Slobin, D. I.: *The Ontogenesis of Grammar*, 1972

Spearman, C.: *The Abilities of Man*. Their Nature and Measurement, London 1927

Staats, A. W.: *Learning, Language and Cognition*, New York 1968

Stern, C. & W.: *Die Kindersprache. Eine psychologische und sprachtheoretische Untersuchung*, Leipzig [4]1928 (repr. Darmstadt 1965)

Steube, A.: "Gradation der Grammatikalität", in: *Probleme der strukturellen Grammatik und Semantik*, Hgb. R. Růžička, Leipzig 1968, 87–113

Strevens, P.: "Two Ways of Looking at Error-Analysis", in: *Zielsprache Deutsch* 2 (1971), 1–6

161

Szulc, A.: "Towards a general theory of interference", in: *The Nordic languages and modern linguistics*, Ed. H. Benediktsson, Reykjavik, 1970, 507–517

Templin, M. C.: *Certain Language Skills in Children: Their Development and Interrelationship*, Univ. of Minnesota Press 1957

Teslaar, A. P. v.: „Learning New Sound Systems: Problems and Prospects", in: *IRAL* III (1965), 79–94

Thorberg, Y.: *English in a multilingual society.* A study of interference phenomena in East African English, with special reference to the language learning situation, Stockholm 1970

Thurstone, L. L. & T. G.: *Factorial Studies of Intelligence*, Psychon. Monogr., n. l., Chicago Univ. Press, Chicago 1941

Titone, R.: *Studies in the Psychology of Second Language Learning*, Zürich 1964.

Traill, A.: "Concerning the Diagnosis and Remedying of Lack of Competence in a Second Language", in: *Language Learning* 18 (1968), 253–258

Underwood, B. J.: "Interference and Forgetting", in: *Psychological Review* 64 (1957), 49–59

Underwood, B. J.: "Verbal Learning in the Educative Process", in: *Harvard Educational Review* 29 (1959), 107–117

Underwood, B. J.: "The Representativeness of Rote Verbal Learning", in: *Categories of Human Learning*, Ed. A. W. Melton, New York 1964, 48–78

Valdman, A. V. (Ed.): *Trends in Language Teaching*, New York 1966

Valette, R. M.: *Tests im Fremdsprachenunterricht*, Bielefeld/Berlin 1971 (1967)

Verbal Learning and Verbal Behavior. Proceedings of a Conference sponsored by the Office of Naval Research and New York University, Eds. Ch. N. Cofer/B. S. Musgrave, New York 1961

Verbal Behavior and Learning: Problems and Processes. Proceedings of the Second Conference Sponsored by the Office of Naval Research and New York University, Eds. Ch. N. Cofer/B. S. Musgrave, New York 1963

Vermeer, H. J.: "Einige Gedanken zu Methoden des Fremdsprachenunterrichts im Hinblick auf sprachliche Interferenzerscheinungen", in: *Heidelberger Jahrbücher* 16 (1969), 62–75

Vermeer, H. J.: *Das Indo-Englische.* Situation und linguistische Bedeutung, Heidelberg 1969

Vernon, P. E.: *The structure of human abilities*, London 1950

Walter, Th. W.: *The Georgetown bibliography of studies contributing to the psycholinguistics of language learning*, Washington, D. C. 1965

Wardhaugh, B.: "The contrastive analysis hypothesis", in: *TESOL Quarterly* 4 (1970), 123–130

Weimer, H.: *Psychologie der Fehler*, Leipzig ²1929

Weimer, H.: *Fehlerbehandlung und Fehlerbewertung*, Leipzig 1931

Wettler, M.: *Syntaktische Faktoren im verbalen Lernen*, Bern 1970

Wierczerkowski, W.: *Frühe Zweisprachigkeit*, München 1965

Wilkinson, A.: *The Foundations of Language.* Talking and Reading in Young Children, London 1971

Zabrocki, L.: "Kodematische Grundlagen der Theorie des Fremdsprachenunterrichts", in: *Glottodidactica* 1 (1966), 1–42

Zabrocki, L.: "Die Methodik des Fremdsprachenunterrichts vom Standpunkt der Sprachwissenschaft", in: *Glottodidactica* 5 (1970), 1–35

Zindler, H.: *Anglizismen in der deutschen Presse*, Diss. Kiel 1960

5. Kontrastive Linguistik und Sprachlehre

5.1. Spracherlernung und Sprachlehre

5.1.1. Die in Kap. 4 gemachten Angaben zur Erlernung von Sprachen (Muttersprache, Fremdsprachen) gelten unabhängig davon, ob diese Sprache(n) durch einen Lehrer vermittelt werden oder nicht. Inwieweit Eltern, die weitere "verstärkende" Umwelt für das Kind, das seine Muttersprache lernt, als "Lehrer" gelten können (bzw. sollen), ist sehr fraglich.

"Sprachlehre" soll hier so verstanden werden, daß ein systematischer Unterricht in der Fremdsprache stattfindet. Dabei kann ein Lehrer in einer Klasse mit einem (von ihm nicht verantwortlich entwickelten) Lehrbuch oder der Lerner in Personalunion mit dem Lehrer (autodidaktischer Unterricht) diesen Unterricht durchführen. Will man in der Sprachlehre nicht nur das unsystematische Lernen einer "natürlichen" Sprachlernsituation imitieren, wie es in der "direkten Methode"[1] zeitweilig der Fall war, so ist sorgfältige Planung auf Seiten des Lehrenden unumgänglich. Diese Planung kann man als Fachdidaktik und Fachmethodik bezeichnen.

5.1.2. In der Fachdidaktik (im weiten Sinne) sind verschiedene Fachwissenschaften (Linguistik, Psychologie, Pädagogik usw.) im Hinblick auf die Erfordernisse der Schulpraxis vereint. Dadurch tritt eine Gewichtung der Ansprüche dieser Fachwissenschaften ein, in ihrer "angewandten" Form werden Teilbereiche für einzelne Lehrziele der Schule relevant. In diese Fachdidaktik werden nun auch die in Kap. 2 bis 4 dargelegten linguistischen und sprachpsychologischen Erkenntnisse eingebracht (mit ihren Stärken und Schwächen).

Dem auszubildenden Lehrer sind die verschiedenen Methoden der KL und AKL (KL1 und KL2) darzubieten, desgleichen die Möglichkeiten (und Gefahren) einer Prädiktion von Fehlern aufgrund von KL, die noch mangelhafte Übertragbarkeit von experimentellen Interferenzuntersuchungen auf das Sprachlernen generell u. a. Der Lehrer sollte zumindest die Möglichkeit von Sprachvergleichen im Rahmen einer Maximal-Interlingua studieren. Er sollte, davon ausgehend, nicht-gerichtete KL in gerichtete AKL übertragen können und Teilsysteme mit Berücksichtigung der Interferenzmöglichkeiten selbständig erstellen können.

---

[1] Dabei wurden die Analogien teilweise zur muttersprachlichen Erlernung, teilweise zur "natürlichen" bilingualen Spracherlernung gesehen.

5.1.3. Das eben Gesagte bedeutet aber, daß Überlegungen in kontrastiver Linguistik und Spracherwerbspsychologie einmal theoretisch und angewandt zu erwerben sind, daß sie aber "Lehrer"-Wissen bleiben und den Schüler nur in Form didaktischer und methodischer Planung, und nicht (oder nur auf fortgeschrittener Stufe) direkt erreichen.

Um den Standort der KL im Rahmen der Gesamt-Fachdidaktik und Methodik des Fremdsprachenunterrichts bestimmen zu können, gibt es zwei Möglichkeiten. Man kann von gegebenen didaktischen und methodischen Strategien ausgehen, wie sie im Fremdsprachenunterricht heute verwendet werden, und fragen, wie in ihnen KL berücksichtigt ist und wie sie den Schüler erreicht (indirekt oder direkt). Man kann aber auch von der KL ausgehen und darstellen, inwieweit durch sie Strategien (vorhandene oder erst zu erarbeitende) zu bewerten, auszuwählen oder zu verändern sind. Beide Ansätze sollen hier dargestellt werden. (Gelegentliche kleinere Überschneidungen lassen sich dabei nicht vermeiden.) Doch muß betont werden, daß wir keine generelle Didaktik oder Methodik des Fremdsprachenunterrichts zu geben versuchen. Alle diesbezüglichen Aspekte werden nur unter dem Blickwinkel der KL (und ihrer psychologischen Teilaspekte) gesehen.

5.2. Didaktik des Fremdsprachenunterrichts und Kontrastive Linguistik

5.2.1. Didaktik kann, klammert man die kybernetische Didaktik[2] einmal aus, stärker "extern" unter bildungstheoretischen oder mehr "intern" unter lerntheoretischen Aspekten gesehen werden. Im Rahmen der bildungstheoretischen Aspekte eines Faches ist hauptsächlich die Frage nach den Forderungen der Allgemeinheit, d. h. der Gesellschaft, spezieller der Pädagogen und (Bildungs-) Politiker an ein (meist historisch gewachsenes) Fach relevant. Bei der Behandlung dieser Fragen kann dann mehr interpretativ (Schilderung der Tatbestände)[3] oder normenkritisch[4] vorgegangen werden. Für den Bereich des Fremdsprachenunterrichts sind solche Bildungsziele z. B. politischer und sozialer Art (Verständigung mit Menschen anderer Völker und Sprachgruppen, besonders politisch oder kulturell einflußreicher Nachbarn – z. B. Englisch, Fran-

---

[2] Zur kybernetischen Didaktik vgl. bes. Frank ([2]1969), v. Cube ([2]1968).

[3] Dies wird heute der traditionellen Didaktik vorgeworfen, vgl. Blankertz ([6]1972), S. 28 ff. u. 114 ff.

[4] Vgl. Blankertz, Heimann (1962), Heimann/Otto/Schulz (1965).

zösisch, Russisch), wirtschaftspolitischer Art (Handel), bildungsgeschichtlicher Art (Kultur Griechenlands, Roms, Dichtung Frankreichs), aber auch psychologisch-pädagogischer Art (z. B. Theorie der formalen Bildung). Auswahl und Gewichtung schlagen sich in Lehrplänen nieder.

Normenkritik wird an der statisch-interpretativen Natur bildungstheoretischer Didaktik geübt. Einmal wird die Unklarheit der Lehrzieldefinitionen gerügt. Im Sinne Robinsohns[5] oder Magers[6] sind solche Lehrziele nicht als tiefsinnige Empfehlungen, sondern als Qualifikationen zu formulieren, deren Erwerb durch den Lernenden nach bestimmten Kriterien überprüft werden kann. Die Bereitschaft zur Änderung und die permanente Diskussion der Bildungsziele müssen Bestandteile des Curriculums und damit der Didaktik sein.[7]

Die Aufstellung von Bildungszielen ist meist schon sehr fachspezifisch, wobei über Zustandekommen und Abgrenzung eines (Schul-)Fachs oft nur wenig reflektiert wird. Vertreter einer lerntheoretischen Haltung in der Didaktik haben sich daher unter weitgehender Ausklammerung der Fachspezifik (zumindest zuerst) bemüht, allgemeine Kategorien des Unterrichts aufzustellen. Hier ist besonders der Ansatz Heimanns[8] zu nennen, der vier unterschiedliche Entscheidungsfelder (intentionaler, inhaltlicher, methodischer, medienbedingter Art) und zwei unterrichtliche Bedingungsfelder (anthropologisch-psychologischer und situativ-sozial-kultureller Art) aufstellt. Intentionen und Thematik entsprechen dabei dem engeren Didaktik-Begriff. Die Intentionen werden jedoch nicht nach gesellschaftlich geforderten Lernzielen bestimmt (dies wäre Vermischung mit Inhalten), sondern "intern" nach dem generellen Bildungsziel für menschliches Lehren und Lernen bestimmt. Meist ist eine Dreiteilung üblich, die als Erkennen, Handeln, Fühlen bei Heimann und als kognitive, affektive und pragmatische bzw. psychomotorische Domäne bei Vertretern der Lernzieltaxonomien in den USA (Bloom/Krathwohl,[9] Bauer[10] u. a.) bekannt ist. Diese Einteilung kann noch nach Entwicklung bzw. Qualität gestuft sein, wie das schon bei Herbart angesetzt ist. Heimann[11] legt mit Anbahnung, Entfaltung und Gestaltung eine Dreiteilung zugrunde, Roth hat (ohne die lerntheoretische

---

[5] Robinsohn (1967).
[6] R. F. Mager (1965).
[7] Vgl. Robinsohn (1967), S. 23 ff., vgl. weiterhin Hesse/Manz (1972).
[8] Heimann (1962).
[9] Vgl. Bloom u. a. (1956), Kratwohl/Bloom/Masia (1964), Bloom u. a. (1970).
[10] Vgl. Bauer (1971), S. 2.
[11] Heimann/Otto/Schulz (1965), bes. S. 27. Dabei ist zu beachten, daß diese Dreiteilung die drei Intentionen-Ausprägungen gliedert und nicht schon als eine Gliederung einer methodischen Einheit (Schulstunde usw.) zu sehen ist, wie es in der Formalstufentheorie früher oft der Fall war.

Dreiteilung)[12] eine Abstufung der Lernschritte (Motivation, Schwierigkeiten, Lösung, Bewährung, Behalten und Einüben, Integration) vorgenommen.

5.2.2. Es liegen zwar verschiedene Didaktiken des Fremdsprachenunterrichts (auch des Englischunterrichts)[13] vor, doch ist keine speziell an einer der genannten Richtungen orientiert; keine geht explizit auf KL ein, wenngleich die KL implizit in manchen Ansätzen berücksichtigt (oder auch ausgeschlossen) ist. Englischunterricht wird – von der Verbreitung der Sprache und politischer und wirtschaftlicher Bedeutung der englischsprechenden Nationen her gesehen – in Deutschland von der Allgemeinheit für notwendig gehalten. Dies bedeutet, daß Sprech- (und Lese-)Fähigkeit im Vordergrund stehen. Eventuelle formale Bildung,[14] Sprachsystem-Kenntnis oder Literaturwissenschaft werden hintangestellt oder gar nicht berücksichtigt. Der Lehrer hat diese didaktische Setzung so zu verstehen, daß das Lehrziel überprüfbare *integrated skills* sind, d. h. jedoch: da *integrated skills* nur durch Training von *basic skills* und impliziten Aufbau von Systemkenntnis mit zunehmender Automatisierung der kompetenzgestützten Performanz zustandekommen kann, muß der Lehrer sowohl den Plan der fortschreitenden Kenntnisse (Teilkompetenz-Durchlauf) wie die jeweilige Synchronisierung mit *skills* nach Maßgabe kontrastiver Linguistik und Interferenzerwartung[15] für sich festlegen, der Schüler dagegen ist nicht auf Bewußtmachung seiner zu erwerbenden Kompetenz programmiert. (In der grammatikalisierenden Übersetzungsmethode war dies anders: der Schüler "wußte" Englisch, heute soll er Englisch "können".) Dies läßt eine Bewußtmachung von KL als didaktisches Ziel als nicht erstrebenswert erscheinen, ändert aber natürlich nichts an der Notwendigkeit, KL für die Methoden zur Erreichung der gewünschten didaktischen Ziele nutzbar zu machen. Bei einem Lehrziel: *skills* (mit impliziertem *knowledge*) ist eine objektive Überprüfung aber meist nur für eine weitgehend auf den Einzelsatz (nach den geübten *patterns*) bezogene grammatische Kompetenz, weniger für eine kommunikative Kompetenz möglich. Es steht jedoch außer Zweifel, daß diese kommunikative Kompetenz (die sprachliche Interaktion gewährleistet und eine am Standard der Zielsprache orientierte Produktion und eine variable Rezeptionsfähigkeit einschließt) das eigentliche Lehrziel ist. Allerdings können bei bestimmten

---

[12] Seine Dreiteilung in: indirektes Lernen, direktes Lernen und Lehren (d. h. Gelehrtwerden) ist anders begründet.

[13] Vgl. Leisinger (1966), Achtenhagen (1969), Closset (1965), Duve (³1962), Hübner (1965), Hüsges (1964), Rehfeldt (1962), Salistra (1962), Schubel (1958), Bohlen (⁴1963), Raith (1967), u. a. Vgl. auch generell Messelken (1971), Weisgerber (1972).

[14] Vgl. Lehmensick (1926). Sie wird heute nicht mehr anerkannt.

[15] Zusammen mit psychologischen Erkenntnissen auch für die Lernhierarchien.

didaktischen Variablen (s. u.), z. B. fachsprachlicher Ausbildung, bestimmte *skills* verschieden gewichtet werden (etwa Betonung von Lesefähigkeit).
KL hat somit offenbar wenig mit den generellen didaktischen Zielen des Fremdsprachenunterrichts zu tun, leistet aber didaktische Entscheidungshilfe bei dem Aufbau und der Verbesserung von Teilkompetenzen der Schüler durch den Lehrer und (bisher noch nicht ausreichend) bei Skalierung und Gewichtung der zu lehrenden *items*. Diese didaktische Entscheidungshilfe der KL, sofern sie überhaupt in Anspruch genommen wird, wird jedoch von anderen didaktischen Zielen des Fremdsprachenunterrichts tangiert. Zabrocki[16] bemerkt, daß, im Gegensatz zu anderen Lerngegenständen der Schule, beim Fremdsprachenunterricht "Information" und "Träger der Information" zu lernen seien bzw. im interlingualen Kommunikationsakt zu verarbeiten seien. Wenn dies auch primär methodische Konsequenzen hat, ist auch auf didaktische Aspekte hinzuweisen. (Fremd-)Sprache ohne Informationsvermittlung irgendeiner Art ist gar nicht denkbar. Neben den ohnehin verschiedenen Oberflächenstrukturen sind auch die semantischen "Sprachzugriffe" im Bereich der Fremdsprache verschieden zur Muttersprache, und Äquivalenz ist – auch funktionell gesehen – oft gar nicht möglich. Weiterhin gilt es ja gerade als didaktisches Ziel des Fremdsprachenunterrichts, die unterschiedliche außersprachliche Wirklichkeit[17] wie auch die semantisch verschieden konzipierte (aber außersprachlich "gleiche") Wirklichkeit[18] als Information einzubeziehen.[19] Es geht also primär um die Kontraste, aber KL will ja zunächst vermitteln und zwar nur im Bereich des Trägers der Information, in dem aber die außersprachliche Wirklichkeit (und damit die Information) gespiegelt ist. Dies bestimmt nun die Gliederung und den Aufbau der vermittelten Inhalte (Information in Form von Lektionen) und läuft oft einer rein sprachlichen, kontrastiv-linguistische Prinzipien zugrundelegenden didaktischen Gliederung (etwa durch Aufbau von Wortfeldern) entgegen, da vermeintliche Unterschiede in Situationen noch nicht konsistente KL bedeuten. Die didaktische Auswahl der Minimalwortschätze geht ebenfalls meist nach quantitativen Kriterien vor sich, aber nicht unbedingt organisch im Sinne ab-

---

[16] Zabrocki (1970), S. 15 ff.

[17] Vgl. Kap. 3 (hier z. B. englisches Parlament, Verkehrsordnung, Gaststättenwesen, etc., was es in dieser Form nicht im deutschen Sprachraum gibt).

[18] Vgl. Kap. 3 (hier etwa die Unterschiede sprachlicher Art wie *Fleisch* – *meat/flesh*, *Sessel/Stuhl* – *chair* usw.).

[19] Dies geschieht nicht zuletzt, um die Motivation (und Neugierde) zu fördern. Neben landeskundlicher Information gilt dies bei Fortgeschrittenen auch für literarische Studien im Unterricht. Für den Erwerb der Muttersprache ist die Motivation ja auch deshalb so hoch, weil gleichzeitig "die Dinge" erst erlernt werden.

gesicherter Teilkompetenzen. Didaktische und methodische Fragen (wobei KL Methodik-bezogen ist) überkreuzen sich hier.[20]

5.2.3. Es gibt nun eine Reihe von Variablen im Rahmen didaktischer Entscheidungsprozesse für den Bereich des Fremdsprachenunterrichts. Zum Teil haben diese Variablen auch methodische Konsequenzen. Die wichtigste didaktische Variable ist in der Tat die Methodik selbst, die aber eigentlich die didaktischen Ziele ausführen, nicht auf sie ein- oder rückwirken sollte (was leider häufig der Fall ist). Solche Variablen sind verschiedentlich notiert worden. Palmer[21] faßte schon 1917 zusammen:

    (a) the language to be studied
    (b) the orientation of the study (dialects etc.)
    (c) the extent of the study (quantity)
    (d) the degree of the study (quality)
    (e) the manner of the study (self-instruction, schools, aim)

Vermeer[22] stellte Variablen zwar für die Methodik auf, sie gelten aber auch (sogar speziell) für die Didaktik. Er sah als Faktoren (1) den Schüler, (2) das Studienziel, (3) Lehrer, Lehrmaterial, Lehrsituation, (4) die Sprache selbst, (5) Ökonomie.

Wir versuchen nun, eine geordnete Liste von Variablen für didaktische Ordnung und allgemeine Methodik besonders unter dem Gesichtspunkt der KL zu geben: (a) Die Schwierigkeit der zu lernenden Sprache scheint eine wesentliche Variable für didaktische und methodische Entscheidungen zu sein. Es ist aber fraglich, inwieweit Schwierigkeit eine Funktion der Ähnlichkeit oder Verwandtschaft der Sprachen ist.[23] Außersprachliche Faktoren (Motivierung, Prestigefaktor der Fertigkeit in einer bestimmten Sprache usw.) können Erkenntnisse der KL invalide machen. Ist kein Standard als Orientierungspunkt der Produktion gegeben, treten weitere Probleme für KL auf.

(b) Das Alter des Erlernens ist wichtig. Das Ende der natürlichen, fast dominanzfreien Fähigkeit zur Mehrsprachigkeit liegt zwar unterhalb des 10. Lebensjahres.[24] Doch dürften auch nach dieser Zeit noch Stufen, relevant für kognitive oder nicht-kognitive Methoden u. a. anzusetzen sein. Mit zunehmendem Alter

---

[20] Vgl. auch Halliday/McIntosh/Strevens (1964), Kap. 7.
[21] Palmer (1917), S. 59.
[22] Vermeer (1969).
[23] Zabrocki in *Probleme der kontrastiven Grammatik* (1970). Vgl. Weinreichs nicht-strukturelle Faktoren der Interferenz (vgl. Kap. 4), die allerdings für natürliche Bilingualität aufgestellt wurden.
[24] Die didaktische Rechtfertigung der *FLES*-Bewegung hat hier ihren Ausgang. Vgl. Doyé (1966), Sauer (1968), Kloss (1967), Arndt (1965) u. a.

der Lernenden werden kognitive Hilfen in Form von Sprachvergleich (KL) eher sinnvoll und methodisch vertretbar (Entwicklung der Fähigkeit, abstrakt zu denken).

(c) Die Intelligenz der Schüler, *verbal ability* und *linguistic aptitude* (vgl. Kap. 4) sind sowohl für die Auswahl der Lernschritte aufgrund von KL wie für eine eventuell kognitiv vermittelte KL zu beachten. Die soziolinguistisch zu charakterisierende muttersprachliche Fertigkeit, in der Schule erlerntes "grammatisches" Wissen (Deutschunterricht, evtl. Lateinunterricht) sind ebenfalls zu berücksichtigen.

(d) Das Lernen im Muttersprachenland (*uni-cultural situation*), das oft weitgehend Rezeptionsübungen auf die Lehrerperson zentriert[25] und Verstärkungsmöglichkeiten durch sprachliche Umwelt reduziert[26] und die Motivationsarmut (vgl. f) haben erhebliche Einflüsse auf Lehrziele und Methoden. Das Verhältnis zu natürlicher oder künstlicher Mehrsprachigkeit kann aber durchaus auch von soziologisch zu begründenden Einflüssen abhängen, vgl. etwa den Unterschied zwischen Europa und Amerika:

> Whereas in Europe the purpose of school education has often been to make children bilingual or multilingual, in the United States bilingualism has been regarded as a handicap to the child's school adjustment and academic achievement.[27]

Der Unterricht bilingualer Kinder in ihren zwei "Muttersprachen" bzw. in weiteren Fremdsprachen wirft besondere Probleme auf.[28]

(e) Die Fragen, ob mehrere Sprachen erlernt werden, ob die Sprache, für die spezielle didaktische oder methodische Entscheidungen zu fällen sind, die erste, zweite (...) Fremdsprache ist, ob die Fremdsprachen miteinander begonnen werden usw., knüpfen an (c) und (d) an. Hier liegt wenig Gesichertes vor, insbesondere nicht über gegenseitige Interferenz der Fremdsprachen, Auswirkungen von mehrsprachiger "Überlastung" u. a.[29]

(f) Motivierung und Motivierungsmöglichkeit ist eine entscheidende Variable.[30] Sie hat allerdings keinen speziellen Bezug zur KL, sondern eher zu Entscheidungen genereller Art der Methode (Stoffwahl, situationelle Unterrichtsformen usw.).

(g) Weitere Variablen sind Dauer des Kurses, eventuelle Berufsbezogenheit des Kurses (mit Nachdruck auf bestimmten *skills* oder *knowledge*-Bereichen) und

---

[25] Vgl. Belasco (1971).
[26] Lado (41973), S. 86 ff.
[27] Vildomec (1963), S. 45.
[28] Bovet (1932), Braunshausen (1934), Gaarder (1965) u. a.
[29] Vildomec (1963), S. 45.
[30] Vgl. Vildomec (1963), S. 34; Jespersen (1904).

Kursbedingungen (Integration in ein Schulcurriculum, zusätzliche Aufgabe zur beruflichen Arbeit usw.).

(h) Eine wesentliche Variable für didaktische und methodische Entscheidungen ist die angestrebte Qualität eines Kurses und Lehrprogramms. Meist ist das Ziel einer *near-nativeness* nicht zu erreichen, doch soll andererseits die globale Interferenz überwunden werden. Für die Fehleranalyse auf der Basis der KL und die Auswahl in der Fehlerverbesserung ist es wichtig, was letztlich als geringer oder schwerer Fehler anzusehen ist. Setzt man als Ziel eine kommunikative Kompetenz, so sind wohl Fehler in der Aussprache und in bestimmten Bereichen der Syntax weniger gravierend, da sie überhaupt nicht oder, durch den weiteren Kontext disambiguiert, kaum die Kommunikationsfähigkeit beeinträchtigen. Dagegen sind Fehler in der Hördiskrimination als *skill* und in der Semantik als *knowledge* evtl. folgenreicher, da Störungen im Verständnis durch solche Mängel leicht möglich sind.

(i) Eine weitere Variable im Anschluß an (h) ist schließlich der Lehrer selbst, seine *skills*, sein *knowledge*, seine didaktischen und methodischen Fähigkeiten, besonders aber auch seine linguistische Fähigkeit, Teilkompetenzen zu interpretieren, Fehleranalysen durchzuführen, Programme zu entwerfen oder zumindest vorhandene nach ihren linguistischen und methodischen Prämissen zu beurteilen.

5.3.   Methodik im weiteren Sinne[31] und Kontrastive Linguistik

5.3.1.   Unter Methodik im weiteren Sinne verstehen wir hier wesentlich nur Methodenkonzeptionen für Fremdsprachenunterricht generell, also Verfahrensweisen für Kurse in Fremdsprachen. Einzelgliederung (inhaltlicher Art wie nach Lektionen, grammatischen *items* usw. oder prozessualer Art nach Unterrichtsstunde, Semester usw.), Sozial- und Aktionsformen[32] (Frontal-, Teilgruppen-, Einzelunterricht, Vortrag, situationeller Unterricht u. a.) betrachten wir hier nicht, da es bei der großen Fülle von methodischen Verfahren zu weit führen würde, das jeweilige Verhältnis zur KL darzustellen. Hier soll nur die Einwirkungsmöglichkeit der KL in diese Verfahren skizziert werden (vgl. Kap. 5.6).

Didaktische Ziele können, aber müssen nicht Methoden bestimmen. So wurde im Mittelalter Latein-Sprechfertigkeit auch mit der grammatikalisierenden Methode erreicht, während heute trotz audio-lingualer Methode oft eine solche

---

[31] Im Sinne der Terminologie bei Freudenstein (1970).
[32] Termini nach Heimann/Otto/Schulz (1965), S. 32 ff.

Fähigkeit in modernen Fremdsprachen nicht erreicht wird. Die Variablen wie Motivation, mehrsprachiges Prestige, auch Zwang spielen also hier ebenfalls eine wesentliche Rolle.

Vorab ist auch noch zu bemerken, daß der einzelne Lehrer sowohl auf didaktischem, besonders aber auch auf methodischem Gebiet meist durch die verwendeten Lehrpläne (Didaktik) und Unterrichtsmedien (Lehrbücher, Grammatik) weitgehend gebunden ist. Es ist aber nützlich, über linguistische und psychologische Kenntnisse den Standort dieser "Vorschriften" bestimmen und Ansatzpunkte für Ergänzungen oder Änderungen finden zu können.

5.3.2. Einen wesentlichen Einfluß auf die Methodik übt das verwendete, d. h. das meist dem Lehrbuch und der Grammatik implizit zugrundeliegende Sprachmodell aus.[33] Hierüber wurde schon in Kap. 2 gehandelt. Im Augenblick herrschen Modelle der traditionellen Grammatikdeskription und des taxonomischen Strukuralismus vor. Da sie beide stärker oberflächenstrukturbezogen sind, wurden sie bereitwilliger verwendet als Modelle universalistischer, semantischer Ausprägung.[34] In der "Grammatik" wurden dabei ja seit jeher die Unterschiede betont. Dies betrifft aber nun meist stärker Fragen der Kongruenz. Es muß klargestellt werden, daß KL in ihrer nicht-gerichteten Form, wie der Linguist sie handhabt, selbst keine "Methode" ist, sondern – wie auch die Sprachmodelle – nur Leitlinie für den Aufbau von Sprachlerneinheiten (also Methodik im engeren Sinne). So ist auch die Grammatik (im Sinne einer "Schulgrammatik") ein Begleitbuch des Gesamtunterrichts, spielt aber im Prozeß des Unterrichts keine Leitrolle für den Schüler (wohl aber für den Lehrer). KL als methodische Grundlegung des Unterrichts kann für den Schüler sichtbar oder verborgen (5.3.4) eine Gewichtung der Elemente, ihre Reihenfolge und ihre Übungsquantität bestimmen. Dem Schüler begegnet die KL (KL2) kognitiv als Methode in Übersetzungen.[35]

5.3.3. Die Aufstellung von "pädagogischen Grammatiken",[36] d. h. einmal Teilkompetenzen, die sich im Lektionenbau des Schulbuches niederschlagen, zum anderen Feststellungen der Reihenfolge dieser Teilkompetenzen, war von jeher

---

[33] Vgl. generell Erlinger (1969), Hüllen (1971), Zabrocki (1969).

[34] Verschiedene Untersuchungen und Vergleiche zum Nutzen der Sprachmodelle als Grundlage für Methoden des Fremdsprachenunterrichts wurden durchgeführt, so Tallent (1961), Scherer/Wertheimer (1964), Mueller (1971), Hüllen (1971), Angaben zu Projekten bei Titone (1964), S. 17/8; Carroll (1965), bes. 374/5 ff. u. a.

[35] Grucza (1970), S. 49, weist aber auf die Gefahren der Übersetzung als kontrastives Mittel hin.

[36] Besonders befürwortet von Nickel und seiner Schule (Nickel/Wagner 1968).

für die Erzeugung künstlicher Mehrsprachigkeit nötig. Da Zeit, verstärkende Umgebung ("Sachen" wie Sprecher) und Motivation oft nicht in ausreichendem Maße vorhanden sind, kann der Schüler nicht mit fremdsprachlicher Kommunikation in "bedeutenden" Situationen allein konfrontiert werden, da er in der verfügbaren Zeit keine Hypothesen über Systemteile der Fremdsprache entwickeln kann. So enthalten ja alle Lehrbücher zu den Texten eine Fülle von Einzelübungen, in denen erst die komprimierte (auch kontrastierende) Sprachlernarbeit vonstatten geht.

Die Methodik von der Reihenfolge und der Gewichtung der *items* in einer geplanten Mehrsprachigkeit ist nun aber überraschend wenig reflektiert. Im Rahmen der auf der Basis traditioneller Grammatik beruhenden Methodiken und Lehrbücher wird meist nach einer (oft wenig veränderten) Paradigmenfolge der lateinischen Grammatik (bzw. der jeweiligen formalen Entsprechungen in den Einzelsprachen) vorgegangen. In einer der TG verpflichteten Methodik gilt (obwohl linguistisch überholt) das Modell des Kernsatzes als Ausgangspunkt, der allmählich durch Erlernung "optionaler" Transformationen ausgebaut wird. Ob die wesentlichen Unterschiede zwischen zwei Sprachen an den Anfang gestellt werden sollen oder möglichst über positiven Transfer der Einstieg in eine Fremdsprache erfolgen soll, ist ebenfalls noch nicht ausreichend untersucht.

5.3.4. Lernpsychologische Aspekte haben nicht nur teilweise Auswirkungen auf linguistische Modelle (wie etwa der Behaviorismus auf Bereiche des nordamerikanischen taxonomischen Strukturalismus), sondern auch auf Methoden. Gepaart mit dem didaktischen Ziel einer utilitaristischen Verwendbarkeit von Sprachfertigkeit versuchte aber schon vorher die "direkte Methode" (in der Folge der Reformbewegung um 1900, vgl. auch Kap. 5.4), die natürliche Spracherlernung zu imitieren.[37] Verbunden mit einer wissenschaftlichen Phonetik (Viëtor, Passy, Sweet), aber noch ohne spezifisch syntaktische Strukturmodelle (H. E. Palmer blieb lange unbekannt) stützte man sich weitgehend auf *mimicry memorization* mit situationellem Unterricht. Der Unterricht wurde dann ausschließlich in der Fremdsprache durchgeführt.

Um einen solchen Unterricht planvoller zu machen, führte schon Palmer[38] *patterns* zur Übung ein. Diese wurden unabhängig von ihm im teilweise Behaviorismus-orientierten Unterricht der audio-lingualen Methode (Frankreich, USA) ausgebaut. Nach der KL wurden Schwerpunkte für *patterns* in der Zielsprache (zu einer bestimmten Ausgangssprache) gesetzt – nach dem Prinzip:

---

[37] Vgl. Doyé (1962).
[38] Vgl. Palmer (1917, 1917), später Hornby, Fries (1945), Lado/Fries (1957), Mackey (1965), S. 268 ff.

viel Übungsmaterial für große Lernschwierigkeiten, und als solche wurden die (meist oberflächenstrukturbezogen gesehenen) Kontraste erachtet. Testmethoden sollten objektiv sein und die festgestellte Lernschwierigkeit bzw. ihre Lösung eindeutig testen.[39]

Vorteile und Nachteile der *pattern*-Methode wurden häufig diskutiert; als Nachteile werden genannt: "falsche Generativität",[40] Erziehung zu grammatischer statt kommunikativer Kompetenz, A-Kontextualität, Unterdrückung ohne Vermeidung muttersprachlicher Interferenz, Unfähigkeit des Lernenden, in linearen Programmen seine Fehler am richtigen Vorbild festzustellen und zu evaluieren; als Vorteile: "transfer of training"[41] und Möglichkeiten des induktiven Unterrichts mit Aha-Erlebnissen der Schüler (Regeln erarbeiten). Sprachmodell und KL sind aber für den Lehrer in einem solchen induktiven Unterricht in der Fremdsprache implizit genauso wichtig und methodensteuernd wie in einem zweisprachigen Unterricht. Dieser ist oft eher deduktiver Art, wenn Regeln, in der Metasprache der Muttersprache, gesetzt werden und diese dann in Texten und Übersetzungen anzuwenden sind. Auch der zweisprachige Unterricht könnte aber teilweise induktiv sein, wenn man semantisch oder formal äquivalente bzw. kongruente Parallelstrukturen anbietet und die Unterschiede herausfinden läßt.[42] Diese Methode kommt aber sehr selten zur Anwendung.

Der zweisprachige Unterricht ist meist weit mehr kognitiv für den Schüler ausgerichtet; durch Regeln, Fehleranalyse (*curative teaching*) und KL als methodischem Teil des Unterrichts soll der Schüler auch Wissen in der Fremdsprache explizit erwerben und gleichzeitig oder in der Folge das Können. Die bewußtvergleichende Methode Ščerbas[43] und die *cognitive-code-learning-method* von Carroll[44] sind Versuche, solche kognitiven Methoden für moderne Fremdsprachen nutzbar zu machen und sie auch zu begründen. Beide nehmen ausdrücklich zu KL und Interferenz Stellung und wollen den Schüler auch darüber aufklären. Letzteres wurde sonst im zweisprachigen Unterricht nicht geleistet: es wurde die grammatikalisierende Methode des Unterrichts in den klassischen Sprachen, die nicht auf Sprechfertigkeit und auch nicht (oder höchstens auf normativen) Sprachvergleich, sondern auf humanistische oder gar formale Bildung abzielte, stillschweigend übernommen.

---

[39] Lado hat KL und Testlehre verknüpft.
[40] Gefen (1966).
[41] Peck (1968), Selinker (1966, 1969, 1971), Politzer (1965) – Ableitung von *secondary matter* aus fremdsprachlicher *primary matter*). Vgl. auch Zimmermann (1969), Carton (1971) mit dem *inference*-Begriff.
[42] Politzer (1965).
[43] Ščerba, vgl. unten 5.4.2. Heute durch Belyayev (1963) abgelöst.
[44] Carroll (1965).

Für den Lehrer ist KL und Interferenzlehre für beide Typen von Unterrichtsmethodik notwendig, und Vertreter beider methodischen Richtungen haben dies
betont. Die Unterschiede und Schwierigkeiten liegen in der Validität der KL-
Aussagen für Lernhierarchien und in der Produktion von Übungstypen im
Hinblick auf Erkenntnisse der KL (vgl. 5.6).

5.4. Kontrastive Linguistik als didaktisches Ziel

5.4.1. Diese Formulierung mag nach dem in 5.3 Gesagten überraschen. Die
nachteiligen Auswirkungen eines reinen Übersetzungsunterrichts, in dem gerichtete KL ja Teil der Methode ist, gelten heute als überwunden. Auf der
anderen Seite ist aber zu fragen, ob ein reines Produzieren von *skills* (oft in
motivationsarmer Situation) für den Schüler über seine Schulzeit hinaus überhaupt sinnvoll ist. Sowohl die Leistungen in der Schule wie auch das sehr
schnelle Vergessen von Fremdsprachen nach der Schulzeit, schließlich aber
besonders die Hilflosigkeit beim (selbständigen) Erlernen neuer Fremdsprachen
führen zu der Überlegung, ob dem Schüler nicht vielleicht auch ein Verständnis
für Sprache generell und besonders für den Zustand der Mehrsprachigkeit bzw.
den Prozeß ihres Erwerbs vermittelt werden sollte.
Bevor Überlegungen zur Methodik solcher Unterrichtsziele geäußert werden,
soll kurz ein Überblick über Unterrichtstypen gegeben werden, in denen KL als
Methode und didaktisches Ziel auftritt. Selbstverständlich kann nicht die ganze
Geschichte des Fremdsprachenunterrichts gegeben werden. [45]

5.4.2. Für die "bewußte KL" werden daher einige wichtige Vertreter und
"Schulen" genannt.

(a) Herder hat wohl zuerst mit dem Begriff "Philosophische Grammatik"
Sprachvergleiche vorgeschlagen. Flechsig [46] schreibt dazu:

> Die Erläuterung des Begriffs 'philosophische Grammatik' erweist, daß der kategoriale
> Ertrag solchen Unterrichts nicht im Erkennen allgemeingültiger Denkformen gesucht
> wird, sondern in der Einsicht in das Wechselverhältnis von Weltbild und Sprach-
> struktur.

Flechsigs Hinweis zeigt, daß Herder nicht nur formale Bildung wollte; die
Tatsache, daß er auch zu praktischer Fremdsprachenerlernung, Auslandsreisen

---

[45] Vgl. besonders Kelly (1969) mit umfangreicher Bibliographie, besonders Primär-
werken; Broudy (1963), Steuerwald (1932), Lehmensick (1926), Kahl (1962), Flechsig
(1962), Flechsig (1965), Rülcker (1969), Ulrich (²1954), Marron (1956), Titone
(1968), Aehle (1938), Breymann (1895; 1900/5/9), Roddis (1968).
[46] Flechsig (1962), S. 61 f. Er zitiert aus Herder: "Über die neuere deutsche Literatur"
und dem Reisetagebuch. Vgl. auch Berger (1933).

usw. aufforderte, macht weiterhin deutlich, daß "kontrastive" Betätigung ein Teilziel ist. Herders Einfluß auf die Schulmethodik ist allerdings unerheblich.

(b) Gleiches gilt für die Ansichten W. v. Humboldts. Humboldt vertritt mit seinem Begriff der "inneren Form" ja etwa "Bildung" oder Gewinnung einer Welt(an)sicht durch Sprache. Über sie geht die Auffassung der Wirklichkeit.[47] Die Muttersprache (als Kraft einer Sprachgemeinschaft, die Welt aufzufassen und zu gestalten, verstanden) gibt die Grunddenkrichtungen eines jeden Sprechers. Fremdsprachenunterricht hat dies zu berücksichtigen, auch ist dieser für Humboldt nicht nur S p r a c h - Unterricht, sondern:

> Die Erlernung einer fremden Sprache sollte daher die Gewinnung eines neuen Standpunktes in der bisherigen Weltansicht seyn und ist es in der That, bis auf einen gewissen Grad, da jede Sprache das ganze Gewebe der Begriffe und die Vorstellungsweise eines Theils der Menschheit enthält.[48]

Fremdsprachenunterricht ist aber nicht als Erwerb "äußerer" Fertigkeiten, sondern eben als Erwerb einer neuen "inneren Form" zu sehen. Interferenz, die v. Humboldt schon klar sah, ist gerade im Bereich der "inneren Form" von ihm betont worden (damit konnten sich die Anhänger der Sapir-Whorf-Theorie auf ihn beziehen). Aber für ihn steht somit eher wissenschaftlicher Vergleich als schulisches Lernen, das nur auf der Basis des ersteren möglich sei, im Vordergrund.[49] Dazu kommt, daß in der Zeit des Neuhumanismus auch für v. Humboldt die sog. "Neusprachen" nicht speziell im Blickpunkt standen. Im Gegensatz zum "kulturkundlichen Unterricht" des 20. Jh. aber ist bei Humboldt eindeutig der Weg zur Weltansicht über die Sprache (und zwar die jeweilige Fremdsprache) zu nennen (s. u. [f]).

(c) Mager, ein Pädagoge des 19. Jh., der bedeutende Lehrbücher geschrieben und methodische Anregungen gegeben hat, empfahl verschiedentlich bewußtes Vergleichen. Neben Gewinnen für Verstandesbildung durch Grammatik[50] betont er besonders die geistige Tätigkeit des Vergleichens zweier Sprachen. Dabei wird bereits die muttersprachenerhellende Bedeutung des Fremdsprachenunterrichts (der im 20. Jh. sehr betont wurde) dargelegt.[51] Wir zitieren auszugsweise:

> Alles Endliche nämlich wird nur durch den Gegensatz (der aber die Identität nicht ausschließt) erkannt. [...] So geht es auch mit dem Sprachstudium. Wer nicht mehrere Sprachen lernt, so daß er seine Muttersprache mit anderen Sprachen und

---

[47] Insofern kann er als Begründer des "sprachlichen Relativitätsprinzipes" gelten. Vgl. Gipper (1971). Siehe auch Bohlen (1952).

[48] W. v. Humboldt [1835], Schriften VII (1903 ff.), S. 60.

[49] Vgl. Kahl (1962), S. 26 unter Hinweis auf Humboldt: *Einleitung in das Gesamte Sprachstudium*, G. S. VII, S. 621.

[50] Mager in *NU* I (1962), S. 121 f.

[51] Mager in *NU* I, S. 123/4 weist schon auf Goethe hin: "Wer fremde Sprachen nicht kennt, weiß Nichts von seiner eigenen."

diese mit jener vergleicht, der gewinnt beim grammatischen Studium seiner Muttersprache nicht eigentlich einen Begriff von dieser als solcher, als dieser bestimmten
Sprache, sondern gewinnt nur den Allgemein-Begriff der Sprache an ihr: *genus* und
species fallen ihm zusammen. [...]: wenn man aber erwägt, daß die Erkenntniß
des Generellen auf der Erkenntniß des Speciellen beruht, dieselbe ohne solche
Erkenntniß abstract und leer bleibt; wenn man ferner erwägt, daß man *wenigstens*
zwei Species zusammenstellen muß, um zu dem *genus proximum* zu gelangen; wenn
man dazu nimmt, daß keine Sprache dem Genus adäquat ist, hier, daß jede einzelne
Sprache Mängel zeigt: so wird man wohl einräumen, daß höhere Verstandesbildung
durch Grammatik nur da gewonnen werden kann, wo wenigstens neben der Muttersprache eine oder zwei fremde Sprachen grammatisch studirt werden. Dann kommt
dazu noch die schon oben geltend gemachte Erwägung, daß die Muttersprache dem
jugendlichen Geiste zu nahe steht, als daß sie, wenn nicht eine fremde zur Ver-
gleichung reizt, leicht Object der Betrachtung und zwar einer geistesanstrengenden
Betrachtung werden könnte. [...] das Studium der Onomatik mehrerer Sprachen ist
ein unvergleichliches Mittel metaphysischer Bildung, und kann schlechterdings durch
gar Nichts auch nur von ferne ersetzt werden. [52]

Hier wird somit kontrastive Semantik (Sprache nicht nur als Formenreservoir)
bewußt gefordert, und zwar als Vergleich sprachlicher Bedeutungen, nicht (nur)
von Sachen. Dies ist durchaus im Sinne moderner Linguistik – ersetzt man etwa
"Mängel" im Zitat durch den Hinweis, daß nicht alle Universalien in jeder
Sprache im vollen Umfang wirksam sein müssen usw. Allerdings hat Mager
wohl noch nicht ausschließlich praktische Ziele in der Fremdsprachenerlernung
zum Ziel. So empfiehlt er vornehmlich "Schreiben in einer fremden Sprache"
und "Übersetzen" als methodische Hilfen. [53] Vergleich ist nun aber nicht mehr
wie bei Herder oder v. Humboldt ein abstraktes Ziel, sondern wird bei Mager
direkt auf die Schulpraxis bezogen und in seinen Schulbüchern (bes. Französisch)
berücksichtigt. Dabei lehnt er historische vergleichende Grammatik ab,[54] und
schreibt:

Das unwillkürliche Vergleichen, das der Schüler nothgedrungen zwischen seiner
Muttersprache und der fremden anstellt, genügt nicht; der Lehrer muß zum Vergleichen anleiten, er muß im Gymnasium das Lateinische mit dem Griechischen, beide
mit dem Deutschen, sowie mit den beiden anderen neueren Sprachen, er muß auf der
h. Bürgerschule die neueren Sprachen unter sich vergleichen; [...] [55]

Dazu muß der "Studiosus der modernen Philologie" in Magers Vorschlag eines
Studienplans auch unter "A. Sprache" studieren:

5. Vergleichende Grammatik der classischen, romanischen und germanischen Sprachen,
6. Philosophie der Sprache.

(d) Mit der Reformbewegung (ab 1880) trat eine scharfe Reaktion gegen zwei-

[52] Mager, *NU* I, S. 124/5. Vgl. auch S. 126.
[53] Mager, *NU* I, S. 128.
[54] Ebda., S. 99.
[55] Ebda., S. 99.

sprachigen Fremdsprachenunterricht ein, auch wenn die Linguistik nun stärker implizit zur Methodenfestlegung verwendet wurde (besonders Phonetik mit Viëtor,[56] Sweet, Passy u. a.; später auch Syntax mit Jespersen, Palmer). Gegen Sprachvergleiche, bes. aber gegen selbsterhellende Tendenzen wurde polemisiert. Vgl. generell dazu die "Wiener Thesen" (1898 von G. Wendt);[57] – besonders These 3:

1. Die Beherrschung der fremden Sprache ist das oberste Ziel des Unterrichts; den Unterrichtsstoff bildet das fremde Volkstum. Die fremde Sprache ist das naturgemäße Mittel, um in dessen Erkenntnis einzudringen.
2. Die Unterrichtssprache ist französisch oder englisch.
3. Die fremde Sprache wird nicht getrieben, um daran die Muttersprache zu lernen.
4. Das Übersetzen in die Muttersprache beschränkt sich auf die Fälle, wo formelle Schwierigkeiten dazu zwingen.
5. Das Übersetzen in die Fremdsprache ist nur gelegentlich zu üben.

Doch auch in dieser Zeit sind schon früh vermittelnde Ansätze deutlich, und so wird auch von konsequenten Vertretern der Reform eine Parallelgrammatik betont, die als Prinzip, aber nicht notwendigerweise explizit in den Unterricht (etwa als "Sprachbetrachtung") aufgenommen ist. Vgl. etwa Max Walter:[58]

Wie beim Wortschatz suchen wir auch bei der Grammatik die stete Verbindung mit den anderen dem Schüler bekannten Sprachen durch Hervorhebung aller g e m e i n - s a m e n[59] Beziehungen herzustellen und die in den verschiedenen Sprachen vorhandenen gleichartigen Erscheinungen unter dieselben Gesichtspunkte zu bringen. So soll die Parallelgrammatik, die an den Reformschulen ihre besondere Heimstätte gefunden hat, nicht nur den Schülern die Aneignung der Grammatik erleichtern, sondern auch das Interesse für das grammatische Studium überhaupt fördern.

Durch Querverbindungen – stärker als bei Mager, der mehr kontrastiv auf Unterschiede hinwies – sollen nun die Ähnlichkeiten verschiedener Elemente der zu lernenden Fremdsprachen herausgestellt werden.

(e) Zweisprachige, bewußt vergleichende Fremdsprachenmethodik beherrschte in Rußland bis etwa 1960 den Fremdsprachenunterricht. Es handelte sich dabei um die von L. V. Ščerba, einem Linguisten und Schüler de Courtenays entwickelte Methode, die "bewußt-vergleichend" genannt wird. Sie ist mehr methodisches als didaktisches Ziel, da über bewußte Beherrschung einer Fremdsprache zur unbewußten Beherrschung geführt werden soll. Erst durch Belyayev[60] trat dann Ende der 50er Jahre ein Umschwung in der russischen Fremd-

---

[56] Vietor (1882), bzw. *NU* I, S. 155–172.
[57] Abgedruckt bei G. Wendt: "Die Reformmethode in den oberen Klassen der Realanstalten", in: Verhandlungen des 8. Allgemeinen Deutschen Neuphilologentages. Hannover/Berlin 1898, S. 66. Hier zitiert nach Flechsig (1962), S. 153.
[58] Walter (³1917), S. 57/8.
[59] Sperrung von den Verf.
[60] Belyayev (1963).

sprachenmethodik ein.[61] Ščerba argumentiert, ähnlich wie Mager, der muttersprachliche Unterricht reiche zur "Weltkenntnis" nicht aus, erst durch fremde
Sprachen werde die Denkkraft des Schülers angeregt:

> Gerade darin liegt nach meiner Meinung die gewaltige allgemeinbildende Kraft der
> Fremdsprache. Die Gewohnheit, die Texte in der fremden Sprache zu analysieren, zu
> verstehen, schafft die Gewohnheit, die Texte überhaupt zu durchdenken. Die Fremd-
> sprache ist in der Schule jener Unterrichtsgegenstand, mit dessen Hilfe wir zur
> Selbstbeobachtung, zur Erkenntnis des Seelenlebens, zur Sammlung und Vertiefung
> geführt werden.[62]

Ščerba war offensichtlich auch beeinflußt von dem Sprachpsychologen Chr. B.
Flagstad,[63] der bewußtes Vergleichen empfahl – zur Geistesschulung wie zur
Interferenzeindämmung.

(f) Vergleiche spielen schließlich in der kulturkundlich ausgerichteten Fremdsprachenmethodik, besonders in Deutschland ab etwa 1920, eine Rolle (Richert,
Hübner, Wechssler u. a.). Hier ist Fremdsprachenunterricht – nimmt man Zabrockis Teilung in Information und Träger der Information (s. o.) als Ausgangspunkt – sehr einseitig auf die Informationsebene verlagert. Diese wird
nicht nur als linguistische Ebene der sprachlichen Bedeutungen gesehen, sondern
abstrakter und undifferenzierter als Kulturkunde generell. So spielt auch die
Fremdsprache keine besondere Rolle, wegen der Komplexität der Gegenstände bleibt oft nur Unterricht in der Muttersprache übrig. Wie schon im
19. Jh. wird der selbsterhellenden Wirkung der Fremdsprachenerlernung eine
große Bedeutung zugemessen. Die Fremdsprache wird als "Folie" für die
Muttersprache gesehen. Dies geht etwa aus den Hallenser Leitsätzen von 1920
hervor, aus denen wir "III. Leitsätze über 'die Stellung des neusprachlichen
Unterrichts in der Schule'", Abschnitt 2 zitieren:

> 2. Vom nationalen Standpunkt aus ist zwar eine Verstärkung des Deutschen – be-
> sonders im Hinblick auf die früheren Lehrpläne – für manche Schularten und Länder
> noch erwünscht, doch darf sie nicht durch Benachteiligung der neusprachlichen Fächer
> erfolgen, da gerade diese eine innere Stärkung des Deutschen in sich schließen und
> durch eine Einschränkung der neueren Sprachen so mittelbar eine Schädigung des
> Deutschen eintreten würde, auch sonst die Forderungen der Gegenwart eine Ein-
> schränkung des neusprachlichen Unterrichts nicht zulassen.[64]

Berief man sich auf v. Humboldt, so wurde in einer Art "reinem" Sprachunterricht die Fremdsprache als "klarster Spiegel des Volksgeistes und der Seelen-

---

[61] Nach Schiff (1966). Schiff zieht bes. L. V. Ščerba [Unterlagen zur Mittelschulreform],
Petrograd 1915 heran. Weiterhin erschien posthum: L. V. Ščerba [Fremdsprachen-
unterricht in der Mittelschule], Moskau 1947.

[62] Schiff (1966), S. 13; nach Ščerba (1915), S. 450.

[63] Flagstad (1913); vgl. Schiff (1966), S. 95 ff., zum Einfluß auf Ščerba.

[64] Bericht über die Verhandlungen der 17. Tagung des Allgemeinen Deutschen Neu-
philologenverbandes, Halle 1921, S. 61 f., vgl. auch Flechsig (1962), S. 203 ff.

struktur des fremdsprachlichen Volkes" gesehen.[65] Dabei wurde dann auch eine Verbindung von direkter Methode und Kulturkunde hergestellt,[66] da "innere Form" ja nur über und durch die fremde Sprache zugänglich ist. Die Anforderungen an einen solchen Unterricht konnten jedoch auch durch die Prinzipien des Arbeitsunterrichts nicht gelöst werden. Entweder kam der Vergleich zu kurz oder die angestrebte Sprechfertigkeit wurde nicht erreicht. Zusammenfassend läßt sich sagen, daß die gezeigten Aspekte "kontrastiver Sprachbetrachtung" als didaktisches Ziel oft sehr ehrgeizig formuliert sind. Wenn jedoch nicht Methoden (zumeist Übersetzung) und kontrastives Ziel ohnehin aufeinander bezogen sind, sind solche ehrgeizigen Anforderungen meist nur auf Kosten der Fertigkeit in der Fremdsprache zu erreichen. Es ist daher zu fragen, wie der heutige Unterricht, der Fertigkeit in der Fremdsprache betont, diese jedoch nicht mehr einseitig nach der direkten Methode, sondern nach einer linguistisch sorgfältig geplanten audio-lingualen einsprachigen oder nach polymethodischen zweisprachigen Unterrichtsweisen zu erreichen sucht, Sprachvergleich nützlich und konsistent in Methode und didaktischem Ziel "Sprachbetrachtung" durchführen kann. Selbsterhellung der Muttersprache ist sicherlich nicht mehr Hauptziel einer kontrastiven Analyse; prinzipiell sollte man aber diese Differenzierungsmöglichkeit für muttersprachliche Strukturen, die sonst wenig reflektiert werden – eventuell in Verbindung des Fremdsprachenunterrichts mit dem muttersprachlichen Unterricht – beachten. Auch gilt Sprachvergleich nicht mehr nur für kulturkundlich "wertvolle" Gegenstände, sondern sollte primär am sprachlichen System (bzw. Systemebenen wie Semantik, Syntax, Phonologie) ansetzen. Hier wären nun besonders die bisher weitgehend unterrichtsfernen Gebiete der funktionalen-kontextuellen Grammatik einzubauen.

5.4.3. Ein wesentlicher Aspekt der Einführung von KL als didaktisches Ziel in den Fremdsprachenunterricht könnte die Weckung eines (un)bewußten Transfervermögens für Spracherlernung sein.

Daß Sprachunterricht Transferwirkung habe, wird schon lange behauptet. Einflußreich, wenn auch für das Ziel einer Sprechfertigkeit in Neusprachen lange hemmend, war die Theorie der "formalen Bildung" des Fremdsprachenunterrichts (besonders der klassischen Sprachen, aber auch "neuerer" Sprachen).[67]

---

[65] Flechsig (1962), S. 236.

[66] Rülcker (1969), Kap. V. *Kulturkunde und direkte Methode*, S. 67 ff.

[67] Niethammer lehnte die neueren Fremdsprachen dafür weitgehend ab, da eine lebende Sprache „noch zuviel Unentschiedenes darbiete, das zwar die Regel selbst nicht zweifelhaft machen kann, aber doch das Auffassen derselben, daß sie nicht gleichförmig anzuwenden und sogar die Zahl der Ausnahmen noch nicht einmal zu bestimmen ist, sehr erschwert." In Niethammer (1808), S. 226; zitiert nach Flechsig (1962), S. 91.

Aufbauend auf die Vermögenspsychologie, werden die Sprachen wie auch das Fach Mathematik als gutes Mittel für den Aufbau der "Seelenkräfte" bezeichnet. [68] Dieses didaktische Ziel hatte methodisch einen weitgehend kontextlosen Übersetzungsunterricht – bei Vernachlässigung der Sprechfertigkeit – zur Folge. Diese Art Sprachunterricht wurde erst gegen Ende des 19. Jh. (Reformbewegung) zurückgedrängt. Von den Begründern Gedicke, Niethammer, Bernhardi, Thiersch, Passow u. a. gelangte die Methode in die Lehrbücher (Meidinger, Seidenstücker, besonders dann Ploetz).

Als "formale Bildung" wurden dabei besonders Gedächtnisstärkung und Initiierung logischen und operationalen Denkens gesehen. So galt der Sprachunterricht auch als prädestiniert für den Anfangsunterricht. [69] Da das Prinzip der "formalen Bildung" auch das Prinzip des Transfers beinhaltet, ist aber zu sagen, daß Transfer hier sehr abstrakt gemeint ist. Es handelt sich nicht um Transfer in dem Sinne, Unterricht in Lateingrammatik erleichtere Englischunterricht, oder gar, Grammatikunterricht fördere Sprechfertigkeit. [70]

Transfer dieser letzteren Art wurde von Herbart scharf abgelehnt. Heute ist dieses Prinzip umstritten. Roth bezeichnet Transfer als "Reaktion auf sinnvoll interpretierte Situationen" [71] und meint zum Aspekt "Sprachunterricht":

> Latein z. B. kann ein sehr spezifisches Lernmaterial bleiben, das wenig Übertragungseffekte auf das "Denken" oder "das Verstehen anderer Sprachen" oder "vergangener Kulturen" hat; Lateinunterricht kann aber auch umgekehrt das alles hervorragend leisten, wenn "entsprechend unterrichtet wird", nämlich mit Methoden, die die Übertragung begünstigen. [...] Es muß dann gezeigt werden, wie z. B. Latein in den Aufbau der europäischen Sprachen hineingewirkt hat usw. [72]

Transfer kann man im Hinblick auf die heutige psychologische Forschung und die wieder stärker universalistisch ausgerichtete Grammatiktheorie auch anders als quasi-historisch wie in Roths "Latein-Transfer" sehen. Die Ungültigkeit des Transfer-Begriffs im Konzept der "formalen Bildung" wurde schon von Thorndike erwiesen. [73] Doch auch seine "Theorie der identischen Elemente" gilt heute nicht mehr; sie wurde durch die Theorie der "ähnlichen Elemente" und der Stimulusgeneralisierung abgelöst. Zu diesem behavioristisch beeinflußten Transfer-Begriff kommt noch der gestaltpsychologische Begriff des "Transfer durch Einsicht". Gleich, welchen der beiden Transfer-Begriffe man unterstützt, gibt es für den Fremdsprachenunterricht außer dem positiven (und negativen)

---

[68] Vgl. Lehmensick (1926).
[69] Vgl. allgemein Lehmensick (1926) zu Fr. A. Wolf, S. 7 ff.
[70] Vgl. Roth ([13]1971), S. 284.
[71] Ebda., S. 287.
[72] Ebda., S. 288. Vgl. auch v. Hentig (1966).
[73] Roth, S. 285. Vgl. auch v. Parreren (1966), S. 224 ff. und generell hier Kap. 4.

Transfer von Einzelelementen auch einen generellen "Fremdsprachen-Fertig-keits-Transfer".

Im stärker audio-lingual ausgerichteten Fremdsprachenunterricht wird Transfer in einem allgemeinen Sinne (nicht auf Einzelelemente bezogen) primär als "transfer of training" und in diesem Sinne intralingual betrachtet (Politzer,[74] Selinker[75]). Der Schüler sollte zuerst *primary matter* in der Fremdsprache erlernen und dann *secondary matter* daraus abzuleiten fähig sein. Politzer[76] macht diese Vorschläge ganz bewußt im Hinblick auf die Ungewißheit, welche Sprache(n) ein Schüler später noch lernen müsse. Studien zu diesem "Transfer of training" machen klar, daß der Lernende entweder Transfer aus seiner Muttersprache oder Transfer aus *primary matter* der Fremdsprache für neu zu bildende Sätze benützt. Dafür sollten ihm generelle "substitution and trans-formation procedures" von der Grammatik zur Verfügung gestellt werden. Dies ist nun ohne KL und ohne universalistisches Sprachmodell nicht zu sehen, aber diese Aspekte sollen hier von dem Lernenden ferngehalten werden, wenn-gleich sie in die Methode eingehen können:

> The universality of grammar on which the unity of linguistic science and with it of language learning is based, is not one of categories, but of method. Grammar is a universal method of "generating" speech, and this method of "generation" can be taught purposely and overtly, and can be transferred, one hopes, from one language to another."[77]

Politzer glaubt auch, daß diese Transfermöglichkeit das Lernen jeder weiteren Sprache zunehmend erleichtere.

Wir sind der Ansicht, daß man auch in dem Bereich der Kategorien mit dem Konzept des Sprachstruktur-Transfers auf der Basis kontrastiver Linguistik arbeiten kann. Dies ist möglich, wenn durch das Aufzeigen und Erkennen rele-vanter Äquivalenzen zwischen Sprachen für den Schüler Beziehungen selbst auch bei neuen Aufgaben feststellbar werden. Die Tiefenstrukturen und be-stimmte Merkmalmengen sprachlicher Zeichen der Einzelsprachen gelten zuein-ander als weitaus ähnlicher als die jeweiligen Oberflächenstrukturen. Gelingt es, im Fremdsprachenunterricht nicht nur durch Drill einwandfreie fremdsprach-liche Formen ohne Interferenzeinwirkungen zu erzeugen, sondern die semanti-schen und strukturellen Ähnlichkeiten (und Unterschiede erst danach) der Fremdsprache zur Muttersprache oder zu anderen Fremdsprachen – etwa im Sinne einer Parallelgrammatik, die nicht nur sich als *tertium comparationis* mit dem Begriffsapparat der Lateingrammatik darstellt – deutlich zu machen, so

---

[74] Politzer (1965).
[75] Selinker (1966, 1968, 1971).
[76] Politzer (1965), S. 176.
[77] Ebda., S. 175.

kann ein solcher Transfer für Fremdsprachenlernfähigkeit nutzbar gemacht werden. Erkennt ein Schüler, daß jede Sprache bestimmte Satzrelationen wie Agens-Patiens, Zeit, Modus, Aspekt, illokutionäre Akte wie Aussagen, Fragen, Befehlen, Vorhersagen etc., Numeri, Genera usw. ausdrücken muß und jeder Sprache dafür bestimmte grundsätzliche Formmöglichkeiten (eigene SZ, Morphemverknüpfungen zu Wörtern, Wortstellung, Wortumstellung, prosodische Merkmale) zur Verfügung stehen, die nur in jeder Sprache anders kombiniert werden, dann kann nach grundsätzlichem Verständnis der Ähnlichkeit auch leichter zu den Oberflächenunterschieden gegangen werden. Die Unterschiede in der verschiedenen Kombination semantischer Merkmale zu sprachlichen Zeichen und der unterschiedlichen Kombination formaler Elemente in den Einzelsprachen läßt nun eben meist keinen Transfer von Oberflächenstrukturen zu, ja ein solcher würde geradezu zu Interferenz beim Erlernen führen; dagegen kann der Vermittler "Tiefenstruktur" im Sinne eines Mediationsprozesses wirken, was psychologisch zur Assoziationserleichterung von Oberflächenformen führt.

Rein oberflächenbezogener Formendrill bezieht sogar gelegentlich tiefenstrukturell verschiedene, aber formähnliche Satz*patterns* aufeinander;[78] außerdem werden kontextuelle Merkmale zu wenig berücksichtigt (da ihnen selten Wörter, wohl aber prosodische Elemente, Wortstellung, Pronominalisierung, Satzunterordnung etc. entsprechen). *Patterns* sind so allein wenig wirkungsvoll, besonders werden auch fortgeschrittene Schüler und Erwachsene intellektuell nicht sehr davon angesprochen. Hier könnte ein solches "Transfer"-Erziehen ein wesentliches didaktisches Ziel sein. In ihm kann neben Grundsätzlichem auch beliebig weiter auf konkreten Sprachvergleich, wie schon Carl Mager ihn forderte, eingegangen werden. Dieser Transfer hat nichts mit dem Transfer der "formalen Bildung" zu tun, verhindert aber unverbundene und einsprachlich isolierte zweckgebundene Fremdsprachenerlernung zugunsten eines "kommunikationswissenschaftlichen" Bildungszieles.

Methodisch sollte dieses didaktische Ziel aber nicht isoliert stehen. Es kann in die Besprechung von Beschränkungen im Fremdsprachenerwerb (Fehleranalyse, Stilfragen usw.) ebenso integriert werden wie in die Regelerklärung (nach induktiv eingeleiteter Auffindung oder bei deduktiver Setzung) und auch in den Wortschatzaufbau.

---

[78] Berndt (1970).

5.5. Kontrastive Linguistik und ihre Auswirkung auf Methoden des Fremdsprachenunterrichts

5.5.1. Die kontrastive Linguistik hat ihren Aufschwung und ihre Popularität in den letzten zwei Jahrzehnten nicht zuletzt dem bewußt oder unbewußt geförderten Eindruck zu verdanken, sie könne entscheidend zur Auswahl, empirischen Fundierung und Verbesserung der Methoden des Fremdsprachenunterrichts beitragen. Dieser Anspruch konnte bis jetzt noch nicht eingelöst werden. Weder wurden in ausreichendem Maße linguistische Vergleiche durchgeführt, die über Parallelgrammatiken hinausgehen, [79] noch wurden Linguistik und Psychologie im Bereich der Interferenztheorie aufeinander abgestimmt und empirisch zu validieren versucht.

Zum anderen wird der Fremdsprachenlehrer behaupten, natürlich beziehe er Unterschiede zwischen der Muttersprache seiner Schüler (und damit meist seiner eigenen) und der Zielsprache in seinen Unterricht ein. Im übrigen sei weder eine bis ins einzelne gehende Fehleranalyse möglich noch sei diese nötig, da Perfektion nicht angestrebt werden könne. Spezielle KL habe so weder für den Unterricht noch für die Lehrerbildung große Relevanz.

Im folgenden soll gezeigt werden, wie KL auch ohne schlagende Ergebnisse für Einzelmethodik doch in den Fremdsprachenunterricht hineinwirken kann – nicht zuletzt als Bewußtmachung genereller Art für das methodische Vorgehen des Lehrers.

5.5.2. Im Bereich der weiteren Methodik gilt es für den Lehrer, KL in der Aufstellung des "Wissensplanes" für seine Schüler zu berücksichtigen. Da er im wesentlichen aber dieses *knowledge* in das Vermitteln der *skills* "verpacken" soll, muß er die zu lehrenden Wissens-Elemente (Wortschatz, lautliche Diskriminationen, syntaktische Regeln) aufgliedern und verteilen können. Die *transitional competence* bestimmt sich n u r nach dem vorhandenen Kompetenzzuwachs, auch wenn dieser in *basic* und *integrated skills* sichtbar wird. Zabrocki [80] scheidet zwischen internem und externem Speicher. Die Systeme der paradigmatischen Ebene (die verschiedenen Oppositionen der Zeichenfelder) werden gelernt, ganze Sätze als kommunikative Elemente werden meist nicht (oder nur am Anfang) erworben, [81] sondern – als *skills* – jeweils neu generiert. *Skills* sind somit Vermittler und Prüfstein [82] für *knowledge*.

---

[79] Zu diesen sind letztlich auch die Werke der *CSS*-Serie des *CAL* (Kufner/Moulton; Stockwell u. a.; Agard/di Pietro) zu rechnen.

[80] Zabrocki (1969), S. 56 ff.

[81] Sicherlich werden am Anfang des Fremdsprachenunterrichts auch gewollt oder ungewollt Sätze gelernt, wie auch sonst sicherlich Satzteile – und dabei nicht nur Idioms und "wiederholte Rede" – oft als Ganzes auch paradigmatisch gelernt werden und abrufbar sind.

Die Schwierigkeiten für den Lehrer sind dreifach: (1) er muß das zu lehrende Wissen aufgrund der KL ordnen und widerspruchsfrei in ein Klassen-Teil-kompetenz-Ziel verarbeiten, (2) er muß es über *skills* verteilen und d i e s e automatisieren; (3) an diesen automatisierten Fertigkeiten, die für den Kommunikationsakt letztgültiges Lehrziel sind, muß er den Zuwachs an Teil-k o m p e t e n z messen (Fehleranalyse). Für die Aufgaben (1) und (3) benötigt er linguistische Methoden, für (2) linguistisch-pädagogische Methoden.

An methodischen Möglichkeiten zum Üben der *skills* stehen dem Lehrer verschiedene mehr oder weniger realitätsnahe Übungstypen zur Verfügung: Lesen, Essay-Schreiben, Übersetzen, Umsetz- und Einsetzübungen, Diktat, Frage-Antwort-Übungen, Bildbeschreibungen usw. Sie sind teils für ein-, teils für zweisprachigen Unterricht geeignet.

5.5.3. Bevor diese Fragen der engeren Methodik im Sinne des Anwendungsgebietes (2) für KL behandelt werden, ist noch der Einfluß der KL auf generelle methodische Entscheidungen zu skizzieren.

Die Prädiktion von Lernschwierigkeiten und daraus sich ergebende Stufung der Teilkompetenzen ist trotz eines gewissen Optimismus bisher nicht gelöst. [83] Die Betonung von vermuteten Interferenzquellen wird zwar nie bestritten, aber Reihenfolge und Verknüpfung zusammengehöriger Elemente (semantisch, nicht formal wie in der traditionellen Grammatik [84]) sind oft willkürlich und werden selten als methodisches Problem erkannt. [85] Einige Vertreter der KL befürworten Massierung der Unterschiede am Anfang. [86] Bei einer solchen horizontalen Gliederung der Erlernung der Fremdsprache ergeben sich neben extralinguistischen didaktischen Gründen (Auswahl des Wortschatzes nach "landeskundlichen" Aspekten usw.) und quantitativen Aspekten (Minimalwortschatz, *functional load* semantischer und grammatischer Elemente) generelle Unterschiede in der Prädiktionsmöglichkeit wie in der Chance, die Reihenfolge überhaupt zu bestimmen.

KL in der Großgliederung des Fremdsprachenunterrichts würde bedeuten, Schwerpunkte nach gravierenden Sprachunterschieden und vermuteten oder tatsächlichen (empirisch herauszufindenden) Interferenzen aufzubauen. Dabei ist

---

[82] In der Schulsituation wird auch reines Wissen geprüft (Wortschatzabfragen, Regelkenntnis usw.).

[83] Nickel (1969), Nickel/Wagner (1968) u. a.

[84] Wo z. B. die verschiedenen Möglichkeiten zum Ausdruck der "Zukünftigkeit" meist an sehr verschiedenen Stellen behandelt werden, da eben die Formen (Hilfsverb *will/shall*, Präsens, *to be going to, to be about to* etc.) verschieden sind.

[85] Vgl. Hinweise bei Stockwell/Bowen/Martin (1965), Appendix-Kapitel.

[86] Lee (1968), Sciarone (1970), u. a.

anzumerken, daß zu erwartende Interferenzfehler (einschließlich indirekter intralingualer) ohnehin nur etwa 50 % der tatsächlichen Fehler in einem frei gesprochenen Text, in einem Übungstext zu einer Lektion oft noch erheblich weniger ausmachen. [87] Trotzdem ist der Ansatz richtig, da diese Fehler bzw. Irrtümer weitaus besser systematisierbar sind als andere.

Für die Ebene der Phonologie ergeben sich aber grundsätzliche Einschränkungen. Einmal müssen – bei dem geringen Inventar der Phoneme – praktisch alle gleich zu Beginn eingesetzt werden, um überhaupt Kommunikation zu ermöglichen. Dies läßt eine Schwerpunktbehandlung phonemisch oder subphonemisch sehr unterschiedlicher Laute in L2 zu L1 erst im Prozeß des Sprechens und Lernens, aber nicht präventiv zu. Ähnliches gilt für Intonationen, soweit auf diese im Sprachunterricht überhaupt ausreichend kontrastiv geachtet wird. Weiterhin ist gerade im phonologischen Bereich die prädiktive Interferenzangabe sehr schwierig und unsicher. Quantitative Unterschiede in distinktiven oder nicht-distinktiven Merkmalen entsprechen nicht Hierarchien von Lernschwierigkeiten. Somit ist nur empirisch untersuchende, abgestützte einzelsprachlich bezogene KL und Interferenzanalyse für den Unterricht verwertbar. Dies dürfte im übrigen gleichfalls für einige semantische Felder offener Zeichenklassen gelten.

Für die Ebene der "Syntax" (Semantik der komponentenarmen SZ) wird die Prädiktabilität von Interferenzen im allgemeinen günstiger beurteilt. Barrutia [88] hat das auch anhand von *multiple-choice*-Tests empirisch zu belegen versucht. Gerade hier ist aber der augenblickliche Fremdsprachenunterricht vielleicht am ehesten nach Erkenntnissen der KL und dem Prinzip wachsender Schwierigkeiten aufgebaut, da der Schulunterricht traditionell um Lektionen mit grammatischen Problemen als Zentrum konstruiert ist. Diese könnten daher auch – ohne landeskundliche Lektionstexte sehr zu stören – umgegliedert werden. Bisher wurden aber kaum empirische Untersuchungen durchgeführt, Schlecht [89] hat für Deutsch/Englisch zuerst überhaupt die Schwierigkeiten "angewandt" aufgestellt und Vorschläge zur Verbesserung der bisherigen Darstellungen gemacht.

Die KL könnte sicher auch im Bereich der Semantik (methodisch: der Wortschatzdarbietung und -verarbeitung) in Lektionen für einen sinnvolleren Auf-

---

[87] Im Kommunikationsakt ist dann noch ein wesentlich geringerer Prozentsatz bei einem bestimmten Sprecher vorhanden bzw. davon dann gerechnet überhaupt kommunikationsstörend. Der einzelne (kurze) Sprechakt ist aber für die Teilkompetenz nicht generell konstitutiv, wohl aber aus Gründen der Ökonomie für den Lehrer nicht zu umgehen.

[88] Barrutia (1969).

[89] Vgl. Schlecht (1967, 1968).

bau sorgen, als er durch Sachzwänge oder völliges Verkennen des Problems in den meisten Lehrbüchern auftritt. Felder, Aufbau von Kollokationen, deutliche Trennung von sprachlichen Zeichen und Idiomgruppen (besonders etwa bei Präpositionen) werden bisher zu wenig beachtet.[90] Lediglich quantitative Aspekte spielen eine gewisse Rolle.[91]

5.5.4. Es kann als erwiesen gelten, daß KL für ein- wie zweisprachigen Unterricht als Grundlage gleich wichtig ist. Im einsprachigen Unterricht, in dem Sprachvergleichung *passim* oder methodisch (oder gar didaktisch) bewußt eingesetzt nicht möglich ist, ist KL als Fundierung sogar noch wichtiger, da der Lehrer präventiv arbeiten muß und Fehler durch kleine Lernschritte verhüten soll. In dieser Art von Unterricht müßte er die auftretenden Fehler ja (zumindest streng genommen) in der Fremdsprache erklären, was oft beim Kenntnisstand der Schüler gar nicht möglich ist.

Jeder Unterschied, ob ein- oder zweisprachig, fordert überdies gewisse metasprachliche Erläuterungen. Da die Interlingua in der Praxis nicht außereinzelsprachlich zu verwenden ist, muß sie in die Mutter- und/oder die Zielsprache transponiert werden. Diese Wahl hängt mit vom methodischen Standpunkt des Lehrers ab. Induktiver (einsprachiger) Unterricht wird versuchen, weitgehend auf die muttersprachliche Metasprache zu verzichten. In der Semantik ist dies meist nicht durchführbar, weil ja hierfür oft die Metasprache "Benennung der paradigmatischen Einheiten mit den Mitteln der syntagmatischen Ebene" ist.[92] Zwar ist es möglich, komplexere Wörter mit einfacheren (komponentenärmeren) Wörtern einsprachig zu erklären,[93] die "innere Verbalisierung" unter Zuhilfenahme der Muttersprache wie auch Übersetzung und Übertragung der muttersprachlichen Bedeutung des erkannten oder vermuteten muttersprachlichen Äquivalenz-Pendants können oft nicht verhindert werden. Interlinguale Übersetzung als "metasprachliche Hilfe" ist manchmal nötig, darf aber nicht zum Selbstzweck werden.[94] Für die Grammatik ist zu beachten, daß die gebrauchte Metasprache nicht die Widersprüche oder Komplexitäten der Metasprache der traditionellen oder transformationell-generativen Grammatik auf-

---

[90] Vgl. Werlich (1969), Carstensen (1970), u. a.

[91] Vgl. für die Praxis Haase (^{2}1961), West/Hoffmann (^{5}1973); Thorndike/Lorge (1944) und andere Häufigkeitswörterbücher.

[92] Zabrocki (1969), S. 57.

[93] Dies könnte man auch innersprachliche Übersetzung nennen, vgl. Jakobson (1969) und Grucza (1970), S. 38. Ausschaltung der Metasprache durch Zeigen der Designata (Aufbau der Semantik über Extensionen, etwa im situationellen Unterricht in Analogie zur Erstsprachenerlernung) ist nicht immer möglich.

[94] Grucza (1970, 1967).

186

weist,[95] daß die Begriffe eindeutig Form oder Inhalt bezeichnen und nicht ambivalent sind.

Hiermit ist auch das schon angesprochene Problem der Selbstevaluierung der Lernenden verbunden, so die Frage, ob besonders bei einsprachigem Unterricht ohne (metasprachliche) Korrektur nur durch Wiederholen des Richtigen ein Lernerfolg eintreten kann. Überlegungen zur Metasprache reichen so auch in das Gebiet der Fehleranalyse hinein; fehlerhafte Sprache wird im bisherigen Unterricht und seiner Methodik viel zu wenig als Indiz für Planung berücksichtigt. Sieht man sie aber als Teilkompetenz oder *approximate language* (im Sinne Corders oder Nemsers), so ist sie eine eigene Sprache, die den Unterricht entweder "ein"sprachig (wenn der Lehrer sich – ohne Irrtümer – an die Teilkompetenz hält) oder "dreisprachig" (Muttersprache – richtige Zielsprache – fehlerhafte Zielsprache) verlaufen läßt.

5.5.5. Im Bereich der engeren Methodik sind horizontale und vertikale Aspekte der Integration von KL zu beachten. Der Lehrer muß sie in jedem Fall an den Beginn seiner Überlegungen stellen, wenn er ein Problem für einen Lernabschnitt (grammatisch oder semantisch abgegrenzt, Unterrichtseinheit oder Übungseinheit) vorbereitet. Benützt er ein Lehrbuch, sind ihm die methodischen Mittel zwar meist vorgegeben, er muß sie für die Vorbereitung jedoch mit dem zugrundeliegenden linguistischen Problem und dessen Darstellung für sich selbst nochmals erarbeiten und kann sie ergänzen.

Die Entscheidungen des Lehrers im Prinzip (ungeachtet der Vorgabe durch das Lehrbuch und Lehrerheft) sollen nun stufenweise dargestellt werden.

(a) Die fremdsprachlichen linguistischen Probleme (z. B. Opposition *present perfect/past tense*, notwendige Relativsätze, Präpositionsprobleme wie *since/for – seit*) müssen wissenschaftlich genau dargelegt sein, sowohl einzelsprachlich wie kontrastiv. Im Rahmen angewandter Linguistik muß festgestellt werden, welche Auswahl an Regeln und Ausnahmen für den Fremdsprachenunterricht (in seiner spezifischen didaktischen Situation) überhaupt aufgenommen werden und in die Teilkompetenzen auf welcher Stufe eingehen sollen.

(b) In Verbindung von gerichteter AKL und Lernpsychologie muß die Lernschwierigkeit untersucht werden. Liegt bei dem Problem Divergenz oder Konvergenz vor, liegen die äquivalenten Systemteile formal auf der gleichen Ebene (etwa "Bedeutung Vergangenheit" und Entsprechung als flektierte Präterita oder mit Hilfsverben zusammengesetzte Partizipformen)? Sind die jeweiligen

---

[95] Zabrocki (1967), S. 9 und Zabrocki (1966), S. 1. Vgl. allgemein zur Lehrersprache Loch (1966), Spanhel (1971) und Priesemann (1971); dort auch weitere Literatur.

Regeln obligatorisch oder optional (stilistisch)? Interferenzwahrscheinlichkeiten können aufgestellt werden (zwecks späterem Vergleich mit tatsächlichen Fehlern bzw. Irrtümern).

(c) Der Lehrer muß entscheiden, welche Stellung das neue Lernproblem zur bisherigen Teilkompetenz hat. Er hat zu fragen, welche Feldteile des *items* in seinen paradigmatischen Beziehungen bereits vorhanden sind und zu welchen es in Relation, aber auch Opposition gestellt werden muß, z. B. Behandlung des *present perfect continuous* zum engl. *present perfect*, aber auch zum *present tense*, wegen Interferenzgefahr des Deutschen u. a. Dieser Bezug zur bisherigen Teilkompetenz ist besonders in den Übungen, weniger im einführenden Text sicherzustellen.

(d) Wahl der Textsorte zur Einführung der *items* aus Grammatik und Wortschatz. Nicht alle Textsorten eignen sich gleich gut für linguistische Probleme. So ist für Vergangenheitstempora, für Relativsätze u. a. ein erzählender Text sinnvoll, für *present perfect*, für *since/for*, für indirekte Rede ist ein Gespräch (Gegenwartsbezug) über vergangene Ereignisse zu wählen usw. Da der Text ja die Induktion von zu lernenden Systemteilen besorgen soll, ist er sorgfältig zu planen. Sachzwänge sollten dies nicht verhindern.

(e) Der Lehrer hat nun zu entscheiden, ob er ein- oder zweisprachig vorgehen will und ob sein Vorgehen kognitive, psycho-motorische oder affektive Bereiche des Schülerlernens ansprechen soll. Dies ist für die Verteilung der linguistischen Probleme in einsprachige Drill-Übungen (Einsetz-, Umformungsübungen, Sprachlabor-Vier-Phasen-Drill [96]), situationelle, [97] visuelle [98] und audio-linguale Übungstypen (mit/oder ohne Medienverbund), zweisprachige Regelerklärungen, Übersetzungen usw. wichtig. Dabei eignen sich einige Übungstypen besonders für Einüben und Test einzelner *items* und Systemoppositionen, andere für Übung von *integrated skills* und Feststellung gewachsener Teilkompetenz generell bei Zwang zur unbewußten "Preisgabe" dieser Kompetenz.

(f) Für eine Unterrichtseinheit hat der Lehrer aus dem horizontalen Kleinraumkomplex dann noch eine spezielle temporale Folge zu bauen, die in temporalem **und** kausalem Konnex zum linguistischen Programm steht. Hier in dieser vertikalen Gliederung ergibt sich aber erneut die Frage der Reihenfolge. Soll vom positiven Transfer, von der Interferenzgefahr, von der gegebenen Regel ausgegangen werden? Trotz der Unpopularität der Herbartschen Stufentheorie, die besonders für die Stundenplanung verwendet wurde, ist eine stärker

---

[96] Lamérand (1971), Freudenstein (1970), Kelz (1970), Stack (1960) u. a.
[97] S. P. Corder (1966) u. a.
[98] Hornby (1965), Cook (1969), Piepho (1967) u. a.

linguistisch-psychologische Planung notwendig. Sie richtet sich auch nach Alter, bereits erreichter Teilkompetenz und nicht zuletzt nach dem gesamten methodischen Plan.[99] KL hat darauf keinen entscheidenden Einfluß, ebensowenig wie auf Sozialformen des Unterrichts.

(g) Der Lehrer hat ständig seine angestrebte Klassen-Teilkompetenz-Erweiterung mit dem tatsächlichen Stand der Klasse zu vergleichen. Dazu helfen ihm die Übungen und Tests,[100] besonders aber eine gute Fragetechnik – in der Mutter- oder Zielsprache. Je nach Situation kann es sich einfach um Beobachtungen anhand gestellter Fragen und gegebener Antworten im Übungsstil handeln (Wort- oder Satzfragen). Besteht beim Lehrer Unklarheit, so kommen auch Ja-Nein-Fragen, reine Nein-Fragen oder suggestive Fragetypen (unvollständige Disjunktionsfragen und Voraussetzungsfragen) in Betracht.[101] An diese kann sich sofortige Fehleranalyse,[102] besser aber Veränderung der Strategie im Sinne von Rückgriff, Wiederholung oder Ausweichen auf metasprachliche Erläuterungen anschließen. Hier ist dann KL und Interferenzlehre im Bereich der Fehleranalyse in direkter Praxis zu sehen. Der Lehrer, der hier nicht im Augenblick des Unterrichtens einen (mindestens) vierfachen Sprachvergleich – nämlich (1) Muttersprache – nach Möglichkeit regionales Subsystem des Schülers, (2) überblickbare erreichte Teilkompetenz (der Klasse) in L2 – Ausgangspunkt des Unterrichtens, (3) sich bildende erweiterte Teilkompetenz in L2 – Lernprozeß in der Unterrichtseinheit und (4) ideale Zielsprache – Norm bzw. Standard (möglicherweise mit Einbeziehung der Lehrinterferenz) durchführen kann, ist den Anforderungen des Fremdsprachenunterrichts nicht ausreichend gewachsen. KL im lehrerbildenden Curriculum ist somit auch und nicht zuletzt Training für diese Situation.

5.6. Erläuterungen und Literaturhinweise

Eine ausführliche Besprechung bekannter Werke für den Bereich der "Sprachlehre" ist hier nicht möglich und würde den Rahmen eines Buches über KL sprengen. Manche Ausprägungen der KL sind ohnehin bereits AKL, speziell für Anwendung im Schulunterricht gedacht (didaktische Programmierung, Fehleranalyse u. a.).

---

[99] Heuer (1968), Raith (1967) u. a.
[100] Vgl. Lado (1971), Valette (1967) u. a.
[101] Vgl. Weimer (²1929).
[102] Hohmann (1969).

Wir weisen auf die Arbeiten von Hüllen (1971) und Kühlwein (1974) für die
Beziehungen von Linguistik zur Sprachlehre hin; vgl. auch bereits Halliday/
McIntosh/Strevens (1964).
Zur allgemeinen Didaktik vgl. als Überblick Blankertz (⁶1972) und Heimann/
Otto/Schulz (1965), Roth (¹³1971) sowie die Veröffentlichungen im Rahmen des
Funkkollegs: Erziehungswissenschaft (1971).
Die empirische Stützung von Theorien zur Spracherlernung, aber auch spe-
zieller Anwendungen von KL, ist sehr mühsam und muß in Zukunft verstärkt
durchgeführt werden, vgl. bes. Scherer/Wertheimer (1964), Brière (1968) u. a.
Zu Testverfahren (und KL dabei) vgl. besonders Lado (1971) und Valette
(1967). Zur Geschichte der Modelle des Sprachunterrichts vgl. besonders Flechsig
(1962), Rülcker (1969), Kelly (1971).

Achtenhagen, F.: *Didaktik des fremdsprachlichen Unterrichts*, Weinheim/B. 1969
Anderson, Th./Boyer, M. (Eds.): *Bilingual Schooling in the United States*, 2 vols.,
    Washington, D. C., 1970
Aehle, W.: *Die Anfänge des Unterrichts in der englischen Sprache*, bes. auf den Ritter-
    akademien, Hamburg 1938
Arndt, H.: "Englisch an Volksschulen und moderne Lerntheorien", in: *Praxis des neu-
    sprachlichen Unterrichts* 12 (1965), 234–241
Bald, W. D./Carstensen, B./Hellinger, M.: *Die Behandlung grammatischer Probleme in
    Lehrwerken für den Englischunterricht*, Frankfurt/M. 1973
Banathy, B./Trager, E. C./Waddle, C. D.: "The Use of Contrastive Data in Foreign
    Language Course Development", in: A. Valdman (Ed.): *Trends in Modern Language
    Teaching*, New York 1966, 35–56
Bauer, E. W.: "Ansätze zu einer Taxonomie der Lernziele im Fremdsprachenunterricht",
    Vortrag auf der 3. Jahrestagung der GAL in Stuttgart 1971 (Ms.)
Beile, W.: *Didaktik der Sprachprogrammierung*, Mainz 1971
Belasco, G.: "The feasability of learning a second language in an artificial unicultural
    situation", in: *The Psychology of Second Language Learning*, Ed. P. Pimsleur/
    T. Quinn, Cambridge 1971, 1–10
Berger, F.: *Menschenbild und Menschenbildung*. Die philosophisch-pädagogische Anthro-
    pologie J. G. Herders, Stuttgart 1933
Blankertz, H.: *Theorien und Modelle der Didaktik*, München ⁶1972
Bloom, G. S. u. a. (Eds.): *Taxonomy of Educational Objectives*. The Classification of
    Educational Goals. Handbook I: Cognitive Domain, New York 1956
Bloom, B. S./Hastings, Th./Madaus, G.: *Handbook on Formative and Summative Eva-
    luation*, New York 1970
Bohlen, A.: *Methodik des neusprachlichen Unterrichts*, Heidelberg ⁴1963 [1930]
Bohlen, A.: *Die Sprachtheorie W. v. Humboldts und der Bildungswert der englischen
    Sprache*, Tübingen 1952
Bovet, P.: *Bilinguisme et éducation*, Geneva 1932
Braunshausen, N.: *Le bilinguisme et les méthodes d'enseignement des langues étrangères*,
    Bruxelles 1934
Breymann, H.: *Die neusprachliche Reformliteratur von 1876–1893*. Eine bibliographi-
    sche Übersicht, Leipzig 1895; ergänzt 1900, 1905, 1909

Broudy, H. S.: "Historic Exemplars of Teaching Method", in: N. L. Gage (Hgb.): *Handbook of Research on Teaching*, Chicago 1963, 1–43

Brunner, K.: "Sprachlehrbücher im Mittelalter", in: *Language and Society*. Essays Jensen, Copenhagen 1961, 37–43

Burgschmidt, E./Götz, D./Hoffmann, H. G./Hohmann, H.-O./Schrand, H.: *Englisch als Zielsprache*. Handbuch des Englischunterrichts unter besonderer Berücksichtigung der Erwachsenenbildung, München (erscheint)

Carstensen, B.: *Die neue Grammatik und ihre praktische Anwendung im Englischen*, Frankfurt/M. 1966

Carstensen, B.: "Englische Wortschatzarbeit unter dem Gesichtspunkt der Kollokation", in: *Neusprachliche Mitteilungen* 23 (1970), 193–202

Carton, A. S.: "Interferencing: a process in using and learning language", in: *The Psychology of Second Language Learning*, Eds. P. Pimsleur/T. Quinn, Cambridge 1971, 45–58

Catford, J. C.: "Translation and Language Teaching", in: *Linguistic Theories and Their Application*, Ed. Council for Cultural Co-operation, AIDELA, Strasbourg 1967, 125–146

Chandler, R. E./Hefler, R.: *A Handbook of Comparative Grammar for Students of Foreign Languages*, New York 1949

Closset, F.: *Didaktik des neusprachlichen Unterrichts*, München 1965

Corder, S. P.: *The visual element in language teaching*, London 1966

Cube, F. v.: *Kybernetische Grundlagen des Lehrens und Lernens*, Stuttgart ²1968

Cube, F. v.: "Zum Begriff der Didaktik", in: *Die deutsche Schule* 60 (1968), 391–400

Dietrich, G.: *Sprachtheoretische Grundlagen des neusprachlichen Unterrichts*, Heidelberg 1968

Direder, M. (Ed.): *Paths to Spoken English*, München 1969

Dodson, C. J.: *Language Teaching and the Bilingual Method*, London 1967

Doyé, P.: "Zur Problematik der direkten Methode", in: *Praxis des neusprachlichen Unterrichts* 9 (1962), 6–14

Duve, M.: *Grundfragen des englischen Unterrichts*, Frankfurt/M. ³1962

Eichberg, E.: "Über das Vergleichen im Fremdsprachenunterricht", in: *Die Neueren Sprachen* (NF) 19 (1970), 132–141

Faust, M.: "Sprachstudium und vergleichende Sprachwissenschaft heute", in: *Linguistische Berichte* 10 (1970), 61–65

Fiedler, F.: *Englischer Sprachgebrauch und englische Schulgrammatik*, Berlin 1967

Flagstad, Chr. B.: *Psychologie der Sprachpädagogik*, Berlin/Leipzig 1913

Flechsig, K. H.: *Die Entwicklung des Verständnisses der neusprachlichen Bildung in Deutschland*, Diss. Göttingen 1962

Flechsig, K. H. (Hgb.): *Quellen zur Unterrichtslehre. Neusprachlicher Unterricht I*, Weinheim/B. 1965

Frank, H.: *Kybernetische Grundlagen der Pädagogik*, Baden-Baden ²1969

Freudenstein, R. (Hgb.): *Das Sprachlabor in der Praxis*, Dortmund 1965

Freudenstein, F.: "Aufgaben und Möglichkeiten der Unterrichtsmethodik. Dargestellt am Beispiel des Fremdsprachenunterrichts", in: *Erziehungswissenschaft. 2. Eine Einführung*. Funk-Kolleg 8, Frankfurt/M. 1970, S. 167–187

Freudenstein, F.: *Unterrichtsmittel Sprachlabor*, Bochum 1970

Fries, Ch. C.: *Teaching and Learning English as a Foreign Language*, Ann Arbor 1945

Gaarder, A. B.: "Teaching the Bilingual Child. Research, Development, and Policy", in: *Modern Language Journal* 49 (1965), 165–175

Gefen, R,: "Theoretical Prerequisites for Second Language Teaching", in: *IRAL* IV (1966), 227–233

Gläser, R.: "Zur Grammatik des modernen Englischen auf pattern-Grundlage", in: *ZAA* 13 (1965), 360–374

Grucza, F.: "Fremdsprachenunterricht und Übersetzung", in: *Glottodidactica* 5 (1970), 37/49

Gutknecht, Ch./Kerner, P.: *Systematische Strukturmodelle des Englischen.* Lernpsychologische und methodische Grundfragen zur pattern-Grammatik, Hamburg 1969

Gutknecht, Chr./Panther, K. U.: *The Role of Contrastive Grammars in Foreign Language Learning*, Braunschweig 1971 (LB-Papier 14)

Haase, A.: *Englisches Arbeitswörterbuch.* Der aktive englische Wortschatz in Wertigkeitsstufen und Sachgruppen, Frankfurt/M. ²1961

Hack, J.: *Die vergleichende Sprachmethode.* Eine Anleitung zum gleichzeitigen Unterricht in mehreren Sprachen, Frankfurt 1865

Heimann, P.: "Didaktik als Theorie und Lehre", in: *Die Deutsche Schule* 54 (1962), 407–427

Heimann, P./Otto, G./Schulz, W.: *Unterricht. Analyse und Planung*, Auswahl. Reihe B., Hannover ⁵1970 (1965)

Heinrichs, H. (Ed.): *Lexikon der audio-visuellen Bildungsmittel*, München 1971

Hentig, H. v.: "Linguistik, Schulgrammatik, Bildungswert. Eine neue Chance für den Lateinunterricht", in: *Gymnasium* 73 (1966), 125–146

Herms, J.: *Häufigkeit, Ursachen und Bekämpfung der grammatischen Fehler im ersten Jahr des Französischunterrichts* unter besonderer Berücksichtigung der Fehler bei der Wiedergabe von Genitiv und Dativ sowie beim Gebrauch des Teilungsartikels, Diss. Berlin (Humboldt-Univ.) 1968

Herms, J.: "Grammatische Fehler im Fremdsprachenunterricht", in: *Moderner Fremdsprachenunterricht* 2 (1969), 141–168

Herriott, P.: *Language and Teaching.* A psychological view, London 1971

Hesse, H. A./Manz, W.: *Einführung in die Curriculumforschung*, Stuttgart 1972

Heuer, H.: *Die Englischstunde.* Fallstudien zur Unterrichtsplanung und Unterrichtsforschung, Wuppertal 1968

Hoffmann, L.: "Probleme der linguistischen Fundierung eines modernen fachbezogenen Fremdsprachenunterrichts", in: *Probleme der strukturellen Grammatik und Semantik*, Hgb. R. Růžička, Leipzig 1968, 271–287

Hohmann, H. O.: "Mündliche Fehlerkorrektur", in: *Praxis des neusprachlichen Unterrichts* 16 (1969), 224–6

Hok, R.: "Cognitive and S-R Learning Theories Reconciled through Bisociation and Contrastive Studies", in: *IRAL* 10 (1972), 263–269

Hornby, A. S.: "The Situational Approach in Language Teaching", in: H. B. Allen (Hgb.): *Teaching English as a Second Language*, New York 1965, 195–200

Howatt, A. P. R.: *Programmed Learning and the Language Teacher*, London 1969

Hübner, W.: *Didaktik der neueren Sprachen*, Frankfurt/M. 1965

Humboldt, W. v.: *Über die Verschiedenheit des menschlichen Sprachbaues und ihren Einfluß auf die geistige Entwicklung des Menschengeschlechtes* (1835), Gesammelte Schriften, Berlin 1903 ff. (Akademie-Ausgabe), Bd. VII

Jespersen, O.: *How to Teach a Foreign Language*, London 1904 (repr. 1944)

Kadler, E. H.: *Linguistics and Teaching Foreign Languages*, New York/London 1970

Kahl, P. W.: *Muttersprache und Fremdsprache im Englischunterricht der Volks- und Mittelschulen*, Weinheim/B. 1962

Kelly, L. G.: *25 Centuries of Language Teaching*, Rowley/Mass. 1969

Kelz, H.: *Bibliographie zum Thema 'Sprachlabor'*, Köln 1970 (IPK 31)

Klafki, W./Lingelbach, K. C./Nicklas, H. W. (Hgb.): *Probleme der Curriculumentwicklung*, Frankfurt/M. 1972

Kloss, H.: *FLES*. Zum Problem des Fremdsprachen-Unterrichts an Grundschulen Amerikas und Europas, Bad Godesberg 1967

Krathwohl, D. R./Bloom, B. S./Masia, B. B.: *Taxonomy of Educational Objectives*. The Classification of Educational Goals. Handbook II: Affective Domain, New York 1964

Kühlwein, W.: "Der Einfluß der amerikanischen Linguistik auf den Fremdsprachenunterricht", in: *JAS* 16 (1971), 28–46

Kühlwein, W.: *Die Leistung der Linguistik für den Schulunterricht*, Tübingen 1974

Lado, R.: *Moderner Sprachunterricht*, München ⁴1973

Lambert, W./Gardner, R. C./Olton, R.: *A study of the roles of attitude and motivation in second language learning*, Univ. of Washington 1961/Montreal 1961

Lane, H.: "Programmed Learning of a Second Language", in: *IRAL* 2 (1964), 249–301

Loch, W.: "Redekunst und Unterricht", in: *Bildung und Erziehung* 19 (1966), 112–134

Lorenzen, K.: *Englischunterricht*, Bad Heilbrunn 1972

Mackey, W. F.: *Language Teaching Analysis*, London 1965 u. ö.

Macnamara, J.: *Bilingualism in Primary Education*, Edinburgh 1966

Mager, C. W.: "Über Wesen, Entwicklung und pädagogische Bedeutung des schulmäßigen Studiums der neueren Sprachen und Literaturen" [Zürich 1943], abgedruckt in: K. H. Flechsig (Hgb.): *NU* I (1965), 69–154

Mager, R. F.: *Lernziele und Programmierter Unterricht*, Weinheim/B. 1965 u. ö.

Marckwardt, A. H.: *Linguistics and the Teaching of English*, Bloomington 1966

Marron, J. H.: *A History of Education in Antiquity*, New York 1956 (Übs.)

Messelken, H.: *Empirische Sprachdidaktik*, Heidelberg 1971

Mihm, E.: *Die Krise der neusprachlichen Didaktik*. Eine systemorientierte Ortsbestimmung, Frankfurt/M. 1972

Mueller, Th. H.: "The effectiveness of two learning models: the audio-lingual habit theory and the cognitive code-learning theory", in: *The Psychology of Second Language Learning*, Eds. P. Pimsleur/T. Quinn, Cambridge 1971, 113–122

Mues, W.: "H. E. Palmer und die Entwicklung der Methode des modernen Fremdsprachenlernens", in: *Praxis des neusprachlichen Unterrichts* 13 (1966), 30–35

Najam, E. W.: *Language Learning: The Individual and the Process*, IJAL 32, I. Part 2, Bloomington/The Hague 1966

Nickel, G.: "Contrastive Linguistics and Foreign-Language Teaching", in: *PAKS-Arbeitsbericht* III/IV, Stuttgart 1969, 63–83

Niethammer, F. I.: *Der Streit des Philanthropismus und des Humanismus*, Jena 1808

Nissen, R.: *Kritische Methodik des Englischunterrichts*. Erster Teil: Grundlegung, Heidelberg 1974

Ornstein, J./Lado, R.: "Research Foreign Language Teaching Methodology", in: *IRAL* 5 (1967), 11–25

Palmer, H. E.: *The Scientific Study and Teaching of Languages*, London 1917

Palmer, H. E.: *The Principles of Language Study*, London 1917

Parreren, C. F. v.: *Lernen in der Schule*, Weinheim 1969 u. ö.

Peck, A. J.: "Teaching Meaning", in: *IRAL* 6 (1968), 23–35

Piepho, H. E.: "Die Didaktische Analyse als Prinzip der Vorbereitung des Englischlehrers", in: *Praxis des neusprachlichen Unterrichts* 8 (1961), 155–163

Piepho, H. E.: "Zum Begriff der 'Situation' in der Didaktik des elementaren Englischunterrichts", in: *Praxis des neusprachlichen Unterrichts* 14 (1967), 27–32

Pimsleur, P./Sundland, D. M./McIntyre, R. D.: "Under-Achievement in Foreign Language Learning", in: *IRAL* 2 (1964), 113–139

Politzer, R. L.: "Some Reflections on Transfer of Training in Foreign Language Learning", in: *IRAL* 3 (1965), 171–178

Politzer, R. L.: "An Experiment in the Presentation of Parallel and Contrasting Structures", in: *Language Learning* 18 (1968), 35–43

Porz, A.: *Allgemeine Prinzipien zur Erarbeitung von Deutschlehrbüchern für Ausländer*, Diss. Leipzig 1966

Priesemann, G.: *Zur Theorie der Unterrichtssprache*, Düsseldorf 1971

Pynsent, R. B.: *Objektive Tests im Englischunterricht der Schule und Universität*, Frankfurt/M. 1972

Raith, J.: *Der Englischunterricht*, I+II, München 1967

Rehfeldt, W.: *Beiträge zur Methodik des Englischunterrichts*, Berlin 1962

Richterich, R./Stott, A. M. J./Dalgalian, G./Willeke, O.: *Handbuch für einen aktiven Sprachunterricht*, Heidelberg 1969

Robinsohn, S. B.: *Bildungsreform als Revision des Curriculums*, Neuwied 1967, [3]1971

Roddis, M. F.: "The Contemporary Relevance of three early works on Language Teaching Methodology", in: *IRAL* 6 (1968), 333–347

Rülcker, T.: *Der Neusprachenunterricht an Höheren Schulen*. Zur Geschichte seiner Didaktik und Methodik, Diss. Frankfurt/M. 1969

Salistra, J. D.: *Methodik des neusprachlichen Unterrichts*, Berlin 1962

Saltzmann, I. J.: "Programmed self-instruction and second-language learning", in: *IRAL* 1 (1963), 104–114

Sauer, H.: *Fremdsprachen in der Volksschule*, Hannover 1968

Schiff, B.: *Entwicklung und Reform des Fremdsprachenunterrichts in der Sowjetunion*, Berlin 1966

Schiffler, L.: *Einführung in den audiovisuellen Fremdsprachenunterricht*, Heidelberg 1973

Schneider, B.: "Kritische Anmerkungen zu den audio-lingualen Übungstypen im fremdsprachlichen Unterricht", in: *Praxis des neusprachlichen Unterrichts* 28 (1971), 56–66

Schröder, K.: *Die Anfänge des Englischunterrichts an den deutschsprachigen Universitäten*, Ratingen 1970

Schubel, F.: *Methodik des Englischunterrichts für höhere Schulen*, Frankfurt/M. 1958

Schulz, R.: *Moderne Lehr- und Lernhilfen für den Englischunterricht auf der zweiten Spracherlernungsstufe*, Frankfurt/M. 1971

Smith, P. D.: *A comparison of the cognitive and audiolingual approaches to foreign language instruction*, The Pennsylvania Foreign Language Project, Philadelphia 1970

Spanhel, D.: *Die Sprache des Lehrers*. Grundformen des didaktischen Sprechens, Düsseldorf 1971

Spolsky, B.: "Attitudinal Aspects of Second Language Learning", in: *Language Learning* 19 (1969), 271–285

Stack, E. M.: *The Language Laboratory and Modern Language Teaching*, New York 1960

Steuerwald, K.: *Wesen und Bedeutung der neusprachlichen Reform*, Langensalza 1932

Sundermann, K. H.: *Zur Methodik und Didaktik des Englischunterrichts*. Eine kritische Bibliographie in- und ausländischen Schrifttums, Dortmund 1966

Tallent, J. B.: *An experimental evaluation of the teaching of English Grammar by traditional and structural methods*, Ph. D. Diss., Univ. of Tennessee 1961

Thorndike, E. L./Lorge, J.: *The teacher's word book of 30,000 words*, New York 1944

Titone, R.: *Teaching Foreign Languages. An Historical Sketch*, Washington 1968

Ulrich, R.: *Three thousand years of educational wisdom*, Cambridge ²1954

[Viëtor] Quousque Tandem. Der Sprachunterricht muß umkehren. (Heilbronn 1882), abgedruckt in: K. H. Flechsig (Hgb.): *NU* I (1965), 155–172

Walter, M.: *Zur Methodik des neusprachlichen Unterrichts*, Marburg ³1917

Weisgerber, B.: *Elemente eines emanzipatorischen Sprachunterrichts*, Heidelberg 1972

Werlich, E.: "Die Technik systematischer Wortschatzarbeit im Fremdsprachenunterricht", in: *Praxis des neusprachlichen Unterrichts* 16 (1969), 23–38, 158–174

West, M.: *A general service list of English words*, London 1953

West, M./Hoffmann, H. G.: *Englischer Mindestwortschatz*. Die 2000 wichtigsten Wörter, München ⁶1974

Wilhelm, Th.: *Theorie der Schule*. Hauptschule und Gymnasium im Zeitalter der Wissenschaften, Stuttgart 1967

Zimmermann, G.: "Integrierungsphase und Transfer im neusprachlichen Unterricht", in: *Praxis des neusprachlichen Unterrichts* 16 (1969), 245–260

6. Phonologie und Prosodie

6.1. Phonologie

6.1.1. Die folgende Darstellung stützt sich im wesentlichen auf die sog. taxonomische Phonologie, wie sie etwa bei Lyons[1] skizziert wird. Soweit nicht anders spezifiziert, wird unter "Phonetik" die 'artikulatorische Phonetik' verstanden.

"Two phonetically different 'sounds' in the same environment which have the effect of distinguishing different words are recognized as different phonemes".[2] Demzufolge sind etwa *l* und *r* aufgrund von *light* ≠ *right* zwei Phoneme /l/ und /r/ der englischen Sprache. Phoneme werden je nach einer bestimmten lautlichen Umgebung verschieden realisiert, im Falle von /l/ als *clear l, dark l*, stimmloses *l* (= "Allophone", die in [ ] gesetzt werden). Diese Erscheinung der durch die Position bedingten Art der Realisierung eines Phonems in seinen Allophonen wird komplementäre Distribution genannt. Allophone müssen einander phonetisch ähnlich sein, wobei es allerdings bisher nicht gelungen ist, diese "phonetische Ähnlichkeit" genauer zu bestimmen.

6.1.2. Weiter wird gesagt: der Gegensatz zwischen z. B. *pin* und *bin* kommt nicht zustande durch eine Art Totalgegensatz von /b/ und /p/, sondern nur durch den Gegensatz stimmlos – stimmhaft (da /p/ und /b/ ja in bezug auf Artikulationsart – plosiv – und Artikulationsort – bilabial – gleich sind). "Distinktives Merkmal" (dM) ist also die Stimmhaftigkeit bzw. Stimmlosigkeit.[3] Demnach müssen sich Phoneme untereinander durch mindestens ein dM abheben, die Verschiedenheiten der Allophone (eines Phonems) untereinander müssen dann "nicht-distinktiv" (nd) genannt werden, z. B. die positionsbedingte Aspiration des /p/ im Englischen.

Werden die Merkmale artikulatorisch bestimmt, so kann man sich weitgehend an die üblichen phonetischen Beschreibungen der Vokale, Konsonanten und

---

[1] Lyons (1968), S. 99 ff.

[2] Lyons (1968), S. 112.

[3] Die Termini *stimmhaft – stimmlos* werden hier der Verständlichkeit halber beibehalten; sie dürfen jedoch nicht als phonetische Kategorien aufgefaßt werden (/b, d, g/ sind in einigen Positionen nahezu stimmlos). Für das britische Englisch ist die phonetische Beschreibung von /p/ als bilabial, plosiv, fortis und /b/ als bilabial, plosiv, lenis sinnvoller.

Halbvokale halten.[4] Eine Angabe wie /p/ sollte demnach gelesen werden als "Bündel" der dM bilabial, plosiv, stimmlos. Im Fremdsprachenunterricht wird aus methodischen Gründen stets auf die artikulatorische Beschreibung rekurriert.

6.1.3. Die Zahl der überhaupt möglichen phonetisch-klassifikatorischen Merkmale für die menschliche Sprache scheint begrenzt zu sein. Phonetisch-phonematische Unterschiede zwischen den einzelnen Sprachen sind demnach durch die folgenden Gegebenheiten bedingt:

a) Welche der klassifikatorischen Merkmale weisen die einzelnen Sprachen in ihrem Inventar überhaupt auf?

b) Welche der verwendeten Merkmale haben distinktive Funktion (z. B. Distinktivität der Aspiration im Hindi oder Suaheli, nicht aber im Englischen und Deutschen)?

c) Welche Merkmale werden wie gebündelt (z. B. Bündelung von frikativ, velar, stimmlos für dt. /x/ – nicht im Englischen)?

d) Welchen syntagmatischen Gesetzen unterliegen diese Bündel (mögliche Anfangs-, Mittel- oder Endstellung im Morphem, Kombinationen der Bündel wie /pf/, /ai/, /sm/ usw.)?

e) Welche Auftretenshäufigkeit weisen die einzelnen Bündel oder Kombinationen auf?[5]

6.1.4. Auf die bedeutungsdifferenzierende Funktion der dM wurde bereits oben eingegangen; es sollen nun kurz die ndM besprochen werden.

Die Enkodierung allein mit dM würde nur bei optimalen, idealen Kommunikationsbedingungen die Dekodierung durch den Hörer gestatten. Aufgabe der ndM scheint vorwiegend zu sein, zusätzliche Hinweise für die dM zu vermitteln: die Aspiration des engl. /p/ etwa kann als zusätzliches Merkmal interpretiert werden zur Differenzierung des niemals hörbar behauchten engl. /b/ – für den Fall, daß der Hörer durch besondere Umstände (z. B. Lärm) zu einer Dekodierung des /p/ sonst nicht in der Lage wäre. Die Längung der phonematisch kurzen Vokale vor stimmhaften Konsonanten (z. B. *bid* gegenüber *bit*) ist Hinweis auf die Stimmhaftigkeit des folgenden Konsonanten.[6] Wenngleich also die nichtdistinktiven Merkmale aufgrund der unter gedachten idealen Kommunikationsbedingungen vorgenommenen Analyse als "redundant" be-

---

[4] S. Literaturhinweise.

[5] Eine vorläufige Auszählung der Konsonantenhäufigkeit (nach Delattre 1965, S. 95): für das Englische die Reihenfolge /t, n, r, l, s, d, z, m, ð, k, w, b, h, v, f, p, ŋ, j, g, θ, ʃ, dʒ, tʃ, ʒ/, für das Deutsche /n, t, r, d, s, l, x, m, f, v, g, z, b, k, ts, ʃ, h, p, ŋ, j, pf/.

[6] Zur Verwendung von "stimmhaft" s. Anm. 3.

zeichnet werden, so können sie dennoch – im Verlaufe des tatsächlichen Sprechens – eine "distinktive Funktion" erhalten. (Diese Redundanz als Schutz vor möglichen Kommunikationsstörungen wird als Selbstkorrektion oder Selbstreparatur eines Systems bezeichnet; sie ist auch auf anderen Ebenen der Sprachbeschreibung zu konstatieren.) Die Ansicht, daß "phonemisch" richtiges Sprechen allein schon den Kommunikationserfolg gewährleiste, muß daher relativiert werden: die Priorität der dM im Sprachunterricht ist ein methodisches Postulat, das nur für den Anfangsunterricht Geltung haben kann. Nur das "phonetisch" richtige Sprechen enthält die Redundanzen, die einem Hörer das Dekodieren erleichtern bzw. ermöglichen. Eigentlich sollte es selbstverständlich sein, daß man "Sprechfertigkeit" auch hörerbezogen bestimmt: Schaffung optimaler Dekodierungsmöglichkeiten.

6.1.5. Es kann auch der Fall eintreten, daß die ansonsten festzustellende Distinktivität eines Merkmals diese Funktion verliert: aus engl. /sp-/ isoliertes /p/ ist – für einen Engländer – auditiv nicht von einem /b/ zu unterscheiden, d. h. das dM stimmlos ist hier neutralisiert.[7]
Besonders von diesem Beispiel her läßt sich verallgemeinernd ableiten, daß die phonematische Klassifikation eines Segments mit artikulatorischen Merkmalen noch nicht alles über die phonetische Realisierung aussagt: wenngleich /p/ als bilabial zu charakterisieren ist, sind trotzdem phonetisch weitaus genauere Angaben nötig (mit gepreßten oder lockeren Lippen, mit "aufgeblasenen" Wangen usw.). Die Realisierung kann einmal je nach Sprache und zum andern je nach den syntagmatischen Gegebenheiten differieren. Auch von hier aus bestätigt sich, daß der Nachdruck auf phonematischer Korrektheit dem Sprachunterricht nicht in allen Stufen förderlich sein muß.

6.1.6. Bei einer phonologisch unkorrekten Enkodierung des Lernenden ist der zielsprachliche Hörer aber nicht allein darauf angewiesen, welches dM oder ndM der Sprecher beabsichtigt haben könnte – der sprachliche und außersprachliche Kontext treten stützend hinzu. Isoliertes [sei] eines Deutschen wird der Engländer kaum als 'they' entschlüsseln können, wohl aber ist er bei [sei vent houm] dazu in der Lage. "Falsche Aussprache" jeder Art impliziert mithin lediglich potentielle Mißerfolge bei der Kommunikation; sie kann durch kontextuelle Stützung und bestimmte Gegebenheiten von seiten des Hörers (dessen Intelligenz, dessen linguistische Erfahrung mit Ausländern usw.) quasi aus-

---

[7] Vgl. Davidsen-Nielson (1969). Wichtig ist der Zusatz "für einen Engländer", da Angehörige von Sprachen mit anderen Oppositionen auch andere Zuordnungen bei solchen Versuchen vornehmen, vgl. die Berichte über Nemser/Juhász bei Nemser (1971), 20 f.

geglichen werden – wir verstehen ja auch regionale Dialekte der eigenen Sprache hinlänglich.

Zieht man die mögliche Irrelevanz distinktiver Merkmale (im Falle einer Stützung durch ndM) und die Dekodierungshilfen des Kontextes in Betracht, dann muß deutlich werden, daß über die eventuellen Folgen eines Aussprachefehlers keine absoluten Voraussagen zu treffen sind, d. h., man kann nicht voraussagen, wie stark ein bestimmter Fehler ins Gewicht fallen wird.

6.1.7. Der bisherigen Praxis der kontrastiven (taxonomischen) Phonologie ist der Vorwurf gemacht worden (Kohler 1971), daß sie – nach dem phonologischen Vergleich von Mutter- und Zielsprache – nicht alle Fehler vorhersagen könne, von der Art der Fehler ganz zu schweigen. Es ist leider in der Tat noch völlig unklar, warum Deutsche z. B. engl. /θ/ durch /s/ bzw. /d/ und selten oder nicht durch /f/ oder /t/ substituieren. Aufgrund des Vergleiches kann nur vorhergesagt werden, daß höchstwahrscheinlich (!) substituiert wird.

Allerdings bleibt die Frage zu stellen, ob eine andere, stärkere phonologische Theorie, die alle Fehler vorhersagen kann, für eine Unterrichtsanwendung sinnvoll wäre. Die zielsprachlichen Populationen sind häufig linguistisch heterogen (verschiedene regionale und soziale Dialekte der Lernenden); die einzelnen Schüler bringen somit, was das phonologische Repertoire angeht, unterschiedliche Voraussetzungen mit. Die völlig korrekte Vorhersage impliziert daher eine phonologische Analyse sämtlicher Schülerdialekte – eine Forderung, die in der Praxis nicht zu verwirklichen ist. Die korrekte Vorhersage aufgrund eines bestimmten zielsprachlichen Subsystems (etwa "Hochdeutsch") verabsolutiert jedoch eben dieses System – ein methodisch für den Fremdsprachenunterricht kaum haltbares Vorgehen. [8]

Man steht damit vor der Alternative, eine schwächere, anwendbare Theorie zugrundezulegen oder eine stärkere, kaum anwendbare. Wir geben im folgenden der "schwächeren" Theorie den Vorzug und fassen das bisher Gesagte zusammen:

Die absolut zuverlässige Fehlervorhersage erscheint angesichts der linguistisch häufig heterogenen Population kaum praktikabel. Die Gravität eines evtl. Fehlers vorherzusagen, muß an den Variablen (sprachlicher und außersprachlicher Kontext, spezielle Hörerbedingungen) scheitern.

Wir verzichten im folgenden darauf, die hinlänglich bekannten phonematischen Beschreibungen des Deutschen und Englischen zu wiederholen. Sie können, wie auch die notwendigen phonetischen Details, der Literatur entnommen werden.

---

[8] Ausführlicher zu dem Problem "Muttersprache/Dialekte – Fremdsprache" Burgschmidt/Götz (1972).

6.1.8. Das Unterfangen, zum Zwecke des Sprachunterrichts Vergleiche der phonologischen Systeme mehrerer Sprachen vorzunehmen, basiert auf der Beobachtung bzw. Annahme, daß die Sprach- und Sprechgewohnheiten der Muttersprache in die Zielsprache übertragen werden, und zwar sowohl im rezeptiven als auch im produktiven Bereich.

Dies sei an einem Beispiel erläutert.

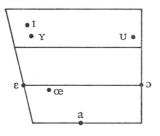

System der dt. kurzen
Monophthonge

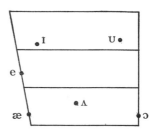

System der engl. kurzen
Monophthonge

(nur für betonte Silben)

Die Lokalisierungspunkte in der obigen Darstellung implizieren nicht, daß Realisierungen eines Phonems immer genau dort zu liegen kommen. Die sprachliche Wirklichkeit zeigt stets – auch innerhalb des gleichen Subsystems – einen gewissen Streubereich, d. h., dt. /ɛ/ kann als [ε_1, ε_2, ε_3 usw.] realisiert werden, und [ε_1, ε_2, ε_3 usw.] werden vom Hörer auf /ɛ/ bezogen. Es ist sogar möglich, daß sich die Streubereiche zweier Phoneme überlappen, so daß der Dekodierende die phonologische Zuordnung mit Hilfe lexikalischer Überlegungen vornimmt.

Engl. [æ] wird vom dt. Hörer in der Regel auf /ɛ/ bezogen (selten, durch Schriftbildeinfluß, auf /a/) und demzufolge mit den üblichen Realisierungen des Bezugsphonems reproduziert. Dieser "unenglischen" Reproduktion braucht nicht unbedingt mangelnde Hördiskrimination zugrundezuliegen – der deutsche Hörer kann auch für sich über die Relevanz der Abweichung vom üblichen Streubereich entschieden haben, und die Spracherfahrung des D e u t s c h e n läßt ihn für Irrelevanz entscheiden. M. a. W.: die Abweichung erscheint ihm als nicht-distinktiv, oder besser, als irrelevant. Grundsätzliche auditive und artikulatorische Unfähigkeit dürfte kaum ein wesentlicher Faktor bei der Entstehung von Ausspracheschwierigkeiten und -fehlern sein.

In den *phonetic ability tests* gelingt es zwar nachzuweisen, daß manche Versuchspersonen phonetisch "geschickter" sind als andere (auch wenn bei letzteren keine organischen Defekte vorliegen), aber die prinzipielle Leistung beim Erlernen eines phonologischen Merkmalbündels besteht eher im Akzeptieren und Verwenden eines unbekannten Sprachlauts als sprachlich funktionalem Element. Nur so ist es eigentlich zu erklären, daß auch der Hinweis auf "Lispeln" deutsche Schüler von der Substitution des /θ/ durch /s/ nicht dauerhaft abhält, oder daß trotz der Fähigkeit, ein Bienensummen mit [bzz] nachzuahmen, Bob's prompt als [-ps] gesprochen wird. Die in unserem Sprachraum als ganz besonders exotisch geltenden Schnalz- und Klicklaute mancher afrikanischer Sprachen sind uns als Nicht-Sprachlaute ganz geläufig, so die Interjektion tz, tz, Lockrufe für manche Tiere, der Schnalzlaut, bei dem die Zunge von den Alveolen zurückgezogen wird usw. Als Sprachlaute dagegen erscheinen sie uns als extrem "schwierig". "Schwierig" ist jedoch in diesem Zusammenhang immer als "ungewohnt" aufzufassen; es herrscht Einigkeit darüber, daß keine Sprache "schwieriger" oder "einfacher" ist als die andere.

Offensichtlich sind zur Sprachverwendung unbekannter Sprachlaute psychomotorische Adaptionen nötig, die einmal ein Neu-Bewußtsein von Distinktivität und Nicht-Distinktivität und zum zweiten Übung erfordern. Dabei spielt es keine Rolle, ob der zielsprachliche Laut phonemisch verschieden ist – wie /θ/ und /s/ – oder, nach Moulton[9] phonemisch "gleich" und phonetisch verschieden, wie engl. /r/ und dt. /r/ ([ʁ]).

Ähnliches Umdenken und Üben verlangen alle zielsprachlichen phonologischen Besonderheiten.[10]

6.1.9. Versuche, allein auf Grund des linguistischen Vergleichs zweier phonologischer Systeme den Grad der Lernschwierigkeiten vorherzusagen,[11] werden neuerdings skeptisch beurteilt.[12] Insbesondere wird angemerkt, daß kontrastive Analysen sich auch auf die jeweiligen Silbenstrukturen (und nicht nur auf Morphemstrukturen) beziehen müßten, vor allem im Falle distributioneller Unterschiede. Lernschwierigkeiten können zudem davon abhängen, wie "sichtbar" ein Laut produziert wird, so daß engl. /θ/ dem Deutschen u. U. leichter fällt als dem Engländer dt. /x/. Darüber hinaus ist mit Variablen von seiten des Lernenden zu rechnen, wie etwa Vertrautheit mit andersartigen phonologischen Systemen der eigenen Sprache oder anderer Fremdsprachen, der Be-

---

[9] Moulton (1962 b), S. 101.
[10] Phonemische Transfers bei Anderson (1964). Die Literatur über Hörexperimente ist referiert bei Nemser (1972). Für Dt. – Engl. vgl. auch Neubert (1962).
[11] Wie etwa bei Stockwell/Bowen (1965).
[12] Vor allem Brière (1968), Bolinger (1967), Nemser (1971).

herrschung peripherer Systeme[13] usw. Es wird auch die Ansicht vertreten, daß minimale Unterschiede größere Schwierigkeiten bereiten können als maximale[14] – sicher eine Folge des Umstandes, daß maximale Unterschiede leichter bewußt gemacht werden können.

Die radikalste Kritik an den Ergebnissen und Prozeduren der bisherigen kontrastiven Phonologie stammt von Nemser: "the results suggest a drastic qualification of the current belief, often stated and in other cases implied, that within narrow limits the type and magnitude of interference phenomena in a given contact situation is predictable on the basis of the paradigmatic patterning or phonetic structure, and the occurrence options, of the phonemes of the language in question".[15] Nemser weist vor allem darauf hin, daß zwischen Perzipieren und Produzieren eines fremdsprachlichen Phonems ein wesentlicher Unterschied bestehen kann und erwähnt in bezug auf die Produktion Variablen wie Schrifteinfluß, Bewußtheit der Lernsituation und bestimmte Konventionen der Muttersprache in der geläufigen Adaption fremdsprachlicher Wörter.

Die eigentliche Leistung der kontrastiven Phonologie scheint darin zu bestehen, daß sie dem Lehrer eine, wenn auch manchmal nur vage, Fehlererwartung an die Hand gibt und ihm die Möglichkeit verschafft, bei der Fehlertherapie über die Ursache des Fehlers Bescheid zu wissen. "Only when the 'why' of the mistakes has been discovered will it be possible to design useful corrective exercises".[16]

Es bedarf keiner besonderen Betonung, daß keinesfalls alle phonologischen Fehler mit muttersprachlicher phonologischer Interferenz zu erklären sind. So kann etwa die Aussprache [vaiə] für *wire* auch darauf beruhen, daß der Lernende den korrekten Anlaut einfach vergessen hat. Etymologisch offensichtlich verwandte Wörter der beiden Sprachen können zu morphologischer Interferenz führen, etwa im Falle von ['kɔleg] für *colleague* oder [is] für *is* (nach dt. umgangssprachlich *is*[t]). Häufig treten natürlich auch Fehler aufgrund unkorrekter Schriftbildinterpretation auf.

Die Therapie für solche Fehler wird jedoch eine andere sein müssen als für interferenzbedingte, und erst die Erkenntnis der verschiedenen Fehlerquellen

---

[13] Zum "peripheren Lautsystem" siehe Pilch (1965). In einem peripheren Lautsystem des Dt. wäre etwa anlautendes /tʃ/, oder /dʒ/ aus *Teenager*, /ã/ aus *grande dame* anzusetzen.

[14] Roland (1966, S. 259): "I suggest that a sound which is markedly foreign to English will be learned, in part at least, more quickly, than a familiar sound which patterns differently."

[15] Nemser (1971), S. 131.

[16] Moulton (1962 b), S. 101.

ermöglicht 'ein methodisch sinnvolles Vorgehen seitens des Lehrenden – bis hin zu den phonostilistischen Feinheiten und den Techniken des schnellen Sprechens. [17]

Die methodische Vorbereitung und Abstufung der Fehlerkorrektur erscheint für den Aussprachcunterricht besonders wesentlich, da eine anfängliche Beschränkung auf (vermeintlich) Einfaches – wie etwa bei der Syntax – nicht vorgenommen werden kann.

6.1.10. Die Schwierigkeiten bei der Produktion und Perzeption unbekannter fremdsprachlicher Phoneme wurden – mit ihren Ursachen – bereits kurz angedeutet. Zumindest ein Teil der phonetischen Probleme im Fremdsprachenunterricht läßt sich aber vielleicht anders behandeln als durch explizites oder implizites Vergleichen einzelner Allophone.

Die Handbücher zur Phonetik, die um die Jahrhundertwende erschienen, arbeiten häufig mit dem Terminus "Artikulationsbasis". Aus unserer Erfahrung mit verschiedenen Dialekten der deutschen Sprache wissen wir, daß sich diese nicht nur in ihrem Phoneminventar und in einzelnen Allophonen unterscheiden: intuitiv ist zu erkennen, daß z. B. der bairische Dialekt besonders den velaren Mundraum ausnützt (und irgendwie "kehlig" klingt). Sievers [18] bemerkte:

> In der mir geläufigen niederhessischen Mundart articulirt die Zunge schlaff und mit möglichst geringer Anspannung aller ihrer Theile, auch die Kehlkopfarticulation ist wenig energisch. Um dagegen den richtigen Klangcharakter mancher sächsischer Mundarten zu treffen, muß die ganze Zunge angestrafft werden und der Kehlkopf bei stärkerem Expirationsdruck energischer articuliren. Daher machen auch diese Mundarten einen harten, etwas schreienden Eindruck gegenüber dem dumpfen, fast verdrossen theilnahmslos zu nennenden Charakter der hessischen Mundart.

Vietor [19] schreibt über das Englische:

> Immerhin ist es möglich, durch einige charakteristische Züge den Unterschied zwischen der englischen oder französischen und der deutschen Artikulationsbasis zu kennzeichnen. Die englische Artikulationsweise unterscheidet sich von der deutschen im allgemeinen durch folgende Eigentümlichkeiten: Die Zunge wird gesenkt, zurückgezogen und verbreitert (abgeflacht), mit Neigung zur konkaven Vertiefung der Vorderzunge. Der Unterkiefer schiebt sich etwas nach vorn. Die Lippen beteiligen sich nur wenig an der Lautbildung; sie werden zwar mäßig gerundet, aber weder

---

[17] Das schnelle Sprechen erfordert im allgemeinen eine Veränderung der Artikulationsbasis: es wird weitgehend der vordere Teil des Mundraumes genützt, das Ausmaß der Lippenbewegungen wird reduziert. Das Einüben der Aussprache an langsam und sorgfältig artikulierten Einzelwörtern verursacht bei gefordertem schnellen Sprechen beträchtliche Anfangsschwierigkeiten und blockiert vor allem die Fähigkeit des Lernenden zur phonetischen Assimilation in der Fremdsprache (was ihm in der eigenen Sprache ganz vertraut ist und dort auch keinen anderen Gesetzmäßigkeiten unterliegt).

[18] In *Grundzüge der Phonetik*, Auflage von 1901, zit. nach Kelz (1971), S. 196.

[19] *Kleine Phonetik*, 1910, zit. nach Kelz (1971), S. 199.

vorgestülpt noch nennenswert gespreizt (es gilt geradezu als Regel, die Lippen möglichst wenig zu bewegen); der Mund ist nur mäßig geöffnet. Der Kehlkopf steht tief (?), und die Stimme hat einen dunkeln, beinahe dumpfen Klang und wenig Modulation. Die Ausatmung verläuft meist entschieden *decrescendo*. Die Folge dieser für die deutsche Auffassung trägen und unbestimmten Artikulation ist der Mangel an zweifellos "engen" und palatalgerundeten Vokalen gegenüber der Entwicklung "gemischter" Vokale, an "engen" Konsonanten, sowie an wirklichen "dentalen" *d t*- und *z s*-Lauten, während *d t* den *g k* näher treten und in das palatale Gebiet zurückweisen, der dumpfe Klang besonders des *l* etc. Die französische Artikulationsweise entfernt sich von der deutschen in entgegengesetzter Richtung. Die Zunge neigt zu vorgeschobener, enger und bestimmter Artikulation. [...]

Vgl. ähnlich Sweet: [20]

Der dumpfe klangcharakter des Englischen beruht auf den eigenthümlichkeiten seiner articulationsbasis, die sich von der deutschen hauptsächlich durch lage und gestalt der zunge und der lippen unterscheidet. Die verbreiterte zunge zieht sich von den zähnen (womit sie fast nie in berührung kommt) etwas zurück, und ihr vorderer theil wird concav gemacht, was besonders deutlich beim *l* zu merken ist. Die labialen (gerundeten) laute werden im Englischen ebenso bestimmt und energisch gebildet wie in anderen sprachen, aber ohne die geringste vorstülpung der lippen. Bei den ungerundeten lauten dagegen verhalten sich die lippen ganz passiv; es unterbleibt namentlich jene spaltförmige ausdehnung der lippenöffnung, wodurch in anderen sprachen die palatalen vocale eine hellere klangfarbe erhalten.

Wie Kelz (1971) näher ausführt, bedürfen diese Verschiedenheiten noch der weiteren Erforschung und auch der methodischen Umsetzung, denn mit dem Hinweis auf "konkave Vertiefung der Vorderzunge" ist sicher nur wenigen Schülern gedient.

Es wäre aber unter Umständen den Versuch wert, mit den Schülern ein Nachahmen von dt. Dialekten zu üben oder französische, englische Sprecher im Rahmen eines Unterrichtsspiels nachzuäffen, um die Schüler intuitiv in diese Problematik einzuführen.

6.2.   Prosodie

6.2.1.   Zum Zwecke der nachfolgenden Darstellung sollen sich "prosodische Merkmale" (pM) zunächst nur auf die auditiv erfaßbaren Variationen der Stimmhöhe und der Stimmstärke bzw. auf Kombinationen von beiden beziehen. [21] Die Variationen der Stimmhöhe (zusammen mit betonten "Gipfeln")

---

[20] *Elementarbuch des gesprochenen Englisch*, 1885, zit. nach Kelz (ebda.).

[21] Vom akustischen Standpunkt her ist die Isolierung von "Höhe" bzw. "Stärke" zwar nicht zulässig, da diese beiden Merkmale kaum für sich allein auftreten, s. etwa Delattre (1965), S. 33 und vor allem die Darstellung mit Forschungsberichten zu den einzelnen pM bei Lehiste (1970). Wir schließen uns den gängigen Handbüchern über Intonation an, z. B. Schubiger (1958), Kingdon (1958), O'Connor/Arnold (1961), Hill (1965), die jeweiligen Abschnitte bei Gimson (1970). Die übliche Terminologie wird im folgenden vorausgesetzt.

ergeben "Melodien", die wir im folgenden als Intonation (einer Äußerung) bezeichnen.

Von der sprachlichen Funktion der prosodischen Merkmale her ist die Behandlung in einem gesonderten Kapitel gerechtfertigt. Anders als die segmentalen Phoneme scheinen gewisse Intonationskurven bereits für sich bestimmte Informationen zu liefern,[22] und die Tatsache, daß die pM mit Hilfe der Artikulationsorgane realisiert werden, macht eine Darstellung innerhalb der Phonologie noch nicht zwingend. (Nach solcher Argumentation müßten auch Semantik und Syntax in die Phonologie plaziert werden.)

6.2.2. Es ist bekannt, daß traditionellerweise der Intonation zwei Funktionen zugeschrieben werden: einmal die grammatische (z. B. *He went home. – He went home?*; *Gehen wir! – Gehen wir?*), zum andern die attitudinale oder emotionale (z. B. *Good morning!* mit dem Unterton 'auch schon aufgestanden?'). Diese Zweiteilung ist in letzter Zeit häufig angegriffen worden, sowohl was die Teilung selbst als auch die Nennung gerade dieser Funktionen betrifft.[23]

Als Intonationszentrum (engl. *nucleus*, dt., nach O. v. Essen, die Hauptakzentsilbe) wird die am stärksten betonte Silbe einer Äußerung angesehen. Welche Silbe vom Sprecher als Intonationszentrum gewählt wird, hängt vom informatorischen Mitteilungswert derselben ab. Das informatorisch Wichtige, Neue (Rhema) wird im Dt. und Englischen in der Regel an das Ende der Äußerung gesetzt (im Gegensatz zum Bekannten, dem Thema, das in der Regel frontiert wird). Diese "Topikalisierungsanzeigung" ist eine der Funktionen der Intonation. Sie entspringt, bezogen auf das Satzmodell in Kap. 2, nicht der Proposition.[24]

Ebenfalls außerhalb der Proposition zu lokalisieren ist der Ursprung der früher als "grammatisch" bezeichneten Funktion, d. h., Differenzierung von Aussage-, Frage- und Befehlssätzen; sie ist aus dem Konstituenten *illocutionary features*/'Sprechhandlung' abzuleiten (wozu auch Bitte, Warnung, Rat usw. gehören).

---

[22] D. h., Intonation von Nonsens-Silben wird als 'bekräftigend', 'fragend', usw. interpretiert, dazu etwa Uldall (1964), Denes/Milton-Williams (1962), Höffer (1962), sowie Crystal (1969) S. 282 ff. Zur Eigenständigkeit der Intonation s. Daneš (1960) und Bolinger (1949).

[23] Vgl. z. B. Cruttenden (1970), Hultzén (1959), Huttar (1968), Daneš (1960), auch Wode (1966) und Pilch (1966, 1970).

[24] Von einigen Autoren wird die Topikalisierungs-Anzeige als Primärfunktion der Intonation angesehen, vgl. Daneš (1960, 1967). Als kontrastive Spezialuntersuchung vgl. Zimmermann (1972) und Schubiger (1964), über die textologische Rolle der Betonung Harweg (1971).

Über die Funktion der Intonation, bestimmte Affekte zu signalisieren, braucht hier nichts weiter bemerkt zu werden; auch diese Funktion ist im Satzmodell außerhalb der Proposition anzulegen.

Etwas komplizierter liegt der Fall bei engl. *I don't lend my books to anybody* (*anybody* mit *low fall* = 'niemandem', *anybody* mit *fall-rise* = 'nicht jedem'). Dieses Beispiel zeigt, daß erst prosodische Merkmale ansonsten gleiche segmentale Oberflächenstrukturen disambiguieren, womit ein direkter Zusammenhang zwischen Semantik (hier: Proposition) und prosodischen Merkmalen gegeben ist. Diese Funktion der Intonation ist als Homonymendifferenzierung zu bezeichnen. Eine ähnliche Funktion wird wirksam bei der Disambiguierung syntaktischer Strukturen, vgl. etwa *John left Henry running fast to find out who had come* ('John rennt' – 'Henry rennt', *Typically German philosophers followed a different path* (*Typically / German . . . – Typically German . . .*), *However strong coffee never keeps me awake* (*However / strong . . . – However strong / . . .*).[25] Im Falle von *Typically German* [. . .] wird allein durch prosodische Mittel signalisiert, ob es sich mit *typically* um eine Modifikation eines Konstituenten innerhalb der Proposition handelt oder um eine Modifikation der Gesamtproposition. Spätestens hier erweist sich auch, daß dem prosodischen Merkmal der P a u s e wesentlich mehr Beachtung geschenkt werden muß (vor allem in der didaktischen Literatur).

Diese Aufzählung einiger Funktionen der prosodischen Merkmale zeigt u. E. folgendes: Die übliche Zweiteilung der Intonation in grammatische und attitudinale Intonation ist kaum haltbar, auf jeden Fall ist sie nicht besonders aufschlußreich. Die attitudinale Funktion wird in den Handbüchern zur Intonation zu stark gewichtet. Die Zweitrangigkeit, die den prosodischen Merkmalen im Sprachunterricht zugedacht wird, ist nicht vertretbar. (Malmberg[26] schreibt, daß inkorrekte Prosodie der Kommunikation abträglicher sein könne als Fehler im segmentalen Bereich.)

6.2.3. Die kontrastive Analyse prosodischer Merkmale stößt auf immense Schwierigkeiten. Systematische Vergleiche sind nur in geringer Zahl vorhanden.[27] Die Analyse aufgrund vorliegender einzelsprachlicher Untersuchun-

---

[25] Erster Beispielsatz bei Delattre (1965), S. 26, die nächsten bei Wode (1966), dort auch weitere.

[26] Malmberg (1970), S. 9 f. Den berechtigten Anspruch zumindest einer methodischen Gleichrangigkeit von prosodischen Merkmalen und segmentaler Phonologie vertreten etwa Stockwell/Bowen (1965) S. 27, Wilkins (1972) S. 45 und Zimmermann (1972) S. 27.

[27] Bibliographische Hinweise bei Crystal (1969), S. 96.

gen wird erschwert durch verschiedenartige Definitionen von Intonation,[28] durch Verwendung jeweils anderer Notationen (Tonhöhenziffern, Melodiepunkte, Kurven diverser Provenienz) – noch dazu mit unterschiedlichem Grad an Feinheit –, durch verschiedenes Zielpublikum der Arbeiten (Sprachwissenschaftler, ausländische Lernende, Redner), verschiedene Untersuchungsgegenstände (Nachrichtensprecher, gelesene Prosa, spontanes Sprechen, zusammenhängende Texte, isolierte Sätze). Hinzu tritt, daß einige traditionelle Lehrmeinungen der empirischen Überprüfung nicht standgehalten haben.[29] Einzelne Angaben widersprechen einander: so sind nach Kuhlmann die im Deutschen durchlaufenen Tonhöhenbereiche größer als im Englischen, nach Kingdon bisweilen gerade umgekehrt, nach Delattre[30] "depending on the subject [= individual]".

Offensichtlich wird auch nicht immer sorgfältig genug zwischen den pM und den sog. paralinguistischen Merkmalen differenziert (wie etwa abgehacktes Sprechen bei 'kurz angebunden', sehr leises Sprechen bei Zärtlichkeit usw.).[31] Die letzteren haben wohl z. T. direkt symbolischen Charakter und können, zumindest für die europäischen Sprachen, als universal gelten. Sie brauchen daher nicht eigens gelernt zu werden, dürfen aber – besonders bei der Demonstration der Intonation durch den Lehrer – nicht mit den prosodischen Merkmalen gleichgesetzt werden.

Bisweilen gewinnt man in der Literatur den Eindruck, daß die Intonation bei allen europäischen Sprachen gleich sei (Betonung des finalisierten Rhemas, steigend für Frage, fallend für Aussage usw.). Diese Ansicht scheint zwar begründet, doch müßten eingehende Überlegungen zur linguistischen und pragmatischen Distinktivität angestellt werden, vor allem eingedenk des Hinweises von Malmberg (s. o.). Mit Ausnahme von Wodarz[32] sind bislang auch kaum methodische Richtlinien für die vergleichende Prosodie aufgestellt worden.

6.2.4. Wodarz' Anregungen folgend, müßte zunächst untersucht werden, ob die angeführten Funktionen der Intonation überhaupt in beiden der zu ver-

---

[28] Z. B. was die Domäne betrifft, auf der die pM operieren ("Sinngruppe", "Satz", "Nebensatz" usw.).

[29] Nach Fries (1964) zeigten von 2651 anläßlich eines Ratespiels abgehörten Ja/Nein-Fragen lediglich 38,3 % die steigende Intonation (im amerikanischen Englisch). Englische Informanten bestätigen auch nicht die Annahme Leisis (1967), S. 19, daß *Where's the station?* mit steigender Intonation wahrscheinlich als Ja/Nein-Frage aufgefaßt wird.

[30] Kuhlmann (1952), S. 207, Kingdon (1958), S. 267; Delattre (1965), S. 25.

[31] Hierzu Gimson (1970), S. 57 und Crystal (1969), S. 128 ff.

[32] Wodarz (1972).

gleichenden Sprachen auftreten und ob sie für jede Sprache in gleichem Maße wichtig sind. (Die folgende Darstellung ist natürlich nicht erschöpfend.)

Wie Zimmermann[33] ausführlicher zeigt, ist die Struktur (aktivischer) Sätze des Deutschen eher von der Mitteilungsstruktur als von der Syntax (wie im Englischen mit einer weitgehend festgelegten Wortstellung) bedingt; die Differenzierung von Thema und Rhema wird im Deutschen durch Intonation und Wortstellung herbeigeführt, während im Englischen die Wortstellung nicht oder kaum stützend eingreift (daher auch der periphere Status des *cleft-sentence* im Deutschen – *Es war ein Fremder, der das Auto kaufte.* – gegenüber dem zentralen Status der analogen Konstruktion *It was a stranger who bought the car.*).[34] Damit ist eine Verschiedenheit im Einsatz der sprachlichen Mittel zur Thema/Rhema-Differenzierung etabliert.

Bei der Unterscheidung von Aussage-, Frage- und Befehlssätzen sind in beiden Sprachen neben der Intonation in manchen Fällen auch andere Mittel beteiligt (z. B. Inversion, *do*-Umschreibung); hier ist noch festzustellen, ob die Intonation für das Deutsche anders zu gewichten ist als für das Englische.[35]

Wie Schubiger[36] ausführt, verwendet das Deutsche zur Signalisierung der Sprecherhaltung sehr häufig zusätzliche "modal particles" (wie *nun, schon, doch, nur, ja* – vgl. *Der Hans ist doch ein Schlaumeier*), während das Englische bei äquivalenten Äußerungen eher mit der Intonation allein arbeitet. Damit ist zwar nicht gesagt, daß das Deutsche in Äußerungen mit Modalpartikeln eine emotional neutrale Intonation verwendet, doch ist die Gewichtung dieser Intonationsfunktion im Englischen stärker.[37]

Die oben nach Delattre und Wode zitierten engl. Sätze mit syntaktisch doppeldeutiger Struktur zeigen bei einer Übersetzung ins Deutsche, daß durch Mittel der Wortartenwahl, Wortstellung, Flexion usw. eine Ambiguität von vornherein umgangen wird (vgl. *John verließ Henry und rannte* [...] / *John verließ Henry, der* [...] *rannte; Typisch deutsche Philosophen* [...] / *Typischerweise wählten deutsche Philosophen einen anderen Weg* oder *Typisch! Deutsche* [...]). Fast alle der bei Wode genannten "mehrdeutigen Morphemfolgen" des Englischen lassen sich im Deutschen bereits ohne Zuhilfenahme prosodischer

[33] Zimmermann (1972).
[34] Zimmermann (1972), S. 57, vgl. auch Schubiger (1964 a).
[35] Wodarz (1960), S. 83 ist der Ansicht, "daß eine Entscheidungsfrage [im Dt.] gegenüber einem Aussagesatz (und der Gruppe abgeschlossener Nicht-Fragesätze überhaupt) vor allem durch eine besondere melodische Form gekennzeichnet wird, während die Inversion erst an zweiter Stelle steht."
[36] Schubiger (1965).
[37] Vgl. auch Trim (1964), S. 375.

Mittel disambiguieren.[38] Diese Funktion der Intonation scheint im Englischen wesentlich stärker ausgeprägt als im Deutschen.

Unter Umständen wird sich der tentative Schluß ziehen lassen, daß den prosodischen Merkmalen im Englischen mehr Funktionsbelastung zukommt als im Deutschen.

6.2.5. Die auf Interferenzüberlegungen beruhende Fehlererwartung könnte zu folgendem Ergebnis gelangen: relativ wenige und z. T. nicht-distinktive Fehler für Topikalisierung und Differenzierung der *illocutionary features*, Unaufgeschlossenheit und mangelnde Reproduktion für die Signalisierung der Emotionen (die im Englischen feiner entwickelt ist als im Deutschen), gravierende Fehler bei Homonymiedifferenzierung (für letztere müßten jedoch schon Hinweise auf Pausen genügen).

Bezüglich des Problems der Distinktivität wurde bemerkt:[39]

... the intonation of a language may be considered under two aspects, one distinctive, the other non-distinctive. The distinctive aspect is concerned with the contour differences that distinguish one mode of expression from another within a given language; for instance, interrogation question: *are you ready?* from information question: *who is ready?* The non-distinctive aspect is concerned with the intonation shapes which, being found in many modes of expression without playing an essentially distinctive role, recur so frequently that they help to distinguish one language from another, at a distance, when words themselves may not provide a clear cue. The latter aspect, more elusive than the distinctive one, is perhaps the more important in teaching; for it should permit a student to acquire a basic habit of the target language very early, with the help of only one or two simple notions.

Bei einer Untersuchung der Intonation des Aussagesatzes im Spanischen, Französischen, amerikanischen Englisch und Deutschen kommt Delattre[40] zu dem Ergebnis, daß "finality is mainly falling in all four languages. But how differently in each one!" Für diesen Bereich sind distinktive Fehler damit weitgehend ausgeschlossen. (Es müßte aber noch geklärt werden, ob nicht-distinktive Fehler den Hörer kaum oder auf die Dauer sehr stark irritieren. Angesichts der vorhandenen Untersuchungen sehen wir uns nicht in der Lage, diese Frage definitiv zu beantworten.)

6.2.6. Wir halten es auch nicht für erfolgversprechend, auf gedrängtem Raum die verschiedenen Melodiekombinationen, die zur Signalisierung von Emotionen dienen, nebeneinanderzustellen; hier sind vor allem die Untersuchungen zum Deutschen noch nicht abgeschlossen.

---

[38] Weitere Beispiele nach Wode (1966), S. 144 ff.: *his faith* (/) *in his opinion* (/) *is unshaken*; *all things* (/) *you know* / *are important*; *he is speaking* (/) *clearly* (/) *of his own experience* usw.

[39] Delattre/Poenack/Olsen (1965) S. 135.

[40] Delattre (1965), S. 27.

Es soll vielmehr eine Methode skizziert werden, mit welcher der Lehrende sich Klarheit über die wesentlichen Fehler (distinktiv oder nicht-distinktiv) verschaffen kann.

Es fällt Ungeübten sehr schwer, aus gesprochenen englischen Texten die Melodie mit ihren Einzelheiten herauszuhören. Als deutscher Lehrender wählt man am besten einen Text, der auf Tonträger erhältlich ist und dem die Intonation graphisch beigegeben ist. Man kann die Lernenden die Texte ohne graphische Intonationshilfe auf Band lesen lassen und nun den Schülertext mit dem gesprochenen englischen Text und der Intonationsgraphie vergleichen. Bei diesem Verfahren erkennt man Abweichungen ziemlich rasch und kann sie graphisch fixieren. Man wird bald feststellen, daß nach der einmaligen Mühe der Analyse von ca. 10 Schülertexten die Intonationsfehler eine gewisse Regelmäßigkeit aufweisen. Diese Fehler wird man in Zukunft sofort hören und korrigieren können. Die folgenden Einzelbeobachtungen stützen sich z. T. auf diese Methode. [41]

a) Besonders bei mundartlichen deutschen Sprechern ist gelegentlich ein Tonhöhenanstieg der unbetonten Silben gegenüber den betonten festzustellen, vgl. auch v. Essen. [42] Diese "Zickzackmelodie" ist dem Englischen nicht bekannt. Fehlerbeispiel: (*in excusable ignorance*) *as to what was required of him* [43]

b) Steigende Intonation bei allen *question tags* (sicher eine Folge des Fragezeichens).

c) Zu starkes Fallen der unbetonten Silben, sowohl zwischen einzelnen Hebungen: *in excusable ignorance*

[41] Sehr zu Dank verpflichtet sind wir Herrn Prof. J. L. M. Trim (Selwyn College, Cambridge), der zu einem auch in dt. Intonationsumschrift vorliegenden Text (Trim 1964) die Intonation aufgezeichnet hat, die ein Engländer u. U. verwenden würde. Eine ähnliche Gegenüberstellung bei Barber (1925) S. 88 f.

[42] v. Essen (1964) S. 29.

[43] Einige der Fehlerbeispiele entstammen einem Vergleich mit einem Text aus Jones (1956), dem die englische Intonation graphisch beigegeben ist.

(von Arnold/Hansen [1973, S. 135] "Sägeblattintonation" genannt), als auch bei der Realisierung des Schluß-Falles im Aussagesatz, vgl. hierzu Delattre/ Poenack/Olsen :[44] "In German finality, the unstressed syllables after the last stressed one characteristically break from the stress after a blank pitch interval. In English finality the corresponding unstressed syllables are, on the contrary, in continuity with the falling curve of the stress – they prolong this curve without a break."

d) Dieselben Autoren weisen auch auf einen der häufigsten Fehler hin. Vor dem starken Schlußfall im Aussagesatz wird im Deutschen ein Aufsteigen beobachtet, das sehr intensiv ist, während im Englischen nur ein ganz geringfügiger Anstieg zu bemerken ist; die Intensität liegt auf dem *fall*, vgl. hierzu:

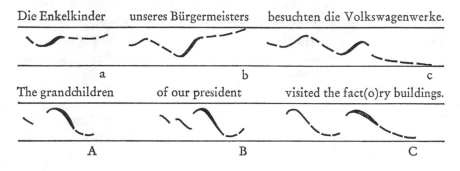

Abb. aus Delattre/Poenack/Olsen (1965, S. 159)

e) Der Eindruck einer Zickzackmelodie für den englischen Hörer – vgl. a) – wird durch eine weitere Besonderheit der deutschen Intonation verstärkt. Im Englischen liegt in der Regel die erste Haupttonsilbe (der *head*) am höchsten, die Melodiekurve fällt bis zum *nucleus* ab. "In German, the pitch of each prominent syllable is freely [vom System her gesehen] variable".[45] Dieser Fehler trat nahezu in jedem gelesenen Satz auf. Darüber hinaus zeigen betonte Silben im Deutschen den Verlauf

---

[44] 1965, S. 151.
[45] Trim (1964), S. 378, vgl. auch Arnold/Hansen (1966), S. 135.

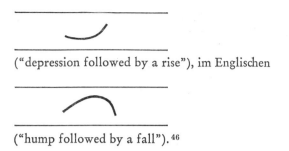

("depression followed by a rise"), im Englischen

("hump followed by a fall").[46]

f) Die Prominenz kann im Deutschen auch durch Senkung der Stimme angezeigt werden,[47] im Englischen scheint das nicht der Fall zu sein.

g) Sehr auffällig ist die Tendenz des Englischen, bei einer Kombination von Kardinalzahl + Nomen das Zahlwort relativ stark zu betonen.

Sämtliche der aufgeführten Unterschiede fanden sich bereits in den ersten drei Leseproben, die weiteren sieben Proben lieferten eine Bestätigung. Die Liste ließe sich beliebig verlängern.[48]

Man sollte sich jedoch vorher vergewissern, ob die Lesenden die Passage "verstehen". Bei mangelndem Verständnis kann eine korrekte Anzeigung der Topikalisierung ohnehin nicht erwartet werden, und der aufzählungsähnliche Leierton über einzelnen Wortgruppen oder Wörtern ist für eine Fehleranalyse völlig ungeeignet.

6.2.7. Zusätzlich zu Stimmhöhe, Stimmstärke und Pause wird in den Phonetiken des Englischen das pM 'Rhythmus' geführt. "This prosodic system [of rhythmicality] accounts for those linguistic contrasts attributable to our perception of regularly occurring peaks of prominence in utterance".[49] Im allgemeinen wird die Ansicht vertreten, daß das Englische zu einer gewissen Isochronie tendiere (!), d. h., die Abstände zwischen betonten Silben seien des öfteren in etwa gleich, vgl. Gimson.[50] Unbetonte Silben werden im Englischen ohnehin stark gekürzt,[51] und je mehr unbetonte Silben zwischen zwei Gipfeln

[46] Delattre/Poenack/Olsen - (1965), S. 149, wobei zu berücksichtigen ist, daß diese Autoren das amerikanische Englisch als Ausgangspunkt nehmen.

[47] S. Isačenko/Schädlich (1966), S. 57.

[48] Kontrastive Hinweise finden sich außer bei den genannten Autoren vor allem bei Jones (1962), S. 321 ff., Kingdon (1958), S. 160 ff., 267 f., Moulton (1962), S. 129 ff., Kuhlmann (1952), Schubiger (1958), S. 10, 15, 20, 69 et passim, Gimson (1970), S. 285 f., 301 f.

[49] Crystal (1969), S. 161.

[50] 1970, S. 260 ff.

[51] S. die Spezialuntersuchung von Delattre (1966).

212

zu stehen kommen, desto stärker wird das Tempo beschleunigt – und zwar auf Kosten der phonetischen Realisierung der unbetonten Silben. Diese Tendenz zur Isochronie ist verantwortlich für die *weak forms* des Englischen. Die "Schwächung des Wortkörpers" ist dabei, innerhalb des *Standard English*, nicht an bestimmte Register gebunden – im Unterschied zum Deutschen, das Schwachformen in sorgfältiger Rede vermeidet; die deutsche Umgangssprache macht jedoch ebenfalls von Schwachformen Gebrauch. [52]

6.3. Erläuterungen und Literaturhinweise (zur Phonologie)

An Handbüchern zur Phonetik seien allgemein genannt
Schubiger (1970), Dieth (1950), v. Essen (1966), Lindner (1969), speziell zur dt. Phonetik Wängler (1967), C. und P. Martens (1966), zur englischen Phonetik Jones (1962) und vor allem Gimson (1970).

Anderson, T. R.: "A Case for Contrastive Phonology", in: *IRAL* 2 (1964), 219–230
Barry, W. J./Gutknecht, Chr.: *A University Course in English Phonetics and A Comparative Study in English and German Phonology*, Braunschweig 1970 (LB-Papier 3)
Bolinger, D. L.: "A Grammar for Grammar: The Contrastive Structures of English and Spanish", in: *Romance Philology* 21 (1967), 186 ff.
Brière, E. J.: *A Psycholinguistic Study of Phonological Interference*, The Hague 1968
Burgschmidt, E./Götz, D.: "Kontrastive Phonologie Deutsch–Englisch und Mundartinterferenz", in: *Linguistik und Didaktik* 11 (1972), 209 ff.
Davidsen-Nielson, N.: "English Stops After Initial /s/", in: *English Studies* 50 (1969), 321–338
Delattre, P.: *Comparing the Phonetic Features of English, German, Spanish, and French*, Heidelberg 1965
Dieth, E.: *Vademecum der Phonetik*, Bern 1950
Essen, O. v.: *Allgemeine und angewandte Phonetik*, Berlin ⁴1966
Gimson, A. C.: *An Introduction to the Pronunciation of English*, London ²1970
Grucza, F.: "Zum Begriff des Interphons", in: *Glottodidactica* 2 (1967), 41–46
Hammarberg, B.: "Interference in American English Speakers' Pronunciation of Swedish", in: *Studia Linguistica* 21 (1967), 15–36
Jones, D.: *An Outline of English Phonetics*, Cambridge ⁹1962
Kelz, H.: "Articulatory Basis and Second Language Teaching", in: *Phonetica* 24 (1971), 193 ff.
Kirsch, H.: "Fremdsprachenunterricht und kontrastive Phonematik", in: *Glottodidactica* 2 (1967), 21–31
Kohler, K.: "On the Adequacy of Phonological Theories for Contrastive Studies", in: G. Nickel (Ed.): *Papers in Contrastive Linguistics*, Cambridge 1971, 83 ff.
Lindner, G.: *Einführung in die experimentelle Phonetik*, München 1969
Loggen, K.: *Didaktische Phonetik des Englischen im Studium des Sprachlehrers*, Bad Heilbrunn 1972

---

[52] Eine ausführliche Gegenüberstellung bei Meinhold (1967).

Lyons, J.: *Introduction to Theoretical Linguistics*, Cambridge 1968

Martens, C. und P.: *Abbildungen zu den deutschen Lauten*, München 1966

Moulton, W. G.: *The Sounds of English and German*, Chicago/London 1962

Moulton, W. G.: "Toward a Classification of Pronunciation Errors", in: *The Modern Language Journal* 46 (1962), 101–109

Nemser, W.: *An Experimental Study of Phonological Interference in the English of Hungarians*, The Hague 1971

Neubert, A.: "Linguistische Betrachtungen zur Aussprache englischer Wörter im Deutschen (haupttonige Vokale)", in: *WZKMU Leipzig* 11 (1962), Gesellschafts-Sprachwiss. Reihe, 621 ff.

Pilch, H.: "Zentrale und periphere Lautsysteme", in: *Verh. des 5. Int. Kongr. Phon. Wiss.*, Münster 1964, 467 ff.

Platt, H.: "A Comparative Study of the Phonetics of Australian English and German", in: *Phonetica* 21 (1970), 1–30, 75–106

Roland, L.: "An Experimental Study in a Pronunciation Problem", in: *IRAL* 4 (1966), 255 ff.

Schubiger, M.: *Einführung in die Phonetik*, Berlin 1970

Stockwell, R. P./Bowen, J. D.: *The Sounds of English and Spanish*, Chicago/London 1965

Strain, J. E.: "Difficulties in Measuring Pronunciation Improvement", in: *Language Learning* 13 (1963), 217–224

Wängler, H. H.: *Grundriß einer Phonetik des Deutschen*, Marburg [2]1967

Wardhaugh, R.: "An Evaluative Comparison of Present Methods of Teaching English Phonology", in: *TESOL-Quarterly* 4 (1970), 63–72

6.4. Erläuterungen und Literaturhinweise (zur Prosodie)

Die Handbücher zur engl. Intonation wurden bereits in Fn. 21 genannt, zum amerik. Englisch s. Pike (1965), für das Dt. vor allem v. Essen (1964), Wängler (1967), Winkler ([2]1969), vom Standpunkt der generativen Grammatik Bierwisch (1966). Ausführliche theoretische Abhandlungen bei Crystal (1969). Als Ausgangspunkt für eine Verwendung im Unterricht scheinen die Darstellungen von Delattre (et al.) am besten geeignet.

Abercrombie, D./Fry, D. B./MacCarthy, P. A. D./Scott, N. C./Trim, J. L. M. (Eds.): *In Honour of Daniel Jones*, London 1964

Arnold, R./Hansen, K.: *Phonetik der englischen Sprache*, München [5]1973

Barker, M. L.: *A Handbook of German Intonation*, Cambridge 1925

Bierwisch, M.: "Regeln für die Intonation deutscher Sätze", in: *Studia Grammatica* 7 (1966), 99 ff.

Bolinger, D. L.: „Intonation and Analysis", in: *Word* 5 (1949), 248–254

Cruttenden, A.: "On the So-Called Grammatical Function of Intonation", in: *Phonetica* 21 (1970), 182–192

Crystal, D.: *Prosodic Systems and Intonation in English*, Cambridge 1969

Daneš, F.: "Sentence Intonation from a Functional Point of View", in: *Word* 16 (1960), 34–54

Delattre, P.: *Comparing the Phonetic Features of English, German, Spanish, and French*, Heidelberg 1965

Delattre, P.: "A Comparison of Syllable Length Conditioning among Languages", in: *IRAL* 4 (1966), 183–197

Delattre, P./Poenack, E./Olsen, C.: "Some Characteristics of German Intonation for the Expression of Continuity and Finality", in: *Phonetica* 13 (1965), 134–161

Denes, P./Milton-Williams, J.: "Further Studies in Intonation", in: *Language and Speech* 5 (1962), 1–14

Essen, O. v.: *Grundzüge der hochdeutschen Satzintonation*, Ratingen [2]1964

Fries, Ch. C.: "On the Intonation of 'Yes-No' Questions in English", in: Abercrombie (et al.) 1964, 242–254

Gimson, A. C.: *An Introduction to the Pronunciation of English*, London [2]1970

Harweg, R.: "Die textologische Rolle der Betonung", in: W. D. Stempel (Hgb.): *Beiträge zur Textlinguistik*, München 1971

Heese, G.: "Akzente und Begleitgebärde", in: *Sprachforum* 2 (1957), 274–285

Herkendell, H. E.: "Englische Intonation auf der Oberstufe", in: *Das Sprachlabor* 1967, 97–116

Hill, L. A.: *Stress and Intonation Step by Step*, London 1965

Höffe, W. L.: "Über Beziehungen von Sprachmelodie und Lautstärke", in: *Phonetica* 5 (1960), 129–159

Hultzén, L. C.: "Information Points in Intonation", in *Phonetica* 4 (1959), 107–120

Huttar, G. L.: "Two Functions of the Prosodies in Speech", in: *Phonetica* 18 (1968), 231–241

Isačenko, A. V./Schädlich, H.-J.: "Untersuchungen über die deutsche Satzintonation", in: *Studia Grammatica* 7 (1966), 7–67

Jones, D.: *An Outline of English Phonetics*, Cambridge [9]1962

Jones, D.: *The Pronunciation of English*, Cambridge [4]1956

Kingdon, R.: *The Groundwork of English Intonation*, London 1958

Kuhlmann, W.: "Vergleich deutscher und englischer Tonhöhenbewegung", in: *Zeitschr. f. Phonetik und allgem. Sprachwiss.* 6 (1952), 195–207

Lehiste, I.: *Suprasegemtals*, Cambridge/Mass., London 1970

Leisi, E.: *Das heutige Englisch*, Heidelberg [4]1967

Malmberg, B.: "Probleme der Ausspracheschulung", in: *Zielsprache Deutsch* 1 (1970), 2–12

Meinhold, G.: "Geschwächte Lautformen ('weak forms') in der deutschen Standardaussprache", in: *WZFSU Jena* 16 (1967), Gesellschafts-Sprachwiss. Reihe, 609–612

O'Connor, J. D./Arnold, G. F.: *Intonation of Colloquial English*, London 1961, [2]1973

Pike, K. L.: *The Intonation of American English*, Ann Arbor 1965 (10th print.)

Pilch, H.: "Intonation: Experimentelle und strukturelle Daten", in: *CFS* 3 (1966), 131–135

Pilch, H.: "The Elementary Intonation Contour in English", in: *Phonetica* 22 (1970), 82–111

Schubiger, M.: *English Intonation. Its Form and Function*, Tübingen 1958

Schubiger, M.: "The Interplay and Co-operation of Word-order and Intonation in English", in: Abercrombie (et al.) 1964, 255–265

Schubiger, M.: "English Intonation and German Modal Particles – A Comparative Study", in: *Phonetica* 12 (1965), 65–84

Stockwell, R. P./Bowen, J. D.: *The Sounds of English and Spanish*, Chicago/London 1965

215

Trim, J. L. M.: "Tonetic Stress-marks for German", in: Abercrombie (et al.), 1964
374–383

Trojan, F.: *Der Ausdruck der Sprechstimme*, Wien, ²1952

Uldall, E.: "Dimensions of Meaning in Intonation", in: Abercrombie (et al.), 1964,
271–279

Wängler, H. H.: *Grundriß einer Phonetik des Deutschen*, Marburg ²1967

Winkler, Chr.: *Deutsche Sprechkunde und Sprecherziehung*, Düsseldorf ²1969

Winkler, Chr.: "Untersuchungen zur Intonation in der Deutschen Gegenwartssprache",
in: *Forschungsberichte des Inst. f. Deutsche Sprache* 4 (1970), 105–116

Wilkins, D. A.: *Linguistics in Language Teaching*, London 1972

Wodarz, H.-W.: "Über vergleichende satzmelodische Untersuchungen", in: *Phonetica*
5 (1960), 75–98

Wode, H.: "Englische Satzintonation", in: *Phonetica* 15 (1966), 130–218

Zimmermann, R.: "Themenfrontierung, Wortstellung und Intonation im Deutschen und
Englischen", in: *Die Neueren Sprachen* 71 [= N. F. 21] (1972), 15–28

216

7. Semantik

7.1. Extension und Intension

7.1.1. Wenn uns ein Ausländer die Frage stellte: "Was ist ein Ball?", dann ist eine Antwort hierauf nicht so einfach, wie es zunächst scheint. Die Form ist nicht genau festgelegt (Fußball – Rugby-Ball – Federball), auch nicht die Größe (Tischtennisball – Ball für Auto-Polo), auch nicht die Füllung (Hartgummibälle, Fußbälle, Medizinbälle); es hüpfen oder springen längst nicht alle Bälle, sie werden nicht ausschließlich zum Spiel gebraucht (Medizinball).
Es hat wohl auch keinen Sinn zu behaupten, ein Medizinball etwa sei eigentlich gar kein Ball, sondern heiße nur so. Wir können kaum irgendeinen Ball als Ball schlechthin setzen und andere Bälle dann als "mehr oder weniger Ball" qualifizieren.
Sinnvoll wäre es, dem Fragenden eine Reihe von Bällen zu zeigen und zu sagen: All diese bezeichnen wir in unserer Sprache als bzw. mit *Ball*. Mit diesem Verfahren – wenn wir die Dinge, die als *Ball* bezeichnet werden, aufzählen – geben wir eine „extensionale Bestimmung" von *Ball*. (Als Kinder erlernen wir den Gebrauch von Wörtern weitgehend über solche extensionalen Bestimmungen.) Für solche Aufzählungen brauchen wir gar nicht ausdrücklich sagen zu können, "was ein Ball ist"; wir müssen ja nur auf die Gegenstände zeigen können, die mit *Ball* bezeichnet werden.

7.1.2. Zum Zweck der Diskussion sei terminologisch eingeführt: der Begriff 'Ball' wird extensional bestimmt durch die Aufzählung der Dinge, die in unserer Sprache als Ball bezeichnet werden.
Eine weitere Art der Begriffsbestimmung ist die intensionale, die nach dem "Inhalt" eines Begriffes fragt: "der Begriff 'Student' kann durch eine Anzahl von Merkmalen wie 'an einer Hochschule immatrikuliert, in einem wissenschaftlichen Lernprozeß stehend, etc.' expliziert werden. Diese Merkmale müssen so beschaffen sein, daß sie genau die essentiellen Bedingungen – die unbedingt zur Etablierung des Begriffs 'Student' gehören – erfüllen. Sie sind von unwesentlichen Merkmalen, die akzidentiell zur Charakterisierung einiger Studenten hinzukommen können (männlich, weiblich, Alter, Kleidung, etc.) scharf zu trennen".[1] Im Falle von *Student* ist eine inhaltliche Bestimmung wohl

---

[1] Brekle (1972), S. 56 f.

nicht allzu schwierig; sie kann den Universitätssatzungen entnommen werden, wo festgelegt ist, welche Bedingungen erfüllt sein müssen, um jemanden als *Student* bezeichnen zu können.

Was aber sollen wir für 'Ball' angeben? Etwa 'rund, zum Werfen oder Schlagen, hüpfend usw.'? Das kann, wie oben dargelegt, nicht ausreichend sein. Wissen wir also gar nicht, was ein Ball ist? Wie, wenn wir es nicht wüßten, sollte es dann aber möglich sein, darüber zu streiten, ob ein bestimmter Gegenstand eher eine *Kugel* als ein *Ball* ist? Und wie sollte es möglich sein, daß die meisten von uns auf die Frage "Wie groß ist ein kleiner Ball?" mit den Händen ein entsprechendes (in etwa gleiches) Volumen andeuten und sagen: "So groß oder kleiner?"

7.1.3. Wenn wir wissen wollen, was alles in unserer Sprache als Ball bezeichnet wird, verwenden wir am besten ein rückläufiges Wörterbuch: *Fußball, Schneeball, Wasserball, Erdball, Faschingsball* usw. Die so bezeichneten Dinge (Vorgänge usw.) bilden offensichtlich eine recht disparate Sammlung, und wir können nun den Versuch unternehmen, diese unter formalen sprachlichen Gesichtspunkten zustandegekommene Sammlung nach außersprachlichen Kriterien zu gliedern. Zwischen einem Faschings*ball* und einem Fuß*ball* bestehen außersprachlich keine Gemeinsamkeiten,[2] und wenn wir ein sprachliches Zeichen ansetzen als aus Form und Begriff zusammengesetzt, dann braucht es keine weitere Diskussion mehr: es liegen zwei verschiedene sprachliche Zeichen vor.[3] (Sollte jemand behaupten, ein Faschings*ball* heiße deshalb *Ball*, weil auf solchen Veranstaltungen – seiner Ansicht nach – früher mit Bällen gespielt wurde [oder weil ein Faschingsball eine "runde Sache" sei], und ihm sei der Zusammenhang ganz klar, so ist das seine Angelegenheit.)

Von den mit *Ball* bezeichneten Gegenständen gibt es eine Anzahl (*Federball, Schneeball, Feuerball*), die nie als *Ball* alleine bezeichnet werden, sondern immer ein Bestimmungswort aufweisen (*Feder-* usw.). Dieser Versuch einer erneuten sprachlichen Klassifikation hilft jedoch im Augenblick nicht viel weiter, da die verbleibende Sammlung immer noch disparat ist. Nun verhält es sich doch aber so, daß die meisten Mitglieder unserer Sprach- (und Kultur-)gemeinschaft gleiche oder ähnliche Erfahrungen mit bestimmten Bällen gemacht haben: wir alle haben mit Kinderbällen gespielt, kennen die Situationen, in denen Fußbälle verwendet werden, nur allzu gut usw. Unsere Erfahrungen mit Rugby-Bällen

---

[2] Was sich natürlich auch sprachlich auswirkt, denn in der (sprachlichen) Umgebung von *Faschingsball* finden sich andere Wörter als in der von *Fußball* usw. Man kann daher die Trennung auch nach rein formalen Gesichtspunkten vornehmen, doch ist dies für die hier verfolgten Zwecke nicht sehr günstig.

[3] In diesem Falle Homonyme.

oder Auto-Polo-Bällen sind im allgemeinen begrenzter. Die Ansicht, daß ein Ball rund sei, hüpfe, zum Spielen diene usw. entstammt offensichtlich einem Mittel aus den Erfahrungen, die wir mit Bällen (d. h. was wir Bälle nennen) machen bzw. gemacht haben. Wenn die Kommunikation (z. B. über Bälle) funktioniert, kann dies als Beweis angeführt werden, daß die "Ansicht von Ball" bei den Sprachteilnehmern gleich oder sehr ähnlich ist. Mit der Antwort "Ein Ball ist rund..." (mit einer semantischen Beschreibung nach Merkmalen also) behaupten wir damit nicht, daß alle Bälle rund seien, sondern nur, daß 'rund' auf viele oder die meisten Bälle zutrifft. (Und diese Antwort erscheint ja auch durchaus sinnvoll.)

Mit dem Vorausgehenden sollte eine Begründung dafür gegeben werden, daß der Begriff von Ball intensional nicht scharf gefaßt werden kann, daß aber doch über *Ball* eine vage, wenn auch für die normalen Zwecke der Kommunikation ausreichende, Bestimmung ermittelt werden kann (wie sie in den meisten Wörterbüchern und Lexika [4] vorliegt.) Offensichtlich kommen wir trotz dieser "Unschärfe" gut zurecht. (Wenn wir z. B. 'Mädchen' mit 'menschlich, weiblich, jung' beschreiben, so genügt das in der Regel, auch wenn wir manchmal darüber streiten, ob eine bestimmte Person "schon" eine Dame sei oder "noch" ein Mädchen. [5])

Haben wir die Unschärfe von intensionalen Begriffen der sprachlichen Zeichen aus der Umgangssprache einmal erkannt, dann kann das Problem der "übertragenen" Bezeichnungen zunächst relativ einfach gelöst werden. Sollte jemand behaupten, ein *Schneeball* oder *Medizinball* habe so wenig mit *Ball* (will sagen: seinem Erfahrungsmittel) gemein, daß hier eine übertragene Bezeichnung vorliegen müsse, dann ist dies wiederum seine Sache. [6] Bei unserem Vorgehen mußten wir ja zunächst alle *Bälle* (und *-bälle*) heranziehen, um nicht vorschnell ein individuell bestimmtes Verständnis von Ball zu verabsolutieren.

Wenn wir dem Ausländer als Antwort ein solches Erfahrungsmittel geben (in unserer oder auch in seiner Sprache), dann darum, weil wir weder auf jede solche Frage eine Anzahl der so bezeichneten Gegenstände beibringen, noch –

---

[4] Wie wenig man allerdings aus Lexika erfährt, zeigt der Eintrag für *Ball* im dtv-Lexikon: "... ältestes Spielgerät, drehrund, zum Werfen, Fangen, Schlagen, Stoßen, bei Naturvölkern aus Rotang, Pflanzenfasern oder gepreßten Blättern, im modernen Sport mit Leder- oder Gummihülle, als *Vollball* mit Füllung, als *Hohlball* (mit Ausnahme des Tennisballes) mit aufpumpbarer Gummiblase." Als Abschluß steht zu lesen: "Der Billiard-, Boccia- und Krocketball gehören mehr zu den Kugeln."

[5] Über Festsetzungen s. u.

[6] Ein "objektiver" Befund über diese Problematik müßte sich auf Umfragen an die Sprachteilnehmer und Versuche mit ihnen stützen, z. B. in der dann auch quantitativ auszuwertenden Frage, ob *-feder* in *Schreibfeder* "noch etwas mit *Feder* zu tun" habe o. ä.

z. B. im Fremdsprachenunterricht – ihn unsere Erfahrungen durchlaufen lassen können. Wichtig wäre allerdings hinzuzufügen: Gegenstände, die die Bedingungen des Erfahrungsmittels nicht erfüllen, können dennoch in der zu erlernenden Sprache als *Ball* bezeichnet sein – denn das obige Erfahrungsmittel ist ja keine festsetzende Definition. Sollte der Lernende dann Rugby-Bälle als Ball bezeichnet hören, so müßte er die Intension entsprechend erweitern durch eine Relativierung von 'rund' (falls er die Besonderheit überhaupt bewußt zur Kenntnis nimmt) und "intensionale Randbedingungen" etablieren.[7]

Demnach können wir bei der intensionalen Bestimmung umgangssprachlicher (d. h., nicht zur Wissenschaftssprache gehöriger) Wörter unterscheiden zwischen Merkmalen, die Kernbedingungen angeben, und Merkmalen, die Randbedingungen angeben – wobei 'Randbedingung' nicht mit 'akzidentiell' und 'Kernbedingung' nicht mit 'Erfahrungsmittel' gleichzusetzen ist.

Kommen wir noch einmal zurück auf *Schneeball, Federball, Feuerball*. Mit der steten Setzung des Bestimmungswortes scheint in der Tat ein Hinweis darauf vorzuliegen, daß *-ball* als *genus proximum* und *Schnee-* usw. als *differentia specifica* aufzufassen sind. Allerdings ist die Frage, wieviele Kern- und/oder Randbedingungen erfüllt sein müssen, um von einem *genus proximum* sprechen zu können, kaum zu entscheiden. Natürlich gibt es Fälle, wie etwa *Kohldampf*,[8] bei denen wir sicher sind, daß kein Zusammenhang (etwa mit *Dampf*) vorliegt, aber "Dazwischenliegendes" – wie *Schneeball, Feuerball*, auch *Tintenfaß* (*Faß*?) ist keiner ja/nein-Entscheidung zugänglich.

Wie bemerkt, treten die geschilderten Schwierigkeiten intensionaler Bestimmung nur bei Wörtern der Umgangs(=Alltags-)sprache auf. Über die intensional und extensional festgesetzten Begriffe der Wissenschaftssprache kann es keinen Streit geben; es ist eindeutig feststellbar (weil festgesetzt), ob etwas als "Sauerstoff, Hypotenuse" usw. zu bezeichnen ist.

Die englischen Wörter *oxygen, hypotenuse* entsprechen den deutschen extensional und intensional. Damit sind auch Übersetzungsprobleme von vornherein ausgeschaltet, und das Erlernen solcher Wörter der Fremdsprache besteht lediglich in der mnemotechnischen Leistung, die Intension von "Sauerstoff" mit einer bestimmten Lautfolge zu verbinden. Wir sehen daher im folgenden von Wissenschaftssprache (und anderen normierten Sprachen) ab.

7.1.4. Wir greifen nun aus den Bällen des Deutschen einen (z. B. einen Fußball) heraus. Dieser wird englisch als *ball* bezeichnet. Dann versuchen wir, mit

---

[7] Diese Problematik wird in der Diskussion über lexikalische und aktuelle Bedeutung, usuelle und okkasionelle Bedeutung, Sprachbedeutung und Redebedeutung teilweise angeschnitten, vgl. auch Kap. 3 über "begrifflich" und "funktional".

[8] Man spricht hier bisweilen von idiomatischen Komposita.

Hilfe eines rückläufigen Wörterbuchs der englischen Sprache die Extension von *ball* zu bestimmen. Wir finden:

handball, football, tennisball, volleyball, cue ball 'Billardkugel' (vgl. *ALD* unter *billiards*: "a game played with balls and long sticks...""), *moth-ball* 'Mottenkugel', *cannon-ball* 'Kanonenkugel', *time-ball* 'one (i. e., ball) which falls from a staff (at an observatory) to show a fixed time (usu. noon or 1 p. m.) (*ALD*), *woolball* 'Wollknäuel', *stinkball* 'Stinkbombe' usw. (unter Auslassung von *ball* 'gesellschaftliche Veranstaltung'). Diese Sammlung unterscheidet sich von der Extension des dt. Ball ganz beträchtlich: was im Dt. als *Kugel, Knäuel* usw. sprachlich "gegriffen" wird, wird im Englischen sprachlich unter *ball* / (-*ball*) subsumiert; dementsprechend viele Übersetzungsmöglichkeiten werden in den Wörterbüchern verzeichnet.

Das *ALD* gibt folgenden Eintrag unter *ball*:

"1. any round object, either solid or hollow, that is used in games (e. g. tennis, football).

2. anything like a ball, as a *ball of wool* [*string, snow,* etc.] A bullet is sometimes called a ball.

3. (in poetry) the earth."

Zusammen mit der intensionalen Bestimmung in 1. und 2. werden Hinweise auf Extensionen gegeben, wobei der zweite Satz in 2. darauf aufmerksam macht, daß die gegebene intensionale Bestimmung 'rund' nicht ausschließlich gilt. Das als 1. gegebene Erfahrungsmittel (quasi die "wichtigste Definition") setzt eine weitaus größere Einschränkung der Extensionen von *ball* voraus, als es beim entsprechenden Mittel des dt. *Ball* der Fall ist. Diese Einschränkung und Gewichtung ist letzten Endes nur von dem Adressatenkreis des *ALD* her zu rechtfertigen, vgl. Vorwort (S. iv): "The words selected for inclusion [...] are those that the foreign student of English is likely to meet in his studies up to the time when he enters a university. [...] Most archaic words, or those which are likely to occur only in purely scientific and technical contexts, have been excluded." Für andere Adressatenkreise, etwa Techniker, wäre eine andere Reihenfolge und Gewichtung durchaus vertretbar; für sie wären andere Erfahrungsmittel anzusetzen bzw. andere Erwartungen zu befriedigen.

Wir halten fest:

1. Mit dt. *Ball* und engl. *ball* liegen zwei Begriffe vor, deren extensionale und intensionale Bestimmung Unterschiede aufweisen (keine begriffliche Äquivalenz).

In Weiterführung der Besprechung von Intension und Extension ist noch folgendes zu bemerken:

2. Innerhalb e i n e r Sprache ist intensionale Verschiedenheit zweier Begriffe bei extensionaler Gleichheit möglich: die *Wiederkäuer* können auch mit *Paar-*

zeher bezeichnet werden. Die intensionalen Bestimmungen sind verschieden, insofern als einmal von der Beschaffenheit der Hufe, zum andern von Verdauungsvorgängen die Rede ist. Wir sagen, daß *Paarzeher* und *Wiederkäuer* das gleiche bezeichnen, aber verschiedene Bedeutung haben.

Ein solcher Fall ist natürlich auch bei zwei Sprachen zu finden, etwa *Bachstelze – wagtail*, *Mönchsgrasmücke – blackcap* usw., wo die jeweiligen Mengen von Vögeln einander ebenfalls entsprechen. Man könnte nun argumentieren, daß 'bird with a black cap' für *blackcap* nur eine notwendige, nicht aber hinreichende Bestimmung sei (Dompfaffen haben auch *black caps*). Ein Engländer müßte ohne Zweifel weitere Merkmale angeben können, die dann auch in der intensionalen Bestimmung von dt. *Mönchsgrasmücke* aufträten (und auch in der Bestimmung von *Mönchsgrasmücke* wird das Faktum einer schwarzen Haube o. ä. zu verzeichnen sein). So gesehen, läge eine intensionale Gleichheit vor. Demgegenüber könnte man erwidern, daß die mit *blackcap* bezeichneten Dinge sprachlich anders "gefaßt" sind als durch *Mönchsgrasmücke*, und daraus eine verschiedene Intension ableiten. Wir müssen hier sicher trennen zwischen Aussagen, die wir aufgrund von Reflexionen über die Sprache machen (und eine solche Reflexion zeigt, daß *blackcap* anders motiviert ist als *Mönchsgrasmücke*), und solchen Aussagen, denen die übliche Sprachverwendung zugrundeliegt. Im letzteren Falle kann man annehmen, daß kaum jemand bei *Mönchsgrasmücke* an *Mönche* denkt, bei *Bachstelzen* an *Bäche*. Im spontanen, unreflektierten Sprachgebrauch – auch eingedenk einer möglichen Demotivation der Komposita – wären die beiden Wörter als intensional gleich darstellbar. Die Dinge liegen damit nicht anders als bei *Sperling – sparrow*, wo von verschiedenen Motivationen nicht die Rede sein kann.

3. Der Fall einer intensionalen Gleichheit bei extensionaler Verschiedenheit kann – auf dem Hintergrund des Gesamtsystems bzw. der Gesamtsysteme – *per definitionem* weder intralingual noch interlingual auftreten.

4. Die vierte Möglichkeit – extensionale Gleichheit und intensionale Gleichheit zweier oder mehrerer Begriffe – ist intralingual nur dann anzunehmen, wenn "intensionale Gleichheit" selbst entsprechend bestimmt wird. Natürlich könnte man sich auf den Standpunkt stellen, daß *Schlips* und *Krawatte*, *Junge* und *Knabe*, *Schimmel* und *weißes Pferd* jeweils intensional gleich sind. Aber würden wir immer, wenn von *Schimmeln* die Rede ist, genauso gut *weißes Pferd* sagen können? Wie steht es mit *?Es gibt Rappen, Falben und weiße Pferde?* Die Bedingungen, unter denen wir *Schlips, Knabe, weißes Pferd* gebrauchen, sind andere als die für die Verwendung von *Krawatte* usw. Wenn wir diese Bedingungen in die Intension mit aufnehmen, – was im folgenden geschieht – dürfen wir nicht mehr von intensionaler Gleichheit sprechen. v. Kutschera führt im gleichen Zusammenhang das Beispiel der "Bedeutungsgleichheit" von

'Treppe' und 'Reihe von Stufen, die dem Hinauf- oder Herabsteigen dienen' an und fragt zu Recht: Besteht zwischen diesen "tatsächlich eine Bedeutungsgleichheit, die über die Verwendungen bei Erläuterungen, Definitionen und Kreuzworträtseln hinausgeht?" [9]

7.1.5. Allein schon die Tatsache, daß die verschiedenen Soziolekte zweier Sprachen innerhalb der Sprachen jeweils anders abgegrenzt sind (vgl. Kap. 3.6), macht interlinguale "intensionale Gleichheit", "Bedeutungsgleichheit" weitgehend unmöglich. Bezogen auf die syntaktischen Verwendungsbedingungen können z. B. *little* und *klein* schon deswegen nicht als bedeutungsgleich angesetzt werden, weil *little* selten prädikativ gebraucht wird (*This child is little.*). Coseriu [10] bemerkt: "Beim Sprachvergleich ist es angebracht, nicht von der – selbst vollständigen – Bezeichnungsidentität auf die Bedeutungsidentität zu schließen. Sh. Hattori hat z. B. gezeigt, daß Japanisch *me* und mongolisch *nüdä*, obwohl beide das Auge bezeichnen, nicht dasselbe *signifié* haben: das japanische Wort klassifiziert das Wort als "Oberfläche", während das mongolische Wort es als "Volumen" klassifiziert, was sich dann auf syntagmatischer Ebene (Solidarität [= Vereinbarkeit] mit bestimmten Adjektiven) zeigt. Solche Fakten sind in der Sprache keineswegs selten." An dieser Stelle sei die Diskussion über Bedeutungsgleichheit vorläufig abgebrochen.

Es wurde bisher des öfteren von Merkmalen gesprochen, so daß wir nun klären müssen, wie man zu diesen Merkmalen gelangt und welcher Art diese Merkmale sind.

7.2. Wortfeld und Merkmale

7.2.1. Zur Ermittlung der Merkmale dient u. a. die sog. Wortfeldmethode. "Ein Wortfeld ist die Gesamtheit der durch einen gemeinsamen lexikalischen Feldwert vereinten Lexeme [≈ Wörter], den diese durch gegenseitige Oppositionen von minimalen lexikalisch-inhaltlichen Unterschieden weiter unterteilen ("lexematisch unterscheidende Züge" oder Seme). So ist z. B. "kalt" – "lauwarm" – "warm" – "heiß" ein Wortfeld des Deutschen. [...] Ein Wortfeld wird oft durch ein "archilexematisches Wort" dargestellt, das seinem Gesamtwert entspricht, obwohl dies keine notwendige Voraussetzung für dessen Existenz ist." [11] Man geht dabei in der Regel so vor, daß man ein Archilexem

(Fortsetzung S. 226)

---

[9] v. Kutschera (1971), S. 234.
[10] Coseriu (1970), S. 46 f.
[11] Coseriu (1970), S. 49.

Semantische Kriterien (Merkmale)

	Verben der menschlichen Fortbewegung	Argument (Subjekt)			Muskelkraft Extremitäten		Sonstiges	Dynamisch	Schnell
		Belebt	Mensch	Aktor	Arme	Beine			
1	bummeln	Zug +[−]	+	+	−	bei der Arbeit +[−]		bei der Arbeit +(−)	−
2	defilieren	+	+	+	−	+	Menge	+	−
3	eilen	Zeit +[−]	+	+	−	+		+	+
4	fahren	+[−]	+	−		−		+	+ −
5	fliegen	+[−]	übertr. −[+]	−		−		+	+ −
6	fliehen	Zeit +[−]	+[−]	+ −		+[−]	Angst, Vorsicht	+	+
7	flitzen	+[−]	+	Auto +[−]	−	+	Behendigkeit	+	+
8	gehen	Uhr +[−]	+	+	−	+		+	+ −
9	gleiten	Vögel +[−]	+[−]	+[−]	+ −	+	Leicht	+	+ −
10	hetzen itr.	+	+	+	−	+		+	+
11	hinken	Vergleich +[−]	+[−]	+	−	+	Verletzung angeboren	+	−
12	hopsen	Ball +[−]	Frosch +[−]	+		+	ungelenk	+	±
13	humpeln	+	+	+	−	+	Verletzung angeboren	+	−
14	hüpfen	Ball +[−]	+[−]	+	−	+	gelenkig, Freude	+	+[−]
15	klettern	Thermometer +[−]	+[−]	+	+	+		+	±
16	kommen	+[−]	+[−]	Auto +[−]	−	Auto +[−]		+	+
17	krabbeln	+	Insekt +[−]	+	+	+	Kleinkind	+	±
18	kraxeln	+	+	+	+	+		+	−
19	kriechen	+	− (+)	+	+	+		+	−
20	laufen	+[−]	+[−]	+	−	+		+	±
21	marschieren	+	+	+	−	+	Menge	+	±
22	paddeln	+	Hund +[−]	+	+	−		+	±
23	(poltern)	[−]+	+	+	−	Sprache +[−]	Ungeschicklichkeit	Sprache +[−]	±
24	rasen	+[−]	+	Fahrzeug +[−]	−	[−]+		übertr. +[−]	+
25	reisen	+	+	−	−	−		+	±
26	reiten	+	+	−	−	−		+	±
27	rennen	Zeit +[−]	+ −	+	−	+		+	+
28	rudern	+	Ente +[−]	+	+	−[+]		+	±

224

	Prädikat (Akttyp)								
	Umgebungsbedingt Medium			akustisch wahr-nehmbar	Modalität im weitesten Sinne	Mittel	Standard-sprache	Emotion	Bedeutungs-affinitäten
al	Erde	Wasser	Luft						
	+	–	–	±		–	+	+	30, 34, (42)
	-|·	–	–	±	würdig feier-licher Anlaß	–	Fremd-wort	(+)	21
	+	–	–	±		–	+	– ·	(6), 7, 10, 24, 27
	+	+	Ballon –[+]	±		+·	+	–	5, 25, (26)
	–	–	+	±		übertr. +[–]	+[–]	–[+]	4, 25, 26
	+	–[+]	–[+]	–	bewußte Ge-heimhaltung	–[+]	+	–	(3), (10)
	+	–	–	±		Auto –[+]	–	+	3, 10, 24, 27
	+	–	–	±		–	+	–	16, 20
	Ski –[+]	Boot +[+]	Flug-zeug –[+]	–	gleichmäßig	–[+]	+	–	
	+	–	–	±		–	(+)	+	3, 7, 24, 27
	+	–	–	±		–	· +	–	13
	+	–	–	+		–	+	+·	14, 35
	+	–	–	+		–	+	–	11
	+	–	–	+	sich wieder-holend	–	+	–	12, 35
	+	–	–	–		–	+	–	
	+	+	+	±		–[+]	+	–	8, 20
ekt	+	–	–	±		–	+	–	19
	+	–	–	±	mühsam	–	–	+	15, 37
r	+	–	–	±		–	+	–	17
	+	–	–	±		–	+	–	8, 16
	+	–	–	+		–	+	–	2
	–	+	–	±	(ungelenk)	+ (–)	+·(–)	– (+)	28, 33
	+	–	–	+		–	+	+	38, 41
	+	Motor-boot –[+]	Flug-zeug –[–]	±	Intensität	–[+]	+	[+] –	3, 7, 10, 27
	+	+	+	±	längere Dauer	+	+	–	4, 5, (26)
	+	–	–	+		+	+·	–	(4), (5), (25)
	+	–	–	±·		–	+	(–)	3, 7, 10, 24
	–	+	–	±		+·	+	–	22, 33

	Verben der menschlichen Fortbewegung	Argument (Subjekt)			Muskelkraft Extremitäten		Sonstiges	Dynamisch	Schnell
		Belebt	Mensch	Aktor	Arme	Beine			
29	schleichen	Zeit +[−]	−[+]	+	−	+	vorsätzliche Geheimhaltung	+	−
30	schlendern	+	+	+	−	+		+	−
31	schlurfen	+	+	+	−	+		+	−
32	schreiten	+	Storch +[−]	+	−	+	Stolz, Hochmut	+	−
33	segeln	+[−]	−[+]	−	±	±	äußere Einwirkung	+	±
34	spazieren	+	+	+	−	+		+	−
35	springen	+[−]	+[−]	+	−	+		+	+
36	stapfen	+	+	+	−	+		+	−
37	steigen	Drachen +[−]	Adler +[−]	Ballon +[−]	−	+[−]		+	±
38	(stolpern)	+	+	+	−	+	äußere Einwirkung; Unachtsamkeit	+	+
39	stolzieren	+	+[−]	+	−	+	Hochmut, eingebildet	+	−
40	tanzen	Kreisel +[−]	+	+	−	+		+	±
41	torkeln	+	+[−]	+	−	+	Alkohol, Schwäche	+	−
42	wandern	Pokal +[−]	Fischschwarm +[−]	+	−	+		+	−
43	waten	+	Storch +[−]	+	−	+		+	−
44	schwimmen	+[−]	+[−]	+	+	+		+	±
	~unsicher sein	+	+	−				−	
	~Zustand (z. B. Fett ~)	−	−	−	−	−		−	

setzt, z. B. dt. *gescheit* (ein letztlich onomasiologischer Ausgangspunkt) und nun nach "Nachbarn" sucht, etwa *klug, intelligent, weise, schlau, scharfsinnig, vernünftig* usw. Der Vergleich der Lexeme innerhalb des Wortfelds gilt als sinnvolles Verfahren, die minimalen inhaltsunterscheidenden Merkmale zu finden. Zur Veranschaulichung sei der Versuch Wotjaks [12] wiedergegeben, das Wortfeld 'menschliche Fortbewegung' (wofür im Dt. kein Archilexem existiert) darzustellen. Es lag nicht in der Absicht Wotjaks, dieses Wortfeld mit allen seinen Mitgliedern zu erfassen, Hauptzweck ist die Demonstration der Merkmalanalyse (Tabelle S. 224—227).

---

[12] Wotjak (1971), Falttabelle. Eine Erläuterung der Tabelle bei Wotjak, S. 176 ff.

Prädikat (Akttyp)								
Umgebungsbedingt Medium			akustisch wahrnehmbar	Modalität im weitesten Sinne	Mittel	Standardsprache	Emotion	Bedeutungsaffinitäten
Erde	Wasser	Luft						
+	−	−	−	vorsichtige Bewegung	−	+	+	31
+	−	−	±	gemächlich	−	+	−	1, 34, (42)
+	−	−	+	mühsam, kraftlos	−	+·	+	29
+	−	−	±	ernst, feierlich	−	+	+	39
−	+	+	−		+	+	−	22, 28
+	−	−	±	gemächlich	−	+	−	1, 30, 42
+	−	−	+		−	+	−	12, 14
Schnee + Sand	−	−	·±	mit körperlicher Anstrengung	−	+	−	43
+	+ −	− (+)	±·		Eallon − [+]	+	−	15, 18
+	−	−	+		−	+	−	(23), 41
+	−	−	±		−	+	+	32
+	−	−	+	Musik; rhythmische Bewegung	−	+	−	
+	−	−	±		−	+	+	(23), 38
+	−	−	±	aus Lust und Freude	−	+	−	(1), (30), 34
Schlamm +	+	−·	±		−	+	−	36
−	+	−	±		−	+	−	
			−		−	−	+	
−	+	−	−		−	+	−	

7.2.2. Nun fragt es sich, ob die Wortfeldforschung mehr ist als eine Methode zur Auffindung inhaltsunterscheidender Züge, ob ein solches Wortfeld "ein Phänomen der Sprache selbst" ist[13] und ob, wie in der Wortfeldforschung von Trier und Weisgerber dargestellt, "der Inhalt eines Wortes sich nur durch den Zusammenhang dieses Wortes mit anderen sinnverwandten Wörtern konstituiert".[14] Rupp glaubt, das letztere "getrost verneinen" zu können: "Schon das Kind lernt nicht die Sprache in der Weise, daß man ihm sagt: 'Das ist ein Pferd', und dabei alle möglichen anderen Säugetiere zum Vergleich daneben

---

[13] Rupp (1968), S. 41.
[14] Rupp, ebd.

stellt...".[15] Das mag auf den ersten Blick richtig erscheinen, doch gilt es folgendes zu bedenken. Gesetzt, ein durch solches Zeigen (auf ein Pferd) unterwiesenes Kind sähe nun eine Kuh, so stehen zwei Möglichkeiten offen: entweder es fragt "Was ist das?" oder es bezeichnet die Kuh als *Pferd* (denn woher soll es wissen, daß der Unterschied zwischen den jeweiligen Tieren auch sprachlich gefaßt wird[16]). Lernt es, das andere Tier als *Kuh* zu bezeichnen, so ändert sich auch die Intension von *Pferd* (insofern als es ja nun nicht mehr gleichgültig ist, ob ein Vierbeiner von bestimmter Größe Hörner, Euter etc., hat oder nicht). Die Intension von *Pferd* wird weiter geändert, wenn es Zebras zu benennen gilt. Insofern hängt natürlich die Intension eines Wortes davon ab, welche Feldnachbarn es aufzuweisen hat: wenn wir auch einen Stuhl *Hocker* nennen würden, wäre die Intension von *Hocker* anders als im heutigen Sprachgebrauch. Statt zu sagen, "der Inhalt eines Wortes konstituiert sich nur durch das Zusammensein dieses Wortes mit anderen sinnverwandten Wörtern", wäre es besser (und eindeutig) zu sagen "hat sich konstituiert", und zwar im phylogenetischen wie im ontogenetischen Sinne. Damit ist das Wortfeld "als Phänomen der Sprache selbst" anerkannt.

7.2.3. Der Standpunkt, Bedeutung gebe es nur in oder aus dem Feld, scheint für die Zwecke des Sprachvergleichs ohnehin nicht sehr brauchbar. Konsequenterweise müßten wir sagen: gäbe es im englischen Sprachgebiet nur eine Vogelart mehr als im deutschen Sprachgebiet, und würde diese auch benannt, dann hätten *Sperling* und *sparrow* schon allein aufgrund dieser Tatsache verschiedene Bedeutung.

Sicherlich können Wortfeldvergleiche diverser Sprachen verschiedene "Weltansichten", verschiedene "innere Formen" entdecken helfen, aber die Erfüllung dieser ehrgeizigen Aufgabe muß anderen vorbehalten bleiben. Wir verwenden im folgenden die Wortfeldmethode zur intralingualen und interlingualen Analyse in inhaltsunterscheidende Merkmale.

Über die Merkmale selbst sei nur gesagt, daß sie im Augenblick höchstens als potentiell universal gelten können, und zum Zwecke der Demonstration auch nicht universal zu sein brauchen. Es mag zwar sein, daß 'zweidimensional, rund' für *Kreis* und 'dreidimensional, rund' für *Kugel* semantische Universale sind,

---

[15] Rupp (1968), S. 43.

[16] Welche Unterschiede schließlich sprachlich gefaßt werden, hängt von den Lebensgewohnheiten und -bedürfnissen der Sprecher ab; es sei hier an das sattsam bekannte Beispiel erinnert, wonach Eskimos zwischen ca. 13 Arten von Schnee lexikalisch differenzieren, während manche Sprachen – deren Sprecher mit Schnee kaum in Berührung kommen – für Nebel, Eis und die verschiedenen Arten von Schnee nur ein Wort haben.

aber wir (die Verfasser) wissen es nicht genau und beschreiben z. B. *torkeln* als
'..., ..., unter Alkoholeinfluß' unbeschadet eines eventuell nicht-universalen
Charakters des letzteren.

Lyons [17] bemerkt hierzu anzüglich: "Little need be said about the alleged uni-
versality of semantic components, except that it is an assumption which is
commonly made by philosophers and linguists on the basis of their anecdotal
discussion of a few well-chosen examples from a handful of the world's
languages." Angesichts der gerechtfertigten Bemühungen um semantische Universalien erscheint Lyons' Meinung hier etwas zu polemisch formuliert. Wir
sind nur der Ansicht, daß der hier anvisierte Sprachvergleich die grundsätz-
lichen Phänomene auch ohne Zuhilfenahme etablierter semantischer Universalien
erfassen kann. Die Zeit, einen Abschnitt über kontrastive Semantik einzuleiten
mit dem Satz: "Each languages draws in specific ways from the universal stock
of semantic features in order to form its own set of word units, or idiomatic
expressions" [18] scheint noch nicht gekommen. Noch einmal Lyons: "It is obvious
that the value of componential analysis in the description of particular
languages is unaffected by the status of the semantic components in universal
terms." [19]

7.3. Differenzierung von "intensionaler Gleichheit"

Im Verlaufe der obigen Darstellung wurde offenbar, daß abweichende Meinun-
gen in bezug auf "Bedeutungsgleichheit, intensionale Gleichheit" bestehen. Bei
der intensionalen Beschreibung von sprachlichen Zeichen zweier usw. Sprachen
können wir verschiedene Teilbereiche (die zum Teil nur noch nicht eigens
erwähnt wurden) zu etablieren versuchen.
Die Beispiele für diese Teilbereiche sind so gewählt, daß die Kriterien intuitiv
einsichtig werden.
1. Definitorische Äquivalenz
In diesem Sinne sind *blackcap* und *Mönchsgrasmücke, weißes Pferd* und *Schimmel, Schimmel* und *white horse, Sperling* und *sparrow* äquivalent. Die definitorische Äquivalenz ist bedingt durch die Äquivalenz der Denotata.
2. Sprachebenenbedingte Äquivalenz
In diesem Sinne sind *verrecken* und *kick the bucket* äquivalent, ebenso *die* und
sterben, nicht aber *die* und *verrecken*. Wie oben angedeutet, kann es eine genaue
subsystematische Äquivalenz nicht geben.

---

[17] Lyons (1968), S. 473.
[18] di Pietro (1971), S. 209. S. dazu auch Wotjak (1971), S. 42 f.
[19] S. auch Kap. 3 über Metasprache und Interlingua.

3. Äquivalenz der Merkmalshierarchie und der Bezeichnungsmotivation

In diesem Sinne sind *Mönchsgrasmücke* und *blackcap* nicht äquivalent. U. U. nehmen *black* und *cap* in der semantischen Beschreibung innerhalb der Merkmalshierarchie eine unterschiedliche Position ein. Äquivalent in diesem Sinne wären etwa *washing-machine* und *Waschmaschine*.

4. Konnotative (emotionale) Äquivalenz

In Wörtern wie *Heimat*, *Vaterland*, *deutsch* "schwingen Emotionen mit", die nicht notwendigerweise die gleichen zu sein brauchen wie in *mother country*, *German*. Falls diese Konnotationen intralingual intersubjektiv sind, gehören sie allerdings unter 1) (auch für die interlinguale Betrachtung), falls nicht, sind sie nur individuell beschreibbar (und können kaum innerhalb des hier vorliegenden Rahmens behandelt werden).

5. Assoziative Äquivalenz

In diesem Sinne wäre *schreiben* mit *write* äquivalent, wenn ähnlich oft bei entsprechenden Versuchen *lesen* auf *schreiben* wie *read* auf *write* assoziiert würde.

6. Wortfeldäquivalenz

Wie oben dargelegt, dürfte eine solche Äquivalenz (bezogen auf die Gesamt-Wortfelder) nur selten auftreten. Ein Beispiel wären Benotungssysteme: in einem fünfstufigen Bewertungssystem der Sprache 1 (1–5) und der Sprache 2 (A–E) – gleiche Wortfelder – wäre "3" äquivalent einem "C".

7. Wortartäquivalenz

Vgl. Kap. 3.

8. Syntaktische Äquivalenz

In diesem Sinne sind die Adjektiva *small* und *klein* äquivalent, nicht aber *little* und *klein* (s. o. 7.1.5).

9. Solidaritätsäquivalenz

In diesem Sinne sind *gießen* und *pour* nicht äquivalent, da *gießen* 'flüssig' fordert, vgl. aber engl. *to pour salt, flour* usw.

Beziehen wir "Bedeutungsgleichheit" auf alle der neun angeführten Äquivalenzkriterien, dann ist der Terminus für die Analyse nicht von Nutzen, denn er kann kaum je angewandt werden. Für die weiteren Ausführungen bleiben 3, 5, 6 außer acht. Wann immer von "Bedeutungsgleichheit" die Rede ist, muß, zum Zwecke einer vernünftigen Verständigung, auf ein Kriterium oder auf mehrere Kriterien hin spezifiziert werden.

7.4. Schwierigkeiten bei der Erstellung der Interlingua

7.4.1. Wenn die kontrastive Semantik einen interlingualen und nicht-gerichteten Vergleich von sprachlichen Zeichen anstrebt, dann muß – zur Ermittlung der semantischen Merkmale – zunächst eine Wortfeldaufstellung für die beiden Sprachen vorgenommen werden (z. B. Größenbezeichnungen im Deutschen und Englischen). Die jeweilige Merkmalanalyse sollte zunächst getrennt von *native speakers* der Sprachen ausgeführt werden, um "Interferenz"-Erscheinungen auf Seiten des Untersuchenden zu vermeiden: es ist "auf die Gefahr zu verweisen, daß in die Untersuchung der betreffenden Sprache von einem Nicht-Muttersprachler nichtimmanente Merkmale hineingetragen, also möglicherweise die für die Charakterisierung der deutschen Zeichen erforderlichen Konstituenten als Maßstab und Gradmesser für die zu erreichende Feingliederung der semantischen Mikrostrukturen" der jeweiligen z. B. englischen Zeichen angelegt werden.[20]

Die additive Interlingua hätte alle Merkmale zu umfassen, also auch die für die eine Sprache nichtrelevanten Merkmale. Angenommen, die Wortfeldanalyse zweier Sprachen hätte die Interlinguamerkmale *a–m* ergeben, dann könnten dt. *X* und engl. *Z* so beschaffen sein:

Zeichen \ Merkmale	a	b	c	d	e	f	g	h	i	k	l	m
dt. X	+	+	+	+	–	+	–	▨	▨	–	+	+
engl. Z	+	+	+	+	+	▨	▨	+	+	–	–	+

Die schraffierten Bereiche würden ihre Berechtigung innerhalb der Interlingua erfahren. (Sie sind natürlich durch einen gerichteten Vergleich ebenfalls zu ermitteln.)

7.4.2. Ein interlingualer und nicht gerichteter Vergleich fiele relativ leicht, wenn es hier gelänge,

a) eine Metasprache mit genau definierten Inhalten zu schaffen und/oder

b) nur mit Vorhandensein (+) und Nichtvorhandensein (—), sowie evtl. Irrelevanz (ϕ) von Merkmalen zu arbeiten.

Die +/—/ϕ-Kennzeichnung ist in der Regel für einen Teil der auftretenden Merkmale verwendbar. Das englische "Größen"-Adjektiv *buxom* z. B. kann beschrieben werden als +menschlich (**buxom dog*), +erwachsen (**buxom baby*), —männlich (**buxom fellow*), die Größenangabe bezieht sich auf das Volumen mit evtl. Berücksichtigung einer gewissen Disproportion zwischen Höhe und Breite. Wie bei vielen anderen Größenadjektiva sind impliziert Angaben über die Gesundheit (*ALD* s. v. *buxom*: 'plump and healthy-looking', Webster 3:

[20] Wotjak (1971), S. 181.

'vigorously or healthily plump'), über den allgemeinen ästhetischen Eindruck auf den Betrachter (*COD*: 'comely'), über die Beweglichkeit (Chambers: 'lively'), über körperliche Kraft ('vigorously') und Angaben über geistige bzw. seelische Qualitäten (Chambers: 'gay, lively, jolly') – in etwa, auch was die Sprachverwendungsbestimmungen und Kollokationsfähigkeit anbetrifft, dem dt. *drall* entsprechend. Merkmale wie die letzteren, die als allgemeine Kategorien auf die Größenadjektiva häufig zutreffen (vgl. *stramm, stämmig, athletisch*) müßten natürlich genau spezifiziert werden, um einer $+/-/\emptyset$-Kennzeichnung zugänglich zu sein. Damit wird einerseits das Merkmalinventar für ein Wortfeld bis zur Unverwendbarkeit aufgebläht, andererseits muß gewährleistet sein, daß z. B. 'lebenslustig' o. ä. bei *drall* in der Metasprache festgesetzt ist, wobei sich mit solchen Festsetzungen immer neue metasprachliche Probleme und Potenzierungen einstellen (von dem Zusammenhang zwischen Sprache und Erkenntnis bei Schaffung der Metasprache gar nicht zu reden).

7.4.3. Es mag eingewandt werden, daß z. B. 'gesund' bei *athletisch* vom Beschreibenden als "Assoziation" vernachlässigt werden könnte, doch würde dies die deskriptionstechnische Voraussetzung beinhalten, Assoziationen von anderen Einheiten der semantischen Mikrostruktur [21] sicher trennen zu können. Ein weiterer Einwand könnte dahin gehen, daß eine solch detaillierte Merkmalanalyse sich z. T. wegen unserer "Kenntnis von der Welt" erübrige: insofern, als jemand, der z. B. überaus groß ist, in der Regel stark aber unbeweglich ist und auf den Betrachter einen furchterregenden Eindruck macht. Die "Kenntnis der Welt" kann aber sozio-kulturell bedingt sein, und eine semantische Beschreibung, die mit dieser Kenntnis operiert, setzt sie nur als selbstverständlich voraus, vernachlässigt sie aber letzten Endes keineswegs. Abgesehen von den $+/-/\emptyset$-Kennzeichnungsproblemen, dem Problem der metasprachlichen Festsetzung und dem Problem der metasprachlichen Potenzierung muß die Interlingua auch Beschreibungstechniken enthalten, die die Sprachverwendungskriterien erfassen (z. B. gesprochen/geschrieben, sozioregionale Dialekte, Register, Textsorten usw.). Hierfür stehen exakte Kriterien zumindest im Augenblick noch aus.

7.5. Einzeluntersuchungen

7.5.1. Es wird daher im folgenden auf einen nicht-gerichteten Vergleich verzichtet, die Beobachtungen gehen von der auf S. 224 ff. abgedruckten Tabelle aus

---

[21] Zum Terminus s. Wotjak (1971).

und auch davon, daß wir als muttersprachlich Deutschsprechende "schon wissen, was wir meinen", wenn von 'Behendigkeit, Hochmut, Geheimhaltung' usw. die Rede ist. Falls notwendig, wird Wotjaks Aufstellung einerseits ergänzt durch Feldmitglieder (so fehlt z. B. *robben*), andererseits durch Differenzierung der Merkmale (so ist der Unterschied zwischen *hüpfen* und *springen* nicht erfaßt). Eine Ausweitung auch auf nicht-menschliche Fortbewegung erscheint sinnvoll.

Wir gehen dabei folgendermaßen vor: als Ausgangspunkt dient ein dt. Verb oder Verben, die untereinander Bedeutungsaffinität aufweisen. Zu diesen Verben werden, nach einer kurzen Beschreibung, die "üblichen Übersetzungen" des Englischen gesucht, unter Absetzung dieser englischen Verben gegeneinander und der englischen gegenüber den deutschen, wobei sich in der Regel eine Ausweitung auf andere Verben beider Sprachen ergibt. Die Bedeutungsbeschreibungen fußen auf der Intuition der Verfasser und deutschen einsprachigen Wörterbücher, bei englischen Verben auf Informantenbefragungen und englischen einsprachigen Wörterbüchern.

Bei diesem Verfahren liegt ein *signifiant*-Bezug und ein (interlingual-)onomasiologischer Bezug vor.

7.5.2. Für die Verben 17 und 19 der Tabelle (*krabbeln* und *kriechen*) gelten als "übliche Übersetzungen" *crawl* und/oder *creep*.

Agens von *krabbeln* ist im Deutschen entweder ein Kleinkind oder ein Insekt, u. U. bestimmte Jungtiere ((?) *Die kleinen Hunde krabbelten in den Korb*). In allen Fällen erfolgt die Fortbewegung unter Zuhilfenahme der Extremitäten (Arme und Beine oder nur Beine), beim Kleinkind in der Regel horizontal, auch 'schräg' (*Er krabbelte die Treppe hinauf*), beim Insekt horizontal oder vertikal usw. Impliziert ist bei *krabbeln* eine gewisse relative Geschwindigkeit in der Fortbewegung (? *langsam krabbeln*), vor allem aber eine bestimmte Geschwindigkeit im Ablauf der Bewegungen. [22]

Unter *crawl* (Fortbewegung) geben einsprachige Wörterbücher folgende Einträge:

ALD 1. go or move slowly with the body close to the ground, e. g. as a worm or snake moves, as a baby on its hands and knees, or a person moving flat to avoid being seen. *The wounded soldier tried to crawl back to his trench.*

2. move or walk slowly, like an old or sick person. *The bridge had been damaged and our train crawled over it very cautiously.*

---

[22] Die semantischen Angaben verstehen sich unter Bezug auf die Ausführungen zu Beginn des Kapitels, ein *Wir krabbelten den ganzen Tag auf den Felsen herum* u. ä. wird hier nicht berücksichtigt.

COD 1. Move slowly, dragging body along close to the ground, or on hands & knees; walk, move, slowly; creep abjectly.

Webster's Third
1. to move or go slowly (as an insect, snake, turtle) with the body close to the ground: CREEP
2. to move, progress, or advance slowly or laboriously: drag along . . . ⟨tanks and amphibian tractors were crawling up on the beach . . .⟩
(3. to advance servilely, abjectly or furtively)
4. *of plants*: to spread by extending stems, branches or tendrils: CREEP, TRAIL
6. to swim a crawl ⟨crawl across the pool in record time⟩

SOED 1. To move slowly in a prone position, by dragging the body along close to the ground, as a child on hands and knees, a worm etc. . . .
2. To walk or move with a slow and dragging motion . . .
3. Of plants, etc.: to trail, creep (*rare*) . . .

Supplement (1972) des *OED* zusätzlich:
to swim by using the 'crawl'.

Allen genannten Ersteinträgen ist 'slowly' gemeinsam, doch ist dieses Merkmal nicht von der Art, daß ein *crawl fast* (*baby*) sprachlich unmöglich wäre (anders als z. B. bei *stroll* – **stroll fast* oder **schnell schlendern*). Bei der menschlichen Fortbewegung ist eine Beschränkung auf Kleinkinder nicht gegeben, die Geschwindigkeit der Bewegungsabläufe ist nicht spezifiziert, evtl. jedoch (vgl. *ALD* 2.) zu 'langsam' tendierend. Anders als im Deutschen scheint die Zuhilfenahme der bzw. aller Extremitäten nicht ausschließlich maßgebend zu sein, vgl. *ALD* und *W3 worm, snake* (manche Informanten ziehen jedoch *glide* für *worm* und *snake* vor), für *snails* ist üblich *crawl*, vgl. oben 'slowly'. Die Relevanz des 'slowly' zeigt sich auch in der Verbindung von *scurry* oder *scuttle* mit Insekten (**ants crawl*, neutral in bezug auf Geschwindigkeit ist *crawl* bei *beetles*). Das erhellt auch aus der Kollokation *The wounded soldier tried to crawl* [. . .] und *The train, cars crawled* (= dt. *krochen*). In Verbindung mit *baby* dagegen erscheint 'slowly' neutralisiert.

Das vom *ALD* erwähnte 'avoid being seen' – in den anderen Wörterbüchern nicht aufgeführt – ist eher ein nicht-inhärentes und sich aus dem Kontext ergebendes Merkmal (z. B. *He crawled towards the enemy's camp.*).

kriechen bei Menschen bedingt im Deutschen die Zuhilfenahme aller Extremitäten, mit dem Körper nahe am Boden (Körper auf dem Boden – meist mit militärischem Kontext – = *robben*), die Fortbewegung ist in der Regel eine langsame, langsam sind auch die Bewegungsabläufe; keine Beschränkung auf Kinder, neutral in bezug auf akustische oder visuelle Wahrnehmbarkeit.

Die Fortbewegung von Tieren wird mit *kriechen* bezeichnet, wenn keine Extremitäten vorliegen (z. B. Schlangen, Würmer, Schnecken) oder sehr kurze, wobei der Körper nur wenig über dem Boden liegt (z. B. Eidechsen); bei Tieren, deren Bewegung üblicherweise mit *krabbeln* bezeichnet wird, impliziert *kriechen* 'langsam' (Fliegen, Käfer).

Für die übliche Übersetzung *creep* geben die Wörterbücher:

ALD 1. move along with the body close to the ground; go on one's hands and knees. *The cat crept quietly nearer to the bird. We crept through the bushes towards the enemy.*

  2. move slowly or without making any noise. *He's very old and weak but he can still creep about the house. The burglar crept into the house and up the stairs.*

  4. (of plants, etc.) grow along the ground or over the surface of a wall, etc. *Ivy had crept over the walls of the ruined castle.*

COD 1. Move with body prone & close to ground; move timidly, slowly or stealthily [...] come in, up unobserved [...] (*of plants*) grow along ground, wall, etc.

W3 1. to move along with the body close to the ground or touching the ground (as a worm or snail): move slowly on all fours (as a baby): CRAWL...

  2b. to go or enter stealthily and secretly: STEAL

  2c. to move or behave with servility or exaggerated humility

  3c. *of a plant*: to spread or grow over the ground

SOED 1. To move with the body prone and close to the ground, as a reptile, an insect, a quadruped moving stealthily etc. (cf. CRAWL)

  2. To move softly, cautiously, timorously or slowly, to move quietly and stealthily; to steal (into, away, etc.)

  4. Of plants: ...

Im Gegensatz zu *crawl* tritt das Merkmal 'slowly' zugunsten von 'stealthily' zurück; wie ALD 2. und COD 1. zeigen, besteht seitens der Lexikographen eine gewisse Unsicherheit ('slowly or without making any noise', 'slowly or stealthily'), die darauf hindeutet, daß zwischen 'slowly' und 'stealthy' eine Implikationsbezeichnung vorliegt. 'stealthily' ist auch in den Beispielsätzen von ALD 1. zumindest kontextuell impliziert. Die eventuelle Nicht-Relevanz von 'slowly' könnte aus *The train crept over the bridge, The cars crept through the city* (im Sinne von dt. *krochen*) erschlossen werden. ALD 1. weist mit seinen Beispielsätzen auch auf 'Herrschaft über die Bewegungen' hin, was notwendig für 'stealthy' ist. Auf die Prominenz von 'stealthily' könnte auch die Tatsache hinweisen, daß *creep* bei Menschen nicht unbedingt die Fortbewegung mit Hilfe von Beinen und Armen voraussetzt (*The burglar crept into the house*;

He crept round the corner; möglich ist auch *to creep on tiptoe*), so daß eine Äquivalenz mit dt. *schleichen* erreicht wird, vgl. auch *SOED* 1. 'a quadruped moving stealthily' (*The cat crept nearer to the bird* – 'Die Katze schlich . . .'). Für das *creep* eines Einbrechers ist 'auf allen Vieren' nebensächlich, wie auch bei *The old man crept around the house*, wo 'stealthily' durch den Kontext neutralisiert ist.

Im Gegensatz zu Webster's Angabe wird von (britischen) Informanten für *snail* das *crawl* verwendet, *creep* für *baby* ist im britischen Englisch nicht sehr üblich (es konfligiert offensichtlich mit 'controlled movement' und 'stealthily').

Die Fortbewegung von Menschen betreffend, könnte *creep* annähernd so beschrieben werden: 'beherrschte Vorwärtsbewegung bei vorsätzlicher Geheimhaltung der Ortsveränderung, mit Hilfe der Beine (und Arme) . . .'. Eine begriffliche Äquivalenz ist zu keinem deutschen Zeichen gegeben, situationell äquivalent sind *kriechen* und *schleichen*. *krabbeln* besitzt ebenfalls kein begriffliches Äquivalent, für *robben* lassen sich als situationelle Äquivalenzen *crawl*, *creep*, *squirm* und *wriggle* ermitteln, denen jedoch allen die spezielle Zugehörigkeit zum Subsystem der militärischen Fachsprache fehlt.

7.5.3. Eine kurze Zusammenfassung der bisherigen Beobachtungen ergibt:

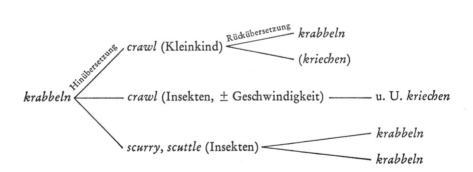

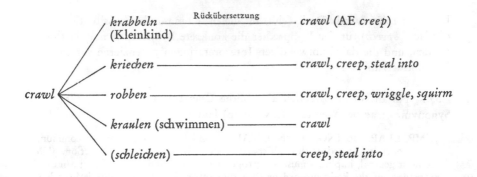

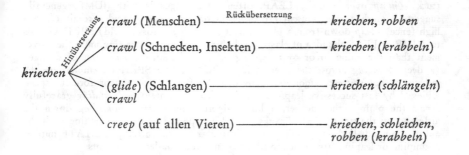

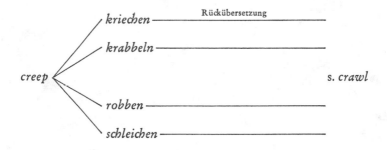

Die mögliche Divergenz zwischen dem deutschen Ausgangspunkt und den Rückübersetzungen ins Deutsche aus dem Englischen kann in ihrem Zustande-kommen folgendermaßen erklärt werden: der L₁-Sprecher gelangt von der Realität über die L₁-spezifische Konzeptualisierung zur OS von L₁, die, über verschiedene Zwischenstufen, vom L₂-Sprecher in die Konzeptualisierung von

L$_2$ übergeführt wird. Doch fehlt in vielen Kommunikationssituationen (bei *displaced speech*) für den L$_2$-Sprecher die konkrete Realität; sie muß erschlossen werden, und die dabei notwendigen Interpretationen potenzieren sich bei einer Rückübersetzung.

7.5.4. Für dt. *springen* gelten als übliche Übersetzung engl. *jump, leap.* Der Synonymeintrag bei Webster's (s. v. jump) lautet:

JUMP, LEAP, SPRING, BOUND, VAULT, and SALTATE mean, in common, to project oneself upward or through space by or as if by quick muscle action. JUMP, the most general, implies a muscular propelling, or any action resembling a muscular propelling, of the body upward or to a spot other than the one one is in, whether upward, on a level, or below one, or over some obstacle ⟨*jump* with fright⟩ ⟨*jump* three feet across a brook⟩ ⟨*jump* up onto a platform⟩ ⟨*jump* down from the truck⟩ ⟨*jump* over a wall⟩ LEAP, often interchangeable with JUMP, generally suggests a much greater muscular propulsion or a more spectacular result ⟨*leap* a high fence⟩ ⟨*leap* down from a platform⟩ ⟨go *leaping* across a field⟩ SPRING adds to JUMP or LEAP the idea of elasticity, lightness, or grace, stressing more the movement than the going to or over ⟨*spring* up into the air⟩ ⟨*spring* out of a cage⟩ ⟨a deer *springing* across the open field⟩ BOUND, like SPRING, emphasizes the movement but suggests vigor or strength and, often, a consequent forceful speed achieved by fast successive leaps forward ⟨a herd of antelopes *bounding* gracefully across the plain⟩ ⟨the speaker, a large vigorous man, came *bounding* down the aisle and up the stage⟩ VAULT suggests a leap upward or over something with the aid of the hands laid on an object or with similar assistance [...] SALTATE implies a jumping or leaping from place to place as in certain ballet movements.

Für die jeweils intransitive Verwendung der erwähnten Verben ist englisch-deutschen Wörterbüchern zu entnehmen (nur 'Fortbewegung' berücksichtigt):

	Wildhagen-Héraucourt (9.Aufl.)	Schöffler-Weis (3.Aufl.)	Cassell's (1936/39)	Langenscheidts Handwörterbuch/Schulausgabe 1965
jump	springen, vorbei-, weg-springen (m. Kontext), hüpfen, auffahren, in die Höhe fahren, Verbindungen mit Präp. und Adv.	springen, auffahren, rasch zukommen (*at* auf)	springen, hüpfen, auffahren (mit versch. Ergänzungen)	springen, hüpfen, auffahren, hochzucken
leap	springen, hüpfen, überspringen, (mil.) in Sprüngen vorgehen	springen, hervorschießen, überspringen	springen, hüpfen, losspringen	springen, vor Freude hüpfen
spring	springen, (mit versch. Ergänzungen)	springen	springen, hüpfen, schnellen	springen (mit Präp.), losspringen, anfallen, aufspringen, schnellen, hüpfen
bound	springen, hüpfen, (auf-) prallen	springen, prallen	springen, hüpfen, Sätze machen	(hoch-)springen, hüpfen, lebhaft gehen, laufen
vault	(mit Schwung) springen, sich schwingen	springen, Kunstsprünge machen	springen, sich schwingen, Kunstsprünge machen, voltigieren	springen, sich schwingen, setzen (*over über*)
saltate	—	—	—	—

7.5.5. Eine detaillierte Kritik der englisch-deutschen Wörterbücher liegt nicht in unserer Absicht, sie sind hier nur als Bezugspunkt verwendet worden. Die Wörterbücher dienen offensichtlich vor allem als Verständnishilfe bei der Lektüre eines Textes und sind damit eher hörer-bezogen; keinesfalls sind sie so beschaffen, daß dem Lernenden ein sinnvoller Aufbau der semantischen und pragmatischen Kompetenz ermöglicht würde – vgl. den Synonymeneintrag.

Dt. *springen* wird in der Regel für eine einmalige satzweise Fortbewegung gebraucht, wenn es sich um erwachsene Menschen handelt (*Er sprang über den Bach, aus dem Fenster, die Treppe hinunter,* in bezug auf Kinder könnte *Es sprang die Treppe hinab* implizieren 'schnell laufen'). Häufig ist ein Ziel der Fortbewegung genannt (im Gegensatz zu *hüpfen*). Für Tiere wird *springen* ebenfalls im Sinne von 'satzweise' gebraucht, bei einigen (z. B. Hasen, Rehen) auch im Sinne von 'rennen, laufen'. Die Merkmalkombination 'kontinuierliche (schnelle) und satzweise Fortbewegung' ist im Deutsch durch kein gesondertes Lexem vertreten. Die einmalige Satz-Bewegung wird am ehesten durch *jump* erfaßt; für die anderen (*leap, bound, spring*) sind situationelle Äquivalenzen heranzuziehen (*rennen, laufen,* u. U. *flüchten, jagen, hetzen* usw.).

7.5.6. In den vorangehenden Abschnitten konnte eine erschöpfende Beschreibung der jeweiligen Verben und deren Unterschiede nicht geleistet werden. Wie andere Untersuchungen [23] zeigen, ist die relative Ergiebigkeit der hier *ad hoc* gewählten Beispiele kein Zufall, sondern die Regel. Es ist an dieser Stelle angebracht, aus der Unterschiedlichkeit der intensionalen Bestimmungen (vgl. oben 7.3, 1–9) Konsequenzen auch für die Technik des Lernens einer Fremdsprache zu ziehen. Der kontrastiven Linguistik ist wiederholt zum Vorwurf gemacht worden, daß sie zu stark lehrerbezogen sei (womit meist der auf kontrastiven Untersuchungen beruhende kognitive Unterricht gemeint ist) und sich um die Probleme des Lernenden zu wenig kümmere. Unter Umständen kann die kontrastive Linguistik auch dazu beitragen, die vom Lernenden anzuwendende Technik beim Fremdsprachenerwerb zu verbessern.

Wie bemerkt, sind die zweisprachigen Wörterbücher nicht so angelegt, daß aus ihren Einträgen mit Sicherheit auf den Gebrauch der einzelnen Lexeme geschlossen werden könnte. Einsprachige Wörterbücher sind in dieser Hinsicht zwar expliziter, doch setzt eine sinnvolle Verwendung dieser Informationen einerseits eine gut entwickelte Kenntnis der Fremdsprache voraus, und andererseits kann man auch bei diesen Wörterbüchern nicht oder kaum auf die Hilfe von Informanten verzichten.

Es muß davon ausgegangen werden, daß sich die Merkmale, die zur semantisch-pragmatischen Beschreibung eines Lexems notwendig sind, in der Art des

---

[23] Z. B. Leisi (1962, 1971), Wandruszka (1971, 1969).

unmittelbaren Kontextes (z. B. Satz, Satzteil) und des weiteren Kontextes (Abschnitt, Kapitel usw.) manifestieren. Der Kontext erlaubt damit Rückschlüsse über die Wörterbücher hinaus. Allerdings besteht die Schwierigkeit darin, daß der fremdsprachliche Kontext (in der Regel) nur die übliche, sozusagen richtige Verwendung erkennen läßt: das Nicht-Vorkommen einer bestimmten Kollokation kann seine Ursache haben in der Unverträglichkeit der jeweils konstituierenden Lexem-Merkmale (*der krabbelnde Mann), auch in der hier zu vernachlässigenden außersprachlichen Unmöglichkeit (*die Bäume aus Pudding), oder einfach in der Beschränktheit des dem Lernenden bekanntgewordenen Korpus.

Wildhagen-Héraucourt gibt für *buxom* 'frisch und gesund aussehend, drall, stramm'. Da das Vorhandensein von 'weiblich' nicht angegeben ist, wird der Lernende Kollokationen[24] wie *buxom man*, *buxom boy* (vgl. *stramm*) erstellen, auch wenn ihm der vorliegende Kontext mit Sicherheit 'weiblich' angibt. Ähnlich wie beim Aufbau der phonologischen Kompetenz ist es durchaus möglich, daß der Lernende zwar 'weiblich' registriert, doch für sein weiteres Sprachverhalten als irrelevant erachtet.

Für die Praxis des Spracherwerbs ist daraus abzuleiten, daß grundsätzlich über Kollokationen gelernt werden sollte, z. B.

leap (high fence)   – springen, setzen über
bound (herd of antelope) – rennen, stürmen, springen
broad (shoulders)   – breit
ample (woman)   – füllig.

Dieselbe Lernmethode ist anzuwenden zur Etablierung eines "Stilgefühls" und anderen Problemen der Norm einer Sprache. Bei häufig auftretenden Lexemen der Fremdsprache wird dies ohnehin, wenn auch unbewußt, praktiziert. Wie Hadlich[25] an einem anderen Beispiel verdeutlicht hat, sollte aus der Tatsache der intensionalen Verschiedenheit und Divergenz allerdings nicht geschlossen werden, daß der Lernende kognitiv mit Divergenzen zu konfrontieren sei, etwa

springen {
jump
leap
bound
spring
vault
saltate
skip
usw.
}

---

[24] Kollokation = "Miteinander–Vorkommen" einzelner Sz.
[25] Hadlich (1965).

plus einer "Synonymendifferenzierung". Hiermit wird meist nur eine Pseudokompetenz aufgebaut, die sich, aufgrund mnemotechnischer Schwierigkeiten und der erforderlichen Schnelligkeit bei der Entscheidung, nicht in eine korrekte Produktion überführen läßt. Mit Hilfe der Kollokationen läßt sich wenigstens erreichen, daß sich der Lernende in bestimmten Situationen seines Sprachverhaltens sicher sein kann; zudem wird er befähigt, seine fremdsprachlichen Erfahrungen zu verarbeiten. Diese Art des "Lernens im Zusammenhang" kann für alle Zonen der intensionalen Bestimmung nutzbar gemacht werden und erscheint wesentlich sinnvoller als das Lernen "im Zusammenhang" nach Sachgruppen (z. B. Flugzeug: Rumpf, Propeller, Leitwerk, Rollfeld usw.), nach Synonymenlisten, die meist zum Zwecke einer falsch verstandenen "Abwechslung im Ausdruck" mißbraucht werden; ganz zu schweigen von dem 1:1-Lernen aus kleinformatigen Vokabelheften.

7.6. Erläuterungen und Literaturhinweise

Als Einführungen in die Semantik vor allem Brekle (1972), Coseriu (1970), für die Wortfeldtheorie Hoberg (1973) und Geckeler (1971); zum sprachphilosophischen Hintergrund s. etwa v. Kutschera (1971) und v. Savigny (1969).

Berndt, R.: "Lexical Contrastive Analysis", in: *Brno Studies in English* 8 (1969), 31–36

Blanke, G. H.: *Einführung in die semantische Analyse*, München 1973

Brekle, H. E.: *Semantik*. Eine Einführung in die sprachwissenschaftliche Bedeutungslehre, München 1972

Carstensen, B.: "Englische Wortschatzarbeit unter dem Gesichtspunkt der Kollokation", in: *Neusprachliche Mitteilungen* 23 (1970), 193–202

Coseriu, E.: *Einführung in die strukturelle Betrachtung des Wortschatzes*, Tübingen 1970

Fröhlich, A.: "Wald/wood/bois – eine vergleichende Wortstudie", in: *N. Mon.* 12 (1967), 241–266

Gabka, K.: *Theorien zur Darstellung eines Wortschatzes*. Mit einer Kritik der Wortfeldtheorie, Halle 1967

Geckeler, H.: *Strukturelle Semantik und Wortfeldtheorie*, München 1971

Hadlich, R.: "Lexical Contrastive Analysis", in: *MLJ* 49 (1965), 426 ff.

Hattori, Sh.: "The analysis of meaning", in: M. Halle/H. G. Lunt/H. McLean/C. v. Schooneveld (Eds.): *For Roman Jakobson*, The Hague 1956, 207–212

Hietsch, O.: "Meaning Discrimination in Modern Lexicography", in: *MLJ* 42 (1958), 323–334

Hoberg, R.: *Die Lehre vom sprachlichen Feld*, Düsseldorf [2]1973

Kamlah, W./Lorenzen, P.: *Logische Propädeutik*, Mannheim 1967

Kutschera, F. v.: *Sprachphilosophie*, München 1971

Leisi, E.: *Der Wortinhalt*. Seine Struktur im Deutschen und Englischen, Heidelberg [4]1971

Leisi, E.: "Englische und deutsche Wortinhalte. Zonen der Deckung, Zonen der Verschiedenheit", in: *Wirkendes Wort* 12 (1962), 140–150

Lyons, J.: *Introduction to Theoretical Linguistics*, Cambridge 1968

Öhman, S.: *Wortinhalt und Weltbild*, Stockholm 1951

Oßwald, P.: *Frz. "campagne" und seine Nachbarwörter im Vergleich mit dem Deutschen, Englischen, Italienischen und Spanischen*, Tübingen 1970

di Pietro, R. J.: *Language Structures in Contrast*, Rowley/Mass. 1971

Pusch, L. F.: "Smear = schmieren/beschmieren: Bemerkungen über partitive und holistische Konstruktionen im Deutschen und Englischen", in: G. Nickel (Hgb.): *Reader zur kontrastiven Linguistik*, Frankfurt/M. 1972, 122–136

Reunig, K.: *Joy and Freude: A Comparative Study of the Linguistic Field of Pleasurable Emotions in English and German*, Swarthmore College 1941

Rolland, M. Th.: *Zur Inhaltsbestimmung der Sprachverben*, Diss. Bonn 1969

Rufener, J.: *Studies in the Motivation of English and German Compounds*, (Diss.) Zürich 1971

Rupp, H.: "Wortinhalt und Wortfeld", in: W. Besch/S. Grosse/H. Rupp (Hgb.): *Festgabe für Friedrich Maurer*, Düsseldorf 1968

Savigny, E. v.: *Die Philosophie der normalen Sprache*, Frankfurt/M. 1969

Seiffert, H.: *Einführung in die Wissenschaftstheorie*, Bd. 1/2, München [5]1972, [4]1972

Vlcek, J.: "Zur Struktur der Lexik verwandter Sprachen", in: *Fremdsprachenunterricht* 1/2 (1967), 18–24

Wandruszka, M.: *Interlinguistik. Umrisse einer neuen Sprachwissenschaft*, München 1971

Wheeler, M.: "Meaning in Bilingual Dictionaries", in: *Studia Linguistica* 9 (1958), 65–69

Wotjak, G.: *Untersuchungen zur Struktur der Bedeutung*, München 1971

8. Grammatik

8.0. Vorbemerkung

Dem Begriff "Grammatik" wird von verschiedenen Richtungen der Sprachbeschreibung unterschiedliche Reichweite zugeordnet. In der TG faßt er die gesamte Sprachbeschreibung im Kompetenzbereich, mit den verschiedenen Ebenen der Syntax, Semantik und Morphonologie/Phonologie sowie der Transformationen von Tiefenstruktur zur Oberflächenstruktur. In der traditionellen Grammatik ist die "Grammatik" ein Sammelwerk an Regeln – zur Verwendung bestimmter sprachlicher Zeichen ("grammatische" Morpheme, Funktionswörter als "Nicht-Wortschatz"), ihrer Zusammenordnung (Syntax); teilweise sind auch Wortbildungen und morphonologische Regeln aufgenommen.[1]
Bei der traditionellen "Grammatik" handelt es sich also um den Versuch, geschlossene Klassen von sprachlichen Zeichen und Ausdrucksformen zusammenzufassen – also bedeutungstragende Zeichengruppen: für illokutionäre Akte (soweit sie in der traditionellen Grammatik beschrieben werden: Aussage-, Frage-, Befehlssatz), für Prop-Mod (Tempus, Modus, Aspekt), für E-Mod (Präpositionen, Kasus, Artikel usw.). Aber auch satzsyntaktische Folgen der Reihung von bedeutungstragenden Zeichen (Satztypen, Satzverknüpfungen, Wortbildung) sowie selbst nicht-bedeutungstragende geschlossene Klassen wie die Phoneme werden behandelt. Der Wortschatz wird als scheinbar Regelloses aufgezählt, da eine Strukturierung der offenen Klassen von SZ als Teil der Semantik kein Deskriptionsgebiet der traditionellen Grammatik war (ist).
Von unserem Modell in Kap. 2 (und 3) ausgehend, sollen nun einige Teilbereiche dieser "Grammatik" ausgesondert und ansatzweise kontrastiv besprochen werden. Die einzelsprachliche und interlinguale (semantische) Paradigmatik der sprachlichen Zeichen, die für illokutionäre Akte (Ill), für Propositionsmodifikation und Ergänzungsmodifikation stehen, gehört methodisch wie inhaltlich in die Semantik, muß sich also an Kap. 7 anschließen. Wir geben im folgenden Beispiele für Beschreibung und Vergleich von Problemen der Frage, der Zeitrelationen und des Modus (letztere im Rahmen von Prop-Mod). Auch die Zahl der Funktionen von SZ für Ergänzungen zum Prop-Kern (OS

---

[1] Vgl. an modernen "traditionellen" Grammatiken die Duden-Grammatik (1966) und Quirk/Greenbaum/Leech/Svartvik (1972).

vorwiegend Nomina) ist beschränkt. Diese geschlossene Klasse der Funktionen und Relationen zwischen solchen Ergänzungen wird als Beispiel aus dem Bereich E-Mod gegeben. Vgl. für die Beispiele zu Prop-Mod und E-Mod Kap. 8.1–8.4. Weitere (hier nicht dargestellte) Kapitel wären etwa die Negation (Prop-Mod und E-Mod), Quantifizierung, Determinierung (E-Mod).

Schon in Kap. 2 wurde die Problematik der Art und Anordnung für Transformationen von den TSE zu den jeweiligen Oberflächenstrukturen ausgeklammert (d. h. der dynamische Aspekt der OS-Herstellung). In dem hier angesetzten Modell ist neben der "Tiefensyntax", der tentativen Reihung und Hierarchie der syntagmatisch notwendigen Zeichen, die Behandlung der Syntax der OS auf Aspekte der vollendeten Oberflächenstruktur eingeengt. Dabei kann die Reihung von sprachlichen Zeichen sowie Klammerung und Gliederung von *signifiants* sprachlicher Zeichen zu Wörtern, Satzteilen, Sätzen (und Texten) in Einzelfällen selbst *signifiant* eines oder mehrerer SZ sein, wie die S-(P)-O-Stellung[2] des Englischen für Relationierung von E oder wie bestimmte (scheinbar) freie Wortstellungen für Thema-Rhema-Aspekte im Rahmen der Textstruktur. Es kann sich in der Syntax aber auch um nicht-semantische Anordnungsgesetze handeln, die entweder nähere Bezüge in der TSE-Syntax widerspiegeln (E-Mod als Artikel etc. oft direkt beim Nomen, Prop-Mod zumindest im Rahmen des Idg. oft beim Verbum als OS-Entsprechung des Prop-Kerns) oder einzelsprachlich eher willkürliche OS-Vorschriften darstellen (wie die Adverb-Reihung engl. "Ort vor Zeit"). Aspekte der Zeichen-Reihung ("eigentliche" Syntax) werden in Kap. 8.5 besprochen.

Syntaktische Aspekte werden weiterhin deutlich im Bereich der indirekten Rede, wobei hier eine TSE-Verknüpfung vorliegt. In einer TSE_1 mit einem *verbum dicendi* als Propositionskern wird die notwendige zweite Ergänzung (resultatives Objekt) durch eine (oder mehrere) TSE_2 gefüllt. Diese TSE_2 kann vom Sprecher "direkt" – als seine eigene Äußerung oder diejenige des Sprechers, über den er berichtet – oder "indirekt" wiedergegeben werden. Dieser immer gleichartige satz- oder textsemantische Unterschied hat aber nach Maßgabe von Inhalt und Form einiger beteiligter Zeichen verschiedene nicht-semantisch zu interpretierende Auswirkungen auf die Form anderer Zeichen der jeweiligen TSEn (Behandlung in Kap. 8.6).

---

[2] Dabei ist zu beachten, daß auch "S-(P)-O-Stellung" oberflächenbezogen zu interpretieren ist, da S nicht gleich Agens-Funktion, O nicht gleich *objective*-Funktion zu sein braucht. In Sätzen mit einer E ist dieses E allerdings meist notwendig Subjekt. Bei A-O-Relations b e z u g aber ist Umwandlung in S(=A)-P-O-(=o) oder Passiv-Umwandlung S(= o)-P-*by*-Adv (= A) notwendig.

Wortbildung ist primär – sieht man von der Lexikalisierung[3] gebildeter mehr-morphemischer Wörter ab – ein syntaktischer Vorgang, indem bestimmte TSE-Typen nicht zu Sätzen, sondern unter teilweiser Deletion und Permutation von "Basissatz"-Elementen zu Wörtern aus freien Morphemen (Komposition) bzw. aus freien und gebundenen (derivationalen) Morphemen auf der OS-Ebene umgeformt werden. Die Besprechung solcher Probleme im Rahmen des Sprachvergleichs erfolgt in Kap. 8.7.

Dabei ist nun für semantische Vergleiche (vorwiegend 8.1–8.4) ähnlich wie in der kontrastiven Semantik (Kap. 3 und 7) vorzugehen, also nach begrifflicher oder funktioneller Äquivalenz zu suchen. Für die Wortbildung gilt – als Übergangsgebiet zwischen Syntax und Semantik – Anwendung von begrifflicher Äquivalenz (Wortbildung als "ein SZ" und damit Wortfeldmitglied gedacht) wie funktioneller Äquivalenz (Vergleich der Basis-Sätze) gleichzeitig.

Für alle Gebiete, für die Bereiche der Syntax (8.5 bis 8.7 einschließlich der morphologischen Komponente der Wortbildung) aber primär, gilt der Vergleich auch der Frage nach gleichen, ähnlichen oder unterschiedlichen Mitteln der OS-Darstellung und Strukturierung, also nach Kongruenz (vgl. Kap. 3.5).

Hier ist zwischen dem Deutschen und Englischen als zu vergleichenden Sprachen eine große Ähnlichkeit generell zu konstatieren; in den angeschnittenen Teilgebieten treten aber auch wesentliche Detailunterschiede auf, die – rein auf dem Gebiet der Form – zu starker Interferenz und damit zu Fehlern bei Spracherlernung und Fremdsprachenverwendung führen können, Fehlern, die den Hörer dann oft auch semantisch von der geplanten Aussage Abweichendes "empfangen" lassen.

8.1. Frage

8.1.1. Mit der Sprechhandlung der Frage (einem der Elemente von *Ill*) fordern wir den Gesprächspartner zur Sprechhandlung der Antwort auf, damit ein Zustand des Nichtwissens für den Fragenden beseitigt werde. Bei den sog. Prüfungsfragen[4] ist nicht anzusetzen 'ich will wissen, ob . . .', sondern 'ich will wissen, ob du weißt, ob . . .'. Wenn wir die Frage mit dem Nichtwissen seitens des Fragenden bestimmen, müssen die sog. exklamatorischen Fragen (*Ist es hier*

---

[3] Bei "Wortgebildetheit" (vgl. Dokulil [1968]) sind oft semantische Änderungen möglich, die dann bei einer synchronischen Beschreibung die betreffende Bildung als nicht mehr einem bestimmten Wortbildungstyp konform erscheinen lassen (nur noch Kongruenz).

[4] Vgl. Searle (1971), S. 103.

[5] Vgl. Quirk/Greenbaum/Leech/Svartvik (1972), S. 400 ff.

nicht herrlich?) und die rhetorischen Fragen [5] außer acht bleiben; hierbei handelt es sich um (verstärkte) Behauptungen, die in die Form der Frage gekleidet sind.

Zwischen Nichtwissensfragen und Prüfungsfragen wird im Deutschen und Englischen sprachlich nicht unterschieden.

8.1.2. Als Antworten auf eine Frage gelten *ja* ('so ist es'), *nein* ('es ist nicht so'), *ich weiß auch nicht, keine Ahnung* usw. und solche, die auf einen bestimmten, angezeigten Punkt in der Frage respondieren, wie etwa *um fünf Uhr* (← wann?), *in München* (← wo?).

Ja/Nein-Antworten können sich auf einen ganzen Satz beziehen oder auf bestimmte Satzglieder. Rohrer unterscheidet drei Arten von Fragen:

1. Partikelfragen, d. h. solche, die Fragepartikel wie frz. *qui, que, a quoi, quand, ou* etc. enthalten. Bei diesen ist die Partikel das Ziel der Frage, und der Rest plus die Variable für die Partikel bildet die Präsupposition.
2. Partielle Fragen. Hier wird durch den Akzent oder durch morphologische und syntaktische Verfahren ein Satzglied als Ziel der Frage gekennzeichnet. Die übrigen Elemente bilden die Präsupposition. (Z. B. *Ist der Kofferraum LEICHT zu öffnen?*, wo präsupponiert wird, daß der Kofferraum zu öffnen ist.)
3. Satzfragen. Bei diesem Typ bezieht sich die Frage auf das Bestehen oder Nicht-Bestehen einer Relation zwischen den Hauptkonstituenten des Fragesatzes. Alles andere ist Präsupposition. [6]

8.1.3. Im folgenden wäre nun zu erörtern, wie man in den beiden Sprachen wonach fragt bzw. fragen kann. Eine halbwegs befriedigende Untersuchung dieser Problematik würde jedoch eine eigene, umfangreiche Darstellung erfordern, zu der die notwendigen Vorarbeiten noch weitgehend fehlen.

So kann z. B. durch "Satzfragen" nach den Sprechakten gefragt werden (*Hast du behauptet, daß . . .?*; *Hast du geschworen, daß . . .?*), indem als Propositionskern des Fragesatzes die in Frage gestellte Bezeichnung des Sprechaktes erscheint plus einer Einbettung mit Satzanschluß. Doch ist auch *Darf ich gehen?* eine Frage nach einem illokutionären Akt: 'Erlaubst du mir/hast du mir erlaubt, daß . . .?' (In dieser Verwendung ist *dürfen* kein Modalverb, s. 8.3). Bei Fragen nach der Modalität (s. a. 8.3) sind bisweilen bestimmte Konstruktionsbeschränkungen gegeben, vgl. *Der Dieb könnte über das Dach entkommen sein. – Könnte der Dieb (nicht) über das Dach entkommen sein?, Er ist wahrscheinlich/möglicherweise verhindert. –* aber *Ist er möglicherweise/*wahrschein-*

---

[6] Rohrer (1971), S. 113.

lich verhindert? – doch *Ist es möglich/wahrscheinlich, daß ...?, He was probably drunk. –*Was he probably drunk?*
Diese Fragemöglichkeiten müßten für alle Konstituenten von S gesondert betrachtet werden.

8.1.4. Da die Vierfach-Darstellung (wie – wonach – Deutsch – Englisch) hier nicht möglich erscheint, soll statt dessen kurz erörtert werden, wie in den beiden Sprachen die Sprechhandlung 'Frage' signalisiert wird.
Der Zustand des Nichtwissens und Antwortheischens kann overt gekennzeichnet werden durch z. B. *ich frage:/ob – I ask:/if* oder durch Formulierungen wie *ich will/möchte/wünsche zu wissen – I want* [usw.] *to know.* Satzfragen können eingeleitet werden durch *Verhält es sich so, daß/Ist es so, daß* und analoge Konstruktionen im Englischen.
Die Partiell- und Satzfragen können im folgenden zusammen behandelt werden; erstere unterscheiden sich von den Satzfragen allein durch intonatorische Mittel.[7]
Von der Oberflächenstruktur her gesehen werden Satzfragen im allgemeinen gekennzeichnet durch eine spezielle Intonation (steigend) und durch Wortstellungsmittel. Wenn auf der Oberfläche der Propositionskern in Nominalform (Infinitiv oder Partizip) auftritt, betrifft die zu beobachtende Inversion das grammatikalische Subjekt und das "Hilfsverb" (*Hast du schon gegessen? Konntest du bei diesem Lärm schlafen? Have they gone home?*). Die durch Inversion gekennzeichneten Satzfragen haben im Englischen grundsätzlich die Form "Hilfsverb + grammatikalisches Subjekt + Nominalform des Propositionskernes", wobei, geht man von einem analogen Aussagesatz ohne Hilfsverb aus, die sonst obligatorisch an das Verbum tretenden Flexionsmorpheme (für Tempus und Numerus) in den Formen von *do* realisiert werden: *Did he go?* Eine Inversion gegenüber dem Aussagesatz liegt hier insofern vor, als die obligatorischen Verb-Zusatzzeichen eine andere Position (Frontstellung) einnehmen. Im Deutschen kennt die Umgangssprache eine analoge Konstruktion (*Tut er lesen?*), ansonsten betrifft die Inversion das grammatikalische Subjekt und das flektierte Verb: *Gehst du mit?*
In beiden Sprachen kann, unter Verwendung einer besonderen Intonation, die Wortstellung des Aussagesatzes beibehalten werden: *Er geht heim? He is going home?* In der Regel sind damit emotionale Kommentare von seiten des Fragenden impliziert (Erstaunen, Ungläubigkeit usw.).

---

[7] Die Alternativfragen (*Would you like tea or coffee?*) werden hier nicht näher besprochen.

Es können auch Intonation und Wortstellung wie im Aussagesatz auftreten, wenn hierauf "Fragenanhängsel" folgen, deren Form in der Regel davon abhängig ist, ob der Vordersatz eine Negation enthält oder nicht. Diese *question-tags* werden meist als eine Besonderheit des Englischen bezeichnet (*isn't he, does she* usw.; auf sie braucht hier nicht näher eingegangen zu werden), vor allem, wenn sie dem systemgerechten aber normseltenen *nicht wahr?* gegenübergestellt werden. In der gesprochenen deutschen Sprache finden sich jedoch häufig Frageanhängsel wie *oder?, oder nicht?, ne? hä?* usw., deren Frequenz den engl. *question-tags* wohl kaum nachsteht. Diese Art der Fragekennzeichnung kann z. T. für rhetorische und exklamatorische Fragen verwendet werden, z. T. – je nach Situation – ist ein drohender oder ermutigender Unterton impliziert, z. T. dient sie auch der sog. *phatic communion* zwischen Sprecher und Hörer, der mit seinen Antworten Interesse am Sprecher bekundet. [8]

8.1.5. Partikelfragen sind Fragen, die bestimmte Frage-Proformen für präsupponierte Elemente enthalten: 'Irgendjemand hat angerufen' – *Wer hat angerufen?*, 'Peter hat etwas gesagt' – *Was hat Peter gesagt?* Üblicherweise wird in beiden Sprachen die Proform frontiert; [9] bei der Frage nach dem grammatikalischen Subjekt entfällt jede Inversion. Bei anderen Proformen (teils flektiert) steht nach der Proform dieselbe Konstruktion wie bei Satzfragen. Im Gegensatz zum Deutschen verwendet das Englische hierbei eine fallende Intonation. Die Frontstellung der Proformen allerdings gilt im Englischen streng nur für das unscharf so bezeichnete "colloquial": *What did he rely on?* – gegenüber "formal" *On what did he rely?*. Die deutsche Umgangssprache kennt eine analoge Fügung: *Mit was hat er gedroht? Auf was ist er so stolz?* usw. Der Endstellung von Präpositionen im Englischen (*colloquial*) sind vom System her kaum Beschränkungen auferlegt, doch gelten bestimmte Sätze als "awkward" bzw. "comic", vgl. *What time did you tell him to meet us at?* bzw. *What did you bring this book to be read out of up for?*. [10]
Die zusammengesetzten Fragewörter des Deutschen (*womit, wodurch, wofür, worauf* usw.) sind in der Norm des Englischen nicht in dem Maße vertreten:
... *wherefrom, wherein, whereof, whereon, wheresoever, wherethrough, whereto, wherewith*, and a few more ... have given way, though to different degrees, in both the interrogative and the relative uses either to the preposition with *what* and *which*

---

[8] Weitere Möglichkeiten der Fragekennzeichnung bleiben außer acht, vgl. etwa Umstellung ohne Frageintonation. Diese Frage klingt im Deutschen – zumindest ohne Frageanhängsel – relativ rüde und kategorisch.
[9] Vgl. aber *Um sieben Uhr soll ich dich WO abholen?*
[10] Vgl. Quirk/Greenbaum/Leech/Svartvik (1972), S. 395.
[11] *Fowler's Modern English Usage* (Rev. by Sir Ernest Gowers), S. 695 s. v. *where-compounds*.

and *that* (*whereof* = of what?, what ... of?, of which, that ... of) or to some
synonym (*wherefore* = why); resort to them generally suggests that the writer has
a tendency either to formal words or to pedantic humour. [11]

Fragen nach dem Propositionskern (dem Verbum) werden in beiden Sprachen
über ein zweivalentes Pro-Verb konstruiert, wobei mit einer Partikel-Proform
gefragt wird, z. B. *Was tut er?*, *Was macht er?* – *What is he doing* (*making*)?
In der Antwort wird allerdings meist die flektierte Form des Verbums mit dem
grammatikalischen Subjekt gegeben.

Mehrere Partikel-Proformen in einem Satz können entweder zusammen frontiert werden (*When and where did we meet?*) oder aber aufgeteilt: *When
(Where) did we meet where (when)?*

8.2. Zeit und Tempus

8.2.1. Für die Anzeigung der zeitlichen Einordnung von TSEn (Modifizierung
der Proposition) gibt es verschiedene Möglichkeiten. *Ill* und "Modus" (innerhalb
der Prop-Mod) wurden von uns a-temporal gesehen, wenn auch in den Modi
der Nicht-"Tatsache" ein Bezug auf "zukünftige" Entscheidung über die Bedingungen der Nicht-Faktizität enthalten ist. Zeitbezug kann nun in SZ der
Proposition enthalten sein, so in den Aktionsarten der Verben (Duration –
schlafen, dauern, Iterativität – *hüpfen, hämmern,* Punktualität – *platzen,*
Terminalität – Anfang: *starten,* Ende: *erreichen, aufhören* u. a.), in Ergänzungen des Prop-Kerns (*Stunde, Jahr*), in Relationspartikeln (wie in Temporalpräpositionen und -konjunktionen) und temporalen Deikta (*bald, nun*). Schließlich ist auch im progressiven Aspekt ein Hinweis auf zeitliche Erstreckung
gegeben.

Unabhängig von diesen Möglichkeiten ist im Deutschen und Englischen für jede
TSE eine Gesamt-Modifizierung der Proposition hinsichtlich ihrer temporalen
Einordnung in das zu betrachtende TSE-Gefüge ("Text") und den darin ein-
genommenen Sprecherstandpunkt zu beachten. Für diese innersprachliche Einordnung in die Zeit ist in den beiden Sprachen ein obligatorisch zu setzendes,
aber relativ beschränktes, d. h. geschlossenes Netz an sprachlichen Zeichen für
diese Zeiteinheiten gegeben. Das *signifié* einer solchen Zeiteinheit (*time unit*)
soll dabei als "Zeit", das *signifiant* als "Zeitform" (Tempus) [12] gefaßt werden.
Diese sprachlichen Zeichen sind für jede einzelne TSE obligatorisch, auch wenn

---

[12] Tempus wird vom Lateinischen her stark morphologisch gefaßt (Flexionsformen),
hier werden natürlich für das Englische und Deutsche auch die Formen mit den
Hilfsverben (*have/be/will/shall*) und *be going to* usw. eingerechnet. Vgl. aber den
TG-Ansatz.

eine Zeiteinheitsbestimmung unverändert für einen ganzen Text gilt. Kollo-
kationsrestriktionen zu anderen sprachlichen Zeichen der TSE (offenen Klassen
von SZ in der Proposition mit Zeitbezug) müssen beachtet werden (*Two years
ago he'll be going to see you.*).

8.2.2. Im folgenden betrachten wir zuerst das Englische. Aus den semantischen
Oppositionen, die sich bei der Substitution der obligatorischen temporalen SZ
in Testrahmen ergibt (z. B. *I* [T] *come to you*), sind zwei Faktorengruppen zu
abstrahieren, die die Zeitrelationen innerhalb der Sicht der englischen Sprache
aufbauen. Einmal handelt es sich um den (temporalen) Sprecherstandort – der
Sprecher kann das Gesagte (eine oder mehrere TSE) als zum Sprech-Augenblick
vorzeitig (vergangen), gegenwärtig[13] oder zukünftig[14] markieren. In einer
solchen temporalen Standpunktlage können jedoch einzelne TSE zum jeweiligen
temporalen Gesamtaspekt wiederum als vergangen, (gegenwärtig) oder zukünftig markiert werden.[15]
Primäre Zeiteinheiten (mit ihren Tempora) sind dabei diejenigen, in denen die
betreffende TSE als gegenwärtig zur Zeitstufe des Sprecherstandorts betrachtet
wird. Für das Englische:

Sprecher-standort	TSE-Bezug	*tense*	Beispiel
V	(G)	past tense	I went home
G	(G)	present t. (meist *progressive*)	I am writing a letter. The bottle contains water.
Z	(G)	1st future (*will/shall*)	I'll send you a book.

---

[13] "Gegenwärtig" muß nicht "gleichzeitig" sein, es kann sich in einer "relativen Gleichzeitigkeit" in der Gegenwart des gewählten Sprecherstandorts auch um eine Abfolge
handeln: vgl. *Ich trat ein, während sie gerade aßen – er ging aus dem Laden, stieg in
das Auto und fuhr weg.*

[14] Teilweise wird auch nur eine einfache Opposition angesetzt: Gegenwart/Vergangen-
heit. So auch von Weinrich (²1971) mit Besprechung/Erzählung als Kontextbegriffen.

[15] Nach R. Zimmermann (1968), wo auch weitere Lit. Wir betrachten Futur hier auch
weder als Ausdruck illokutionärer Akte (Vorhersage) noch als Modus (Volition).
Present perfect wird nicht wie in der TG – und teilweise auch in der traditionellen
Grammatik – als Aspekt aufgefaßt.

Wird die betreffende TSE (oder auch mehrere) von der "Kontext-Zeit" abgesetzt, so ergeben sich folgende Kombinationen:

V	V	past perfect	We met in N. We had not seen each other for ...
V	Z	Form: conditional (future of the past)	He said he would give me a book.
G	V	present perfect	I am ready. I've finished my homework.
G	Z	(—)[16]	It's going to look fine.
Z	V	2nd future	I'll have seen them by 10 o'clock tomorrow.
Z	Z	(—)	I'll be going to sing.

Diese Oppositionen sind im *Standard English* gegeben, wenn auch nicht alle in gleicher Konsequenz durch die Sprecher gesetzt werden (Normproblem). So ist die Opposition *past tense/present perfect* wesentlich strikter als etwa die Opposition *present/first future*, wo ein gewisser Freiraum in der Anwendung besteht bzw. spezielle Restriktionen (Zeitabstand, Volition, Emphase) eine Rolle spielen können. Die Verlaufsform des Präsens kann ebenfalls die Bedeutung "Zukunft" haben.[17] *Past perfect* und *2nd future* werden im Kontext[18] des Gesamtsprecherstandpunkts (V oder Z) oft – besonders bei mehreren aufeinanderfolgenden "Ausblendungen" in V oder Z – nur einmal zu Beginn gesetzt. In unserer Aufstellung haben wir zudem Fälle wie "historisches" Präsens und die Problematik sog. generischer Tempora (besonders *present t.* in "ewigen Wahrheiten" wie *The sun rises in the east*, in Dienstanweisungen wie *Die Walze dreht sich um 45°, wenn* [...] u. a.) nicht berücksichtigt.

8.2.3. Im Deutschen ist ein dem Englischen ähnliches Gerüst an temporalen SZ gegeben. Für die primären Tempora ist auch in der deutschen Hochsprache die Relation Z/G für den Sprecherstandpunkt mehr optional.[19] Im weiteren gilt für Zeiteinheiten mit dem Merkmal "Z", daß die Oppositionen, die im

---

[16] Terminus "immediate future"?
[17] Vgl. dazu auch Bald/Carstensen/Hellinger (1973) und dort zitierte Literatur.

Englischen für GZ und ZZ möglich und nötig sind, im Deutschen lediglich durch Angehörige offener Zeichenklassen (Adverbien u. a.) optional anzeigbar sind. Somit ist zwar auch im Deutschen eine Bivalenz von Sprecherstandpunkt und TSE-Kontext-Struktur und eine Trivalenz von G, V, Z zu beobachten, jedoch nicht voll als sprachliches Pattern durchgeführt. Für die Hochsprache gilt etwa:

Sprecher-standpunkt	TSE-Bezug	Tempus
V	G	Präteritum
G	G	Präsens
	"Z"	Präsens + (Futur I) [20]
V	V	Plusquamperfekt
(V	Z)	Konjunktiv Präs./Prät. bzw. 'werden' + Inf. (im Konj.)
G	V	Perfekt
Z	V	Futur II

Im einzelnen gilt dazu folgendes:

(a) "Z" ist deshalb anzunehmen, weil es die Möglichkeit (aber meist nicht die Notwendigkeit) gibt, Zeiteinheiten mit dem Merkmal Z (als Sprecherstandort o d e r TSE-Bezug zu (nicht-)gleichartigem Sprecherstandpunkt – oder beidem, d. h. ZG, GZ, ZZ) mit dem ersten Futur (*werden* + Infinitiv) auszudrücken, welche Möglichkeit bei GG nicht gegeben ist.

(b) Der Ansatz GV auch für das Deutsche ist gerechtfertigt, was die Hochsprache anbelangt.[21] Es ist jedoch in süddeutschen Dialektgebieten ein Fehlen der Opposition VG–GV zu beobachten, wodurch dort ebenfalls wie für "Z" auch nur "V" anzusetzen ist (Tempus: *sein/haben* + Partizip Prät. = Perfekt) – dies um so mehr, als VV und ZV eher als schrift- und hochsprachlich zu be-

---

[18] Vgl. zum Beispiel den Beginn von Michael Innes: *Hamlet Revenge* (Kriminalroman), Harmondsworth ²1964.
[19] Vgl. auch die Aufsätze in: *Der Begriff Tempus – eine Ansichtssache?* (1969) und Wunderlich (1970).
[20] Restriktionen und stilistische Aspekte werden hier ausgeklammert.
[21] Vgl. Trier (1968).

zeichnen sind. In diesem Raum kann sich das Zeit- und Tempusschema redu-
zieren auf:

"G"   Präsens
"V"   Perfekt

Da jedoch süddeutsche Dialekte trotz der generellen Verwendung des Perfekt
für "V"-Zeitangaben in der indirekten Rede einen Konjunktiv Präteriti kennen
(Er hat g'sagt, du käm[ə]st), ist die Zeiteinheitsbestimmung V/Z wohl noch
hinzuzufügen. Nur hier ist dann (bes. bei Bedingungssatz mit Irrealis) eine
Opposition "Sprecherstandort/TSE-Zeit-Bezug" zu ihm vorhanden.

8.2.4. Für den Sprachvergleich gilt es nun, nach dem Modell der KL 1 eine
Interlingua aufzustellen. Diese Interlingua ist eine Addition der Oppositionen
in den Sprachen L1 und L2. Es stellt sich aber hier heraus, daß die Interlingua
mit dem englischen Zeiteinheitsschema quasi identisch ist. Für das Deutsche
ist dann aus dieser Interlingua heraus zu subtrahieren – je nach Dialektgebiet
in unterschiedlichem Maße. Der Deckungsbereich deutscher hochsprachlicher und
besonders süddeutsch-dialekter Tempusformen ist – geht man von der Interlingua oder von generellen übereinzelsprachlichen Zeitvorstellungen aus – somit
sehr groß. Nebeneinandergestellt ergibt sich folgendes Schema (Interlingua: nur
signifiés [Metasprache: deutsch], L1 [Deutsch]/L2 [Englisch] nur *signifiants*
[Tempora]).

Süddeutsch	Deutsche Hochsprache	Interlingua	Englisch
Perfekt	Präteritum	V/G	past tense
Präsens	Präsens	G/G	present tense
Präsens (+ Futur I)	Präsens/Futur I	Z/G	1st future (present tense)
Perfekt	Plusquamperfekt	V/V	past perfect
Konj. Prät./(Präs.)	Konj. Prät./Präs. (Konj. *werden* + V)	V/Z	**conditional** (*was going to*)
Perfekt	Perfekt	G/V	present perfect
Präsens	Präsens/Futur I	G/Z	*be going to*
(?)	Futur II	Z/V	2nd future
Präsens	Präsens/Futur I	Z/Z	*be going to* + (Formen 1st fut.)

Für die Spracherlernung ergeben sich aus diesem Bild schwerwiegende Konsequenzen. Von sämtlichen deutschen Erscheinungsformen (Dialekten) besteht zum Englischen hin Divergenz (die Folge der Subtraktion aus der Interlingua). Dies bedingt eine hohe Fehlerquote beim Erlernen, und zwar besonders im Merkmalbereich "Z", für Süddeutsche, deren Divergenzgrad noch wesentlich höher ist, auch im Bereich G/V – V/G. Die Interferenz der Muttersprache ist hier nur schwer zu durchbrechen.

Beim Ansatz dieser "Muttersprache" ergibt sich nun ein "innerdeutscher" Kontrast: Hochsprache (+ Schriftsprache + norddeutsche[22] Dialekte) – süddeutsche Dialekte. Hier wäre wieder eine innerdeutsche Interlingua, die der Opponierung der Zeiteinheiten in der deutschen Hochsprache entsprechen würde, anzusetzen. Süddeutsche Schüler haben in der Schule diese Opponierung quasi als 1. Fremdsprache aktiv zu lernen, mit allen Gefahren der Interferenz des eigentlich muttersprachlichen Dialektes. Trier hat auf die Folgen der Unsicherheit besonders im Bereich der Tempora Präteritum/Perfekt/Plusquamperfekt hingewiesen.[23] Diese Unsicherheit schon im Deutschen potenziert sich dann im Englischen.[24] Im Unterricht muß entweder vom Dialekt der L1 direkt in L2 gegangen werden, oder es muß sichergestellt sein, daß der Schüler das Tempussystem der Hochsprache, an dem sich Lehrbücher, Grammatiken und Lehrersprache orientieren, beherrscht.

8.3. Modus

8.3.1. In Kap. 2 wurde für die Proposition einer TSE ein obligatorisches Prop-Mod-Element "Modus" angegeben. Für dieses Element fällt es nun jedoch für das Deutsche und Englische wesentlich schwerer als bei Zeit/Tempus, den paradigmatischen Umfang dieser syntagmatisch als obligatorisch erklärten Zeichenklasse zu bestimmen bzw. die jeweiligen Zeichenklassen insgesamt und einzeln interlingual zu vergleichen. Dies liegt einmal an Schwierigkeiten der semantischen Bestimmung von "modal", zum anderen an der Heterogenität der formalen Möglichkeiten (Konjunktiv, "Hilfsverben", Adverbien usw.), die meist auch noch nicht-modale Funktionen erfüllen können.

Für eine nähere Bestimmung kann von den logischen Kategorien ausgegangen werden, was für die einzelsprachliche Deskription einen onomasiologischen

---

[22] Diese Einteilung wäre im einzelnen zu spezifizieren.
[23] Trier (1968), Kluge (1961) u. a.
[24] Auswirkungen besonders auch in Versionen (*back-interference*).

Ansatz bedeutet. In der Logik werden vier Modalfunktoren postuliert, zwei positive (Notwendigkeit[L], Möglichkeit[M]) und analog zwei negative (Unmöglichkeit[U], Unnotwendigkeit[Z]); dazu kommt noch ein zusammengesetzter Modalfunktor, die Kontingenz ("weder notwendig noch unmöglich"). Diese Aufstellung ergibt sich an Aussagen (logischen Propositionen), die nicht zufällig wahr oder falsch sind. Aussagen können wahr sein müssen (*notwendig*), sie können auch falsch sein müssen (*unmöglich*). Die jeweiligen Gegenbegriffe sind dann *unnotwendig* bzw. *möglich*.

Davon ausgehend kann man einzelsprachliche Zeichen oder Zeichenkombinationen aufstellen, die (semantisch eventuell noch spezifizierend und untergliedernd) diese logischen Modi ausdrücken. Sie können dann auf mögliche Kongruenz, im Falle von Untergliederung auch nach möglicher Äquivalenz hin interlingual untersucht werden. Döhmann [25] führt etwa folgende Ausdrucksmittel an:

1) nominal ("Notwendigkeit", "möglich")
2) adverbial ("notwendigerweise", "vielleicht")
3) verbal ("müssen", "können", "oportet", "licet")
4) durch Verbalformen (zT durch die grammatischen "modi" [...] Gerundiva, Verbaladjektiva)
5) durch Hilfsverben ("ich habe zu...", "I have to...")
6) durch Suffixe ("lesbar", "leserlich")
7) durch Modalverba ([...], "to happen")

Grammatiker, die von der Einzelsprache her deskribieren, orientieren sich bei der Modusbeschreibung entweder an grammatischen formalen Oppositionen (grammatische Modi: Indikativ, Konjunktiv, Imperativ) oder – falls dies nicht (voll) möglich ist, an formalen und mehr intuitiv-semantischen Kriterien. So wurde etwa für das Englische angesetzt, daß Bedeutungskategorien, die im Lateinischen durch den Konjunktiv ausdrückbar sind (Wunsch, Möglichkeit, Irrealität u. a.) im Englischen (auch) durch bestimmte (formal) defektive [26] Verben mit obligatorischer Verbergänzung ausgedrückt werden. Diese Verben betrachtete man – Folge funktioneller Äquivalenz – als "modale" Hilfsverben und beschrieb ihre Bedeutungen, bei *can, may, shall, will, ought to, need, must* u. a. [27] (mit Darstellung der Polysemie). Bei der semantischen Beschreibung der Hilfsverben wurde dann teilweise wieder versucht, Anschluß an logische Defi-

---

[25] Vgl. Döhmann (1961), S. 56; siehe auch seine Einzelinterpretation der Modalfunktoren einschließlich etymologischer Fragen.
[26] Defektive Patterns (3. Sing., kein Infinitiv, keine zusammengesetzten Zeiten, teilweise kein Prät.), vgl. Twaddell ([2]1965). Zur Abstufung der Kriterien, vgl. Svartvik (1966).
[27] Etwa Palmer (1965), Leech (1971) u. a.

nitionen zu gewinnen, vgl. z. B. Joos[28] zu den Kategorien des finiten Verbs, wo neben Passiv, Tempus, Aspekt dann angeführt wird:

[Factual Assertion (unmarked): The specified event itself is asserted, and the assertion has truth-value: it is true or false.]
Relative Assertion, (*will*, etc.):[29] There is no such truth-value with respect to occurrence of the event; what is asserted is instead a specific relation between that event and the factual world, a set of terms of admission for allowing it real-world status.

8.3.2. Bei der linguistischen Interpretation treten verschiedene Schwierigkeiten auf:

(a) Der Bereich, der etwa mit der Interpretation der Bedeutung von Konjunktivformen oder modaler Hilfsverben abgesteckt wird, ist für Modus teilweise zu weit, teilweise zu eng. Man gewinnt zwar den Ansatz einer geschlossenen Zeichenklasse und kann leichter kontrastiv vergleichen, übersieht aber manches.
(b) So gehören einige Homonyme der signifiants *shall/will*[30] entweder in den rein temporären Bereich (Ausdruck von Faktizität mit dem Sprecher im Zukunftsstandort), oder sie sind als Ausdruck illokutionärer Akte zu interpretieren, wie etwa durch Boyd/Thorne[31] (bes. *will* für *prediction*, *shall* für *demand* [*Imp*]).
(c) Fast alle modalen Hilfsverben des Deutschen und Englischen können in ihren Bedeutungen so aufgeteilt werden, daß ein Teil ihrer Bedeutungen (Typ 1) als "echter Modus" der Gesamtproposition im Sinne einer nicht voll gegebenen Faktizitäts-Assertion (*modality*,[32] epistemische Verwendung[33]), ein anderer Teil ihrer Bedeutungen (Typ 2) aber als Propositionskern (mit obligatorischer Ergänzung in der TSE durch eine weitere Proposition = Verbergänzung im Infinitiv auf der OS) zu charakterisieren ist (*modulation*,[32] nicht-epistemische Verwendung[33]). Bei (1) ist das SZ eine Art Satzprädikat, einzige Valenzstelle ist die Proposition der TSE; die Ergänzungen der TSE, Prop-Zeitbestimmung, Negation oder Aspekt beziehen sich nicht auf das Modalverb, sondern auf das im Infinitiv stehende Verb (Inf. Präs./Prät.). Nach Kap. 2.3.2 ergibt sich folgendes Teilschema:

---

[28] Joos (1964), S. 149.
[29] Nur die üblicherweise als "modale Hilfsverben" bezeichneten SZ impliziert. (Anm. d. Verf.)
[30] Der Versuch, Einheitsbedeutungen der "modalen Hilfsverben" zu postulieren, soll hier nicht unternommen werden.
[31] Boyd/Thorne (1969), z. B. S. 62 ff. Ihre Argumentation baut jedoch einen erheblichen Teil dessen, was hier als (semantischer) Modus interpretiert wird, in das Schema der Sprechakte ein. Vgl. auch Halliday (1970).
[32] Vgl. Halliday (1970).
[33] Vgl. König (1970), S. 253.

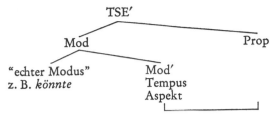

z. B. *Der Mann könnte da gewesen sein.*

Dagegen würde in Typ (2) eine Verknüpfung zweier TSE anzusetzen sein, wobei das modale Hilfsverb, sofern es den Prop-Kern der TSE_1 bildet, durch die Prop-Mod-Zeichen im Rahmen der formalen Möglichkeiten modifiziert werden kann (z. B. Präteritum *can/could*, das im Gegensatz zu [1] zeitliche Opponierung ausdrückt, Negation usw.). Bei defektivem Pattern treten Ersatzformen ein (*be able to, be obliged to* usw.), die bei (1) nicht möglich sind, wenn es sich um homonyme SZ handelt.

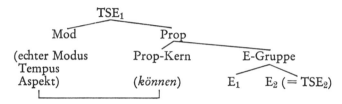

z. B. *(Nur) Peter konnte den Schrank wegrücken.*

(d) Es werden die formal und teilweise auch semantisch ähnlichen *semi-auxiliaries* meist nicht herangezogen, wie *begin, be going to, try, want,* u. a. Für "Modus" sind dabei semantisch vergleichbar besonders *seem* und *appear*. Bald,[34] der sie unter den Kopulae bespricht, schreibt zu diesen Verben:

> Das beiden Verben zukommende Merkmal könnte man vielleicht [+ Vorbehalt] nennen, da, um die Bedeutung zu umschreiben, ein Vorbehalt gegenüber der Faktizität der Äußerung – d. h. der Attribution – ausgedrückt wird.

Im übrigen können *seem* und *appear* als Satzprädikate (s. o.) formal mit *it*-Konstruktionen auftreten, wodurch sie Typ (1) nahestehen.

(e) Schwierig zu beschreiben sind auch sog. "pragmatische" Bedeutungen[35] bei Modalzeichen. Vgl. Leech:

> We can talk about them [modal auxiliary verbs] in terms of such logical notions as 'permission' and 'necessity', but this done, we still have to consider ways in which these notions become remoulded by the psychological pressures which influence

[34] Bald (1972), S. 75.

everyday communication between human beings: factors such as condescension, politeness, tact and irony.
Beschreibungen hierzu sind in vielen Handbüchern eher tentativ.
(f) Es wird zuwenig beachtet, inwieweit Modus durch Satztyp (Imperativ z. B.), Konjunktionen und Adverbien gekoppelt mit Verbformen ausgedrückt wird, also *signifiant*-Spaltung besteht (bzw. Redundanz) – z. B. *Oh wenn ich doch wüßte* [...].

8.3.3. Bei einer einzelsprachlichen wie auch bei einer kontrastiven Deskription sind solche Aspekte zu beachten. Im folgenden kann nur ein Ausschnitt aus der Problematik D–E gegeben werden.

Bei einem Vergleich D–E ist im Hinblick auf die mögliche Begrenzung von zu vergleichenden "modalen Zeichen" in jedem Fall die Einbeziehung nicht-kongruenter *signifiants* bzw. *signifiant*-Gruppen nötig. Auch wenn man sich auf den Verbbereich der OS beschränkt, sind Konjunktive und Hilfsverben einzubeziehen. Dabei sind besonders im Bereich der Hilfsverben Formähnlichkeiten zwischen D und E zu konstatieren, die nicht als semantische Äquivalenz misinterpretiert werden dürfen (*mag-/may*, *möchte-might* u. a.).

Für semantische Äquivalenzbestimmungen beschränken wir uns im folgenden auf einen Kernbereich von modalen Verben, dabei werden ihre "Modulations"-Bedeutungen in Parenthese gegeben. Es ist bei den "echten" Modus-Verwendungen (Typ 1) zu beachten, daß die formalen Präsens-Präteritum-Oppositionen, soweit sie vorhanden sind (*may/might, can/could* u. a., *must*), im allgemeinen keiner semantischen Zeitopposition entsprechen, da Modus a-temporal ist. Dies gilt nur scheinbar nicht, wenn in indirekter Rede *consecutio temporum* herrscht oder explizite Zeitangaben vorhanden sind (z. B. *In those days, a transatlantic voyage could be dangerous*)[36] – beide Male ist Präteritum syntaktische Folgeerscheinung.

Die angegebene Tabelle ist tentativ kontrastiv. Der Vergleich wird gerichtet (E→D) durchgeführt.

[35] Vgl. Leech (1971), hier S. 66/7. Vgl. auch Hallidays (1970) Ansatz von *neutral*, *undertone* (*tentative, deduced*), *overtone* (*assertive, with reservation* [*tonic*]), *oblique* bei Modulation (als *hypothetical, tentative*); S. 329, 340.
[36] Leech (1971), S. 91, dort weitere Beispiele. Hier nur für Typ (1) interessant.

Modulations-Bedeutung (E)	E (Form)	E (Bedeutung)		D (Form)
Obligation, Zwang	must	logische Notwendigkeit		muß
Notwendigkeit	need	Schluß Folgerung	(bes. negativ u. interrogativ für must)	(brauch-)
Verpflichtung, Intention	ought to		Schwächer als must (Sprecher-Zweifel)	sollte
	should		gegenüber ought to unbetont (*shall)	(soll)
Erlaubnis (+ Wunsch) *might – nur in Frage	may	Möglichkeit	(mehr factual als can – nur für Modulation)[37]	(mag)
	might		tentative use[38]	kann
Fähigkeit	can		(pragmat. weniger polite [?])	könnte (*möchte)
	could		tentative use[38]	
Volition, Intention	will	Wahrscheinlichkeit		(wird schon)
	would			würde

[37] Leech (1971), S. 75.
[38] Palmer (1965), S. 129.

Es ist weiter zu beachten, daß für Frage und Negation Änderungen und Restriktionen auftreten, die hier jedoch nicht im einzelnen behandelt werden können.[39] Vom Deutschen aus gesehen ergeben sich schon in diesem beschränkten Bereich Divergenzen (z. B. *kann* > *can/may* bzw. *may/might* u. a.), wobei die "pragmatischen" Aspekte weitgehend außer acht gelassen wurden.[40] Für den Engländer besteht eher Konvergenz, zuzüglich ergeben sich aber Konjunktivprobleme bei indirekter Rede und bestimmten Nebensatztypen. Rechnet man aber die Modulationsverwendungen hinzu, so ergibt sich insgesamt das Bild einer grundsätzlich begrifflich (KL1!) (fast) nicht äquivalenten verschiedenen Feldaufteilung bei (historisch zu begründender) formaler Teil-Kongruenz. Weitet man die Betrachtung aus auf "modale" Adverbien, so ergeben sich weitere Interferenzprobleme, indem im Deutschen vorwiegend Adverbien ± Konjunktiv (*vielleicht würdest Du...*), im Englischen eher Adverbien (meist) + modales Hilfsverb (*perhaps you could...*) stehen. Für den Unterricht empfiehlt sich, zuerst jedoch Interferenzen etwa im Bereich der aufgezeigten Tabelle anzugehen, die Trennung Modalität/Modulation sowie die formalen und semantischen Tempusprobleme zu beachten.[40a]

8.4. Semantische Relationen der Satzglieder [41]

8.4.1. Die Ergänzungen (E) zum Propositionskern in einer TSE sind an sich unbestimmt hinsichtlich der Funktionen und Relationen, in die sie eintreten können, solange sie als Mitglieder eines Felds im Rahmen einer SZ-Klasse gesehen werden. Zum Prop-Kern können die E dann in verschiedenen Funktionen (z. B. als Agens, Instrumental, effiziertes Objekt usw.) treten bzw. über den Prop-Kern bestimmte Relationen (Agens-Patiens, Agens-Instrumental usw.)[42] bilden. Dabei kann die Semantik des E bestimmte Funktionen verhindern (etwa *inanimate/*Agens). Für bestimmte Relationen kann dabei der Propositionskern mehrere SZ umfassen, z. B. ein SZ, das auf der Oberfläche als Verb auftritt und die Relation Agens-Patiens semantisch spezifiziert, und ein

---

[39] Leech (1971), S. 87 ff. (Negation), S. 83 ff. (Frage).
[40] Vgl. zum Deutschen Bech (1949), Welke (1965), Flämig (²1962), Jäger (1971).
[40a] Erst nach Abschluß des Manuskripts war uns zugänglich C. S. Butler: "A Contrastive Study of modality in English, French, German and Italian", in: *The Nottingham Linguistic Circular* 11 (1973), 26–39.
[41] Vgl. speziell Burgschmidt (erscheint).
[42] Als Funktion bezeichnen wir den speziellen Bezug einer E in einer TSE zum P-Kern (bzw. zu P-Kernen), als Relation Beziehungen von zwei oder mehreren E in einer TSE zueinander über P-Kern(e), so etwa die Relation "zwischen", die drei E benötigt, wie in *Max stellte sich zwischen Peter und Hans*.

SZ für eine lokale Relation, das als Präposition auf der OS das Agenszeichen mit einem weiteren E-Zeichen verbinden kann, z. B. für *Er tanzt auf der Straße*

Er	tanzt	Straße
	auf	
E_1 (Agens)	P-Kerne	E_2

Zwar wird E_2 meist die lokale Bestimmung oder Ergänzung genannt, doch treten Agens und E_2 gemeinsam in die lokale Relation ein. Funktionen und Relationen scheinen im Deutschen und Englischen semantisch recht ähnlich. Dies gilt besonders für merkmalarme, semantisch – jedenfalls im Deutschen und Englischen – nicht mehr aufteilbare Funktionen wie Agens, affiziertes und effiziertes "Objekt", Instrumental, Possessiv u. a. Hier ist interlingual dann vornehmlich die Frage nach vorhandener oder nicht-vorhandener Kongruenz (Kasus, Präpositionen), nach Synonymen (z. B. verschiedene Akkusativ-Morpheme) oder Homonymen (z. B. *of* für Possessiv und Objective, *by* für Agens [Passiv] und lokal) zu stellen.

8.4.2. Für das Deutsche und Englische ergeben sich in unterschiedlicher Ausprägung folgende formale Möglichkeiten der Oberflächenrealisation von Funktionen und Relationen:

D	OS-Realisation	E
wegen (2) nicht nötig, bei Kontextbedingungen verschiedentlich Umstellung, vgl. 8.5; bei Neutra (Nom./Akk. gleich) nötig.	(1) *Wortstellung* z. B. SPO[43]-Stellung für Agens-Patiens-Relation usw.	obligatorisch (mit Ausnahmen) für Agens-(*Beneficiary*)-Patiens/ *Objective*: sonst *cleft sentence*.
Nominativ Genitiv Dativ Akkusativ als OS-Kasus; jeweils für verschiedene Funktionen und Relationen	(2) *Flektierte Kasus* z. B. für Funktion Possessiv durch Kasus Genitiv (oder *of/von* [+ Kasus] – vgl. c/d). Bei Relationen erhält (bei Präp.-Verwendung) nur eines der E die (Präp.) + Kasuszeichen	Bei Nicht-Pronomen Genitiv und Nicht-Genitiv, bei Pronomia Subjektskasus, (Genitiv = Possessivum), Objektskasus (*he, his, him*).

[43] S/P/O hier als reine OS-Bezeichnungen.

D	OS-Realisation	E
—	(3) *Präposition* (bzw. Adverb. + Präp.)[44] (bzw. Präp. + Präp.)[45]	(scheinbar) für viele Relationen, besonders auch lokale und temporale; doch offensichtlich bei Pronominalsubstitution Objektskasus – daher vgl. (5).
z. B. bei einem Teil der lokalen Relationen; Dat./Akk. "*er hüpft auf dem/das Dach*"	(4) *Präposition + Kasus* Kasus oppositiv	—
"Rektion" der Präpositionen; Verknüpfung der beiden *signifiants* (für eine Bedeutung) synchronisch als idiomatisch zu bezeichnen	(5) *Präposition mit Kasus* Kasus nicht oppositiv	generell: Präposition mit Objektskasus (Nicht-Pronomina nur potentiell)[46]
z. B. *an* + Dat. + *vorbei*; *in* + Akk. + *hin/herein*;	(6) *Präposition* $\left\{ \begin{array}{c} \pm \\ mit \end{array} \right\}$ *Kasus + Adverb*	—
trennbar/untrennbar ('*übersetzen* – *über'setzen*)	(7) *Präfixe*	untrennbar (schwach produktiv), *overcome*.

8.4.3. Ergeben sich somit auf der Ebene der morphologischen Mittel und damit der Kongruenz Ähnlichkeiten und Unterschiede, so sind bei verschiedenen Relationen doch auch semantische Unterschiede zwischen Deutsch und Englisch zu beachten, was Äquivalenzprobleme auf der Ebene der Semantik aufwirft.

---

[44] Z. B. in *up to*, (*into*!).
[45] Wie in *von unter dem Schrank hervor*.
[46] Fälle wie *at the baker's* werden hier ausgeklammert.

Deutsch	Semantisch opponierende Merkmale der "Ergänzungen"	Englisch
∅, in/im	(1) Jahr, Jahreszeit	in 1970, autumn
(in)/im	(2) Monat	in March
an/am; (Genitiv)	(3) Tagesabschnitt (nicht: night)	in the morning,
an/am	+ prädeterm. *early, late* usw.	in the late afternoon
an/am	(4) limitierender Zeitpunkt	in the beginning, end
an/am	(5) Tag	on Friday, a nice day
an/am; (tags darauf)	(6) Tagesabschnitt + postdeterm. Tagesangabe	on the morning of 21st May
	+ prädeterm. Tagesangabe	on Monday morning
(an/Akk./∅/Gen.)	+ prädeterm. versetzt hinwiesende Angabe (V/Z)	(on) the following morning the next day
	+ prädeterm. (nicht-temp.) Adj.	on a cold morning
an, bei, zu	(7) zeitlich (in NP) nicht fixiertes Ereignis (nicht: *time: at that time*)	on the occasion of ... a trip to .... his third attempt
an/am; um; in, während (Gen.)	(8) Tagespunkt, spezifizierter Tagespunkt	at noon, weekend 9 o'clock the close of ...
in	(9) Tagesabschnitt (nur: *night*)	at (*by*) night
an/am, zu	(10) limitierender Zeitpunkt + (post)determ. Angabe	at the beginning of ...
an, zu	(11) Festtage	at Easter
∅/Akk., an/zu	(12) (1–11) + prädeterminierende deiktische Angabe (*that, next, this, last; every, some*)	∅ last summer, Friday Easter

Eine Interlingua ist wieder durch Addition zu erzielen, z. B. ist für das Deutsche die Relation X "über + statisch" Y durch *über* + Dativ zu bezeichnen (Oppositionen: "über + dynamisch", "unter + statisch/dynamisch" u. a.), für das Englische die Relation "nicht direkt *über*" (statisch oder dynamisch) durch *above* zu bezeichnen (Oppositionen: "direkt über"[*over*], " ± direkt unter" [*under, beneath, below*]). Für die Interlingua gilt: (Deutsch als Interlingua-Metasprache)

	"über"	nicht direkt	statisch
I:			
D:	X	—	X
E:	X	X	—

Funktionell sind *über* und *above* äquivalent, jedoch ist keine begriffliche Äquivalenz vorhanden. Gleiches gilt für *über/over*. Bei den lokalen Relationen sind in den zahlreichen Untergliederungen eher Divergenzen zwischen Deutsch/ (in Richtung auf) Englisch zu beobachten (*über/over-above, unter/under-below-beneath-underneath, in/in-into* u. a.).
Im Bereich der temporalen Einzel-Relationen sind ebenfalls zahlreiche Äquivalenz-Probleme vorhanden. Für den Bereich einer nicht weiter in Beziehung[47] gesetzten Zeiteinheitsbestimmung zeigen sich formal und semantisch verschiedene Abgrenzungen. Daneben ist eine Tendenz der partiellen Konvergenz vom D zum E zu beobachten (vgl. Tabelle S. 264).
Die Interferenz bei der Erlernung E>D und E<D liegt neben den eben skizzierten semantischen Äquivalenzproblemen und den Kongruenzproblemen (8.4.2) in der formalen Ähnlichkeit mancher dem gleichen Morphemtyp angehörigen *signifiants* (besonders bei den Präpositionen *in-in, an-on, über-over*), die nicht-vorhandene (begriffliche) Äquivalenz suggerieren und bei Herstellung funktioneller Äquivalenz oft leicht verwechselt werden.

8.5. Syntax (OS)

8.5.1. Unter Syntax als Oberflächenerscheinung wird hier im Rahmen der Grammatik ein Regelwerk verstanden, das die Reihung der *signifiants* von SZ in einer größeren OS-Einheit (Phrase, Satzteil, Satz [Text]) regelt. Einige dieser Regeln stellen – wie die S-P-O-Stellung im Englischen – selbst *signifiants* von SZ dar (vgl. Kap. 8.4). Meist handelt es sich aber um oberflächenbezogene, somit a-semantische Regeln, die nichtsdestoweniger in manchen ihrer Reihungs-Anordnungen der Logik der Kommunikationsklassifizierung und

---

[47] Zeiteinheit in Beziehung wird durch Präpositionen wie *by, after*, usw. ausgedrückt.

Disambiguierung folgen. Dies gilt besonders für die Syntax der Phrase (NP, VP).

8.5.2. Zur Syntax im weitesten Sinne sollte man aber auch die Morphonologie zählen, da es sich hier um Regeln handelt, die bei direktem Kontakt zweier Morpheme in Reihung auftreten. Die Morphonologie wird in der Sprachdeskription teilweise in einem Kapitel "Morphologie" (Formenlehre) behandelt,[48] neuerdings in der TG im Rahmen der generativen Phonologie. Kontrastiv greifen wir ein Kapitel heraus, das der Assimilation bei der Präteritalbildung schwacher Verben im D und E. Im Englischen tritt regressive Assimilation auf, das Morphem {–D} paßt sich an das letzte Phonem der Wurzel an, im Deutschen bleibt das Präterialmorphem {[–t]} unverändert, der Wurzelauslaut muß sich anpassen, d. h. gegebenenfalls stimmlos werden:

E		D	
{-D}	*baked* [-kt] *sobbed* [-bd] *played* [-(əi)d] *added* [-did]	{-t-} *schleppte* [ptə] *schleppen* [p] *lebte* [ptə] *leben* [b] {-et-}—bei Dental und Kons. + Nasal als Wurzelschluß, *knetete,* *rettete, segnete, ebnete,* *zeichnete, öffnete* (aber: *flennte, dehnte*)	

8.5.3. In der Wortstellung soll hier zuerst rein syntaktisch auf die Stellung der Satzteile zueinander eingegangen werden (Subjekt, Prädikat [Verb],[49] Objekt, Adverbiale – als nicht-semantische Oberflächenbegriffe[50] gesetzt). Wir gehen dabei gleich kontrastiv vor und fragen zuerst nach den möglichen Verbpositionen:

E		D
nein (außer bei intr. Verb ohne Adv.)	(1) *Verb-Endstellung*	ja, im Nebensatz obligatorisch (nach TG generell für syntaktische Tiefenstrukturen im Deutschen anzusetzen)

---

[48] Besonders von der Lateingrammatik (flexivischer Sprachtyp) beeinflußt.
[49] Im folgenden sprechen wir hier nur von Verb.
[50] Die zugrundeliegenden Relationen und Funktionen (Agens, *Objective*, Lokativ usw.) können ja verschieden subjektiviert, objektiviert und adverbialisiert werden.

E		D
ja, aber festgelegt auf SVO	(2) *Verb-Zweitstellung*	generell obligatorisch im Hauptsatz (Aussagesatz), wobei erste Stelle variabel (S, O, A); z. B. *Gestern kam er. Er kam gestern. Ihn schlug er gestern. Gestern schlug er ihn.* usw. Bei nominaler Realisierung des Propositionskerns aber tritt das Hilfsverb in die Zweitstellung: *Getätschelt habe ich ihn, nicht geschlagen.*
nein, im Aussagesatz – mit Ausnahmen (ja im Fragesatz – *do, be, have* als Hilfsverben	(3) *Verb-Klammerstellung*	grundsätzlich bei umschriebenen Verbformen. *Ich habe ihn gestern in N. gesehen. Gestern habe ich ihn in N. gesehen* usw.
Hilfsverb im Fragesatz (Satzfrage)	(4) *Verb-Erststellung*	Generell im Fragesatz (Satzfrage).

Die Klammerstellung sowie die festgelegte Verb-Zweit-Stellung im Hauptsatz (Aussagesatz) sind trotz der offensichtlich freieren deutschen Wortstellung für den Deutschlernenden wichtige Regeln. Sie sind, zusammen mit den folgenden Regeln, für den Engländer im ganzen wohl schwerer zu lernen als für den Deutschen umgekehrt die zwar straff geregelte, aber eindeutige englische Wortstellung.

Für die Stellungsmöglichkeiten der anderen Satzteile zum Verb gilt im allgemeinen (für Hauptsatz und Aussage!):

E		D

allgemein SV
außer:
bei Inversion (*hardly*
had he seen me, ...);
gelegentlich bei Länge des S
oder bei Relativsatz-
anschluß Nachstellung des S
(*In N. lived a man, who* ...);
nach *there, then*, usw.
	Subjekt	variabel, vgl. aber 8.5.4
		außer: beachte Verb-Zweitstellung
		a) SV ("gerade" Wortstellung) [51]
		b) A⎫ VS ("ungerade"
		   O⎭ Wortstellung)
		c) AVAS
		   AVOS u. a.
		(*Morgen findet um 12 Uhr eine*
		Konferenz statt. Gestern
		erschlug ihn der Mörder.)

(selten Satzanfang) indirektes O vor direktem O (*I gave him a book.*)	*Objekt*	variabel (vgl. aber 8.5.4) NB!: Verb-Zweitstellung, somit *AOVS, *OAVS sonst in Verbnähe: OV(A)S, AVOS usw.; bei ind. O und dir. O beide meist nach V (wegen 2. Stellung), aber auch Trennung, wie OViOS, iOVSO, iOVOS; z. B. *Bald gibt* (AV) *der Mann dir das Buch* SiOO *der Mann das Buch dir* SOiO *dir der Mann das Buch* iOSO *das Buch dir der Mann* OiOS *das Buch der Mann dir* OSiO

---

[51] Vgl. Duden-Grammatik (1966).

E		D
Beachte: Unterschied Satz-adverb–Phrasenadverb [52] generell: *SVAO A (AuW): SAVO (1-Wort) ASVO SVOA (1-Wort + Phrasen) A (L, T ASVO K) SVOA dies bei lokal (L), temporal (T), kausal (K) meist. bei Reihung: Ort vor Zeit	*Adverbiale*	sehr variabel bei Reihung Teilung möglich (*Gestern kam in N. ein Mann auf seltsame Weise ums Leben.*) mit generellem A-Austausch. neutrale Folge oft: Zeit, Grund, AuW, Ort.

Die sehr variable deutsche Wortstellung, die bisher nur in ihren syntaktischen Möglichkeiten dargestellt wurde, wird aber spezifiziert und für den Deutschlernenden kompliziert durch die Intonation, die zusammen mit der Bevorzugung bestimmter Stellungen nach Maßgabe des Kontextes (besonders Thema/Rhema-Anzeigung und Reichweite [scope]), große Lernschwierigkeiten aufwirft. Verstöße gegen die deutsche Wortstellung im Bereich dieser "geregelten Variabilität" werden allgemein vom Hörer eher als Verstöße gegen die Akzeptabilität interpretiert. Verstöße gegen die englische Wortstellung können dagegen der Kommunikationsabsicht zuwiderlaufende Relationen anzeigen (z.B. bei zwei personalen Nomina für S und O).

8.5.4. Wie bereits angedeutet, ist ein Teil der Wortstellungsregeln vom situationellen (und sprachlichen) Kontext bedingt. Bestimmte Elemente eines Satzes sind durch den präsenten situationellen bzw. vorausgegangenen sprachlichen Kontext bereits "vorerwähnt", so daß nur ein Teil des Satzes als informatorisch neu gelten kann. (Die vorerwähnten Elemente werden "Thema" genannt, die neuen "Rhema"). [53]
Sowohl im Deutschen als auch im Englischen läßt sich beobachten, daß die thematischen Elemente an den Anfang, die rhematischen an das Ende des Satzes gesetzt werden, so daß die Information vom Bekannten zum Unbekannten

---

[52] Vgl. Greenbaum (1969).
[53] Vgl. hierzu vor allem Firbas (1959, 1964).

fortschreitet. Der intonatorische Schwerpunkt liegt auf dem Rhema bzw. Teilen des Rhemas. Mit "Rhema" ist aber nicht die kontrastierende Emphase gemeint, wie etwa in *Wir haben ihm ein BUCH geschenkt (und nicht eine Schallplatte)*; leider ist aber das Problem der Übergänglichkeit zwischen Rhema und Emphase noch nicht gelöst, so daß eine Interlingua der "Wichtigkeitsgrade" kaum erstellt werden kann. Die Emphase setzt jedoch in der Regel voraus, daß der Sprecher eine bestimmte Information als kontrastierend mit den Erwartungen der Hörer betrachtet, was bei normalem Hauptton auf *Buch* in *Wir haben ihm ein Buch geschenkt* nicht der Fall ist.

Es sei hier nur kurz auf die Konstruktion mit zweivalentem Verb in beiden Sprachen eingegangen. Nehmen wir für das Folgende an, daß bereits von einem Hund die Rede gewesen war; man könnte etwa fortfahren: *Der Hund/ Er biß einen Maulwurf – The dog/He bit a mole.* In dieser Konstruktion nimmt das Thema (*Der Hund* bzw. die Proformen) die Position des grammatikalischen Subjekts ein, das im Deutschen am Anfang stehen kann, im Englischen am Anfang stehen muß; Rhema ist *einen Maulwurf*. Die OVS-Stellung des Deutschen (im Englischen nicht möglich) impliziert häufig kontrastierende Emphase und bedingt eine starke Betonung des O. Im Englischen kann die Emphase durch überstarke Betonung des O in der SVO-Stellung signalisiert werden (wie auch im Deutschen) oder durch den *cleft sentence: It was a mole* ... Diese Konstruktion hat im Deutschen (wegen möglichem OVS) nur peripheren Status.[54] Eine Passiv-Konstruktion wäre gleichfalls in beiden Sprachen emphatisch.

War von einem Maulwurf bereits die Rede, so könnte man fortfahren:

1a A dog bit it.

2a *It a dog bit.

3a It was bitten by a dog.

1b Ein Hund biß ihn.

2b Ihn biß ein Hund.

3b Er wurde von einem Hund gebissen.

In diesem Falle nimmt das vorerwähnte Element, das Patiens, in Aktiv-Konstruktionen die Objektposition und damit häufig die Endstellung ein, die in der Regel für das Rhema reserviert ist. Da 1a und 1b hiermit nicht kongruieren, wird diese Konstruktion wohl eher mit *bit/biß* als Rhema verstanden bzw. mit (leichter) Emphase des grammatikalischen Subjekts. Die Konstruktion 2b wird im gesprochenen Deutschen oft verwendet, vor allem mit anderen Proformen (*Hast du das Haus dort gesehen? Das hat ein Amerikaner gekauft.*). Durch die Rhematisierung des Subjekts in Endstellung ist 2b äquivalent 3a, während 3b

---

[54] Zimmermann (1972), S. 21 f.

(aufgrund von 2b) etwas seltener auftritt. Kirkwood zitiert Fußnoten aus deutschen und englischen Büchern, z. B. *Die beste Gesamtdarstellung der Wortbildung gibt Walter Henzen* ... (OVS) gegenüber engl. *A survey of recent developments in stylistics will be found in* ... (Passivkonstruktion). [55]

8.6. Indirekte Rede

8.6.1. Die Grundsituation stellt sich wie folgt dar:

TSE_1 $\qquad$ TSE_{2a} $\qquad$ direkte Rede

$\qquad\qquad\qquad$ TSE_{2b} $\qquad$ indirekte Rede

(Prop-Kern: *verbum*

$\qquad$ *dicend*i) $\qquad$ = E (resultatives Objekt von Prop-Kern in TSE_1)

Im allgemeinen gilt, daß die indirekte Rede aus der "natürlichen" direkten Rede abgeleitet werden kann, wobei je nach Einzelsprache bestimmte Transformationen (Tempus, Modus, Pronomina, Richtungsverben bzw. -adverbien) zu beachten sind. Die Einordnung in die Syntax macht aber deutlich, daß diese notwendigen Änderungen nur auf dem Hintergrund ihres Pendants in der "direkten" Rede (TSE_{2a}) zu sehen sind und keine einzelne semantische Veränderung einzelner SZ in TSE_{2b} bedeutet. Die einzige semantische Veränderung operiert global auf TSE_{2a} und kann unter Umständen mit "Distanz-Setzung durch Berichten der Rede" [56] bezeichnet werden.

Vor einer genaueren Schreibung der syntaktischen Eigenarten bei der Umwandlung von TSE_{2a} in TSE_{2b} sei angemerkt:

(a) Verschiedene Sätze bzw. Satztypen (Ausrufe, Imperative, Satzwörter, Vokative u. a.) lassen sich schwer oder nur mit zusätzlichen sprachlichen Zeichen in indirekte Rede einbauen. [57] Erweiterung (etwa durch Namennennung) gilt auch bei Pronomenkollision (bes. 3. Pers. – s. u.).

(b) Es gibt Abstufungen zwischen direkter und indirekter Rede. Dies ist einmal die 'erlebte' Rede, in der explizites oder implizites Vorhandensein der TSE_1 nicht gegeben ist, syntaktische Erscheinungen wie Pronomenverschiebung und Konjunktiv (bzw. Konditional *would*) aber notwendig sind. Es gibt aber auch stufenweise Ausklammerung oder Nicht-Erfüllung der vollen Regeln der indirekten Rede, was trotzdem oft nicht als ungrammatisch erachtet wird, so z. B. Indikativsetzung trotz Pronomenverschiebung im Deutschen (*Max sagt, er kommt morgen*);

---

[55] Kirkwood (1969), S. 98.
[56] Das würde historisch auch die Setzung des Konjunktivs, als Modus der nicht vollgültigen Assertion (dagegen: g e n a u so ["direkte Rede"] war es!), erklären.
[57] Vgl. Beispiele bei Dressler (1971), S. 88.

nur teilweise Pronomenverschiebung, z. B. D *Ein Herr sagt, er wünsche die gnädige Frau zu sprechen* (statt *Sie/dich*);[58]
fehlende Verschiebung von Adverbien, etwa D *hier–dort*;
fehlende *consecutio temporum* im Englischen,[59] wenn trotz *that*-Einleitung von TSE$_{2b}$ die Besprechungssituation deutlich bleiben soll.

Auch wenn voll ausgebildete indirekte Rede vorliegt, kann dies in verschiedenem Umfang deutlich sein. Jäger[60] spricht so von dreifacher, zweifacher und einfacher Bestimmung, je nachdem ob regierender Ausdruck (TSE$_1$), Konjunktion und/oder nur der Konjunktiv (im Deutschen) vorhanden sind, z. B.

3-fach   Er sagte, daß er es getan habe.

2-fach   Er sagte, er habe es getan.

1-fach   Er zeigte mir sein neues Buch, das vermutlich ein Bestseller werde.

8.6.2. Vor dem Hintergrund eines Vergleiches Deutsch–Englisch ist es nicht nötig, hier speziell eine vollständige Darstellung der Pronomenverschiebung zu geben. Sie ist für Deutsch und Englisch in gleicher Weise zu beachten. Wichtig sind die Überkreuzungen von 1. und 2. Person, wenn der Sprecher auch E in der Prop von TSE$_2$ ist

Du sagtest ⎫   ich werde dich ...
Er sagte ⎬ <   du würdest mich ...
X sagte ⎭   er würde mich ...

Schwierigkeiten der Identifizierung (und Notwendigkeit, Namen oder andere "echte" Nomina einzuführen) treten auf, wenn (in TSE$_1$ und) TSE$_2$ mehrere Pronomina vorkommen, besonders wenn der Sprecher oder Angesprochene nicht als E Teil von TSE$_2$ ist:

A sagte zu B ⎰ : er (C) geht zu ihm
             ⎱ : er (A, C?) gehe zu ihm (B, D?)

Ähnlich sind auch Verschiebungen im Adverbbereich wie etwa temporal:

this morning –	*that morning*	(D ähnlich)
today	– *that day*	
next week	– *following week*	
yesterday	– *the day before*	und lokal
here	– *there*	aber auch bei direktionalen Verben,

wie Gleasons[61] Beispiel zeigt:

Father: 'Go to mother' – Child: 'What did he say?'
Mother: 'He said, come to me.'

---

[58] Nach Dressler (1971), S. 90.
[59] Vgl. dazu Leuschner (1972) und dort gegebene Beispiele und Literatur.
[60] Vgl. Jäger (1971), S. 75 ff., vgl. auch Flämig (²1962).
[61] Gleason in Alatis (1968), S. 49.

8.6.3. Kontrastiv wichtig sind die Tempus- und (formalen) Modus-Unterschiede. Im Deutschen[62] gilt dabei, daß in TSE_{2b} Konjunktiv oder die Ersatzformen mit *werden* (auch im Konj.) stehen. Dies bedeutet, daß Indikative und Konjunktive in wörtlicher Rede bei Transponierung in indirekte Rede im Konjunktiv zusammenfallen.

Dabei stehen im Deutschen der 1. Konjunktiv (Konj. Präs.) und der 2. Konjunktiv (Konj. Prät.) der Verben bzw. Hilfsverben zur Verfügung. Vom 1. Konjunktiv ist nur die 3. Pers. Sg. eindeutig (*er komme* gegenüber *er kommt*), 2. Pers. Sg./Pl. (du *kommest/ihr kommet* gegenüber *kommst/kommt*) sind nicht sehr gebräuchlich. Lediglich *sein* hat ein durchgebildetes 1. Konjunktiv-Paradigma. Ist die Form des 1. Konj. gegenüber dem Indikativ nicht oppositiv, wird mit dem 2. Konj. oder mit *werden* umschrieben.[63] Letzteres ist bei den schwachen Verben notwendig, die mit *t*-Präteritum gebildet werden, gilt aber auch für manche nicht mehr sehr übliche Konjunktivformen (*bükest* u. a.).

Das heutige Deutsch zeigt somit keine *consecutio temporum*, die von der TSE_1 abhinge. Das Verhältnis sieht folgendermaßen aus (T-Tempus, Z-Zeit):

$$TSE_1 \quad + \quad TSE_{2a} \!=\!\!=\!\!=\!\!=\!\!=\!\!=\!\!=\!\!=\!\!\Longrightarrow TSE_{2b}$$

Z_x/T_x Z: G/T: Präsens $\longrightarrow <$ K. Präsens / K. Präteritum

        Z: (Z)/T: 1. Futur $\longrightarrow <$ K. Präs. (*werden*) / K. Prät. (*werden*)   Auswahl s. o.

        Z: V/T: Prät. Perfekt $\Big\} \longrightarrow <$ K. Präs. (*sein/haben*) / K. Prät.

         Plusquamp. $\rightarrow$ (K. Prät. (*sein/haben*))

Im Englischen ist dies wesentlich anders. Einmal spielt der flektierte Konjunktiv praktisch keine Rolle mehr.[64] Zum anderen operiert eine *consecutio temporum* von TSE_1 auf TSE_{2b}. Steht in TSE_1 ein Zeitbezug (und Tempus) mit den Merkmalen Z/G in der Sprecherstandortbestimmung (Tempora *present t., present perfect, 1st future, be going to, will/shall + be going to*), so behält TSE_{2b} die Tempora der TSE_{2a} (direkte Rede) bei:

---

[62] Vgl. Jäger (1971), Duden-Grammatik (1966) u. a.
[63] Sind beide Konjunktive formal möglich, ist gelegentlich 2. Konj. für 1. Konj. und umgekehrt zu beobachten (bei Irrealis bleibt aber 2. Konj.).
[64] Gerade im amerikanischen Englisch wird er aber wieder häufiger verwendet.

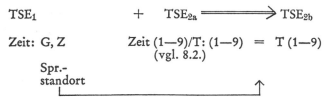

TSE_1 $+$ TSE_{2a} $\Longrightarrow$ TSE_{2b}

Zeit: G, Z Zeit (1—9)/T: (1—9) $=$ T (1—9)
(vgl. 8.2.)

Spr.-
standort

Enthält TSE_1 Zeitbestimmungen mit Sprecherstandortangabe V (Tempora: *past t.*, *past perfect, conditional [would]*), so tritt, wo möglich, eine Tempus-Verschiebung um eine Stufe zu V ein (*present – past,*[65] *present perfect – past perfect, 1st future – conditional* u. a.):

TSE_1 $+$ TSE_{2a} $\Longrightarrow$ TSE_{2b}

Zeit: V   Zeit (1—9)/T (1—9) # (Zeit: 1—9)
(vgl. 8.2.)   Tempora: *past t.* ($\pm$ *be going to*)
Spr.-   *past perfect*
standort   *conditional*
($\pm$ *be going to*
↑ Inf. Prät.)

tense back shift

Diese Unterschiede führen für Lerner beider Sprachen (D>E, E>D) zu Interferenzfehlern. Die Schwierigkeiten sind jedoch für den Engländer größer, auch wenn die genaue Unterscheidung der TSE_2-inhärenten Formverschiebungen im heutigen Deutsch durch Kompetenz-Unsicherheiten der Sprecher in Auflösung zugunsten der Verwendung von *würde* (u. a.) begriffen ist. Damit wird der Kongruenzunterschied Konjunktiv (D) – Indikativ (+ *consecutio temporum*/E) für den Deutsch lernenden Engländer abgemildert, da nur noch die Konjunktivformen von *werden* beherrscht werden müssen. Die Tempusprobleme stellen sich für den Engländer in Konvergenz dar, hier muß der Englisch lernende Deutsche die strikteren Regeln beachten.

8.7. Wortbildung

8.7.1. Der Terminus "Wortbildung" ist an sich vage. Unter Wortbildung kann die Verknüpfung zweier (oder mehrerer) syntagmatisch obligatorisch bezogener SZ (*signifiés* der TSE) in ein Wort der OS (*signifiant*-Konglomerat der OS) gemeint sein, womit ein Teilgebiet der traditionellen Morphologie angesprochen

---

[65] Gilt hier a u c h für modale Hilfsverben o h n e semantische Veränderung wie *may/ might* u. a., während außerhalb der indirekten Rede *may/might* nicht temporal, sondern modal opponiert sind (vgl. 8.3).

wäre. Man kann auch von "elementarer" Wortbildung[66] sprechen. Im Rahmen eines Sprachsystems sind die entsprechenden Regeln obligatorisch und weitgehend ausnahmslos.[67] Dagegen handelt es sich bei der "eigentlichen" Wortbildung um eine optionale "Verkürzung" von TSE-Typen (bzw. Sätzen) zu Wörtern (Komposita, Ableitungen).[68]

Bei der Herstellung solcher eigentlicher Wortbildungen ist zu beachten, daß keineswegs alle Basissatztypen (TSE oder deren OS) zur eigentlichen Wortbildung fähig sind. So können z. B. zu englischen Basissätzen wie (nun OS!)

$$Somebody_1 + V + (habitually) + \frac{something}{somebody_2} + (somewhere)$$

Ableitungen auf -er gebildet werden, indem $somebody_1$ als E topikalisiert wird und Determinatum einer Ableitung wird. V (+ $something$/und/oder $somebody_2$ und/oder $somewhere$) werden dann Determinans. Beispiele sind (car-) driver, play-goer, (wood)cutter u. a. Es stehen so aber nun gegeneinander etwa church-goer und people who go to church (habitually). Diese Wahlmöglichkeit besteht bei elementarer Wortbildung nicht. Ableitungen vom gegebenen Basistyp für eigentliche Wortbildung können nun wahrgenommen werden oder nicht. Werden Bildungen nicht abgeleitet, so kann dies so erklärt werden:
(a) Es besteht keine (außersprachliche) Bildungsnotwendigkeit, z. B. shop-goer, da es im Gegensatz zur Bildung church-goer kaum Leute gibt, die nicht regelmäßig einkaufen gehen müssen.
(b) Es besteht schon eine Bildung auf ein anderes Ableitungsmorphem, z. B. statt -er schon auf $\emptyset$ wie in cheat (Betrüger) oder ein quasi-agent-noun wie in cook (Koch).
(c) Das Basisverb ist strikt transitiv und erfordert auch in der Ableitung eine zweite Ergänzung, wie bei (*) maker, so nur watch-maker u. a.
(d) Verschiedene Verben in dem Basissatz zeigen gemeinsame Restriktionen wie verschiedene middle-verbs (*belonger, *coster, *weigher), die Copula(e) (*be-er) und copula-ähnliche Verben (*appearer, *becomer, *seemer) sowie bestimmte Verben, die illokutionäre Akte anzeigen (*declarer, *promiser u. a.).[69]
(e) morphonologische Beschränkungen.[70]

---

[66] Vgl. Götz/Burgschmidt (1971), 60 f.
[67] D. h. es muß für alle Plurale oder Vergangenheitstempora der Verben eine solche Wortbildung durchgeführt werden, wobei durchaus mehrere Allomorphe eines Morphems oder sogar mehrere voll-synonyme Morpheme zur Verfügung stehen können.
[68] Backformation, clipping u. a. hier ausgeklammert, vgl. Marchand (²1969).
[69] Vgl. Marchand (²1969), S. 274, der für letztgenannte Gruppe das Merkmal "Verben mit Present of Coincidence" hervorhebt.
[70] Hier kaum anzutreffen, vgl. aber bei Adjektiven auf -ish u. a.; vgl. Neuhaus (1971), oder zu -heit/-keit/-igkeit, vgl. Fleischer (²1971), S. 141.

Die Restriktionen (a) und (b) gehören bei genereller Optionalität in die Bildungsnorm, Restriktionen (c–e) in die Bildungssystematik.

8.7.2. Bei der "elementaren" Wortbildung verweisen wir kontrastiv auf die Bildung des Plurals im Englischen und Deutschen. Ergänzungen des Propositionskerns sind entweder quantifizierbar oder nicht (*house – sincerity*). Die Quantifizierbarkeit ist für die obligatorische Formenwahl eine Entscheidung zwischen Zeichen für "eins" und "mehr als eins". Dabei können sog. Kollektiva (*army* u. a.) semantisch pluralisch und formal singularisch, *Pluralia tantum* formal pluralisch und semantisch singularisch sein (z. B. *this is good news*). Bei gleicher interlingualer semantischer Opposition gibt es im Englischen und Deutschen verschiedene Möglichkeiten der Pluralbildung mit bestimmten Restriktionen, welche Interferenz verursachen können.

E		D		
{-S} $\Big\langle$ [s]	cats	{-S} [-s]	Autos[72]	
[z]	dogs	-en	Strahlen	
[iz]	houses	-n	Enten	
-en[73]	oxen	-er[73]	Rinder	
(-ren)	children	Wv+-er[72]	Lämmer	
		-Wv-	Mütter	
-Wv[73, 74]	feet	-ⵁ	Fahrer	
-ⵁ[73]	sheep	-e	Siege	
—		Wv+e	Höfe	

(+ Fremd-Morpheme)

Scheinbare Kongruenzen sind in mehrerer Hinsicht trügerisch. {-S} entsprechen einander weder quantitativ (engl. {-S} das einzige produktive Pluralmorphem) noch qualitativ (im Deutschen keine Allomorphik). Das Deutsche besitzt mehrere produktive Pluralmorpheme, deren Anwendung teilweise von der Singularmorphologie und vom Genus bestimmt wird. So sind die Pluralmorpheme etwa -e und $\emptyset$ praktisch komplementär distribuiert.[75] Für den Englisch lernenden Deutschen liegt weitgehend Konvergenz vor, er muß besonders das (regelhafte) Funktionieren der {-S}-Allomorphik erlernen

---

[71] Geregelte Allomorphe.
[72] Eigentlich Fremdmorphem für das Deutsche.
[73] Nicht mehr produktiv.
[74] Wv = Wurzelveränderung. Um die nur historisch relevanten Begriffe "Ablaut" und "Umlaut" zu vermeiden, werden hier Beispiele wie *foot–feet*, *Mutter–Mütter*, (*binden–*)*Band/Bund* gemeinsam mit Wv bezeichnet.
[75] Vgl. Werner (1969) für das Deutsche.

sowie die Exemplare der nicht mehr produktiven Typen einzeln memorieren. Für den Engländer kommen zu der Divergenz des grammatischen Genus die nur teilweise darauf aufbauenden Verteilungen der Pluralmorpheme. Die Teilkongruenz (*-en/-en, -ren/-er*, Wv/Wv, $\emptyset/\emptyset$) nützt ihm dabei nichts, lediglich einige obligatorische Singular-Plural-Bezüge (*-er* $> \emptyset$, *-e* $>$ *-en*, u. a.) sowie einige semantische Gruppen (*-er*/nicht-derivational bei Familien-Bezeichnungen wie *Brüder, Väter, Mütter* (aber: *Schwestern*) zu Wv mit $\emptyset$, Tiernamen teilweise auf *-er* (*Rinder, Kälber* [mit Wv] u. a.)) können ihm einige (nicht ausreichende) Gedächtnisstützen geben.

8.7.3. In der eigentlichen Wortbildung sei auf das Gebiet der *nomina actionis* eingegangen. Bei Basissätzen des Typs:

Somebody + V + *something* + *somewhere*
   S   P   O   A

kann Subjekt (*driver*), Objekt (*cuttings*), Adverbiale (*bus-stop*) topikalisiert werden,[76] aber auch das Prädikat selbst als *nomen actionis*. Dabei sind zwei Ausprägungen vorherrschend, die abstrakte Nominalisierung (z. B. dt. Infinitiv: (*das*) *Wandern ist gesund*, engl. meist Gerund (nominal bzw. verbal ausgerichtet: *the smoking of cigarettes/ smoking cigarettes is dangerous*) bzw. die Nominalisierung als "instance" (mit Pluralbildungsmöglichkeit, z. B. dt. *Lauf, Zusage*, engl. *meeting* u. a.). Für die Ausprägungen des P-Typ zeigt das Deutsche nun sowohl mehr produktive Suffixe wie auch eine semantische Variation, die im Englischen nicht möglich ist, die Sprechereinschätzung 'pejorativ' (+ teilweise: iterativ) wie in *Blödelei, Raserei, Gerede* u. a. Ableitungen wie *Geschrei* können ebenfalls diese Bedeutung (+ Kollektiv) haben.
Eine Interlingua der *nomina-actionis*-Ableitungen würde daher eher das Deutsche als Ausgangspunkt nehmen, und für das Englische wären verschiedene Subtraktionen bei der Ausgliederung als Einzelsprache nötig. Teilweise ergäben sich sogar Schwierigkeiten, die funktionelle Äquivalenz für deutsche Ableitungen wie *Esserei, Gefrage, Gebrüll* ohne zu lange Umschreibungen zu sichern.
Einzelrestriktionen hier zu vergleichen, würde zu weit führen, aber es sind (besonders im Dt.) alle in 8.7.1 angeführten Restriktionstypen anzutreffen.
Es folgt eine Gegenüberstellung D–E, wobei unproduktive Suffixe in runden Klammern stehen. Sie haben jedoch, wenn die Ableitungsbezüge noch sichtbar sind, Auswirkungen auf die Bildungsnorm; so läßt sich z. B. *Fahrt* noch zu *fahren* stellen (*Fahrung, *Fahr), aber *drift* (?) zu *drive*/da *driving, drive*).

---

[76] Marchand (²1969), in Anlehnung an Lees (1966): S–T, O–T, A–T, P–T, je nach Topikalisierung bzw. Determinatum-Bestimmung eines Teils des Basissatzes. Es ist zu beachten, daß manche Verben mehrere Typen ableiten, so z. B. *bend* (P–T, A–T "Kurve").

D	E
-e : (fem.) Pflege, Zusage	–
(-e+Wv) : (*Lage, Hilfe, Inbetriebnahme*)	
-ei : Blödel*ei*, Heuchel*ei*[77] (fem.)	– [(*)]
-erei : Ess*erei*, Heul*erei*,[78] Ras*erei*	– (nicht als P-T, -*ry*)
Ge+e : *Ge*rede, *Ge*frage (neutr.)	–
-er : Abstech*er*, Seufz*er*,[79] Jodl*er* (mask.)	(? snort*er* [= *gale*], scorch*er*, [= *rebuke*])
-nis (+Wv) : Erleb*nis*, Bewandt*nis*,[80] Begräb*nis* (fem./neutr.)	– (nicht deverbal)
(-*schaft*) : Wander*schaft*	– (nicht deverbal)
(-*tum*) : Irr*tum*, Wachs*tum*	– (-*dom* nur denominal)
-t : Fahr*t*, Fluch*t*, Zuch*t*	*might, flood, death*[81]
-ung : Behandl*ung*, Erreg*ung*	(-*ing*): meet*ing*,[82] drink*ing*, beginn*ing*
Wv : *Flug, Trieb*	*bond*[83]
(-*ian*) : Schlendr*ian*	–
(-*rich*) : Schlenker*ich*	–
Ge+ø : *Ge*schrei, *Ge*brüll	– [(*)]
-ø : *Fall, Lauf*	*fall, blackout, (in)flow*
-en : Treff*en*	–
(Fremdsuffixe)[84]	
-age : Blam*age*	stor*age*
-anz } -enz } : Disson*anz*, Konfer*enz*	(-*ance*/-*ence*): resembl*ance*, depend*ence*
-ion : Eros*ion*, Konzentrat*ion*	(-[*at*]*ion*): neutraliz*ation*
-ment : Abonne*ment*	arrange*ment*, embarrass*ment* -*al*: arriv*al*, withdraw*al*
(-*ur*) : Fris*ur*	-*ure*: clos*ure*, press*ure*
Suppl. : (*sterben*-) *Tod*	(*steal*)- *theft*

---

[77] -*elei* ist denominal (oft über deverbal): *Geheimbündelei* u. a.

[78] Ableitung zwar formal über deverbales Nomen, das aber oft nicht existiert; dadurch Ansetzung des Morphems nicht -*er*+*ei*, sondern -*erei*.

[79] Eventuell auch als O–T zu bezeichnen.

[80] Nur teilweise als O–T (D) oder als S–T (E) zu interpretieren.

[81] Meist formal (und semantisch) verdunkelte Beziehung, im Gegensatz zum Deutschen; im E daher viele dieser Bildungen ausgestorben.

[82] Im E sehr viel seltener "instance"-Bedeutung als im D; diese im E bei -ø häufiger.

[83] Im E selten; historisch meist zu ø abgewandelt oder neugebildet.

[84] In Einzelfällen Bildungen zu englischen Basen (*withdrawal* u. a.).

8.8. Erläuterungen und Literaturhinweise

Kontrastive Handbücher zu diesem Bereich liegen nicht vor. Viele Grammatiken für Lernende von Fremdsprachen jeden Grades sind aber implizite kontrastiv, da sie (gerichtet kontrastiv) fremdsprachliche Besonderheiten zur Muttersprache in Beziehung setzen (und sei es nur in Auswahl und Anordnung). Von den laufenden kontrastiven Projekten werden Aspekte, die in dieses Kapitel "Grammatik" gehören, in Aufsätzen, besonders aber in Dissertationen behandelt. Hier sind besonders auf die (teilweise bereits abgeschlossenen) Dissertationen zu erwähnen, die unter M. Lehnert an der Humboldt-Universität laufen (vgl. Lehnert 1967). Sie sind jedoch nur als Manuskript vorhanden und somit schwer zugänglich. Im Rahmen des *PAKS*-Programms und in Mainz sind ebenfalls Studien zur kontrastiven Grammatik D–E in Bearbeitung.

In bereits relativ breiter Streuung sind grammatische Aspekte im *YSCECP* (Zagreb) für den Vergleich Englisch/Serbo-Kroatisch in Angriff genommen worden. Die Lektüre der entsprechenden Aufsätze in der Reihe *A. Reports* ist für unseren Vergleichsgegenstand besonders methodisch von Interesse. Dissertationen unter der Leitung von M. Wandruszka behandeln ebenfalls grammatische Probleme – meist germanische und romanische Sprachen zusammen (Englisch, Deutsch, Französisch [Italienisch]). Sie geben daher einen größeren Überblick, müssen im Detail aber manchmal ergänzt werden. Die folgenden Angaben wählen aus einer großen Zahl von Veröffentlichen aus:

Allen, R. L.: *The Verb System of Present-Day American English*, The Hague 1966

Bald, W.-D.: *Studien zu den kopulativen Verben des Englischen*, München 1972

Bald, W.-D./Carstensen, B./Hellinger, M.: *Die Behandlung grammatischer Probleme in Lehrwerken für den Englischunterricht*, Frankfurt/M. 1972

Bausch, K. F.: *Verbum und verbale Periphrase im Französischen und ihre Transposition im Englischen, Deutschen und Spanischen*, Diss. Tübingen 1964

Bech, G.: "Das semantische System der deutschen Modalverba", in: *Travaux du Cercle de Linguistique de Copenhague IV* (1949), 3–46

Beneš, E.: "Die funktionale Satzperspektive (Thema-Rhema-Gliederung im Deutschen), in: *Deutsch als Fremdsprache* 1 (1967), 23–28

Bissell, C. H.: *Prepositions in French and English*, New York 1947

Bull, W. E.: *Time, tense and the verb: A study in theoretical and applied linguistics, with particular attention to Spanish*, Berkeley/Los Angeles 1966

Bujas, Z.: "Derivation in Serbo-Croatian and English", in: *YSCECP. A. Reports* 2, Zagreb 1970, 1–9

Bujas, Z.: "Composition in Serbo-Croatian and English", in: *YSCECP. A. Reports* 3, Zagreb 1970, 1–12

Close, R. A.: "Problems of the Future Tense", in: *English Language Teaching* 24 (1970), 225–232, 25 (1970), 43–49

Closs-Traugott, E.: *A History of English Syntax*, New York 1972
Crystal, D.: "Specification and English Tenses", in: *Journal of Linguistics* 2 (1966), 1–34
Daneš, F.: "Order of elements and sentence intonation", in: *To Honor Roman Jakobson*, The Hague 1967, 499–512
Dingwall, W. O.: "Morpheme sequence classes: A taxonomic approach to contrastive analysis", in: *IRAL* 4 (1966), 39–62
Diver, W.: "The Chronological System of the English Verb", in: *Word* 19 (1963), 141–181
Diver, W.: "The Modal System of the English Verb", in: *Word* 20 (1964) 322–352
Dokulil, M.: "Zur Theorie der Wortbildungslehre", in: *Wiss. Zeitschrift der Karl-Marx-Universität Leipzig, Gesell.-Sprachwiss. Reihe* 17 (1968), 203–211
Dressler, W.: *Einführung in die Textlinguistik*, Tübingen 1971
Dubravčić, M.: "The English Present Perfect Tense and its Serbo-Croatian Equivalents", in: *YSCECP. A. Reports* 3, Zagreb 1970, 13–45
Duden. Grammatik der deutschen Gegenwartssprache. Der Große Duden, Bd. 4, bearb. von P. Grebe u. a. Mannheim/Zürich ²1966
Ehrman, M.: *The Meaning of the Modals in Present-Day American English*, The Hague 1966
Engel, U.: "Die deutschen Satzbaupläne", in: *Wirkendes Wort* 20 (1970), 361–392
Firbas, J.: "From comparative word-order studies (Thoughts on V. Mathesius' conception of the word-order system in English compared with that in Czech)", in: *Brno Studies in English* 4 (1964), 111–126
Firbas, J.: "Thoughts on the communicative function of the verb in English, German and Czech", in: *Brno Studies in English* (1 (1959), 39–63
Flämig, W.: *Zum Konjunktiv in der deutschen Sprache der Gegenwart. Inhalte und Gebrauchsweisen*, Berlin ²1962
Flämig, W.: "Grundformen der Gliedfolge im deutschen Satz und ihre sprachlichen Formen", in: *BDGSL* (Halle) 86 (1964), 309–349
Fleischer, W.: *Wortbildung der deutschen Gegenwartssprache*, Tübingen ²1971
Fries, C. C.: "The Periphrastic Future with *Shall* and *Will* in Modern English", in: *PMLA* 40 (1925), 963–1024
Gleason, H. A.: "Contrastive Analysis in Discourse Structures", in: Alatis (1968), 39–63
Götz, D./Burgschmidt, E.: *Einführung in die Sprachwissenschaft für Anglisten*, München ²1973
Greenbaum, S.: *Studies in English Adverbial Usage*, London 1969
Halliday, M. A. K.: "Notes on Transitivity and Theme in English", in: *Journal of Linguistics* 3 (1967), 37–81, 199–244; 4 (1968), 179–215
Hartung, W.: *Die zusammengesetzten Sätze des Deutschen*, Berlin ²1966 (Studia Grammatica IV)
Heger, K.: *Die Bezeichnung temporal-deiktischer Begriffskategorien im französischen und spanischen Konjugationssystem*, Tübingen 1963
Hoffmann, D.: *Studien zur Verwendung der Artikel im Spanischen, Französischen, Englischen und Deutschen*, Diss. Tübingen 1967
Huddleston, R.: "Some Observations on Tense and Deixis in English", in: *Language* 45 (1969), 777–806
Hüllen, W.: "Zwanzig englische Kernsätze und ihre deutschen Äquivalente", in: *Die Neueren Sprachen* 68 (NF 18), (1969), 590–600
Hughes, G. E./Cresswell, M. J.: *An Introduction to Modal Logic*, London 1972

Jäger, S.: *Der Konjunktiv in der deutschen Sprache der Gegenwart*, München/Düsseldorf 1971

Joos, M.: *The English Verb. Form and Meanings*, Madison 1964

Kahl, G.: *Should and would im britischen English*. Eine semantisch-syntaktische Studie unter besonderer Berücksichtigung der Übersetzung ins Deutsche, Diss. Frankfurt/M. 1968

Kalogjera, D.: "The Expression of Future Time and English and in Serbo-Croatian", in: *YSCECP. A. Reports* 4, Zagreb 1971, 50–72

Kalogjera, D.: "A Survey of Grammatical Characteristics of the English Modal Verbs with Regard to Interference Problems", in: *YSCECP. A. Reports* 1, Zagreb 1969, 39–44

Kalogjera, D.: "Lexico-Grammatical Features of 'must', 'should', and 'ought to' and their Equivalents in Serbo-Croatian", in: *YSCECP. A. Reports* 2, Zagreb 1970, 120–134

Kirkwood, H.: "Aspects of word order and its communicative function in English and German", in: *Journal of Linguistics* 5 (1969), 85–107

Kluge, W.: *Perfekt und Präteritum im Neuhochdeutschen*, Diss. Münster 1961

König, E.: "Comparative Constructions in English and German", in: *PAKS-Arbeitsbericht* 1 (1968), Kiel, 59–106

König, E.: "Syntax und Semantik der Modalverben im Englischen", in: *Linguistik und Didaktik* 4 (1970), 245–260

Lakoff, R. T.: "Tense and its Relations to Participants", in: *Language* 46 (1970), 838–849

Leech, G. N.: *Meaning and the English Verb*, London 1971

Lees, R. B.: *The Grammar of English Nominalizations*, Bloomington/The Hague 1966 (4th print.)

Leuschner, B.: "Die indirekte Rede im Englischen: Zur sogenannten 'Zeitenfolge'", in: *Die Neueren Sprachen* 71 (NF 21) (1972), 82–90

Marchand, H.: *The Categories and Types of Present-Day English Word-Formation*, München ²1969

Maček, D.: "Numeratives and Quantitatives in English and Serbo-Croatian", in: *YSCECP. A. Reports* 2, Zagreb 1970, 56–76

Marton, W.: English and Polish Nominal Compounds: A Transformational Contrastive Study", in: *Studia Anglica Posnaniensia* 2 (1970), 59–72

McCawley, J. D.: "Tense and Time Reference in English", in: *Studies in Linguistic Semantics*, (Eds.) Ch. J. Fillmore/P. T. Langendoen, New York 1971, 97–114

McIntosh, L.: *A Description and Comparison of Question Signals in spoken English, Mandarine Chinese, French and German for Teachers of English as a Second Language*, Ph. D. Diss., Univ. of Michigan 1953

Neuhaus, H. J.: *Beschränkungen in der Grammatik der Wortableitungen im Englischen*, Diss. Saarbrücken 1971

Ota, A.: *Tense and Aspect of Present-Day American English*, Tokyo 1963

Palmer, F. R.: *A Linguistic Study of the English Verb*, London 1965 u. ö.

Quirk, R./Greenbaum, S./Leech, G./Svartvik, J.: *A Grammar of Contempory English*, London 1972

Rohrer, Chr.: "Zur Theorie der Fragesätze", in: *Probleme und Fortschritte der Transformationsgrammatik*, Referate des 4. Linguistischen Kolloquiums Berlin 6.–10. Oktober 1969, Hgb. D. Wunderlich, München 1971, 109–126

281

Ross, J. R.: "Auxiliare als Hauptverben" (Übs.), in: *Generative Semantik*, (Hgb.) W.Abraham/R. J. Binnick, Frankfurt/M. 1972, 95–115

Saltveits, L.: "Das Verhältnis Tempus–Modus, Zeitinhalt–Modalität im Deutschen", in: *Festschrift für Hugo Moser*, Hgb. U. Engel/P. Grebe/H. Rupp, Düsseldorf 1969, 172–181

Schipporeit, L.: *Tenses and Time Phrases in Modern German*, München 1971

Schmid, H.: *Studien über modale Ausdrücke der Notwendigkeit und ihre Verwendung. Ein Übersetzungsvergleich in vier europäischen Sprachen*, Diss. Tübingen 1966

Schooneveld, C. v.: "Zur vergleichenden semantischen Struktur der Wortfolge in der russischen, deutschen, französischen und englischen Sprache", in: *Wiener Slavistisches Jahrbuch* XI (1964), 94–100

Spalatin, L.: "The English Demonstratives 'this', 'these', 'that' and 'those' and their Serbo-Croatian Equivalents", in: *YSCECP. A. Reports* 2, Zagreb 1970, 103–119

Stobitzer, H.: *Aspekt und Aktionsart im Vergleich des Französischen mit dem Deutschen, Englischen und Italienischen*, Diss. Tübingen 1968

Strážnický, D.: *Kontrastive Analyse der semantischen Struktur der tschechischen und deutschen Prät. Tempora*, Diss. Leipzig 1966

Svartvik, J.: *On Voice in the English Verb*, The Hague 1966

Der Begriff Tempus – Eine Ansichtssache? Beihefte zur Zeitschrift "Wirkendes Wort" 20 (1969), Düsseldorf

Trier, J.: "Unsicherheiten im heutigen Deutsch", in: *Sprachnorm, Sprachpflege, Sprachkritik*, Sprache der Gegenwart, Schriften des Instituts für deutsche Sprache II, Hgb. H. Moser, Düsseldorf 1968, 11–28 [Tempora]

Twaddell, W. F.: *The English Verb Auxiliaries*, Providence [2]1965

Weinrich, H.: *Tempus. Besprochene und erzählte Welt*, Stuttgart [2]1971

Weizsäcker, V.: *Die Ausdrucksformen passivischer Vorstellungen und ihre Strukturumsetzungen aus dem Englischen ins Französische, Italienische und Deutsche*, Tübingen, Diss. 1968

Welke, K.: *Untersuchungen zum System der Modalverben in der deutschen Sprache der Gegenwart*, Berlin 1965

Werner, O.: "Das deutsche Pluralsystem: Strukturelle Diachronie", in: *Sprache – Gegenwart und Geschichte. Probleme der Synchronie und Diachronie*, Sprache der Gegenwart, Schriften des Instituts für deutsche Sprache V, Düsseldorf 1969, 92–128

Weydt, H.: *Abtönungspartikel. Die deutschen Modalwörter und ihre französischen Entsprechungen*, Diss. Tübingen 1968

Wollmann, A.: "Präsens und Futur in *when*-Sätzen", in: *Praxis des neusprachlichen Unterrichts* 17 (1970), 281–288

Wollmann, A.: "Perfect in Epistemic and Intentional Constructions", in: *Linguistische Berichte* 13 (1971), 15–24

Wunderlich, D.: *Tempus und Zeitreferenz im Deutschen*, München 1970

Zimmer, K. E.: *Affixal Negation in English and other Languages*. An Investigation of Restricted Productivity, Suppl. to Word, XX, 2 (Monograph 5), New York 1964

Zimmermann, G.: "Sprachmittel zum Ausdruck von *future time*", in: *Praxis des neusprachlichen Unterrichts* 15 (1968), 123–134

Zimmermann, R.: *Untersuchungen zum frühmittelengl. Tempussystem*, Heidelberg 1968

Zimmermann, R.: "Themenfrontierung, Wortstellung und Intonation im Deutschen und Englischen", in: *Die Neueren Sprachen* 71 (NF 21), (1972), 15–28

Zimmermann, R.: "Subjektlose und intransitive Sätze im Deutschen und ihre englischen Äquivalente", in: *IRAL* 10 (1972), 233–245

Sachregister (Termini, sprachliche Beispiele, Autoren)

285

Morphem 44
- Null-M. 44
- diskontinuierliches M. 44
Morphonologie (KL: D/E) 266
Motivation 115, 116, 169

N

near-nativeness 170
Negation 41
Nemser (Phonologie) 202
Neutralisation (Phon.) 198
Norm 34, 45, 57, 77, 92
- qualitative N. 92
- quantitative N. 92
Normen 46

O

Oberflächenstruktur 37, 43 ff.
obligatorisch 62, 77
onomasiologisch 55, 67, 72
operative conditioning 112
optional 62, 77

P

pädagogische Grammatik 171
paired associate learning 109 f.
PAKS 11, 21
Palmer, H. E. 173
paradigmatisch 36 f.
Paralinguistik 35
Parallel-Grammatik 24, 49, 59 f., 177, 181
Patiens 261
pattern-Grammatik 47
patterns 173, 182
Performanz 57
Phonem 196
phonetic ability tests 200
Phonologie (KL) 198 ff.
Piaget 108
Pleretik 71
Prädispositionen 112
Präpositionen 265 f.
Pragmatik 78
preventive teaching 17, 141
Proposition (Prop) 39
Propositionskern (Prop-Kern) 41
Prosodie (KL) 204 ff.

R

rank-bound translation 85
Redundanz 198
Reformbewegung 176 f.
Relationen 42
- lokale R. 265
- temporale R. 264
Relatoren 42
response 108 ff., 120
Rhema 208, 269 f.
Rhythmus 212
Rückübersetzung 96, 233 ff.

S

Sapir-Whorf-Theorie 70, 175
Satzglied-Beziehungen/OS (KL: D/E)
    262 ff.
Satzglied-Relationen 261
Satzteil (clause) 44
Ščerba 177 f.
Schriftsysteme 46
Semantik (kontrastiv) 176
semasiologisch 55, 67, 72
serial learning 109
skills (Fertigkeiten) 116
- basic s. 166, 183
- integrated s. 166, 183, 188
- Tests (für skills) 184, 188
Skinner 108
Sprachbarrieren 20
Sprachbetrachtung (KL) 179 ff.
Spracherlernung 106
Spracherwerbsalter 114
Sprachkontakt 16, 106, 118, 130
Sprachlernalter 123, 168
Sprachlernfähigkeit 36, 107, 124
Sprachlernperiode 115
Sprachliche Zeichen (SZ) 36 f.
- geschlossene Klassen 29, 42, 73, 76
- kontextuelle SZ 78
- merkmalarme SZ 29, 73
- merkmalreiche SZ 29, 73
- offene Klassen 29, 41, 73, 76
Sprachpsychologie 106
Sprachtyp
- agglutinierender S. 45
- flexivischer S. 37, 45
- isolierender S. 45

Sprachtypologie 12, 56, 58
Sprachunterricht 46
Sprachwandel 130
Sprachwissenschaft
– "angewandte" S. 48
– "reine" S. 48
Sprechaktthcoric 38 f.
Sprechhandlung 38 f.
Spurentheorie 111, 121
stimulus 108 ff., 120
stimulus control 112
Stimulusgeneralisation 110, 121
stratifikationelle Grammatik 33
Strukturalismus
– funktionaler S. 48
– kybernetischer S. 33, 48
– taxonomischer S. 27, 30, 48, 172
Subjektivierung 45
Supra-Lingua 63
syntagmatisch 36 f.
Syntax
– Definition 245
– KL: D/E 265 ff.
system-reduction-method 65

T

Tagmemik 33
Teilkompetenz (s. auch *transitional
competence*) 55, 128, 135, 171, 184, 189
Tempora (KL: D/E) 250 ff., 254
Temporalpräpositionen (KL: D/E) 264
Tempusoppositionen
– Englisch 251 f.
– Deutsch 252
– Süddeutsch 253
– KL: D/E 254
tertium comparationis 49, 59, 68, 74, 181
Tests 139, 189
– objektive T. 139
– subjektive T. 139
Testbedingungen 106 f.
Text 44
Textabschnitt 44
Textlinguistik 34, 78
Textsorten 188
textual equivalence 80 f., 90
textual translation equivalence 81
TG (und KL) 31 f., 48

TG-Semantik 31 f.
Thema 208, 269 f.
Tiefenkasus 32
Tiefenstruktur (semantisch) 32
Tiefenstruktureinheit (TSE) 36 ff.
Topikalisierung 38, 208
traditionelle Grammatik 27, 172
– t. G. (und KL) 29, 48
Transfer 76, 109, 119, 120 f., 180 ff.
– negativer T. 119
transfer grammars 62, 65
transfer of training 173, 181
Transformationen 38
transformulation 59, 62
transitional competence 14, 18, 96, 127,
136 f., 141

U

Übersetzung 46, 81, 83 ff., 97
Übersetzungswissenschaft 57
uni-cultural situation 169
Universalien 28
– formale U. 28
– substantielle U. 28
Unterrichtsmethodik
– audio-linguale M. 116, 141, 170, 188
– bewußt-vergleichende M. 177
– deduktive M. 173
– direkte M. 116, 172
– grammatikalisierende M. 170
– induktive M. 173

V

Valenz (-Stellen) 42
verbal ability 113, 123, 169
Verbstellung (KL: D/E) 266 ff.
Verbstellung
– Verb-Subjekt D/E 268
– Verb-Objekt D/E 268
– Verb-Adverbiale D/E 269
Vergleich
– gerichteter V. 17, 163
– nicht-gerichteter V. 18, 163
Vermögenspsychologie 119
Version 96
Verstärkung 109, 115, 141
V-Faktor 108
Vier-Phasen-Drill 141, 188

287

W
Weinreich 118
Whorf 30, 70
wiederholte Rede 58, 90
Wiener Thesen (1898) 177
Wörterbücher 98
– einsprachige W. 233 ff., 240
– zweisprachige W. 233 ff., 240
Wort 44
Wortbildung (KL: D/E) 274 ff.
– eigentliche W. 275, 277
– elementare W. 276
– Nomina actionis 278
Wortfeld 72 f., 223 ff.
Wortfeldvergleich 31, 223 ff.

Wortstellung (KL: D/E) 266
Wotjak 224 ff.

Y
YSCECP 11, 21

Z
Zeit (time) 39, 250 ff.
– Sprecherzeit 39
– Handlungszeit 39
Zeiteinheiten 250
– primäre Z. 251
– kombinierte Z. 252
Zweitsprachenerwerb 115